A CAPITAL
DA VERTIGEM

ROBERTO POMPEU DE TOLEDO

A CAPITAL DA VERTIGEM
Uma história de São Paulo de 1900 a 1954

4ª reimpressão

Copyright © 2015 by Roberto Pompeu de Toledo

Grafia atualizada segundo o Acordo Ortográfico da Língua Portuguesa de 1990, que entrou em vigor no Brasil em 2009.

Capa e projeto gráfico de miolo
João Baptista da Costa Aguiar

Imagem de capa
Praça da Sé, 1940
Hildegard Rosenthal | Acervo Instituto Moreira Salles

Imagem de contracapa
Detalhe do Monumento às Bandeiras, de Victor Brecheret
Michael Alves de Lima | Museu da Cidade de São Paulo

Imagens da lombada
De cima para baixo: Nenê Romano (imagem da p. 263); Mário de Andrade (detalhe da imagem da p. 357); Juó Bananére no traço de Voltolino (imagem da p. 156); Prestes Maia (detalhe da imagem da p. 368)

Imagens das páginas 2, 6 e 10-11
Rua São João, rua Direita e largo de São Bento (respectivamente), c. 1900/1920 | Fotos de Guilherme Gaensly | Arquivo Público do Estado de São Paulo

Mapas
Nilson Cardoso

Revisão
Ana Kronemberger
Cristhiane Ruiz
Tamara Sender

Índice de pessoas e de lugares
Nina Lua

Produção gráfica
Marcelo Xavier

cip-Brasil. Catalogação na fonte
Sindicato Nacional dos Editores de Livros, rj

T585c
    Toledo, Roberto Pompeu de
      A capital da vertigem: Uma história de São Paulo de 1900 a 1954 / Roberto Pompeu de Toledo. – 1ª ed. – Rio de Janeiro: Objetiva, 2015.

      isbn 978-85-390-0673-1

      1. São Paulo (sp) – História. 2. São Paulo (sp) – Aspectos sociais. 1. Título.

                          cdd: 981.61
15-20639   cdu: 94(815.6)

[2022]
Todos os direitos desta edição reservados à
editora schwarcz s.a.
Praça Floriano, 19, sala 3001 — Cinelândia
20031-050 — Rio de Janeiro — rj
Telefone: (21) 3993-7510
www.companhiadasletras.com.br
www.blogdacompanhia.com.br
facebook.com/editoraobjetiva
instagram.com/editora_objetiva
twitter.com/edobjetiva

Para André e Daniel

Sumário

Introdução.. 13

A Cidade dos 240 mil aos 580 mil habitantes

I. Sob as barbas do conselheiro.. 23

II. A mágica silenciosa, invisível e inodora... 39

III. Duelo de pranchetas.. 59

IV. Grandes novidades, infinitas emoções.. 81

V. Entre a baixada das chaminés e os altos da Paulista..................... 103

VI. O PRP, unido na alegria e na tristeza (com um jardim no meio).......... 121

VII. Paesandeu, Vila Mariana e Abax'o Piques.................................. 143

VIII. Ao som da *Internacional*.. 161

IX. Dias de medo e de morte... 179

X. Panorama 1920 (com muitos números e um gran finale).............. 197

A CIDADE DOS 580 MIL AO 1,3 MILHÃO DE HABITANTES

XI. Annus mirabilis 1922 213

XII. Pausa para uma revolução 233

XIII. Brás, Bexiga e praça Buenos Aires 253

XIV. Ao encalço da deusa esquiva 267

XV. Águas em transe 291

XVI. O senhor baixinho e gorducho chega para ficar 309

XVII. *Plãoque-plãoque, plãoque-plãque* 325

XVIII. Uma cidade para francês ver 343

XIX. O senhor do burgo 363

XX. Panorama 1940 (o ano do Pacaembu) 383

A CIDADE DO 1,3 MILHÃO AOS 2,8 MILHÕES DE HABITANTES

XXI. Guerra! (Tão longe, tão perto) 403

XXII. O mundo de Jerry 423

XXIII. Fazia frio em São Paulo 441

XXIV. New York-upon-Tietê 459

XXV. A ciranda da multiplicação das artes 477

XXVI. Panorama 1950-1954 (com final feliz para os bandeirantes
de Brecheret) 499

Epílogo 521

Notas 527

Fontes 549

Índice de lugares 565

Índice onomástico 573

23 - Guilherme Gaensly.

Introdução

Num dia de janeiro de 1920, um trio de fogosos rapazes percorria, no ainda não concluído Palácio das Indústrias, no parque D. Pedro II, a exposição de maquetes apresentadas ao concurso para a edificação de um monumento à Independência, no Ipiranga, quando soube por um dos operários em serviço que o primeiro andar do prédio abrigava o ateliê de um escultor. Dá para imaginar a pressa com que se dirigiram à escada provisória que levava ao andar superior. Eram fogosos, já sabemos. E eram amantes da arte. Um deles, aos trinta anos, acumulava a militância no jornalismo com os primeiros passos na literatura; chamava-se Oswald de Andrade. Os outros eram os artistas plásticos Emiliano Di Cavalcanti e Helios Seelinger. Percorrendo os corredores ainda em estado de "ruína em construção", como escreveria um companheiro do trio, à procura do canto em que se esconderia aquele misterioso escultor, dividiam-se quanto ao que esperar. Podia até ser boa surpresa, mas o mais provável é que se tratasse de um daqueles artistas convencionais, formados no gosto acadêmico que o grupo desprezava.

Di Cavalcanti foi o primeiro a dar o sinal. Depois de passar os olhos pelas várias peças espalhadas pelo ambiente, boa parte ainda inconcluída, mas todas traindo um modo novo, estacou diante de uma delas e exclamou: "Mas isto é soberbo!". Só então voltaram a atenção para o moço que se encolhera num dos cantos da sala, um tipo "de rosto comprido, de olhos gateados, hostil e mudo, metido dentro do burel branco, sujo de greda".[1] Victor Brecheret, muito prazer, disse o moço, com um sorriso. Não, ele não disse isso, e muito menos sorriu. Era por demais introvertido, monossilábico e taciturno para se abrir desse jeito com desconhecidos. Ademais, temia que eles não entendessem a linguagem moderna de suas obras, e até caçoassem dele. A surpresa acabou sendo tão grande para ele, ao se ver compreendido, como para os visitantes. Logo a descoberta do solitário do Palácio das Indústrias se espalhou pelo círculo de relações do trio descobridor. Menotti del Picchia, Mário de Andrade, Guilherme de Almeida e outros jovens que igualmente procuravam novos caminhos para a arte aderiram ao círculo de admiradores do artista. Amiudaram-se as visitas ao ateliê. Até um escritor notoriamente avesso ao que se considerava "arte moderna", o já conhecido e festejado Monteiro Lobato, foi atraído pelo burburinho e aventurou-se ao Palácio das Indústrias. Também ele aderiu.[2]

Primeiro Menotti, depois Oswald de Andrade e Mário de Andrade e até Lobato iniciaram uma blitz de artigos de imprensa em louvor de Brecheret, então com 25 anos e só havia poucos meses de volta de seis anos de estudos na Itália. O escultor tornou-se para eles a personificação de uma causa. Representava o novo contra o velho, a invenção contra o arremedo, a audácia contra a acomodação. Mas não ficaram só no plano das ideias: queriam oferecer Brecheret à cidade. Surgiu entre eles o desejo de encomendar ao escultor um monumento aos bandeirantes, mito fundador da têmpera paulista, agora reciclado para representar igualmente o trabalho e o espírito empreendedor que explicariam o recente e surpreendente desenvolvimento de São Paulo. Estava-se às vésperas da celebração do centenário da Independência do Brasil. O Monumento às Bandeiras seria implantado na cidade como parte dos festejos, mas não seria um monumento de gosto decrépito. O episódio do passado seria representado em linhas modernas. O passado produziria o futuro.

Os rapazes viviam dias de vibrante entusiasmo. Partilhavam a convicção de lhes ter cabido viver no tempo certo, o tempo da eletricidade, da velocidade, da indústria, do rádio, do arranha-céu e do bulevar. E de também lhes ter cabido viver no lugar certo — a cidade que, na frente de outras, no Brasil, arrancava rumo à mais do que nunca cobiçada, embora elusiva, deusa chamada Modernidade. Tudo somado, atacava-os uma espécie de vertigem. E não estavam sós. A vertigem deles, movida a arte, refletia a vertigem industrialista que assaltava a cidade na forma de chaminés, do apito das fábricas e, naqueles tempos, da bendita fuligem; a vertigem demográfica, traduzida numa infrene escalada populacional; a vertigem social, em que uma massa de operários abalava o antigo sossego dos proprietários; a vertigem urbanística, em que se programava e reprogramava a cidade. São Paulo era a capital da vertigem.

Maquete original do Monumento às Bandeiras | Instituto Victor Brecheret.

Em curto prazo Brecheret concebeu o Monumento às Bandeiras; em junho, a maquete estava pronta. O pouco tempo é tanto mais surpreendente quando se tem em conta que partiu do zero: ele nada sabia de bandeiras e bandeirantes. Menotti del Picchia teve de assumir o papel de seu professor para o tema.[3] Brecheret se dizia paulista, mas na verdade nasceu na Itália, e só aos dez anos emigrou para o Brasil, para se instalar com uns tios na rua Jaguaribe. Possivelmente escamoteava o local de nascimento para poder candidatar-se a uma bolsa do Pensionato Artístico do governo do estado, que distribuía bolsas aos nativos da terra para estudar na Europa. Também era uma pessoa sem pátria linguística definida. Segundo um contemporâneo, falava "uma língua que mal se entendia, mistura de português, francês e italiano", e produzia frases assim: "O cão ele avançava, *per Bacco, et moi je recoulais*".[4]

Deve significar alguma coisa que os rapazes tenham escolhido um artista com essas características para representar o supostamente paulistíssimo tema do bandeirismo. E deve significar alguma coisa que um artista com essas características tenha se apaixonado por um tema supostamente tão exclusivamente paulista. Não foi daquela vez que a ideia vingou. Sem patrocínio público ou privado, o trabalho, em que dois cavaleiros abriam um cortejo de gigantescos homens nus, juntos num heroico e impetuoso avanço, ficou na maquete. Mas Brecheret jamais a esqueceria. A história desse monumento pontuará momentos decisivos deste livro — a começar deste primeiro, em que mais ou menos por acaso um grupo de rapazes delirantes vai arrancar de seu tugúrio, entre os andaimes e a tinta fresca do Palácio das Indústrias, o artista encarregado de traduzir em granito uma certa ideia dos paulistas e de São Paulo.

São Paulo tinha 31 385 habitantes em 1872, quando foi realizado o primeiro censo nacional. Ficava atrás não só do Rio de Janeiro, de Salvador e Recife, cidades já nascidas com vocação de centros importantes, mas também de Belém, Niterói, Porto Alegre, Fortaleza e Cuiabá. São Paulo era a prima pobre, a enjeitada, a excluída — capital distante e roceira de uma província que passara os três primeiros séculos e meio de vida imersa no sono das coisas que ainda não aconteceram. Os registros feitos mais ou menos por essa época pelo primeiro fotógrafo da cidade, o carioca Militão Augusto de Azevedo, revelam um vilarejo de casebres mal-ajambrados, ruas de terra batida, charcos, raras pessoas na rua, animais dormitando pelas esquinas. E isso foi ontem, em termos históricos. São Paulo é Maurília.

Maurília é uma das "cidades invisíveis" do escritor italiano Italo Calvino. "Em Maurília", escreve Calvino, "o viajante é convidado a visitar a cidade ao mesmo tempo em que observa uns velhos cartões--postais ilustrados que mostram como esta havia sido: a praça idêntica mas com uma galinha no lugar da estação de ônibus, o coreto no lugar do viaduto, duas moças com sombrinhas brancas no lugar da fábrica de explosivos." À "magnificência e prosperidade da Maurília metrópole" contrapõe-se a "graça perdida da Maurília provinciana". Mas, na verdade, tal graça só existe nos cartões-postais. Na Maurília provinciana real "não se via absolutamente nada de gracioso, e ver-se-ia menos ainda hoje em dia, se Maurília tivesse permanecido como antes". Os velhos cartões-postais, conclui o autor, "não representam a Maurília do passado, mas uma outra cidade que por acaso também se chamava Maurília".

Em 2003 publiquei um volume sobre um vilarejo que só por acaso também se chamava São Paulo. *A capital da solidão* custou-me quatro anos de trabalho e cobriu um período que ia das origens da cidade até 1900. No último terço do livro o vilarejo despertava do sono e iniciava uma arrancada. São Paulo é feita de travessias bruscas. No segundo censo nacional, de 1890, a população dobrou — 64 934. Numa contagem promovida pelo governo do estado em 1893, apenas três anos depois, dobrou de novo — 130 775. E no terceiro censo nacional, em 1900, tinha 239 820 habitantes. Já era a segunda cidade brasileira, atrás apenas do Rio de Janeiro. É desse ponto que retomo o tema para tratar de outra Maurília, igualmente diferente, tanto da que deixei no outro livro como da que se apresenta nesta segunda década do século XXI.

Revisitar a cidade da primeira metade do século XX, objeto deste volume, é invocar um fantasma. É capturar imagens que só aos poucos se delineiam por trás da cortina imprecisa formada pelo fenômeno a que chamamos garoa. A garoa era para a cidade atributo comparável ao que para outras cidades é um rio, o amplo céu ou uma montanha ao fundo. São Paulo era a capital da garoa, de cuja configuração só se tem ideia recorrendo aos testemunhos do período. "Era uma coisa linda. A cidade ficava toda coberta de neblina", informa o escritor Mário da Silva Brito.[5] Outro autor descreve a cidade vista à noite do alto da Freguesia do Ó, arrebatada por uma iluminação "que pisca, tremeluz, pisca lembrando faróis apontando os escolhos submersos no mar nevoento da garoa".[6] Outro ainda, António de Alcântara Machado, ao lembrar as noites altas em que via passar no bairro de Santa Cecília, a caminho de casa, o caricaturista Voltolino, na "hora úmida da garoa, hora dos automóveis farristas, hora do guarda-noturno de capotão e porrete", escreveu: "Seu vulto comprido agigantava-se na bruma. Depois era um borrão. Depois nada".7 Num poema, Afonso Schmidt perguntou:

> *Que cabeleira prateada voa*
> *e se enrosca nas árvores despidas*
> *crucificadas,*
>   *pelas avenidas?*
>
> [...]
>
> *Que som suave é este que nem soa,*
> *mão de sonho que bate nas vidraças,*
> *como quem quer entrar e ninguém passa?*
>
> *Que multidão meu silêncio povoa?*
> *Que véu de noiva minha face beija*
> *e que umidade meu olhar mareja?*

E respondeu: — *A garoa...*[8]

    A São Paulo cuja trajetória este livro acompanha começa preparando-se para o destino de metrópole e termina metrópole de pleno direito. Em 1954, ano em que completou quatrocentos anos, tornou-se a maior cidade brasileira. Mas, grande como se apresentava, não deixava de ser, como Maurília, uma outra cidade, com relação ao que se tornou. É preciso acostumar os olhos a esta estranha mistura de luminosidade e penumbra a que chamamos garoa, a cair sobre as avenidas, os edifícios, as pessoas, as agitações, a violência, a beleza, as agruras e as aspirações daquele período, para começar a discernir as imagens dessa Maurília.

* * *

Este livro assenta-se em boa parte em outros livros, teses, artigos e reportagens a cujos autores, dos mais ilustres ao anônimo repórter do cotidiano da metrópole, vai meu primeiro agradecimento. Amigos queridos e interlocutores habituais como Antônio Fernando de Franceschi, Carlos A. C. Lemos, José Alfredo Vidigal Pontes, José Luís da Silveira Baldy, Benedito Lima de Toledo, Marco Antônio Villa, Marisa Lajolo e Regina Prosperi Meyer ajudaram de diversas formas, ao longo do processo. Forneceram indicações bibliográficas, resolveram dúvidas pontuais, ampararam-me com as luzes das respectivas especialidades. Sobretudo aprendi, como venho aprendendo há anos, com as longas conversas com eles. Alguns leram partes dos originais e foram decisivos para aprumar-lhes os rumos.

Mauro Ventura e Daniela Duarte, da Editora Objetiva, cuidaram da edição como se fosse obra deles, tal o devotamento e a minúcia com que se lançaram ao trabalho. Como no volume anterior, o artista gráfico João Baptista da Costa Aguiar empenhou seu talento na produção da capa e da programação visual das páginas internas. Ao editor Roberto Feith agradeço o entusiasmo com que recebeu a ideia de voltar a este assunto e o apoio prestado desde então.

A pesquisadora Susana Horta Camargo me foi fundamental ao longo de toda a empreitada. Com experiência, competência e faro para achar livros, jornais, revistas e documentos raros, muitas vezes voltava com mais do que lhe tinha sido encomendado. Foram seus habituais colaboradores nessa empreitada Vera Lúcia Lucas Pinto, do Departamento de Documentação e Pesquisas (Dedoc) da Editora Abril, e Carlos Eduardo Entini, do Arquivo do jornal O Estado de S. Paulo. Também lhe foi de valia a boa vontade dos funcionários das seguintes instituições: Academia Paulista de Letras, Acervo Histórico da Assembleia Legislativa do Estado de São Paulo, Arquivo Histórico de São Paulo, Arquivo Público do Estado de São Paulo, Biblioteca Mário de Andrade, Biblioteca do Museu de Arte de São Paulo Empresa Paulista de Planejamento Metropolitano-Emplasa, Escola Politécnica da Universidade de São Paulo, Faculdade de Direito da Universidade de São Paulo, Faculdade de Filosofia, Letras e Ciências Humanas da Universidade de São Paulo e Fundação Sistema Estadual de Análise de Dados-Seade.

Por fim, minha mulher, Maria Isabel, além da infraestrutura doméstica e afetiva de que o operário das letras necessita para o bom funcionamento de seu ofício, leu os originais e captou-lhe os deslizes com olho atento.

A cidade dos 240 mil aos 580 mil habitantes

I.
SOB AS BARBAS DO CONSELHEIRO

Poucas vezes o título de "conselheiro" caiu tão bem a seu portador. Não porque ele fosse pródigo em dar bons conselhos — podia até eventualmente ser, não é o caso —, mas pelo que a palavra invoca de solene e de vetusto. O conselheiro Antônio Prado era do tipo que, muito jovem, já é velho. A barba completa, cerrada e comprida, muito negra, seguia o modelo d. Pedro II, outro que desde jovem era velho. Ou o modelo "rei de espadas", conforme descrição de um íntimo.[1] O bigode engolia-lhe a boca. A miopia lhe conferia um conveniente ar distante. Para combatê-la, usava óculos sem hastes, os pequenos aros ovalados apenas pousados no nariz. Aos cinquenta anos, a frondosa barba e os cabelos ainda fartos, embora com entradas laterais, ainda se apresentavam rigorosamente negros. Uma foto de cinco anos depois já o mostra com os pelos brancos ameaçando o domínio dos negros num ataque de pinça a partir das laterais da barba. Daí para a frente nada deterá a marcha triunfal dos pelos brancos — e o conselheiro triunfará com ela. Reunindo-se a velhice de nascença com a velhice de verdade, mais conselheiral ainda se tornará sua figura.

O testemunho dos contemporâneos completa-lhe o retrato. "Figura atraente, de plástica majestosa, dominava na expressão da voz, na pouquidade das palavras, na síntese do pensamento e num quê de simpatia, eminência e gravidade incontrastável", registrou um deles.

Outro o descreveu como "alto, forte, de andar marcial". Outro ainda acrescenta-lhe a "casmurrice, a carranca fechada, a cara de poucos amigos", tudo isso e mais "o excesso de sua miopia" servindo de "arma de defesa contra os indesejáveis".[2] Um artigo do jornal O *Estado de S. Paulo* pinta-o como "varão severo, de escassas palavras, algo autoritário, franco e ríspido, que parecia só ter inteligência e cuidados para os problemas econômicos, para as coisas sérias".[3] No dia 7 de janeiro de 1899, essa figura venerável, a mais venerável de seu tempo e lugar — de respeitabilidade, em todo o Brasil, só comparável a Rui Barbosa e ao barão do Rio Branco, avaliou um historiador[4] —, torna-se prefeito de São Paulo, o primeiro da história. Sob seu comando, terá início uma cadeia de reformas cujo objetivo será adequar a acanhada urbe oitocentista, em muitos aspectos ainda recoberta pelo mofo colonial, aos tempos de riqueza trazida pelo "ouro verde" — apelido da miraculosa plantinha que produzia o miraculoso café.

Antônio da Silva Prado, naquele dia a um mês e dezoito dias de completar 59 anos, vinha de longe, de muito mais longe do que a sua idade. Vinha de um poderoso tronco. O avô, também chamado Antônio, nascido em 1788, fez fortuna como dono de tropas de mulas, o único meio de transporte terrestre de cargas à época, e como comerciante. Acabou banqueiro, dono de terras, magnata e barão — barão de Iguape, o título com que foi nobilitado pelo imperador. Se a família já se fizera rica e poderosa ao tempo desse avô, mais ainda se faria na geração seguinte. Filha do velho Antônio foi a famosa Veridiana, destinada a tornar-se a grande dama da sociedade paulista de seu tempo. Veridiana casou-se aos treze anos com um meio-irmão do pai, Martinho Prado, quinze anos mais velho. O casamento ia terminar em separação, algo raro e chocante naqueles tempos, mas de forma alguma se pode dizer, como é costume, em face dos casamentos desfeitos, que fracassou. Muito pelo contrário, sob ponto de vista estritamente objetivo, teve resultados espetaculares. Martinho, nas terras para as bandas de Mogi Mirim, que ganhou de dote do meio-irmão e sogro, tomará o decisivo passo de substituir a cultura da cana-de-açúcar, até então o esteio da agricultura paulista, pela do café. Estava dada a partida para, muitas terras e muitos cafezais depois, transformar-se a família na maior produtora de café de São Paulo, portanto do Brasil, portanto do mundo.[5]

Veridiana, enquanto isso, ia parindo os filhos. Antônio, aquele que viria ser o "conselheiro", foi o primeiro de uma série de oito, dos quais seis chegaram à vida adulta. Nasceu quando ela tinha quinze anos, em 1840, na casa do avô, situada na rua de São Bento, esquina de rua Direita, no lugar em que décadas depois seria aberta a praça do Patriarca. Outros filhos viriam igualmente a se destacar. O segundo, Martinho como o pai, e para distinguir-se dele chamado de Martinico, notabilizou-se como líder republicano, uma opção de rebeldia iconoclasta numa família em que o normal era ser monarquista e do Partido Conservador. Menos mal que, se a alma podia dar sinais de estouvamento, o bolso conservava-se no devido lugar. Martinico foi parceiro do irmão mais velho no desbravamento dos sertões então ignotos de além Mogi Guaçu até Ribeirão Preto e mais adiante, regiões em que ao ataque impiedoso das florestas sucedia a vitoriosa invasão do exército de cafezais. Outro irmão, Caio, foi jornalista e político, e Eduardo, o caçula, um intelectual que, muito afeito à terra e às tradições de São Paulo, sobre cuja história escreveu, para viver preferia mesmo Paris.

Exceto por um pequeno hiato, durante o período regencial, o cargo de prefeito inexistiu na história brasileira até a proclamação da República. Quem cuidava dos municípios, tanto na Colônia como no Império, eram as câmaras de vereadores, com interferência frequentemente grande dos governadores da capitania, na Colônia, ou dos presidentes da província, no Império. A Constituição Republicana de 1891 instaurou o federalismo no país, com o que os estados ganharam poderes antes exclusivos do governo central, inclusive o de legislar sobre o modo de administração dos municípios. No estado de São Paulo, seguiu-se período em que se criaram "intendências" para governar as cidades. O conceito de "intendente" variou de sinônimo de vereador a membro de organismo especializado, voltado para um determinado setor da administração (Intendência de Obras, de Justiça, de Saúde, de Finanças). A instabilidade política e institucional era a marca da administração municipal, inclusive como reflexo das turbulências que se sucediam no plano nacional com a renúncia à presidência do marechal Deodoro da Fonseca. Depunham-se vereadores e nomeavam-se outros ao sabor de seus vínculos com os favorecidos ou os decaídos do momento no Rio de Janeiro. Enfim, em novembro de 1898, foi aprovada a lei municipal n. 374, criando os cargos de prefeito e vice-prefeito, a serem escolhidos pelos vereadores entre seus pares.[6]

Antônio Prado percorrera no Império toda a gama de cargos eletivos disponíveis — vereador, deputado provincial (o equivalente ao que viria ser o deputado estadual), deputado geral (o equivalente ao deputado federal), senador. Por duas vezes também fora ministro — da Agricultura (1884/87) e dos Negócios Estrangeiros (1889) — e, de permeio, recebera de d. Pedro II o título de "conselheiro", ou seja, membro do Conselho do Império. Proclamada a República no dia 15 de novembro, no dia 19 já se apressava, com alarde, e com o peso de sua autoridade, a dar apoio ao novo regime, com a argumentação de que "seria inútil, neste momento, contestar a legitimidade da sedição vitoriosa" e de que "a principal preocupação dos brasileiros é a necessidade de manter a ordem e a tranquilidade pública".[7] Recusou-se, porém, a integrar a junta provisória que assumiria o governo estadual. "Sou ainda senador do Império", justificou.[8] Eleito para a Constituinte de 1891, não tomou posse. E manteve-se afastado da vida pública durante toda a primeira década do novo regime. Não lhe faltava o que fazer no setor privado. Voraz empreendedor, de fazendeiro multiplicara-se em comerciante, industrial e banqueiro. Entre outras iniciativas, fundara em 1887 a Casa Prado Chaves, exportadora de café, em sociedade com o cunhado Elias Pacheco Chaves, casado com sua irmã Anésia; em 1889, o Banco do Comércio e Indústria de São Paulo; e, em 1895, outra vez em sociedade com o cunhado, a Vidraria Santa Marina, primeira fábrica do gênero na América Latina.[9] Também fora um dos fundadores, em 1868, da Companhia Paulista de Estrada de Ferro e, desde 1892, tornara-se seu presidente. O jejum de cargos públicos seria quebrado com a eleição para vereador e a subsequente escolha, pelos pares, para exercer o cargo de prefeito.

A São Paulo que ao conselheiro cabia administrar já ultrapassava os 200 mil habitantes. O censo de 1900 iria atribuir-lhe 239 820 habitantes. Isso significava um aumento de mais de 3,5 vezes com relação aos 64 934 habitantes apontados pelo censo anterior, o de 1890. O ritmo de crescimento, impulsionado pela riqueza do café e pelo afluxo dos imigrantes, era vertiginoso. O futuro estava ali na esquina. No entanto, para a cidade mostrar-se digna dele, ainda faltava muito. Se, na época do presidente provincial João Teodoro, nos anos 1870, houvera avanços, com a abertura de novas ruas, o calçamento de outras, e tentativas de drenar e tornar transitáveis as áreas encharcadas das margens do Tamanduateí, ainda havia muito o que fazer. As ruas eram irregulares, mal calçadas, quando o eram, e a maioria das casas se aguentava nas velhas estruturas de taipa. O mato avançava, mesmo junto a áreas de maior movimento. No coração da cidade — a velha colina abraçada pelos rios Tamanduateí e Anhangabaú —, ali onde tudo pulsava e tudo acontecia, tudo era, também, muito apertado. Largos como o da Sé, o do Palácio (o ex e futuro pátio do Colégio), o de São Bento e o de São Gonçalo (havia pouco rebatizado de João Mendes) não eram dignos desse nome.

A visita da fortuna viera tão de repente que a cidade não tivera tempo de se aprontar. "Reconhece-se logo à primeira vista que não se contava com um desenvolvimento tão importante", escreveu um observador. "O que desagrada principalmente são as ruas íngremes, a maior parte construídas de modo primitivo, e o extenso vale que se vê de vários pontos e que, embora habitado, nem por isso é pitoresco."[10] O observador em questão retratava a cidade de 1896, três anos antes da posse de Antônio Prado, e o desagradável vale a que se refere não é outro senão o do Anhangabaú, colado ao Centro. Sob o recém-inaugurado viaduto do Chá — ainda em sua versão primitiva, de estrutura metálica, aberto em 1892 — o que se vislumbrava era uma sucessão de mato, plantações e casinholas, a cobrir as duas margens do riacho. O mesmo observador contrasta, no entanto, tais aspectos desoladores com a "animação das ruas", nas quais "não é difícil reconhecer que aqui habitam homens sérios e trabalhadores". A São Paulo da virada do século era isto: metade avanço metade atraso, metade urbana metade rural, trepidante no seu miolo e sonolenta nos arredores, rica nos nobres e recém-constituídos bairros dos Campos Elíseos e Higienópolis, pobre nos bairros em que se amontoavam os imigrantes, e miserável nos sombrios desvãos urbanos que sobravam para os negros.

O trem, que desde 1865, com a inauguração da São Paulo Railway, apelidada de "A Inglesa", e mais tarde conhecida como Santos-Jundiaí, impregnava a cidade com seus trilhos, determinava mudanças importantes na fisionomia urbana. Outras duas estradas de ferro elegeriam a cidade como ponto de partida, a Sorocabana e a Estrada de Ferro do Norte (a futura Central do Brasil), ambas entradas em operação no mesmo ano de 1875. A Inglesa inauguraria, em 1901, sua nova e esplêndida estação, no mesmo lugar onde existira a acanhada estação primitiva, no bairro da Luz. Era toda feita com materiais importados da Inglaterra, até com um relógio inspirado no Big Ben, e desde logo se impôs como um dos símbolos do progresso paulistano. A Estação Sorocabana e a Estação do Norte, como a outra, começaram em prédios modestos, mas já nos mesmos lugares em que, futuramente, ergueriam, respectivamente, a Estação Júlio Prestes e a Estação Roosevelt, a primeira também no bairro da Luz, a segunda no do Brás. A presença das estações gerou novos fluxos de trânsito e condenou ao ostracismo os antigos, usados pelas tropas de burros. Com isso subúrbios surgidos como pousos de tropa, como a Freguesia do Ó e a Penha, conheceram o isolamento e a decadência. As estações de trem inauguraram fluxos entre elas e o Centro que vieram se sobrepor amplamente às históricas entradas da cidade pela várzea do Carmo, caminho de quem vinha a cavalo, ou das mercadorias que chegavam no lombo dos burros.

Falta dizer que São Paulo era uma cidade de maioria estrangeira. Já um levantamento realizado em 1893 pela recém-criada Repartição de Estatística e Arquivo do Estado apontava, entre os pouco mais de 130 mil habitantes da cidade, um percentual de 54,6% de estrangeiros contra 45,4% de brasileiros.[11] Em princípio, como se sabe, a imigração fora promovida para substituir os escravos no trabalho das fazendas. Múltiplas razões, no entanto, atraíam os imigrantes também para as cidades, e mais do que qualquer outra, para São Paulo. Uma era a fuga de fazendas cujos proprietários insistiam em dispensar aos europeus da colônia os mesmos maus-tratos que secularmente haviam se habituado a dispensar aos negros das senzalas. Outra era a astúcia de imigrantes que, antes artesãos do que camponeses em suas terras de origem, desde logo davam um jeito de ficar nas cidades para continuar exercendo os mesmos ofícios. Uma terceira decorria de que, em paralelo à imigração oficial, incentivada e destinada à lavoura, floresceu uma imigração espontânea. Atraídos pelo mesmo sonho de "fazer a América", mas desobrigados de viajar em grupo, ser despejados na Hospedaria dos Imigrantes e de lá destinados às fazendas, os imigrantes espontâneos estabeleciam-se onde mais lhes parecia conveniente. Em quarto e mais importante lugar, havia uma notável novidade no horizonte — São Paulo começava a industrializar-se. Em consequência, carecia de mão de obra tanto quanto o campo. Descrevendo a cidade de 1902, o jurista Jorge Americano, autor de livros de memória sobre a São Paulo em que coube viver, afirma que despontavam nela "trinta ou quarenta chaminés".[12] Com as fábricas, delineavam-se os bairros industriais, que eram também os locais de residência dos operários. Começava a construir-se a legenda dos bairros de imigrantes — Brás, Mooca, Bom Retiro, Bexiga.

Para o impulso que a cidade tomará durante sua longa gestão, serão decisivos dois encontros de Antônio Prado: um, com o jovem engenheiro Victor Silva Freire; outro — não estranhe o leitor —, com um animal marinho. A relação com Silva Freire foi harmoniosa; com o animal marinho, conflitada. Do animal marinho falaremos no próximo capítulo. Victor Silva Freire não completara trinta anos quando, no dia 21 de dezembro de 1898, recebeu o seguinte bilhete do engenheiro Adolfo Pinto, principal colaborador de Antônio Prado na Companhia Paulista de Estrada de Ferro:

"O sr. cons. Prado pediu-me hoje para dizer que tivesse a bondade de procurá-lo qualquer dia, neste escritório, mais ou menos às duas e meia horas da tarde, para conversar sobre assunto de seu interesse."[13]

Faltavam ainda dezessete dias para o conselheiro ser escolhido prefeito. O bilhete denuncia que a eleição seria mera formalidade. Antônio Prado já se via na pele de prefeito, e aparelhava-se para sair-se bem nela. No encontro com Silva Freire, realizado nos escritórios da Companhia Paulista, convidou-o para o cargo de engenheiro-chefe da prefeitura. Apesar da juventude, Silva Freire ostentava credenciais para tanto. Filho de senador baiano, estudara na Escola Politécnica de Lisboa e na famosa École Nationale des Ponts et Chausées, de Paris, e iniciara a vida profissional na Europa. Ao voltar ao Brasil, em 1895, escolheu radicar-se em São Paulo. Fora atraído por um convite do então presidente do estado e futuro presidente do Brasil Manuel Ferraz de Campos Sales. A serviço do governo estadual, incumbiu-se de obras de abastecimento de água no interior e de saneamento em Santos. Em 1897 passou a lecionar na Escola Politécnica, fundada cinco anos antes, como assistente do fundador, Antônio Francisco de Paula Sousa.[14] Agora, com a passagem para a prefeitura, ele que cuidara de pontes no início de carreira, na Europa, e de águas, na volta ao Brasil, se fará urbanista. A presença de Silva Freire na administração municipal ultrapassará em muito a gestão de Antônio Prado; durará 27 anos. Ao nomeá-lo, o conselheiro procurava dar, pela primeira vez, um caráter técnico ao planejamento da cidade.

O alargamento e alinhamento das ruas centrais será a primeira preocupação da nova administração, a começar por esse centro do Centro, o cerne do cerne, o âmago do âmago, da vida na cidade, que era o Triângulo. O Triângulo, se o leitor não sabe, era a região compreendida entre as ruas Quinze de Novembro, Direita e de São Bento. Lá estavam as lojas e os escritórios, as redações de jornais, os hotéis, os cafés e as confeitarias. Era lá também que se praticava este campeão dos esportes urbanos, no período, que era o *footing*. "Fazer o Triângulo" será uma expressão familiar aos paulistanos, repetida com alegria ou malícia por quem lá se abalava em busca de prazeres ou de desfastio. As ruas do Triângulo, situadas na colina onde nascera a

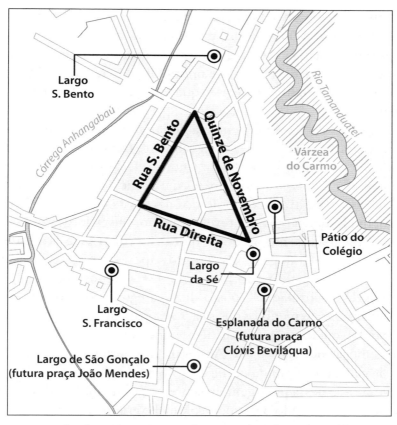

A colina histórica entre o Tamanduateí e o Anhangabaú e, dentro dela, o famoso Triângulo.

cidade, apresentavam as improvisadas sinuosidades, desalinhamentos e truncamentos próprios de um tecido urbano nascido ao sabor das circunstâncias. Hoje visita-se um burgo medieval na Europa e acha-se um encanto as ruas estreitinhas que viram e reviram, antes de desembocar em minúsculas praças. Mesmo as ruas do centro de São Paulo, apesar das retificações sofridas ao longo do tempo, ainda conservam, para quem as percorre com boa vontade neste início de século XXI, o charme antigo. Na época do conselheiro, não era charme o que se via nelas. Davam vergonha. A prefeitura promoveu o alargamento das ruas Quinze de Novembro, Álvares Penteado e Quintino Bocaiúva, entre outras, não sem dificuldades, dada a resistência dos proprietários à desapropriação de seus imóveis.[15] Não é que a Quinze de Novembro, a rua mais movimentada da cidade, fosse apenas estreita e torta. Era desalinhada a ponto de um prédio não acertar o passo com o próximo, salpicando-a de dentes que avançavam ou recuavam sobre seu leito.

A Quinze de Novembro nascia do largo da Sé — o tímido largo da Sé da época — e terminava no igualmente tímido largo do Rosário. Tímido só no tamanho, pois se a Quinze de Novembro era a mais movimentada das ruas, o Rosário — cujo nome era devido à igreja do Rosário, antigo centro de devoção dos negros da cidade — era o mais movimentado dos largos. Escreveu o memorialista Jorge Americano: "Vinham ter ao largo as senhoras e moças, ao voltar para a casa, depois das compras no Triângulo. Os vestidos apertados, as saias *entravées*, cortadas ao lado, à altura do tornozelo. Esta circunstância fazia com que se agrupassem naquele posto duas categorias de homens; os de idade avançada e os meninos que se acreditavam homens. Encostavam-se à parede, em frente à parada de bondes, para assistirem ao embarque das moças de saia *entravée*. Ao levantar a perna, a saia subia até o meio da canela da segunda perna".[16]

Notam-se nesta passagem duas presenças desconhecidas nas ruas da cidade durante todo o período colonial e grande parte do imperial: bondes e mulheres que não fossem escravas. De uns e de outras se falará oportunamente. Importante no momento é que em 1903 o prefeito Antônio Prado desapropriou a igreja, derrubou-a e ampliou o largo. Os negros receberam como compensação o centro do largo do Paiçandu, para lá erigirem a nova igreja de Nossa Senhora do Rosário dos Homens Pretos. Já o largo de que foram desalojados, maior e tinindo de novo, foi rebatizado com o nome do prefeito. Virou praça Antônio Prado.

Saindo do Centro, a cidade do conselheiro apresentava um misto de bairros recentes, com ruas de traçado regular, como os de Santa Ifigênia, Campos Elíseos e Higienópolis, surgidos nas décadas finais do século XIX, com ambientes marcadamente rurais. Algumas das chácaras que se espalhavam pelo entorno da cidade subsistiam. Outras começavam a ser loteadas pelos proprietários, seduzidos pela valorização de terrenos. São os casos da Chácara das Palmeiras, de dona Angélica de Barros, que daria origem a parte do bairro de Santa Cecília; da Chácara Bom Retiro, de Joaquim Egídio de Sousa Aranha, o marquês de Três Rios, origem do bairro do Bom Retiro; ou da propriedade em que residia o próprio conselheiro Antônio Prado, a Chácara do Carvalho, situada para além dos Campos Elíseos — o prefeito, sendo também homem de negócios, não iria resistir à tentação de lucrar com as boas oportunidades imobiliárias. O retalhamento da Chácara do Carvalho daria origem ao bairro da Barra Funda.

Também continuavam a conferir um ar agreste à cidade ruas como a da Consolação, urbanizada até a igreja, mais ou menos povoada até o cemitério, e em seguida convertida em estrada que lá no fim, depois de cruzar a avenida Paulista — inaugurada em 1891, mas ainda com raras construções —, ia dar no arrabalde de Pinheiros. Os bairros novos o prefeito Antônio Prado tratará de arborizar. A arborização constituiu-se numa das obsessões de sua gestão. A avenida Tiradentes, nas últimas décadas do século XIX, tinha ainda o aspecto de "um pátio de fazenda", segundo antigo cronista da cidade. Os moradores "mantinham nela todas as espécies de criações, sendo que era muito raro o morador que não tivesse soltas na rua umas vinte ou trinta galinhas".[17] Na virada do século, a avenida transformou-se em espécie de showroom do celebrado arquiteto Ramos de Azevedo, uma obra de sua autoria sucedendo-se a outra — o Liceu de Artes e Ofícios (depois Pinacoteca do Estado), a Escola Prudente de Morais, a Escola Politécnica (dois edifícios gêmeos, depois sedes do Arquivo Municipal e da Faculdade de Tecnologia Paula Sousa), o QG da polícia (depois sede do Batalhão Tobias de Aguiar). Nem por isso a rua abandonara a feição rural. Antônio Prado tratará de alinhá-la e arborizá-la. Um estrangeiro que a percorreu em 1909 registrará: "Basta caminhar pela avenida Tiradentes, com suas fileiras de árvores e dupla faixa de tráfego, marginada por palacetes, para a gente se sentir em Paris".[18] Paris?! Era muita gentileza do visitante. Parece, em todo caso, que, assim como na avenida Champs-Elysées, não havia mais galinhas ciscando na rua.

Os jardins foram outra obsessão do prefeito. A praça da República era "um descampado, ora poeirento, ora enlameado, conforme a época do ano", escreve Jorge Americano. Já servira para corridas de touros, no tempo em que se chamou largo dos Curros, e ultimamente abrigava circos de passagem. Por volta de 1902, foi cercada de arame farpado. Prossegue Jorge Americano: "Vieram carroças, removeu-se a terra daqui para ali, fizeram o lago, plantaram árvores, gramaram canteiros e, numa tarde de Ano-Bom, com banda de música, foi inaugurado o jardim, com a presença do presidente do estado e do prefeito". O local se transformaria, segundo o mesmo autor, num ponto de reunião, depois do jantar, das famílias dos Campos Elíseos, da Vila Buarque e de Higienópolis.[19] Os jardins da praça da República se tornariam a "menina dos olhos" do conselheiro, segundo um seu próximo.[20]

O Jardim da Luz, inaugurado como Jardim Botânico, em 1825, e também chamado de Jardim Público, não causou boa impressão ao prefeito em sua primeira visita ao local. Encontrou-o "cheio de canteirinhos, vários dos quais com cercaduras de garrafas de fundo para o ar".[21] Também não gostou do excesso de sempre-vivas e de manjericão. Nomeou diretor do parque Antônio Etzel, um agrônomo austríaco que conhecera em Campinas ao tempo em que era ministro da Agricultura, e sob as ordens de Etzel foram reformados os canteiros e introduzidas espécies mais nobres de plantas e flores. De quebra, foi reformado o coreto, de modo a torná-lo capaz de abrigar a banda da Força Pública, e ali passaram a se realizar concertos aos quais comparecia o próprio Antônio Prado, com mulher e filhos. O maestro Antão Fernandes atacava de Carlos Gomes, Wagner, Waldteufel, Verdi, Gottschalk.[22] Havia também bichos no Jardim da Luz: marrecos, cisnes, macacos, veados, capivaras. Mas exuberante mesmo, ou, mais que isso, apoteótico, foi o jardim que por ordem do prefeito foi plantado no Ipiranga, nos vastos espaços diante do museu. Um paisagista belga, Arsenio Puttemans, foi contratado em 1906 para executar a obra.[23] Ela foi inaugurada em 1909 e agora, não bastasse a Champs-Elysées replicada na avenida Tiradentes, São Paulo tinha também uma Versalhes. O Ipiranga virou um dos pontos prediletos para os passeios de fim de semana.

* * *

Se a meta era plantar, muito mais do que jardins, uma cidade civilizada nestes inóspitos trópicos, ou — vamos lá, não custa sonhar — até digna da mais civilizada de todas, a Paris que fervia na cabeça de cada urbanista e de cada potentado do café de regresso das férias na Europa —, ainda faltava a joia da coroa. Paris ganhara em 1875 um novo teatro de ópera, obra-prima do arquiteto Charles Garnier. Era uma das mais novas e deslumbrantes atrações da Cidade Luz, e causava inveja nas aspirantes a Paris do Cone Sul em que se constituíam, além de São Paulo, Buenos Aires e o Rio de Janeiro. As três sonhavam ter um teatro de ópera no modelo do de Garnier — e haveriam de realizar o sonho. O de São Paulo tomou corpo no encontro do prefeito com o "engenheiro-arquiteto" (era assim que se dizia) Ramos de Azevedo.

Quem os aproximara fora Silva Freire, por ocasião da reforma empreendida pela prefeitura no cemitério da Consolação, a partir de 1902.[24] O ponto alto da intervenção seria um pórtico e uma capela dignos da moradia final preferida pelas mais ilustres famílias da terra. Não que isso lhes garantisse a entrada no céu; mas, mesmo quando o destino fosse o inverso, lhes proporcionaria o consolo da pompa. Silva Freire indicou Ramos de Azevedo para executar a obra. O cemitério ganharia um pórtico e uma capela de solenes formas gregas, e entre o prefeito e o arquiteto se estabeleceria uma relação assim descrita por Silva Freire: "Um e outro tinham um quê de casmurros. Apreciavam-se, respeitavam-se, mas esquivavam-se. Eram todavia, no fundo, dois realizadores de igual têmpera e de idênticas intenções. Não resistiam à atração das obras limpas e bem-acabadas. Estavam talhados para se entenderem, em suma. Aproximá-los era pô-los de acordo. Foi o que sucedeu".[25]

Houve oposição ao projeto do teatro. Para alguns, havia obras mais úteis a realizar na cidade; outros, maledicentes, espalhavam que o prefeito queria apenas favorecer um velho amigo da família, o decorador e cenógrafo Cláudio Rossi, desde logo escalado para decorar os interiores do edifício.[26] Cláudio Rossi se encarregara, na última década do século XIX, dos interiores do espetacular palacete que, construído por Elias Pacheco Chaves, o cunhado do conselheiro, mais tarde seria vendido ao governo do estado e se transformaria no Palácio dos Campos Elíseos. As opiniões contrárias não intimidaram o prefeito. Para ele — e como não haveria de ser, para alguém com sua fortuna, sua posição e o gosto formado nos padrões europeus? — concertos, óperas e teatros eram itens indispensáveis à vida dita civilizada. Na década de 1880, chegara a arrendar do cunhado Elias Pacheco Chaves (ele, de novo) o teatro São José que existiu na extremidade do viaduto do Chá. Um empresário a seu serviço encarregava-se de contratar as companhias estrangeiras que se apresentavam no Rio de Janeiro para apresentar-se também em São Paulo.[27]

O terreno escolhido para acolher o Theatro Municipal ficava na mesma área do São José. Situavam-se ambos no largo convenientemente chamado "da Esplanada", localizado bem na beirada do morro do Chá, como era conhecida a elevação oposta à colina primitiva, do outro lado do vale do Anhangabaú. Naquele terreno houvera uma conhecida serraria, de propriedade do alemão Gustav Sydow.[28] O Theatro Municipal é considerado a principal obra de Ramos de Azevedo, é o trabalho que mais evoca o nome de Ramos de Azevedo, fica na praça hoje chamada "Ramos de Azevedo" — mas não é de Ramos de Azevedo. O projeto é de autoria de outro Rossi, sem parentesco com o anterior — o genovês Domiziano, que trabalhava para o escritório de Ramos de Azevedo. O próprio Ramos de Azevedo ficou com a parte de engenharia.

Se a administração Antônio Prado imprimiu dinâmica nova ao governo da cidade, os hábitos ainda podiam obedecer ao ritmo suave de povoado interiorano. O prefeito costumava sair pela manhã a cavalo para inspecionar as obras da prefeitura. Um amigo se lembra de tê-lo encontrado, em 1900, nas obras de loteamento da Chácara das Palmeiras. Exímio cavaleiro, habituado aos longos percursos pelos sertões que ele e a família, ao longo dos anos, foram transformando em fazendas de café, naquela ocasião montava "um magnífico 'baio passista'" e tinha a atenção voltada para os trabalhos de abertura da futura avenida Angélica. O amigo estranhou que, possuindo esplêndidas carruagens, o conselheiro preferisse sair a cavalo. "Para fins de inspecção", explicou o prefeito, "o cavalo é preferível. Chega onde não pode chegar a carruagem". No dia a dia, acrescentou, a carruagem ficava para o uso da família.[29] Na pequena São Paulo daquela época, o dia era longo e rendia. Em nenhum momento, apesar de ocupar o cargo de prefeito, o conselheiro deixou de exercer as atividades privadas. Dava expediente na Companhia Paulista, em cuja presidência continuava, e ainda passava no banco, na Casa Prado Chaves e onde mais fosse necessário. Nesses casos ia de um ponto a outro a pé, uma vez que tanto a sede da prefeitura como as das empresas ficavam no Centro. Nesses doces tempos o automóvel, embora já despontasse aqui e ali, ainda não era o dono da cidade.

II.
A MÁGICA SILENCIOSA, INVISÍVEL E INODORA

O animal marinho anunciado no capítulo anterior é um polvo. O encontro do prefeito Antônio Prado com o polvo seria outro fator a determinar sua gestão. Esta história começa num dia de 1895 ou 1896, em Montreal, Canadá, onde se encontrava o filho do republicano histórico e, naquele momento, presidente estadual, Bernardino de Campos. Américo, este o seu nome — o mesmo de um tio famoso, jornalista de destaque tanto no *Correio Paulistano* quanto em *A Província de São Paulo*, agora *O Estado de São Paulo* — cumpria no Canadá missão oficial da administração paulista. Que missão? Antes dessa questão, atentemos para outras relações familiares do viajante. Américo era irmão de Carlos de Campos; e Carlos era genro de um homem de negócios, Antônio Augusto de Sousa, conhecido como "o comendador Sousa", que naquele momento mostrava interesse numa novidade da época, a revolucionária inovação no transporte público representada pelos veículos sobre trilhos movidos a eletricidade — os bondes elétricos, como seriam conhecidos.

Da forma como a história é contada em relatos oficiais ou semioficiais, Américo de Campos encontrava-se no Canadá em outra missão e aproveitou para especular sobre a possibilidade de levar os bondes elétricos a São Paulo.[1] É possível que sua missão fosse exatamente essa. Em Montreal entrou em contato com o capitão da Marinha italiana Francesco Antonio Gualco, ali residente. Em 1896 Gualco vem a São Paulo para estudar as condições locais. Aprovou o que viu e formou com o comendador Sousa uma sociedade que, em junho de 1897, obteve da Câmara Municipal concessão para explorar o serviço na cidade.[2] Desde 1872 São Paulo já era cruzada pelos trilhos dos bondes, mas movidos a tração animal — burros no caso de São Paulo e de outras cidades brasileiras, no lugar dos cavalos habituais em outros países. As linhas de bondes de burro cobriam quase toda a cidade. Os carros eram puxados por parelhas que, nos percursos mais longos, eram trocadas. Na linha que subia em direção à avenida Paulista, por exemplo, eram trocadas na porta do cemitério da Consolação.[3] Em linhas de menor movimento havia um só par de trilhos, para a ida e para a volta, e de tempos em tempos um desvio para refúgio de um dos bondes, no caso de encontro com outro em sentido contrário. Ao chegar junto a um ponto de desvio o condutor dava um assobio; caso houvesse resposta de outro assobio, era sinal de que vinha bonde do outro lado, e ele encostava no refúgio.[4]

O bonde elétrico consistiria em incomensurável avanço com relação a métodos tão artesanais. Como a sociedade formada entre Gualco e o comendador Sousa não poderia ir muito longe sem o amparo de alguém do ramo, um passo decisivo foi entrar em contato com William Mackenzie, um empresário canadense do setor do transporte público, com participação em empresas do Canadá e outros países.[5] William Mackenzie, auxiliado por seu filho, o então jovem advogado Alexander Mackenzie, juntou um grupo de investidores, todos de Toronto, no Canadá, para a viabilidade financeira do negócio e, para a viabilidade técnica, recrutou o engenheiro americano Frederick Pearson, formado no Massachusetts Institute of Technology (MIT) e diretor de grandes empresas ligadas ao transporte sobre trilhos, inclusive a companhia de bondes de Nova York.[6] A rapidez com que foram reunidos os investidores e realizados os arranjos para dar suporte do projeto faz supor duas coisas: (1) que o transporte público por veículos movidos a energia elétrica, naqueles poucos anos desde sua implantação na América do Norte, se revelara bom negócio; e (2) que a cidade de São Paulo já se apresentava, aos olhos de experimentados investidores estrangeiros, com tamanho e riqueza bastantes para acenar com bom retorno a quem se aventurasse no setor.

Nasceu assim, a 7 de abril de 1899, a The São Paulo Railway, Light and Power Co. Ltda, abençoada por carta patente da rainha Vitória, a chefe de Estado canadense. Instruídos pelos cabeças canadenses e americanos, Gualco e Sousa haviam obtido da Câmara Municipal, no dia 20 de dezembro do ano anterior, concessão também para a produção e distribuição de energia elétrica. Um ano depois, em dezembro de 1899, eles assinam a transferência de suas concessões, tanto para os bondes como para a produção e distribuição de energia, para a Light.[7] A empresa nascia com força insuspeitada, mas ainda não se tinha visto nada. Em pouco tempo viraria um polvo, ou "polvo canadense", na língua de seus detratores. Foi quando se mediu o tamanho e verificou o alcance de seus tentáculos, capazes de abraçar, além do transporte público, também a produção e distribuição de energia, e de avançar rumo a outros setores, com voracidade e poder bastantes para atropelar quem se interpusesse no caminho.

A primeira linha de bonde foi inaugurada no dia 7 de maio de 1900. Em apenas treze meses, desde sua constituição, a Light conseguira sair do papel para as ruas. Reinava um clima festivo no dia inaugural. O menino Jorge Americano viu-o assim: "Naquela manhã de sol, veio gente das ruas vizinhas e muita gente de longe. Inaugurava-se a primeira linha, entre o largo de São Bento e o fim da Barão de Limeira (Chácara do Carvalho). Linha da 'Barra Funda'. Carros abertos de nove bancos, com 'limpa trilhos' na frente. [...] No topo da coberta, adiante e atrás, duas pequenas bandeiras brasileiras. Na direção do bonde, o conselheiro Antônio Prado, prefeito da cidade. Ao lado, um instrutor, um motorneiro de boa figura, alourado, com bordados de cor de ouro novo nas mangas do uniforme cinzento e do boné. Concluí de mim para mim que era o presidente da companhia. [...] Nalgumas esquinas tocavam bandas de música e noutras soltavam-se foguetes".⁸

Inauguração da primeira linha de bonde de São Paulo em 7 de maio de 1900 | Fundação Energia e Saneamento.

Não falhavam nem a memória nem as percepções do autor. O primeiro bonde realmente levava na dianteira o conselheiro Antônio Prado e o superintendente da companhia, Robert Brown — que talvez não fosse exatamente o tal tipo de uniforme cinzento e boné, mas que seguramente estava lá. Também se encontravam a bordo deputados, senadores e vereadores. Outra presença nas solenidades era a do presidente da província, Francisco de Paula Rodrigues Alves. Enquanto a Antônio Prado coube viajar e, pelo que diz Jorge Americano, em certos momentos assumir a manivela que comandava o veículo, a Rodrigues Alves reservou-se outra honraria — a de acionar, meia hora antes, a usina geradora de energia instalada pela Light na rua São Caetano.[9]

A essa usina, movida a vapor, caberia fazer funcionar os bondes na fase inicial, mas se tratava de solução provisória. A Light já mirava muito mais longe e mais alto. Desde junho de 1899, munidos das necessárias autorizações, seus engenheiros haviam localizado uma queda-d'água no trecho do rio Tietê que atravessa o município de Santana do Parnaíba, a 33 quilômetros do Centro de São Paulo, e a treze da Estação Barueri da Estrada de Ferro Sorocabana.[10] O local foi julgado conveniente para sediar uma fonte de energia de muito maiores proporções — uma usina hidrelétrica. A empresa comprou terrenos na área e as obras se iniciaram. Quando ficasse pronta, a Usina de Parnaíba — era "Parnaíba" que se dizia na época, sem o "Santana" — seria capaz de movimentar os bondes e ainda sobraria energia para a iluminação pública e a venda ao comércio, à indústria e às residências.

Pausa para lembrar o espanto que significava a eletricidade, naquele tempo. Era a mágica silenciosa, invisível e inodora capaz de acender e movimentar o mundo. Deslumbrava tanto quanto assustava. A introdução dos bondes em São Paulo foi precedida de alertas a respeito dos perigos que poderiam causar. Monstruosas máquinas avançavam sem piedade, podendo ferir e matar. A introdução da luz elétrica foi igualmente precedida de alertas. Ela faria muito mal à vista, podendo causar até cegueira.[11] Do lado do deslumbre, alinham-se poetas que na eletricidade enxergavam um elemento capital na constituição dessa deusa jamais assaz venerada naqueles anos, que era a Modernidade. Menotti del Picchia, um dos jovens escritores que dali a alguns anos iam causar alvoroço em São Paulo, chamou a eletricidade de "expressão dinâmica do século".[12]

A iluminação causaria uma mudança de pele na instituição chamada cidade. Paris seria a Cidade Luz. Em São Paulo, dada a maneira abrupta com que se transformava de vilarejo em cidade de alguma relevância, a inovação assumiria proporções mais decisivas. Até 1872, a iluminação pública era fornecida por lampiões a óleo e outros sistemas primitivos. "Iluminação pública" é modo de dizer. Tratava-se, antes, de sinais indicadores do caminho para transeuntes noturnos; iluminavam muito pouco. Em 1872 estabelece-se na cidade, com instalações no bairro do Brás, a São Paulo Gas Company, companhia inglesa que vai propiciar o significativo avanço que foi a iluminação a gás. Já neste início do século XX de que estamos tratando, a iluminação elétrica desponta como o definitivo truque no esforço de transformar a noite em dia, e libertar a humanidade do jugo da escuridão.

Aquele Rodrigues Alves que, no dia da inauguração do bonde elétrico, acionou a usina provisória da rua São Caetano, tinha muito em comum com Antônio Prado. Também possuía o título de "conselheiro", pelos bons serviços prestados ao Império. Também pertencera ao Partido Conservador, no qual, oito anos mais novo, seguira a liderança de Prado. Unia-os uma antiga amizade. Mas, desde a proclamação da República, distinguiam-nos diferentes opções: enquanto Antônio Prado permanecera distante do novo regime, a ponto de durante dez anos manter-se afastado da política, Rodrigues Alves aderira sem reservas — integrou a Constituinte de 1890/91, votando sempre, mansa e pacificamente, no que os líderes do novo regime mandavam, e nos anos seguintes, em ascensão contínua, acumularia os mais prestigiosos cargos.[13] No governo de Floriano Peixoto (1891- -1994) foi ministro da Fazenda; agora era presidente da província e logo seria presidente da República.

Antônio Prado assumira a prefeitura no pressuposto de uma ação suprapartidária, com apoio em si próprio, isto é, no seu prestígio pessoal. Rodrigues Alves, ao contrário, integrava-se à grei do Partido Republicano Paulista, do qual já era, e viria a ser mais ainda, um dos mais destacados chefes. O Partido Republicano Paulista (PRP), com estrutura montada ainda nos tempos do Império, e pés fincados na elite da elite do estado — a começar dos fazendeiros —, governará como virtual partido único até 1930. A atitude independente de Antônio Prado faria diferença nas relações com a Light. Ao PRP pertencia também o clã dos Campos, o dos irmãos Américo e Bernardino. E, sobretudo, no que concerne aos interesses da Light, o Campos mais jovem, aquele Carlos que, genro do comendador Sousa, desde o início teve participação na constituição da empresa. Sendo o polvo um animal esperto — pelo menos este polvo —, Carlos de Campos será desde logo contratado como seu advogado. Eis a Light aninhada num excelente aconchego político: amiga do PRP e abrigando, em sua folha de pagamentos, um de seus principais operadores. Carlos de Campos já trilhava na ocasião, e continuaria a trilhar, uma carreira política que, a exemplo do pai, o conduziria à presidência do estado. Durante essa trajetória acumulou os cargos públicos com a advocacia em favor da Light. Ou, para ser mais preciso, com a chefia do poderoso lobby sem o qual a empresa não se movimentaria com a desenvoltura que lhe seria característica. Conflito de interesses era flor desconhecida no orquidário do período. Ou, se era conhecida, o era como flor exótica, das que não medram no solo para outros efeitos tão generosos da pátria.

Já o conselheiro Antônio Prado representaria para a Light, em mais de uma oportunidade, uma pedra no caminho. O primeiro choque teve por motivo a distribuição de energia elétrica na cidade. A empresa canadense nascera com ambições monopolistas. Era assim nesse tempo de capitalismo agressivo: o monopólio era o preço que as empresas dos países centrais cobravam dos periféricos para trazer-lhes os bens identificados com o progresso. Ora, havia em São Paulo uma pequena empresa, a Companhia de Água e Luz, que, com base numa usina a vapor montada na rua Araújo, junto à praça da República, já fornecia energia elétrica para a iluminação de algumas ruas centrais e para consumo de um restrito punhado de residências. O alcance da energia produzida por essa companhia era minúsculo. Em matéria de iluminação pública, muito maior era a contribuição da iluminação a gás propiciada pelos ingleses. Mesmo assim, a Companhia de Água e Luz revelou-se um estorvo para a Light. Quando a companhia canadense começou a instalar seus postes e fios pela cidade, inclusive em áreas já servidas pela outra empresa, ameaçando comer-lhe os pedaços, a Água e Luz recorreu à prefeitura. O prefeito apoiou-a, invocando a lei n. 407, aprovada pela Câmara Municipal em julho de 1899, segundo a qual haveria regime de livre concorrência no setor de distribuição de energia elétrica. A Light teria de conter os ímpetos monopolistas.

O prefeito, segundo publicações da época, considerava a empresa "um *puff* americano" e "um balão preparado para indenizações". (Explica-se o "americano": já naquela época desconfiava-se de que sob o manto "canadense" a Light abrigava interesses dos Estados Unidos.) Antônio Prado duvidava que a Light estivesse preparada para realizar tudo o que alardeava. Achava que o verdadeiro objetivo da empresa era, de posse de suas concessões, montar uma indústria de indenizações contra os poderes públicos.[14] Fossem quais fossem os motivos, as desconfianças do prefeito eram evidentes. Segundo o jornal *A Plateia*, noticiando o compromisso afinal assumido pela Light de submeter-se ao regime da livre concorrência, "toda a gente" estava convencida "de que a Câmara, ou melhor, a prefeitura, levantava à Light toda sorte de embaraços destinados a contrariar os justos interesses dessa empresa".[15] O polvo acabaria por resolver à sua maneira a questão: comprou sorrateiramente, por meio de terceiros, a maioria das ações da Companhia de Água e Luz e, em maio de 1900, absorveu a empresa.[16]

O fato de a primeira linha de bonde se ter destinado à Barra Funda, com ponto final na Chácara do Carvalho, talvez queira dizer alguma coisa. Não podia ser coincidência, pensavam muitos, que a Light tivesse escolhido a casa do prefeito como destino do primeiro bonde. Ainda mais que, nos últimos anos, o conselheiro vinha loteando os extensos domínios à volta do núcleo central da propriedade.[17] Seria um agrado com o objetivo de amansá-lo? A segunda linha foi a do Bom Retiro, bairro alheio aos interesses do prefeito. Mas a terceira, a da Vila Buarque, terminava junto à casa de dona Veridiana, a mãe do prefeito, que também loteava parte de sua propriedade.[18] Em 9 de fevereiro de 1901 foi inaugurada a linha da Água Branca, e de novo houve festa com o carro inaugural enfeitado de bandeiras e a presença do conselheiro, escoltado pelo superintendente Robert Brown e pelo advogado Alexander Mackenzie.[19] Na Água Branca ficava a Vidraria Santa Marina, de propriedade do prefeito. A Light suspeitamente cumulava o conselheiro de presentes.

As suspeitas não impedem que se admire a rapidez com que o serviço se ampliava. Entre a inauguração da primeira e da segunda linha passaram-se apenas seis dias; e entre a segunda e a terceira, apenas catorze — mesmo com dificuldades ao avanço. Tal qual no caso da distribuição de energia, havia uma empresa já estabelecida no setor — a Viação Paulista, responsável pelos serviços de bonde de burro — a estorvar os movimentos da Light. Ainda antes que ela pusesse seu primeiro bonde na rua, a Viação Paulista procurou contestar-lhe a concessão para o serviço. Não conseguiu, mas não desistiu; iniciou uma guerrilha judicial contra a empresa canadense. Quando a Light pôs-se a construir a linha da avenida Paulista, teve seus trabalhos diversas vezes interrompidos por embargos interpostos pela concorrente. O mesmo ocorreu em outros locais. A Viação Paulista reagia sempre que os trilhos da Light ameaçavam cruzar seus próprios trilhos. Foram inúmeros os litígios, até que a Viação Paulista, enfraquecida pelo combate desigual, cansada e financeiramente depauperada, foi à falência. Ao polvo coube devorar-lhe os restos, assumindo-lhe o acervo, as concessões e os privilégios em maio de 1901.[20]

A história da Light em São Paulo — e no Brasil, pois seus tentáculos se estenderiam a Santos, Rio de Janeiro, Salvador e outras partes — mistura escusas manobras políticas e excelência técnica, truculência contra os concorrentes e impulso ao progresso do país. No dia 23 de setembro de 1901, foi inaugurada a hidrelétrica de Parnaíba. A ocasião cercou-se de festividade maior ainda do que as habituais. Tendo nos lugares de honra, como não poderia deixar de ser, o presidente estadual Rodrigues Alves e o prefeito Antônio Prado, reuniram-se numa comprida mesa armada na casa de máquinas da usina, para o banquete comemorativo, a fina flor da política e da economia — o PRP em peso, a Light em peso, os dirigentes das estradas de ferro — e eminências da inteligência paulista como o arquiteto Ramos de Azevedo, o diretor da Escola Politécnica, engenheiro Paula Sousa, o diretor do Mackenzie College (estabelecido na cidade havia já 31 anos), Horácio Lane, e o diretor da Comissão Geográfica e Geológica (organizada pelo governo estadual para explorar e estudar os vastos sertões então desconhecidos do oeste do estado), o geólogo Orville Derby.[21] Parnaíba constituía uma "obra monumental para a época", segundo aquele que viria a ser o principal engenheiro brasileiro da empresa, Edgard de Sousa.[22] A usina nasceu com duas turbinas, capazes de produzir mil quilowatts cada; sucessivamente ampliada, dez anos depois, alcançaria o máximo da capacidade — 16 mil quilowatts.[23]

De estocada em estocada, o polvo engoliu a Companhia Carris de Santo Amaro, uma pequena ferrovia que, passando pela estação de Vila Mariana, chegava ao então município de Santo Amaro; atravessou o negócio da inglesa Gas Co., passando a concorrer com ela na iluminação pública; e apoderou-se de uma vasta área no mesmo município de Santo Amaro, para ali construir uma represa. Em 1912, a empresa adquiriria o controle acionário da Gas Co., e continuou seu avanço, agora em direção a outro serviço público, a telefonia.

O telefone fora implantado na cidade em 1884, por iniciativa de uma empresa de capital americano, a Companhia de Telegraphos Urbanos. Entre seus primeiros assinantes, além do governo e da assembleia estadual, da Santa Casa de Misericórdia e dos jornais, a quem a companhia se prontificava a servir gratuitamente, encontravam-se bancos, o Hotel de França e particulares como dona Veridiana Prado. Nos primeiros meses as comunicações só eram possíveis durante o dia, mas logo a "fâmula feiticeira", como a intitulou um anúncio da empresa, também estaria a postos à noite, "levando recados instantâneos ao médico, à botica, à parteira, à polícia, aos bombeiros, aos compadres, amigos e até ao padre confessor".[24] Em 1901 havia 1040 aparelhos instalados na cidade.[25] A Companhia de Telegraphos Urbanos seria alcançada pelos tentáculos da Light em 1916, ano em que, reunida à similar do Rio de Janeiro, objeto de igual sorte, transforma-se na The Rio de Janeiro and São Paulo Telephone Company, mais tarde Companhia Telefônica Brasileira. Só do setor de águas e esgotos a Light ficou fora. Dominava todos os outros serviços públicos.[26]

O caso das desapropriações de Santo Amaro, em 1906, para a construção da represa de Guarapiranga, ocasionou outro rumoroso conflito. O que motivou essa nova obra foi a irregularidade de funcionamento da usina de Parnaíba, sujeita a quebras de produção nos períodos de seca. Engenheiros da Light identificaram no rio Guarapiranga, um tributário do Pinheiros, e seu entorno, uma área favorável para a empreitada. Sendo o Pinheiros, por sua vez, um tributário do Tietê, a água poderia ser liberada da represa, sempre que necessário, para fortalecer o fluxo que movimentava a usina. Ocorre que às margens do rio Guarapiranga sucediam-se propriedades de sitiantes que cultivavam, desde a era colonial, produtos agrícolas para abastecimento dos mercados de São Paulo. Os sitiantes protestaram quando tiveram notícia de que suas propriedades seriam inundadas e protestaram com maior veemência ainda quando consideraram irrisório o valor oferecido pelas indenizações.[27] O caso tomou os jornais. Noticiaram-se exemplos de intimidação contra proprietários relutantes. Escreveu um morador, com português trôpego mas sentida indignação: "Aos diferentes terrenos adquiridos pela Light nota-se muitas injustiças, entre as quais citarei a que foi praticada pela viúva de Amaro Baptista, que sendo amedrontada com ameaça de desapropriação, vendeu por 2:000$00 o bem beneficiado terreno que possuía, quando é certo que só um magnífico tanque existente no mesmo vale essa quantia".[28]

A Light sabia identificar influências e agradar pessoas, mas também deixava em seu avanço um rastro de inimigos. O tiroteio adverso era intenso nos jornais. "Estado dentro do estado" era um dos torpedos com que era alvejada. O jornal O *Comércio de São Paulo* denunciou em 1907 que a empresa interferia nas eleições da Câmara Municipal "alistando seus empregados, dando-lhes cédulas fechadas à beira da urna, punindo os que não se submeterem".[29] Sentindo-se vulnerável, no mundo de denúncias, paixões e terríveis verrinas que caracterizava a imprensa da época, a Light resolveu adotar uma estratégia engendrada pelo advogado Alexander Mackenzie: pôr secretamente em circulação um jornal que defendesse seus interesses.[30] A operação ficou a cargo de Carlos de Campos, e ganharia um sócio de portentoso vulto na pessoa do americano Percival Farquhar, famoso investidor com múltiplos interesses no Brasil, especialmente no setor ferroviário, e tão temido pelos métodos quanto a empresa canadense. Farquhar é o pai da célebre e malfadada estrada de ferro Madeira-Mamoré. Não era a primeira vez, nem seria a última, que seus interesses se casariam com os da Light.

No final de 1906 *A Gazeta* ganhava as ruas. Seus primeiros editoriais foram em defesa das contestadas desapropriações na região do Guarapiranga. Sucediam-se os textos favoráveis à empresa. No dia 2 de julho de 1907, para citar um exemplo, *A Gazeta* anunciava que a Light organizaria, no domingo seguinte, uma festa para "os pequenos vendedores de jornais" num dos lugares de lazer preferidos do paulistano, o Bosque da Saúde. O artigo aproveitava para lembrar que era graças aos bondes que os paulistanos tinham acesso a locais aprazíveis como a Saúde: "Ai de nós! Se não fosse ela [a Light] estaríamos irremissivelmente condenados a morrer de tédio, aos domingos". O que motivava a empresa a patrocinar a festa dos jornaleiros, prosseguia o texto, não eram nem "a ganância", nem "um mal entendido utilitarismo" — mas, "mesmo que o fossem: bendito utilitarismo e bendita ganância essas, que vão fazendo dos arredores um brinco, rasgando à circulação novos caminhos e fazendo surgir e desabrochar, por aí além, parques e bosques encantadores!".[31]

Para *A Gazeta*, o polvo não passava de um delicado peixinho de aquário.

A maior briga que a Light enfrentou nesta sua primeira década de existência foi com o grupo Graffrée e Guinle. O duelo era de gigantes. Candido Gaffrée e Eduardo Guinle constituíam-se, desde 1888, nos principais acionistas e administradores da Companhia Docas de Santos. Eram portanto nada menos que os concessionários do porto por onde se escoava o café, a maior riqueza brasileira. Para se ter uma ideia de seu poderio, se a Light era o polvo, a Docas de Santos era, para seus inimigos — que também os tinha —, "o minotauro". A empresa de Gaffrée e Guinle vinha produzindo em sua usina de Itatinga, em Bertioga, energia elétrica que, em princípio destinada ao próprio consumo, acabou por gerar considerável excedente. Seus responsáveis vislumbraram aí a oportunidade de entrar no negócio de distribuição de energia para São Paulo. Posta na mesa tal pretensão, desencadeou-se, nas primeiras semanas de 1909, uma batalha de comunicados, pareceres de advogados e editoriais de jornal entre a Light, em defesa de seu monopólio, e a Cia. Docas, interessada em quebrá-lo. Advogados célebres foram recrutados de um lado e outro — Ubaldino do Amaral pela Docas, Rui Barbosa e Clóvis Beviláqua pela Light. O argumento da Light é que seus enormes investimentos ainda não haviam sido convenientemente pagos. Gaffrée e Guinle respondem que a eficiência dos serviços públicos em São Paulo vinha sendo afetada pelo monopólio da Light. A Light treplica que, monopólio por monopólio, maior seria o do minotauro de Santos, que cobrava taxas abusivas para o embarque de cada saca de café.[32] Em fevereiro, chamado a manifestar-se, o prefeito Antônio Prado deu parecer favorável a Gaffrée e Guinle.

Alguns dos jornais mais influentes festejaram a posição do prefeito. "No espírito público não podia ser mais agradável a impressão causada pelos despachos dados pelo dr. prefeito municipal aos requerimentos da Light e da firma Guinle e Companhia", escreveu o *Diário Popular*.[33] *O Estado de S. Paulo* foi na mesma direção. No Rio, *A Notícia*, inimiga do monopólio que, também por ali, a Light exerce, argumenta que a diferença entre as duas cidades é que "o prefeito em São Paulo é o dr. Antônio Prado". O conselheiro seria "defensor intransigente" da livre concorrência e adversário "dos preços extorsivos cobrados pela Light".[34] Mas a questão ainda não estava decidida. Cabia à Câmara Municipal a palavra definitiva. Em tumultuadas sessões, entre 21 e 24 de abril de 1909, os vereadores terminaram por dar vitória à Light.

Seguiram-se dias de desassossego na cidade. Capitaneados por estudantes da Faculdade de Direito e da Politécnica, grupos saíram às ruas do Triângulo gritando "Abaixo a Light", "Abaixo o monopólio", e dando vivas ao prefeito. Concentrações hostis se formaram em frente à redação de *A Gazeta*. Bondes da Light foram depredados. A polícia reagiu com cargas de cavalaria. No dia seguinte, repetiram-se os tumultos, e os jornais se mostraram simpáticos aos manifestantes. A exceção era *A Gazeta*, que, em nome da preservação da "civilização paulista", condenou os "mazorqueiros", inspiradores da "hidra da arruaça". Os estudantes da Politécnica responderam com um manifesto em que acusavam *A Gazeta* de promover "campanhas difamatórias" e terminavam com elogios ao prefeito, "tipo de homem impoluto e cujo proceder jamais foi citado por mesquinharias políticas ou monetárias".[35]

Antônio Prado exerceu quatro mandatos consecutivos de prefeito. Três vezes foi eleito pela Câmara Municipal e uma vez por eleição direta. Vigorava então, e continuaria a vigorar, pelos decênios afora, ao sabor tanto da conjuntura municipal como das vicissitudes da República, a indecisão quanto ao modo de eleger o prefeito, se direta ou indiretamente, ou mesmo se nomeado por autoridade superior. No dia 15 de janeiro de 1911, o seu último como prefeito, um "colossal cortejo", segundo um próximo amigo e colaborador, acompanhou-o desde a sede da prefeitura, na rua do Tesouro, até a residência na Chácara do Carvalho.[36] À chegada do cortejo o conselheiro abriu as portas do palacete aos manifestantes. Seguiram-se brindes e danças nos magníficos salões. O conselheiro, a 41 dias de completar 71 anos, retirava-se em glória.

A altaneira e paradoxal figura do conselheiro Antônio Prado merece mais alguns parágrafos de atenção. Nenhuma pessoa resume, como ele, as virtudes e as insuficiências, a determinação e as contradições do paulista da elite, no período que vai das últimas décadas do Império às primeiras da República. É ele, por excelência, o homem da transição do século XIX para o XX. O início da carreira política foi marcado pela defesa intransigente da escravidão. Jovem deputado, fez oposição ao projeto da Lei do Ventre Livre, afinal vitorioso em 1871. Já na década de 1880 aproximou-se dos abolicionistas e em fevereiro de 1888, com estardalhaço, aderiu à causa e libertou os próprios escravos. Segundo o barão de Cotegipe, líder do mesmo Partido Conservador do conselheiro, partiu de Antônio Prado o "golpe mortal" na escravidão.[37] Quem enxergue incoerência entre uma atitude e outra deve levar em conta uma suprema coerência: a defesa dos interesses, próprios e os de São Paulo, um e outro compondo, em sua mente, um todo único e indivisível. Antônio Prado defendeu a escravidão enquanto sua permanência lhe afigurava vital para a lavoura paulista. Mas, enquanto a defendia com uma mão, com a outra preparava sua derrocada, ao liderar, junto com o irmão Martinico, o movimento pela importação de mão de obra europeia. Quando a imigração já atingira vulto suficiente para garantir o suprimento de mão de obra nos cafezais paulistas, não fazia mais sentido defender a escravidão.

"Minha política é a do oportunismo", dizia o conselheiro.[38] Curioso destino o das palavras "oportunismo", "oportunista". Nos dias que correm são xingamentos. No tempo do conselheiro, eram elogios. Classificava os que agiam de acordo com os fatos e as circunstâncias, e não por vãs teorias. Antônio Prado simboliza três transições do paulista em direção ao futuro: (1) a do fazendeiro do Vale do Paraíba para o fazendeiro do Oeste paulista; (2) a do fazendeiro para o empresário; e (3) a do homem rural para o urbano. O fazendeiro do Vale do Paraíba, região por onde começou a cultura do café no início do século XIX, tem a feição, tanto do lado fluminense como do paulista, do senhor feudal à brasileira — dono de luxuosa casa-grande e vasta escravaria, ele reina absoluto em seus domínios e ostenta um título de nobreza. Ao alvorecer do século XX, suas terras estão exaustas, e tanto a fortuna como o prestígio pessoal em decadência. O fazendeiro do Oeste paulista — a região que, centralizada em Campinas, vai se tornar, a partir da segunda metade do século XIX, o núcleo vital, e muito mais importante, da produção do café — é uma figura tão caracterizada pelo dinamismo quanto o outro pelo imobilismo. Serão suas marcas registradas o reinvestimento constante, em terras e cafezais, a atenção para a substituição da mão de obra escrava pelo colono europeu, e a extensão de seus interesses para setores industriais e comerciais, o das ferrovias em primeiro lugar.

Antônio Prado se mostrará, nas atividades empresariais, tão inovador quanto na lavoura. A Casa Prado-Chaves, que fundou com o cunhado Elias Pacheco Chaves, rompeu a exclusividade das firmas inglesas no negócio da exportação do café. Tal era a presença inglesa nesse setor que o Reino Unido não mantinha consulado em São Paulo, e sim em Santos.[39] Outras de suas pioneiras iniciativas foram o Curtume da Água Branca e o Frigorífico de Barretos, com os quais ampliava seus negócios com gado. O frigorífico exportou uma tonelada de carne para a Inglaterra em 1914 e seu sucesso levou o americano Percival Farquhar, o sócio da Light na *Gazeta*, a criar uma empresa concorrente.[40] Outra pioneira — e pitoresca — iniciativa dos sócios Prado e Chaves foi o balneário do Guarujá. Em terras pertencentes a Elias Chaves, na praia de Pitantibas, que depois teria seu nome atualizado para Pitangueiras, implantaram, a partir de 1885, uma completa estação de banhos, composta de hotel — chamado "La Plage" —, casas para vender, embarcações e quiosques com serviços de apoio aos banhistas. A primeira versão do complexo foi toda construída com materiais importados dos Estados Unidos.[41] O hotel era de madeira. Pegou fogo cinco anos depois da inauguração e foi substituído por uma suntuosa construção de alvenaria.

Entre todas as atividades empresariais, aquela em que Antônio Prado mais de perto se envolveu foi na administração da Companhia Paulista de Estrada de Ferro. A Paulista foi fundada em 1868, três anos depois da entrada em operação da pioneira "Inglesa". A nova ferrovia daria continuidade à Inglesa, partindo de Jundiaí para Campinas e outros municípios beneficiados pela acelerada expansão cafeeira. Antônio Prado figurou entre os sócios — a nata da nata dos cafeicultores paulistas — que criaram a empresa e em 1892 assumiu sua presidência, permanecendo no cargo por 35 anos. O bom funcionamento da Paulista levou o escritor Monteiro Lobato a dizer que tinha uma receita para salvar o país: "Basta acrescentar um artigo à nossa Constituição: 'Entregue-se o Brasil à Companhia Paulista'".[42] Em 1906 ocorreu uma greve na Paulista. O conselheiro deslocou-se para Jundiaí, onde eclodiu o movimento, e de lá não arredou pé nem por ocasião da morte do irmão Martinico, enterrado sem sua presença. A greve alastrou-se para outros setores, inclusive a capital. Foi a primeira greve de vulto ocorrida no estado, e a repressão ganhou vulto correspondente. Houve prisões e censura à imprensa. "O único vencedor nesta luta será a força", disse Antônio Prado, com característica intransigência. O conselheiro atuava no caso na dupla qualidade de autoridade pública e defensor de interesses privados. No décimo quarto dia do movimento, um tiroteio em Jundiaí causou duas mortes. No mesmo dia os trabalhadores resolveram suspender a greve. Pode-se dizer que no episódio Antônio Prado colecionou outra primazia, a de inaugurador da moderna luta de classes em São Paulo — do lado vencedor, é claro. A contrapartida foi incorrer no ódio dos situados do outro lado. "Robespierre da burguesia" foi como o chamou o jornal *Il Populo*, da comunidade italiana.[43]

A Chácara do Carvalho, que o conselheiro herdou do avô, e onde morou de 1892 a 1927, ilustra o modo de vida de famílias abastadas no momento da transição do campo para a cidade. A chácara era um meio-termo. Antônio Prado mantinha na sua um haras em que apurava os puros-sangues. Até vacas criou ali. Em sua extensão máxima, a propriedade ia do caminho de Jundiaí, como era chamada a futura rua das Palmeiras, até os trilhos da ferrovia, no lugar brejoso conhecido como Barra Funda. O conselheiro começou a lotear as terras em 1890. Para si reservou uma área de 100 mil metros quadrados, com frente para a atual rua Eduardo Prado e fundos nos trilhos da ferrovia. O projeto e a construção da casa foram entregues ao italiano Luigi Pucci, que na década de 1880 empreendera as obras do Museu do Ipiranga. O resultado foi um palacete cujo acesso se fazia por imponente escada de mármore de Carrara, ladeada pelas esculturas de dois leões. No interior havia até um teatro, em que chegaram a se apresentar orquestras e companhias dramáticas.* Incluídos os empregados, que habitavam edículas espalhadas pelo terreno, ali se abrigaram, em suas diversas fases, uma média de sessenta pessoas. Cuidava dos jardins o mesmo Antônio Etzel do Jardim da Luz. Os empregados eram todos estrangeiros.[44]

---

* A mansão é hoje (2014) sede do colégio Boni Consilii, com entrada pela rua Barão de Limeira, 1379.

*A Chácara do Carvalho | Foto de Guilherme Gaensly | c. 1901/1910
| Acervo Fotográfico do Museu da Cidade de São Paulo.*

À aristocrática propriedade correspondiam hábitos aristocráticos do proprietário. O conselheiro mantinha a seu serviço um secretário, um *valet de chambre* e uma massagista japonesa.[45] A filha Nazareth Prado, num relato comemorativo ao centenário do nascimento do pai, contou que, a cada refeição, ele "refazia a *toilette* nos seus mínimos detalhes".[46] Na figura de Antônio Prado sintetizam-se o século XIX e o XX. Na faceta século XIX situam-se os hábitos e a aparência. Na faceta século XX o paradigma que dali para a frente iria alimentar a realidade e a lenda em torno da figura do paulistano. Para o sociólogo José de Souza Martins, o conselheiro "formulou a ideologia do trabalho que marcaria a vida da cidade".[47] Sisudo, trabalhador, dinâmico, empreendedor — eis uma ideia do paulista, do paulistano em especial, que atravessará o século.

Antônio da Sílva Prado por volta de 1920 | Agência Estado | Foto: Reynaldo Ceppo.

III.
Duelo de pranchetas

O entusiasmo pelas obras do Theatro Municipal, no ano de 1906, era mitigado pela inquietação na mente do vereador Augusto Carlos da Silva Teles. Também engenheiro e professor da Politécnica, Silva Teles vinha de ilustre família, que ilustre seguiria em sua progênie — o filho, Gofredo da Silva Teles, seria prefeito de São Paulo, e o neto, Gofredo Jr., destacado jurista e professor da Faculdade de Direito. A inquietação vinha do contraste entre a imponência do projeto de Domiziano Rossi e a pobreza agreste do vale do Anhangabaú, ali ao lado. Naquele mesmo ano, em função das obras de saneamento realizadas nas várzeas da cidade, o riacho Anhangabaú estava sendo canalizado e coberto.[1] Seria hora de dar novo aproveitamento a toda a área. Da tribuna da Câmara dos Vereadores, Silva Teles propôs que o município desapropriasse as casas que tinham fundo para o vale, tanto na rua Líbero Badaró, do lado da colina histórica, como na rua Formosa, do lado oposto, e substituísse por jardins as precárias edificações, o mato e os restos de plantações existentes entre uma vertente e outra. Uma rua de "traçado artístico", no fundo do vale, além de completar a paisagem, propiciaria à cidade uma nova e importante via de ligação.[2]

No ano seguinte, Silva Teles voltou à mesma ideia num opúsculo que chamou de *Melhoramentos de São Paulo*. À época ainda não havia entrado em circulação no Brasil o vocábulo urbanismo, ou urbanista;

falava-se em "melhoramentos", "embelezamentos". Na inocência de monsieur Jourdan, personagem de Molière que conversava em prosa (e não em versos) sem o saber, os estudiosos da cidade (entre os quais se destacavam os engenheiros-arquitetos da Politécnica) praticavam o urbanismo sem o saber. No opúsculo Silva Teles preocupa-se com as vistas — a vista de quem olhará do Theatro Municipal para a colina histórica e a de quem, ao reverso, vem da colina e olha para o teatro. O que se enxergará, do jeito que se apresentam as coisas, num e noutro sentido, lhe aparece aterrador. Do Theatro Municipal, o que se vê na Líbero Badaró é uma "fila repugnante de fundos das velhas e primitivas habitações". Do lado oposto, dirigindo-se o olhar ao teatro, observam-se "fundos das velhas casinholas da rua Formosa". Silva Teles ainda incluiu no opúsculo a ideia que tinha para a várzea do Carmo, às margens do Tamanduateí: "Essa extensa e pitoresca superfície, em pleno coração da cidade, pode ser transformada em amplo e soberbo parque, o que daria a São Paulo um encanto excepcional, aí aproveitando artisticamente o curso gracioso do rio".[3]

Várzea do Carmo, c. 1900-1910. Em primeiro plano, o Tamanduateí ainda não canalizado; à esq., as instalações da São Paulo Gas Company | Fotógrafo não identificado | Acervo Fotográfico do Museu da Cidade de São Paulo.

Boa parte da história urbanística de São Paulo, no período entre as décadas finais do século XIX e as iniciais do século XX, concentra-se na questão de o que fazer com o vale do Anhangabaú e a várzea do Carmo. Desde a fundação da cidade, mais de três séculos antes, essas duas áreas consistiram em limites que as encapsulavam. Durante os primeiros séculos, tal configuração funcionou como proteção; quando a riqueza e o crescimento despontaram, virou camisa de força. A inauguração do viaduto do Chá, em 1892, terminou com o tormento de se ter de descer a encosta de um lado, andar no meio do mato, atravessar o riacho no meio do caminho e galgar o barranco do outro lado para ganhar a elevação oposta, mas deixou sem resolução o problema da vasta área inculta em que se constituía o vale do Anhangabaú. Na várzea do Carmo tentava-se domar o rio Tamanduateí, conter suas enchentes e sanear o entorno desde a administração do presidente provincial João Teodoro, nos anos 1870, com êxitos parciais. As pro-

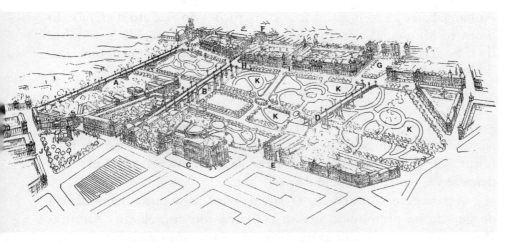

Projeto Silva Freire-Guilhem para o Anhangabaú, 1911
A. viaduto de Santa Ifigênia; B. viaduto que, sobre a rua (depois avenida) São João, ligaria a praça Antônio Prado ao largo do Paiçandu; C. Theatro Municipal; D. viaduto do Chá; E. teatro São José (o segundo com esse nome, demolido em 1925 para a construção da sede da Light); F. praça Antônio Prado; G. praça a ocupar o quarteirão em frente à igreja de Santo Antônio (futura praça do Patriarca); H. rua Líbero Badaró, alargada e nivelada; I. travessa do Grande Hotel (futura rua Miguel Couto); J. ligação a ser feita entre a rua Onze de Junho (depois D. José de Barros) e o largo de Santa Ifigênia; K. Jardins.

postas de Silva Teles pela primeira vez esboçavam o que realmente viria a acontecer — o parque do Anhangabaú de um lado e o parque D. Pedro II do outro, abraçando a colina central como, desde as origens, a abraçavam os rios Tamanduateí e Anhangabaú.

    Silva Teles deu o tiro de largada para uma corrida que ia ganhar feição de fúria reformista. Ele dera expressão a algo que estava no ar. A euforia crescia. Com ela, o desejo do estado de exibir uma capital à altura do progresso das últimas décadas, quem sabe até — com a prosperidade, estufavam-se as ambições — comparável às melhores cidades europeias. Não era mais possível tolerar tão promissora cidade com seu miolo ultrajado pela vizinhança de dois infames matagais. Acresce que com a prosperidade, claro, aguçava-se a cobiça; a renovação estética era também, para alguns, oportunidade de ganhar dinheiro. A região a oeste da colina histórica, compreendendo o vale do Anhangabaú e além, era, desde as construções do viaduto do Chá e do Theatro Municipal, a área vocacionada para a expansão do lado nobre da urbe. Dar-lhe feição condigna engordaria seu potencial, inclusive de lucros. Por fim, e não menos importante, urgiam soluções para o trânsito no sufocado Centro, para onde convergiam todo o comércio e todos os serviços. A fúria reformista culminou, no período 1910- -1911, com três projetos concorrentes, nada menos do que três, quase simultâneos e bancados, os três, por patronos poderosos: um da prefeitura, um do governo do estado e um da iniciativa privada. Em torno deles se vai travar um duelo de pranchetas.

    A passagem do ano de 1910 para o de 1911 assistiu a uma mudança de guarda na prefeitura. Saíram as barbas do conselheiro Antônio Prado e entrou o bigode portentoso de Raimundo da Silva Duprat, um pernambucano nascido rico que mais rico ficou ao radicar-se em São Paulo e fazer-se comerciante e dono de conhecida tipografia.[4] A Duprat, com 47 anos ao assumir o cargo, uma experiência de seis anos como vereador, e já ostentando por graça papal o título de barão de Duprat, caberá administrar a concorrência entre os projetos. Sumarizemos o conteúdo de cada um deles:

- O primeiro a ser divulgado, em novembro de 1910, foi o plano da iniciativa privada. De autoria do arquiteto e, como sempre, professor da Politécnica Alexandre de Albuquerque, chegava embalado pelas assinaturas de onze destacadas figuras da sociedade paulistana, entre elas uma que o leitor já conhece — Ramos de Azevedo — e outras que em breve vai conhecer, como Eduardo Prates, Arnaldo Vieira de Carvalho e Horácio Sabino. Os signatários eram todos ricos capitalistas, muitos deles com interesse direto no setor imobiliário. E o que propunham? Três largas e longas avenidas, a primeira partindo da praça Antônio Prado em direção ao bairro dos Campos Elíseos, podendo numa segunda etapa ser prolongada até o Tietê; a segunda partindo do Theatro Municipal e tomando o rumo da Estação da Luz, podendo ser prolongada "até onde convier"; e a terceira saindo do largo Santa Ifigênia em direção ao largo do Arouche, podendo daí seguir até Higienópolis e Perdizes. As três avenidas se cruzariam numa grande praça redonda nas cercanias do cruzamento entre as atuais avenidas Ipiranga e Rio Branco, na qual seria erigido, nas palavras do documento, "um majestoso monumento alusivo à cidade de São Paulo".[5]

Paris não devia existir. Sua mera existência é uma humilhação para outras cidades. Mas Paris existe, infelizmente, e o que o engenheiro-arquiteto Alexandre de Albuquerque propunha era nada menos do que apagar São Paulo tal qual se vinha apresentando até então e em seu lugar colar um simulacro de Paris. Suas largas avenidas tinham inspiração nos bulevares implantados na capital francesa na famosa reforma comandada pelo barão Haussmann na década de 1860. E a praça na qual as avenidas se cruzariam seria uma contrafação da Place de l'Étoile, só faltando um Arco do Triunfo para coroá-la — ou talvez não faltando, porque o "majestoso monumento" previsto no projeto quem sabe se equiparasse ao monumento francês ou até o superasse. O plano Alexandre de Albuquerque talvez até pudesse ter sido encarado mais a sério não fosse de tão difícil execução. O ímpeto com que avançaria sobre a cidade existente era arrasador, exigindo uma infinidade de desapropriações. Também pedia proezas de engenharia para travessias em nível capazes de vencer os acidente da topografia. Teve vida curta.

- O segundo em ordem cronológica foi o plano da prefeitura. Vinha sendo gestado desde as propostas de Silva Teles, mas foi divulgado só no finzinho da administração Antônio Prado e trazia as assinaturas do nosso conhecido Victor da Silva Freire, que sob Duprat continuaria à frente da Diretoria de Obras, e de seu vice, Eugênio Guilhem. No que tinha de mais fundamental o plano abraçava a proposta de Silva Teles dos dois parques, o do Anhangabaú e o da várzea do Carmo, e previa um anel de circulação tangenciando o centro histórico, para desafogar-lhe o trânsito. Também propunha, além do viaduto do Chá, já existente, e do Santa Ifigênia, então em construção — com 225 metros de extensão e estrutura metálica toda construída na Bélgica —, um terceiro viaduto a cruzar o Anhangabaú, começando na praça Antônio Prado e desembocando no largo Paiçandu. A rua Líbero Badaró, então estreita e cheia de altos e baixos, tantos que o trecho em que atravessava a rua (futura avenida) de São João era chamado de "montanha-russa", seria alargada e nivelada; do lado que dá para o Anhangabaú não teria edificações, o que lhe conferiria característica de terraço sobre o projetado parque, e de belvedere. Em frente à igreja de Santo Antônio, na rua Direita, seria introduzida uma praça (a futura praça do Patriarca).

O anel de circulação, ou "circuito exterior", como o chamou Victor Freire, tinha inspiração nas experiências europeias, entre as quais a mais emblemática era a famosa *Ringstrasse* de Viena, um largo e vistoso bulevar traçado em volta do centro medieval. Em São Paulo a ideia era preservar o miolo da urbe, ali onde ela nasceu e onde se evidenciam os vestígios de seu passado, de intervenções que, em nome da modernização e das necessidades de circulação, o descaracterizassem. Seria constituído pela Líbero Badaró reformada, largo de São Francisco, rua Benjamin Constant, praça João Mendes, esplanada do Carmo (a futura praça Clóvis Beviláqua), pátio do Colégio, rua Boa Vista e de novo Líbero Badaró — todas essas vias alargadas ou adaptadas para o novo uso. A rua Boa Vista, paralela à Quinze de Novembro, na época tinha seu curso em linha reta interrompido pelo desnível da rua General Carneiro. Para vencê-lo previa-se um viaduto que a ligasse ao pátio do Colégio — é o futuro viaduto Boa Vista. O plano Victor Freire-Guilhem era encaminhado junto com um apelo do prefeito ao governo do estado, agora presidido por Manuel Joaquim de Albuquerque Lins, em favor de um reforço de verbas, para sua execução. Eram tempos em que a prefeitura carecia de recursos próprios. O estado é que recolhia os impostos e alimentava o orçamento municipal.

• O terceiro plano, com a chancela do governo do estado e autoria do engenheiro Samuel das Neves, veio à luz no dia 23 de janeiro de 1911, ocupando página inteira do jornal *Correio Paulistano*. Baiano formado em engenharia agrícola no estado natal, mas com carreira desviada para a engenharia civil, Samuel das Neves comandava uma das principais construtoras estabelecidas em São Paulo.[6] Seu plano acolhia o que já era consensual: os parques do Anhangabaú e da várzea do Carmo, o alargamento da rua Líbero Badaró, a ligação da rua Boa Vista com o pátio do Colégio por meio de um viaduto, a praça que viria a se chamar de Patriarca. As diferenças em relação ao plano Victor Freire-Guilhem começavam com a proposta de um terceiro viaduto não entre a praça Antônio Prado e o largo do Paiçandu, mas do largo de São Francisco à rua Xavier de Toledo, e se estendiam ao tratamento reservado ao Anhangabaú, onde os jardins cederiam espaços para edificações. Na Líbero Badaró seria permitido construir, no lado que dá para o vale, desaparecendo o terraço. E no fundo do vale seria rasgada uma avenida arborizada, com três faixas de rodagem, escoltadas, de um lado e de outro, por fileiras de edifícios.[7]

Fosse qual fosse o plano adotado, deveria incorporar dois empreendimentos reclamados havia tempos e já decididos pelos poderes municipais: a construção de uma nova catedral e a implantação de um "centro cívico" para abrigar os prédios públicos. O pleito por uma nova catedral vinha de longe e tomou corpo na gestão do décimo segundo bispo de São Paulo, d. Duarte Leopoldo e Silva, iniciada em 1907. No ano seguinte a cidade seria elevada à arquidiocese e d. Duarte passaria a primeiro arcebispo — motivo maior ainda para se desejar uma catedral condigna. A implantação do centro cívico impunha-se pela evidência de que a cidade — e o estado — cresciam, a administração tornava-se mais complexa, multiplicavam-se as repartições e os funcionários, e as edificações para acomodá-los eram as mesmas e acanhadas de outras eras. As duas principais tinham origem nos tempos coloniais — o Palácio do Governo, instalado no que fora o colégio dos Jesuítas, e o Paço Municipal, na praça João Mendes, reconstrução no mesmo local da Casa de Câmara e Cadeia das ordenações portuguesas. O Palácio do Governo fora se expandindo como podia. Sucederam-se, ao longo dos anos, os puxadinhos para abrigar a residência e os locais de trabalho do governador, além de repartições diversas. As reformas iam apagando o que ainda existia de rastro dos tempos dos jesuítas. O Paço Municipal conheceu vicissitudes ainda maiores. Concebido para abrigar a Câmara dos Vereadores, ainda no Império passou a acolher a Assembleia Provincial. A República trouxe a novidade de desdobrar os legislativos estaduais num Congresso composto por Câmara e Senado, e agora eram essas duas casas que se acotovelavam na combalida instituição — enquanto a desalojada Câmara dos Vereadores perambulava (e com ela o prefeito) por sucessivos endereços provisórios.[8] Estava decidido que a catedral e o centro cívico se sucederiam no eixo pátio do Colégio-praça da Sé-praça João Mendes.

Três planos publicados, um ao encalço do outro, em apenas três meses. As pranchetas ameaçavam-se umas às outras, brandindo diferentes visões estéticas e interesses. O duelo provocava debates na imprensa. Quem ganharia a parada? O fato de o estado chegar com plano próprio pouco mais de um mês depois de a prefeitura divulgar o seu era incomum. "Foi um dos episódios mais surpreendentes da história da arquitetura em São Paulo", escreve o arquiteto e historiador Benedito Lima de Toledo.[9] Pode-se, com boa vontade, ver uma justificativa no fato de que ao estado caberia pagar a conta. Mesmo assim, a iniciativa tinha a marca de desafio. Mágoas acumuladas do PRP para com o conselheiro Antônio Prado podem constituir outra parte da explicação. O prefeito era agora Duprat, mas o plano fora gestado na administração anterior.

Victor Freire reagiu com furor. Em aula inaugural da Escola Politécnica, em fevereiro de 1911, enumerou o elenco de erros a seu ver existentes no projeto do estado, entre os quais a ausência de uma "visão de conjunto", a precariedade das soluções para o trânsito e a falta de "sentimento artístico". Sobretudo causava-lhe indignação que um projeto que vinha sendo elaborado na Diretoria de Obras da prefeitura desde as propostas do vereador Silva Teles, havia quatro anos, fosse contestado por um plano arranjado às pressas.[10] Com um discurso erudito, em que sobravam as lições dos mestres europeus da engenharia e da arquitetura e os exemplos das cidades europeias, alertou para os "erros funestíssimos, suscetíveis de serem pagos mais tarde muito e muito caro" caso o plano viesse a ser implantado. Sob o ponto de vista estético, enxergava o risco de "uma monstruosidade que deforme para sempre a nossa capital".[11] Ponto vital eram, para ele, as divergências em torno do parque do Anhangabaú. Numa cidade carente de espaços verdes, o projetado jardim tinha cinco hectares de área a oferecer para o bem da saúde e do prazer da população. A várzea do Carmo tinha outros 24 hectares. Não era muito, mas era alguma coisa, e no centro da cidade. Perversamente, a seu ver, a avenida cercada de prédios, ao fundo do vale, e as edificações na Líbero Badaró anulariam tais benefícios, do lado do Anhangabaú. O projeto do estado fazia "desaparecer, com prejuízo do lado estético, um dos reservatórios de ar indispensáveis ao desenvolvimento da cidade".[12]

Na conferência Victor Freire referiu-se duas vezes a uma ilustre personalidade da cidade, numa delas para dizer que tal personalidade se sentiria menos confortável se vivesse na Argentina, onde as leis de desapropriação não são tão favoráveis aos proprietários.[13] O duelo de pranchetas nesse ponto ultrapassava o contexto estado contra município, arquiteto contra arquiteto, para ferir o cerne de certos interesses privados, encarnados, mais do que em qualquer outra, na personalidade em questão — Eduardo da Silva Prates, potentado de múltiplos negócios, da cafeicultura ao setor bancário, feito conde de Prates pelo papa Leão XIII (nobreza papal é o que não falta no período).

Prates entra nesta história com cacife de respeito. Não bastassem os favores do papa, fora abençoado por afortunado casamento ao unir-se a Antônia dos Santos Silva, filha de Joaquim José dos Santos Silva, o barão de Itapetininga. E quem era o barão de Itapetininga? O proprietário da Chácara do Chá, cujos limites começavam na rua Líbero Badaró, atravessavam o vale do Anhangabaú e se prolongavam pelo morro também chamado do Chá, no lado oposto. Vale dizer: Prates, como herdeiro do sogro, era o dono do Anhangabaú. Além do Banco São Paulo, do qual foi fundador, da Companhia Paulista de Estrada de Ferro, da qual foi vice-presidente, e dos cafezais da Fazenda Santa Gertrudes, que transformou em fazenda modelo, ele ainda mantinha entre seus cabedais valiosos e estratégicos terrenos urbanos. À época dos planos urbanísticos ainda detinha grandes porções da antiga chácara, inclusive o centro do vale e os terrenos da rua Líbero Badaró e da rua Formosa. Eram dele as casinhas que tanto horrorizavam o vereador Silva Teles. Não importa que na rua Líbero Badaró abrigassem cortiços e prostíbulos — rendiam-lhe do mesmo jeito.[14]

Prates era um dos maiores proprietários de prédios de aluguel da cidade, e vislumbrava na valorização da área a oportunidade de tornar-se maior ainda. Seu interesse na reforma urbanística que se anunciava já se explicitara, como vimos, por seu endosso, ao lado de destacados colegas capitalistas, ao primeiro dos planos, o das grandes avenidas projetadas por Alexandre de Albuquerque. A pouca viabilidade desse plano conduziu-o a buscar uma alternativa. Ora, confrontados os planos Victor Freire-Guilhem e Samuel das Neves, ressalta que o segundo lhe trazia vantagem considerável — permitia construir, tanto na Líbero Badaró como no fundo do vale. Aos lucros que de toda forma adviriam com a desapropriação de suas terras para a formação do parque, ele acrescentaria o de tornar-se proprietário de prédios muito mais valiosos do que as famigeradas casinholas, e capazes de render-lhe aluguéis que lhe multiplicariam os ganhos. Não deve ser só coincidência que fosse amigo de Samuel das Neves e o tivesse como seu construtor favorito.

E agora? Tínhamos três planos, e ter três planos é ter nenhum. Victor Freire, em sua conferência na Politécnica, sugeriu uma saída para o impasse: o apelo a um árbitro. Citou o caso de Buenos Aires, que para dar a palavra final no plano de renovação da cidade, em 1907, chamara um especialista de reputação internacional. E acabou por indicar, para o caso de São Paulo, o mesmo especialista que socorrera os argentinos: o francês Joseph-Antoine Bouvard.

Era um nome de prestígio. É ainda: Bouvard dá nome à avenida que corta o Champs de Mars, em Paris. Mais prestigioso ainda era o título que ostentava — diretor dos serviços de Arquitetura, de Passeios e de Jardins da cidade de Paris. Em paralelo ao trabalho na França ele aceitava encargos no exterior. Elaborou um plano para Istambul, na Turquia. Em Buenos Aires originam-se de suas intervenções os amplos parques e avenidas. Bouvard encontrava-se no Rio de Janeiro, a caminho ou de volta de Buenos Aires quando, tendo a Câmara dos Vereadores aprovado a proposta de convocá-lo, Victor Freire foi pessoalmente buscá-lo na capital federal.[15] O francês ficou quarenta dias em São Paulo, percorreu a cidade, estudou-lhe a topografia, as construções e os fluxos de trânsito, e no dia 15 de maio entregou ao prefeito Raimundo Duprat relatório contendo suas conclusões, acompanhado de seis plantas.[16]

Basicamente, Bouvard aprovou o plano de Victor Freire. Deu seu aval aos dois parques e ao anel em torno do Centro. Mas fez uma decisiva concessão a Samuel das Neves ao deixar em aberto a possibilidade de construção de dois grandes edifícios na rua Líbero Badaró, com fundos para o vale do Anhangabaú, desde que deixassem espaços livres entre eles. Mais do que a Samuel das Neves, era uma concessão, já se vê, ao conde de Prates. Ele podia sossegar, ainda que lhe fosse negada a avenida cercada de prédios no fundo do vale. A recomendação de Bouvard era de que na Líbero Badaró as construções fossem de "edificação simétrica e de estilo adequado".[17] O francês desenhou os dois parques — o paisagismo era sua especialidade — e, no relatório, deu grande ênfase ao centro cívico, no qual via "ensejo para uma obra notável, que marcará época na história de São Paulo".[18] Na planta que desenhou para o parque da várzea do Carmo, além das alamedas e áreas ajardinadas, previu a implantação de equipamentos esportivos — um "*stadium*", como escreveu, um campo de "*foot ball*", um rinque de patinação, uma área do Tamanduateí destinada ao *"water polo"*, outra curiosamente destinada ao *"hockey"* e uma terceira mais curiosamente ainda destinada a "jogos para raparigas". Também prescreveu, numa das extremidades do parque, tal qual lhe pedira a prefeitura, a construção de um "Palácio das Indústrias" e na rua Vinte e Cinco de Março, de um novo mercado municipal.[19]

O conjunto de medidas foi aprovado pela Câmara dos Vereadores como "projeto Bouvard", e assim passou para a história. Antes, seria o "projeto Victor Freire-Guilhem tal qual revisto e aprovado por Bouvard". Ou, antes ainda, o "projeto Silva Teles tal qual esmiuçado e ampliado por Victor Freire e revisto e aprovado por Bouvard". Seja qual for o autor que se queira privilegiar, a prefeitura tinha agora um plano e, para implementá-lo, muito trabalho pela frente. As obras se arrastaram pelos anos seguintes. O Anhangabaú teve prioridade e ficou pronto em 1918. Na Líbero Badaró o escritório de Samuel das Neves ergueu para o conde Prates dois palacetes gêmeos, que faziam *pendant* com o Theatro Municipal, no lado oposto do vale. O resultado foi um harmonioso conjunto, em que os gramados deixados entre eles constituíam um resquício do terraço pretendido por Victor Freire.* O parque da várzea do Carmo foi inaugurado só em 1922, ano do centenário da Independência, com o nome de parque D. Pedro II. O alargamento da rua Líbero Badaró terminou em 1918; a praça do Patriarca foi concluída em 1924. O alargamento da rua Boa Vista demorou mais: entraria pela década de 1930 adentro. O viaduto Boa Vista, sobre a fenda da rua General Carneiro, seria inaugurado em 1932. Já o viaduto que no projeto de Victor Freire ligaria a praça Antônio Prado ao Paiçandu, muito longo e de custosa execução, foi abandonado. Sabiamente substituiu-se essa São João voadora em que se constituiria tal viaduto pelo alargamento e a transformação da rua em avenida São João. Quanto ao centro cívico e à catedral... escaparam dos planos. São provas de que o acaso pode intrometer-se na mais bem-intencionada prancheta e provocar intempestivas mudanças de rumo.

---

* Tal conjunto seria mutilado nos anos 1950, quando os palacetes foram demolidos para dar lugar a arranha-céus.

O vale do Anhangabaú em obras; ao fundo, o viaduto do Chá, em sua primeira versão | Foto de Aurélio Becherini | Acervo Fotográfico do Museu da Cidade de São Paulo.

* * *

O centro cívico seria iniciado com um novo Paço Municipal. Prefeitura e Câmara Municipal, como sabemos, havia tempos perseguiam sem sucesso o sonho da casa própria. No dia 9 de julho de 1911, às duas da tarde, teve início a cerimônia de lançamento da pedra fundamental do aguardado edifício, para cujo projeto fora contratado o escritório do arquiteto Ramos de Azevedo. "Até que enfim São Paulo vai ter seu Paço Municipal", anunciou o jornal O *Estado de S. Paulo*, naquele dia. O edifício seria levantado no ponto da praça João Mendes em que existira um teatro incendiado em 1898 — o primeiro dos dois que a cidade teve com o nome de São José. À cerimônia compareceram, entre outros, o prefeito Raimundo Duprat, o secretário de Justiça do estado, Washington Luís Pereira de Sousa, e o arcebispo d. Duarte Leopoldo e Silva. De saída as autoridades enfrentaram um contratempo; o palanque armado para a ocasião apresentava-se enfeitado de bandeiras portuguesas. Como assim? O que tinha a antiga metrópole a ver com a ocasião? Ainda por cima, era a bandeira do Portugal monárquico, que acabara de ser destronado pela revolução republicana do ano anterior. A explicação é que o empreiteiro responsável pelo palanque, um português monarquista, pretendeu tomar carona na cerimônia para protestar contra o estado de coisas na distante pátria. Houve revolta, da parte dos presentes. A cerimônia somente foi iniciada depois de devidamente arrancadas as bandeiras.

Seguimos, na descrição do evento, o minucioso levantamento de relatos da época realizado por Wilson Maia Fina em seu livro O *Paço Municipal de São Paulo*.[20] A cerimônia teve Hino Nacional, explanação de Ramos de Azevedo do projeto a ser executado e discurso do presidente da Câmara dos Vereadores, Gabriel Dias da Silva. "A parte vetusta da cidade vai em breve ruir toda por terra ao sopro do progresso, e castelar-se de soberbas construções que farão do seu centro o ponto fulgurante de riqueza e bom gosto artístico", perorou o vereador. Às quatro da tarde, a cerimônia estava encerrada. Foi quando entrou em ação o arcebispo d. Duarte Leopoldo e Silva. A influência política das autoridades religiosas da época não precisa ser ressaltada. O cerimonial reforçava-lhes a majestade. Ao entrar na cidade para tomar posse da diocese, ou arquidiocese, para a qual haviam sido nomeados, faziam-no sob o pálio, percorrendo ruas enfeitadas. Magro e alto, d. Duarte tinha aparência ascética, mas a batina e a cruz que lhe pendia no peito escondiam uma determinação que iria se mostrar de ferro na defesa de seus projetos. Terminada a cerimônia, d. Duarte convidou os presentes a visitar a obra que, a duas quadras dali, preparava o terreno para a nova catedral. Ele tinha um plano: mostrar-lhes o quanto era acanhado o espaço que lhe cabia, em comparação com a largueza com que era contemplado o centro cívico.

Para quem não tem em mente a configuração da área naquele tempo, o largo da Sé de então, confinado a um quarto do que viria a ter, era separado da praça João Mendes por dois extensos quarteirões.

O plano Bouvard previa o desaparecimento desses dois quarteirões e sua transformação em ampla esplanada, onde se alternariam jardins e os edifícios do centro cívico. A catedral continuaria onde sempre esteve, apenas com o pequeno ganho advindo da demolição de outra igreja existente no mesmo largo, a de São Pedro dos Clérigos, e a desapropriação de outros prédios vizinhos. Era pouco, muito pouco, para as pretensões de d. Duarte. E não deixou de causar impressão nas pessoas para ali arrastadas pelo arcebispo: o projeto da nova catedral sumia, humilhado, diante da grandiosidade prevista para o Paço Municipal e demais edifícios do centro cívico. Seguiu-se um período de vacilo. O lobby de d. Duarte era forte. A questão era debatida nos jornais. Enfim, em abril de 1913, foi sacramentado acordo entre a Mitra Arquidiocesana, a Câmara Municipal e o governo do estado, pelo qual a catedral passava a localizar-se no alto da futura esplanada,

Largo da Sé em 1910 — junto à antiga igreja havia um ponto de carruagens de aluguel | Foto de Aurélio Becherini | Acervo Fotográfico do Museu da Cidade de São Paulo.

no lugar antes reservado ao Paço Municipal (e não de frente para a praça João Mendes, como se previa para o Paço, mas de costas).²¹ Eis que o nanico largo da Sé iria se transformar no mais amplo espaço do centro da cidade, a igreja ganhando um átrio que se estendia por dois antigos quarteirões até se juntar a seus antigos domínios. O Paço Municipal saía de cena. Nos anos seguintes, vez ou outra se lembravam dele, e surgiam novas indicações de espaços onde poderia ser edificado. A prefeitura já não tinha pressa. Agora ocupava, de aluguel, um dos palacetes do conde Prates, no Anhangabaú. Do centro cívico foi se falando cada vez menos, até que não se falou mais.

O modesto largo da Sé seria transformado na majestosa praça da Sé com o arrasamento de dois quarteirões.

Para o projeto da nova catedral foi contratado o arquiteto Max Hehl, outro professor da Politécnica. O estilo adotado foi o gótico, aquele que, segundo Hehl, "pela elegância e esbeltez de seus elementos ornamentais, se recomenda especialmente, para revestir os grandes monumentos dessa natureza, em que predominam as fortes linhas verticais".[22] D. Duarte convocou ao Palácio São Luís, na avenida do mesmo nome, onde ficava a sede do arcebispado, a nata da sociedade paulista, e lhes fez um discurso em que, se não fossem tomados pelo sentimento religioso, o seriam pelo paulistismo: "[...] queremos uma catedral que seja uma escola de arte e um estímulo a pensamentos mais nobres e mais elevados, queremos uma catedral opulenta, que, testemunhando a fartura de nossos recursos materiais, seja também um hino de ação de graça a Deus Nosso Senhor. Saibam os paulistas de amanhã que a fibra do bandeirante, lutador e intimorato nas asperezas da selva, não se enfraqueceu nos confortos da vida moderna, como não se entibiou sua fé nos esplendores da ciência e da civilização".[23]

Foi constituída uma comissão de construção da catedral, cuja presidência coube... a quem? Ei-lo de novo: o conde de Prates, de resto conhecido como piedoso contribuinte da Igreja. O objetivo principal era arrecadar fundos para a obra. No domingo, 6 de julho de 1913, lançou-se a pedra fundamental. Solenemente paramentado, d. Duarte saiu às 14h30 da igreja do Carmo, então servindo de catedral provisória, pois a antiga já fora demolida, e, sob o pálio, fez o trajeto até o local. Acompanhava-o o bispo auxiliar do Rio de Janeiro, d. Sebastião Leme. A banda da Força Pública tocou o hino pontifício e lançou-se a pedra no lugar em que se ergueria o altar-mor. Uma cópia da ata em latim, circunstanciando o evento, foi enterrada junto à pedra.[24] O que não se sabia era que até ali se enfrentara a parte mais fácil do empreendimento. Idas e vindas, paralisações e retomadas, complicariam a construção da catedral, caracterizada pela crônica falta de recursos. Só seria inaugurada, e mesmo assim incompleta, quatro décadas depois.

No dia 12 de setembro de 1911, uma terça-feira, deu-se a inauguração do Theatro Municipal. Era para ter ocorrido no dia anterior, mas foi adiada por não terem chegado a tempo os cenários da ópera de estreia — *Hamlet*, de Ambroise Thomas, em cinco atos que seriam apresentados pela companhia do barítono Titta Rufo. O jornal *O Estado de S. Paulo* saudou o evento em três páginas e fotos inusitadamente ampliadas, mostrando a fachada e os interiores do prédio. O redator, ao estilo da época, caprichou no nariz de cera. Escreveu que o acontecimento daquele dia era "uma bela prova de quanto temos progredido e uma fulgurante promessa de mais rápidos e mais assinalados progressos". O teatro São José, inaugurado em 1864 na praça João Mendes, fora considerado um avanço na época. O redator lembrava: "Entre o acanhado e bisonho São José e este imponente edifício monumental do morro do Chá medeiam apenas quarenta e sete anos. Não é verdade que temos progredido?". Para ele, o novo teatro "não faria má figura, nem pela construção, nem pelas instalações, em qualquer das mais populosas e mais cultas cidades da Europa". Seguia-se uma minuciosíssima descrição do edifício, item por item da fachada, sala por sala do interior.[25]

Dia da inauguração do Theatro Municipal de São Paulo, 12 de setembro de 1911 | Fundação Theatro Municipal de São Paulo.

Na edição seguinte o relato da noite de estreia começou com a afirmação de que fora "um encanto que não encontra palavras que o descrevam". Sobraram palavras, no entanto, para enumerar os presentes, um por um, conforme sua distribuição na plateia, nas frisas, nos camarotes ou nos balcões. O resultado é um catálogo virtualmente completo de quem contava na cidade — os grandes fazendeiros, os capitães da incipiente indústria, os comerciantes, os políticos. A relação do *Estado* limitou-se aos homens — dava por suposto que eram acompanhados pelas mulheres. Já o *Correio Paulistano* foi tão atencioso com as mulheres que não se limitou a nomeá-las — descreveu em minúcias, caprichando no francês, as *"toilettes"* de algumas delas. Exemplos:

"Mme dr. Jorge Tibiriçá — *Toilette* de calipso de seda marinho, coberta com rica túnica de filó de seda fantasia, guarnecida com finíssimas aplicações e franjas de vidrilho."

"Mme Gustavo Pais de Barros — Elegante *toilette* de *faille liberty gris-fer*, guarnecida com lindas aplicações *argentées*."

"Mme dr. Rubião Júnior — *Toilette* de lumineuse heliotrope com túnica de renda de *chantilly* preta, guarnecida com belas franjas de vidrilho preto."

Para o *Correio Paulistano*, a festa foi "um verdadeiro deslumbramento: luzes em profusão, flores variegadas, ricas joias, toilettes luxuosas, tudo emoldurando a beleza feminil que, no seu impecável brilho, nos encantava e nos maravilhava".[26] *O Estado de S. Paulo* replicou: "Da macieza voluptuosa dos cetins em decote e da negrura das casacas emoldurando peitilhos de impecável brancura vinha uma nuvem hierática de graça, que se espalhava no ar balsâmico do recinto".[27] O espetáculo começou quando a batuta do maestro Eduardo Vitale deu a largada para a protofonia do *Guarani*, de Carlos Gomes. Foi "eletrizante", segundo o *Correio Paulistano*: "Um súbito frisson como que percorreu todo o auditório, mal terminou a empolgante página musical do nosso imortal maestro".[28] Seguiu-se *Hamlet*. Primeiro ato, segundo. Agora era como na Europa. Entre um ato e outro, os paulistanos circulavam pelo *foyer*, pelos corredores e pelos camarotes, os homens de cartola como nos quadros de Renoir.[29]

Terceiro ato, iniciado com o "ser ou não ser" de Hamlet. Quarto. E fim do espetáculo. Não houve o quinto e último. Hamlet foi abandonado em suas indecisões, Ofélia largada insepulta. A companhia achou que já era muito tarde, e abortou a representação. Mas quem se importava? Os jornais pouco falaram nisso, mas o espetáculo tinha começado com grande atraso, em consequência do tumulto que, em paralelo à empolgação, caracterizou aquela noite. O memorialista Jorge Americano conta o que ocorreu com ele e sua família:

"Tínhamos encomendado o 'landau' [carruagem com capota conversível] para as oito e meia. Às oito estava parado à nossa porta. Vinte mil réis para levar, esperar e trazer. Quando fomos entrando pela rua Barão de Itapetininga, tudo parou. Os carros chegavam ao Municipal por todas as direções. Vinham pelo viaduto do Chá, pela rua Conselheiro Crispiniano, direção do largo do Paiçandu, pela rua Vinte e Quatro de Maio. Grande parte pela rua Barão de Itapetininga. Muitos entravam pela rua Conselheiro Crispiniano, do lado da rua Sete de Abril. Finalmente, os que entravam pela rua Xavier de Toledo. Uns cem automóveis e tudo mais eram carros puxados por cavalos (landôs, vitórias, caleças).

"Como o cocheiro veio mais cedo e disse que 'a coisa estava ruim para ir até lá', nós nos apressamos para chegar antes da hora marcada, 8 e três quartos. Atingimos a praça da República às 8h30 e o Municipal às 10h15, no começo do segundo ato. Mas ninguém teve a iniciativa de descer e seguir a pé. Seria escandaloso."[30]

Não eram só os veículos — uma multidão de curiosos também se aglomerava nos arredores. Para O *Estado de S. Paulo*, se era "deliciosa, estonteante" a atmosfera no teatro, eram grandes, em contrapartida, os "sofrimentos morais que se acumularam no espírito dos que lá não foram, por falta de lugares ou por qualquer outro motivo". Estes usaram "seu direito de revanche" ao postarem-se nas vizinhanças. O jornal calcula, talvez com exagero, que às oito da noite havia 20 mil pessoas na região.[31] Para a saída, havia sido mobilizada uma turma de ciclistas da Guarda Civil à qual incumbiria chamar cada cocheiro ou cada motorista, à medida que os reclamassem seus donos. Não funcionou, conforme o depoimento de Jorge Americano:

"Na saída, foi o mesmo entulho. Era feio sair à rua e procurar o carro. Ele tinha que chegar, sem erro de um metro, ao ponto em que estávamos. Acontecia, entretanto, que no amontoado das portas laterais do teatro nem todos estavam na ordem em que chegavam os carros. Vistos pelo cocheiro, iam varando e pedindo licença. Quando não viam ou não eram vistos, o carro passava, voltava e aparecia uma hora depois. Chegavam em casa ali pelas duas e meia ou três da madrugada."[32]

Para Jorge Americano, este foi o primeiro congestionamento de trânsito da cidade.

O viaduto do Chá, o Theatro Municipal e a reforma do Anhangabaú selaram o destino de São Paulo: a centralidade da cidade tomaria o rumo oeste da colina histórica. É esta a conclusão do urbanista José Geraldo Simões Jr., autor do elucidativo *Anhangabaú, história e urbanismo*. O antigo morro do Chá, rebatizado de "cidade nova", logo seria chamado de "centro novo", com eixo na rua Barão de Itapetininga. O Anhangabaú deixaria de ser o "quintal dos fundos", como escreve Simões Júnior, para virar o jardim de frente da cidade.[33] Depois dos investimentos que iam do viaduto à praça da República, não havia mais possibilidade de o Centro expandir-se para o lado leste, sacramentado na condição de região de fábricas e bairros operários. A centralidade, ao longo do século XX, tomará a inflexão sudoeste, e sucessivamente subirá até a avenida Paulista, descerá do outro lado, em busca da Brigadeiro Faria Lima, e até testará novos ares junto ao rio Pinheiro, na avenida Luís Carlos Berrini. Guiava-se pela lei não escrita de acompanhar os bairros residenciais de mais alta renda.[34]

IV.
Grandes novidades, infinitas emoções

O *Estado de S. Paulo* foi mais preciso do que Jorge Americano. Segundo o jornal, havia 118 automóveis e 122 "carros de praça e de cocheiras particulares" para o transporte das pessoas que foram à inauguração do Theatro Municipal.[1] Tais números revelam uma cidade espremida, por meio dos odores, entre duas eras — o cheiro da gasolina já se insinuava no ar, mas o do estrume dos cavalos ainda permanecia dominante. Os carros de praça mais comuns eram os fiacres e os tílburis; as carruagens particulares podiam ser cupês, landós, caleças, vitórias, nomes que distinguiam os veículos segundo o número de rodas, de cavalos, de assentos, da conformação da capota e do maior ou menor luxo, hoje só familiares, se tanto, aos leitores de romances do século XIX. Segundo o memorialista Jorge Americano, as senhoras das boas famílias, quando passeavam em carros abertos, usavam sombrinhas, mas isso não representava grande vantagem — as senhoras de má família, quando se desenfastiavam dos labores exercidos na rua Líbero Badaró, faziam o mesmo.[2]

Qual foi o primeiro automóvel a circular em São Paulo? Em busca da resposta, a primeira investida conduz a um capítulo da juventude de Alberto Santos Dumont, o futuro Pai da Aviação. Em 1891, ano em que completaria dezoito anos, Santos Dumont, nascido em Minas e criado na fazenda de café aberta pelo pai em Ribeirão Preto, fez com a família a primeira viagem à Europa, longa, de sete meses. A maior parte desse tempo foi passada em Paris, onde o jovem deliciou-se com os motores e os balões, os objetos de seu maior interesse, e acabou comprando um automóvel, ou *automobile* como se dizia então, mesmo fora da França — "um Peugeot de rodas altas e três e meio cavalos de força", segundo sua própria descrição. Mesmo na Europa os automóveis eram então raros. "E tal era o interesse popular", conta ainda o futuro inventor, em sua autobiografia, "que eu não podia parar em certas praças, como a da Ópera, com receio de juntar a multidão e interromper o trânsito."[3]

Ao final do mesmo parágrafo Santos Dumont acrescenta que, ao término da temporada europeia, trouxe o Peugeot ao Brasil — e mais não afirma, nem lhe foi perguntado. Como a família a essa altura estabelecera-se em São Paulo, presume-se que o carro fora trazido para a cidade. Alguns biógrafos não só não deixam dúvida a respeito como se permitem voar longe. "Alberto decidira-se, pelo menos por enquanto, tornar-se engenheiro automobilístico, e sentia-se imensamente feliz com seu automóvel", escreve um deles. "Se este havia sido uma sensação em Paris, com dez vezes mais razões ele o foi em São Paulo, pois aquele deve ter sido o primeiro automóvel a ser visto na América do Sul." O mesmo autor imagina que os amigos da família Dumont, ao observar "o avanço do carro aos solavancos através das ruas empoeiradas de São Paulo", sentiam um misto de "horror, inveja e relutante imaginação".[4]

O registro seguinte é de um mineiro que, estudante de Direito em São Paulo, em 1898, relata ter visto na rua Direita um grande ajuntamento de curiosos em torno de "um carro aberto, de quatro rodas de borracha, com dois passageiros, e que se movia por si mesmo".[5] O carro em questão pode ter sido da família Santos Dumont, pois, se não é certo que Alberto tenha circulado com seu Peugeot pela cidade, os irmãos seguramente o fizeram. O primeiro documento oficial a atestar a presença da nova e espetacular invenção na tímida Pauliceia é assinado por Henrique Santos Dumont, o irmão mais velho. Trata-se da muitas vezes citada petição por ele dirigida às autoridades, no sentido de que seu Peugeot — um outro, não aquele de 1891 — fosse isentado do imposto sobre veículos. O documento, de 1901, tem a redação seguinte:

"O dr. Henrique Santos Dumont vem requerer baixa no lançamento de imposto sobre seu '*automobile*', pelas seguintes razões: o suplicante, sendo o primeiro introdutor desse sistema de veículo nesta cidade, o fez com sacrifício de seus interesses, e mais para dotar nossa cidade com esse exemplar de veículo '*automobile*'; porquanto, após quaisquer excursões por curtas que sejam, são necessários dispendiosos reparos no *vehiculo* devido à má adaptação do nosso calçamento, pelo qual são prejudicados, sempre, os pneus das rodas. Além disso o suplicante apenas tem feito raras excursões a título de experiência e ainda não conseguiu utilizar-se de seu carro '*automobile*' para uso normal, assim como um outro proprietário de um '*automobile*' que existe aqui, não o conseguiu também. Assim pois, o suplicante, crendo ser de justiça, p. Deferimento."[6]

Se Henrique Santos Dumont declara-se no documento o introdutor do "*automobile*" em São Paulo, também afirma que há outro exemplar na cidade. De quem seria? Boa aposta é a família Penteado, que pode não ter sido a primeira, mas que era comprovadamente uma precoce aficionada do fabuloso invento. Quanto ao conteúdo da petição de Henrique Dumont, gerou discussão em várias instâncias da burocracia, e acabou derrotado. Um dos funcionários lembrou que o carro já circulava no ano anterior, o de 1900, durante o qual seu proprietário utilizou-o "constantemente". Em 1900 ainda não havia imposto específico para automóveis, e sim para veículos em geral; o específico só foi instituído em 1901. Punha-se a questão paralela de determinar se o solicitante deveria pagar também o imposto relativo a 1900, ou apenas o de 1901. Afinal decidiu-se que do primeiro pagamento o solicitante podia escapar; do segundo, não.[7]

O carro dos Santos Dumont foi avistado certa vez pelo menino Jorge Americano. À direção, segundo o memorialista, estava não Henrique, mas Luiz, outro irmão do aviador. E o ano podia ser o de 1899 — anterior ainda aos que motivaram as discussões entre os burocratas. Relata Jorge Americano:

"Um domingo, entre 1899 e 1900, eu estava à janela e escutei para o lado da esquina roncos ou sopros repetidos, seguidos de um formidável barulho de trepidação. Logo apareceu um estranho veículo, que de repente parou. Eu, que já tinha ouvido falar em automóvel (com o nome de carro elétrico), gritei para dentro: — Venham ver um carro elétrico!

"Tinha quatro lugares apertados, dois na frente e dois atrás. Não se cobria de lona ou encerado contra a chuva. No banco da frente vinha Luiz Dumont, irmão de Santos Dumont, que já começava a ser conhecido em Paris por causa dos balões dirigíveis que estava inventando. A seu lado, outro homem [talvez o esportista Antônio Prado Júnior, que teria entre dezenove e vinte anos]. Os dois vestiam guarda-pós [uma espécie de roupão de linha ou palha de seda, sobre a roupa]. Desceram. Juntou a molecada. Uns dez. O Dumont tirou de debaixo do banco um ferro com a forma da letra Z.

"Ajustou-o a uma ponta saliente, na frente do carro. Tive a impressão de que ele estava 'dando corda', como nos brinquedos de crianças. Suou. Depois veio o outro. Suou. Não conseguiram. Ofereceu-se um homem. Não conseguiu. Luiz Dumont conseguiu de repente, o carro deu estremeções violentos, embarcaram e partiram."

O relato equivale a um mito de origem. Lentamente, como Adão, o novo ser desperta, para espanto e encantamento das outras espécies da criação. Dá estremeções, ameaça ir mas não vai, finalmente vai, aos trambolhões. É uma geringonça, mas, tal qual se movida a eletricidade — não é à toa que a chamam de "carro elétrico" —, é dotada do miraculoso dom de mover-se sem ser puxada por ser humano ou animal. Jorge Americano cria diálogos em que reproduz as discussões da época:

"— Aquilo não vai dar certo. A gente anda depressa, mas quando para, perde tempo, sua e chega emporcalhado e cansado.

"— Vai dar certo. Você ainda verá carro com a velocidade de trinta quilômetros por hora, sem desarranjos."[8]

Com passos indecisos de bebê aprendendo a andar, despontava na cidade o futuro dono das ruas, definidor das obras e dos planos urbanísticos vindouros, herói da rapidez e da liberdade nos deslocamentos, vilão do entupimento das ruas e da poluição do ar.

* * *

O automóvel é uma das novidades definidoras do século que se iniciava. A buzina se incorporaria aos sons da cidade como sinal de promissores e excitantes tempos. De impacto semelhante foi o cinema. Ambos tinham em comum a velocidade — um nas imagens, outro no ímpeto de vencer distâncias. O cinema — aliás cinematógrafo, como se dizia — começou sem sede própria. Quer dizer: não havia local exclusivamente voltado para a exibição dos filmetes mudos, assim como não havia regularidade nas exibições, que se anunciavam de forma esporádica. Um dos lugares em que virou moda se apresentarem filmes foram as confeitarias. A primeira sala regular de cinema surgiu com a inauguração do Bijou Palace, na ladeira de São João — o prolongamento da praça Antônio Prado que dá início à rua de mesmo nome. O cronista Afonso Schmidt lembrava-se de um estabelecimento chamado Pauliceia Fantástica, que "todas as tardes" reunia "muita gente" para ver seus filmes. Descreve ele: "A tela era pequena, engruvinhada. O projetor ficava atrás do público, fazia muito barulho. Antes de começar a exibição vinha um homem com um canudo e esguichava água no pano. De repente, a tela se iluminava, apareciam figuras trêmulas e saltitantes que pareciam atacadas pela doença de São Vito".[9]

As novas invenções — e havia outras, como o gramofone e, logo, o rádio — implicavam novos modos de vida. Na mesma direção apontavam o comércio, os restaurantes, os bares e as confeitarias. As lojas deixavam de ser os ambientes descuidados, com mercadorias empilhadas sem critério, em ambientes frequentemente soturnos, para abraçar formas inéditas de exibir e de propagar os produtos. Uma foi a vitrine. Outra os letreiros luminosos.[10] A historiadora Heloísa Barbuy revela que um projeto de letreiro com iluminação elétrica para a Casa Hamburguesa, na rua Quinze de Novembro, foi aprovado pela prefeitura em 1906. Seria o primeiro.[11] Tais inovações cumpriam o papel de elementos de ligação entre a loja e a cidade. Junto com os restaurantes, bares e confeitarias, que atravessavam igualmente um processo de atualização, constituíam convites para sair de casa.

A movimentada rua Quinze de Novembro, s. d. |
Arquivo Público do Estado de São Paulo.

Sair de casa — eis um procedimento que punha a vida pelo avesso. Ao influxo das novas invenções e das novas práticas, começavam a ruir os hábitos caipiras da cidadezinha em que se constituiu São Paulo durante mais de três séculos. As ruas Quinze de Novembro, de São Bento e Direita, até havia pouco ainda caracterizadas pela timidez colonial, viravam espaços de glamour. Na rua Direita instalou-se em 1904 a Casa Alemã, dos irmãos Heydenreich, de Hamburgo. Surgida modestamente vinte anos antes, na rua então chamada Municipal (depois General Carneiro), e no início dedicada ao comércio popular, agora ganhava endereço no ambicionado Triângulo, e apresentava-se num edifício de três andares, envidraçado, com vitrines no térreo. Tinha se metamorfoseado em "loja de departamentos", o mais prestigioso tipo de casa comercial surgido na Europa do século XIX. A Casa Alemã foi a primeira do gênero em São Paulo. Nela o dr. Bráulio Costa, personagem do romance *A estrela de absinto*, de Oswald de Andrade, iria se desincumbir, ao chegar do interior, da "porção de encomendas" de que o encarregara a família.[12] Em 1913 surgiria na rua Quinze de Novembro a Mappin Store, dos irmãos ingleses do mesmo nome. Era a segunda loja do gênero, e destinada a vida mais longa e marcante do que a antecessora.[13]

A praça Antônio Prado apresentava uma concentração de confeitarias. Ali ficavam a Castelões, filial de famosa casa carioca do mesmo nome, e a Brasserie Paulista, fundada em 1902 pelo milanês Vittorio Fasano e destinada, por seus descendentes, em outros endereços e com outros nomes, a longa vida na cidade. Na Confeitaria Fasoli, na rua Direita, Serafim Ponte Grande, outro personagem de Oswald de Andrade, comia empadas e doces e um dia encontrou o comendador Sales. (O comendador contou-lhe aventuras de amor, pedindo-lhe reserva.)[14] O Café Guarani, na rua Quinze de Novembro, era o preferido pela turma do "Cenáculo", o grupo do estudante Monteiro Lobato, para suas reuniões.[15] Fechava tarde, e era reduto de boêmios. É ainda Afonso Schmidt quem o descreve, puxado pelas recordações de mocidade:

"Situado defronte da travessa do Comércio, tinha de manhã e à tarde a freguesia de comerciantes e corretores [...]. Mas a sua glória era à noite. Sempre concorrido, cheio de falatórios e risadas. Um salão enorme para aquele tempo. Mesas de mármore, cadeiras austríacas. Compridos bancos laterais com espaldares de couro. No fundo, um estrado com grades. Nesse estrado, a orquestra. As valsas de Lehar e de Strauss estavam na moda. Ali se reuniam médicos, advogados, jornalistas prósperos, políticos de certo prestígio e, principalmente, estudantes. Lá em cima havia bilhares. Um clube não sei de quê. Na porta, um preto velho, gordo, de cachenê, desempenhava as funções de leão de chácara."[16]

Na rua de São Bento estabeleceu-se inicialmente a Rotisserie Sportsman, primeiro restaurante, logo também hotel, quando virou Grande Hotel Rotiserie Sportsman. Seu fundador foi A. D. Souquiéres, que trazia de Buenos Aires sua experiência nas artes da gastronomia e da hotelaria.[17] Talvez fosse argentino. Mas talvez fosse francês, pois quando desdobrava o nome se dizia Antoine Daniel e sobretudo porque às vezes inclinava o acento para o outro lado e o sobrenome virava *Souquières*. Não é absurdo supor uma estratégica torção do acento.[18] Se Buenos Aires tinha prestígio como a mais europeia das cidades abaixo do Equador, mais europeia ainda, por inexorável injunção da geografia, era a França. O estabelecimento do *señor* Souquiéres, ou talvez *monsieur* Souquières, ia da rua de São Bento à Líbero Badaró; possuía três andares dando para a São Bento e quatro para a Líbero, graças ao desnível entre as duas ruas. Logo à entrada ficava a sala de jantar. "É um grande salão, sustentado por duas colunas, com um armário que guarda uma rica baixela de *electro-plate* com o monograma da casa e o custo de 160 mil francos", escreveu o carioca Alfredo Moreira Pinto, que o visitou em 1900, deslumbrado com o luxo e, mais ainda, com o respectivo preço. Nos fundos havia outro salão, maior, com palco para orquestra.[19] Já se vê que a presença de orquestras era de rigor para as casas com ambição.

O Grande Hotel Rotiserie Sportsman ocuparia dois outros endereços de prestígio. Em 1911 mudou-se para o suntuoso prédio comercial erguido no lugar da antiga casa do barão de Iguape, na rua de São Bento, esquina de rua Direita, já referida no capítulo primeiro deste livro. Nesse endereço, Oswald de Andrade, desta vez não por interposto personagem, mas ele mesmo, foi buscar Isadora Duncan, ali hospedada, dando início a sua memorável aventura com a dançarina americana, em 1916.* Em 1918, o hotel-restaurante, que segundo certas fontes em algum período teria tido como proprietário, ou um dos proprietários, o americano Percival Farquhar, já nosso conhecido pelos negócios com a Light, mudou para a esquina da rua Líbero Badaró com o viaduto do Chá. Agora instalava-se num prédio de propriedade do conde Prates — um terceiro, em sequência aos dois prédios gêmeos voltados para o Anhangabaú.[20]

Neste caldeirão em que se misturam novos tipos de consumo e novos lazeres, o encanto com as novas invenções e novas formas de se relacionar com a cidade, novos tipos de exibicionismo, novos prazeres e novas formas de sociabilidade, compõe-se o conjunto de ações e de aparatos a que se dá o nome de "vida moderna". A multiplicidade de coisas novas aponta para a característica central do período. Tudo era novo, e quanto mais novo mais prestigioso, assim como quanto mais velho mais desprezível. Outra palavra que despontava com prestígio que só faria crescer, até bem avançado no século, era "moderno". Tudo que se considerasse moderno merecia reverência, assim como tudo que remetesse ao antigo merecia condenação. O "moderno", nessa fase de deslumbramento, não admitia conviver com o antigo. Pretendia aniquilá-lo. Se isso vale, entre as últimas décadas do século XIX e as primeiras do XX, mais ou menos para o mundo todo, com mais vigor se faz sentir em São Paulo, tão abruptamente a cidade saltou da condição de povoado interiorano, fechado em si mesmo, no qual as famílias mal se encorajavam a sair das casas, para as novas modas e as novas práticas.

O Grande Hotel Rotisserie Sportsman junta uma palavra francesa com uma inglesa. Mais curioso ainda é que junta os prazeres da gastronomia com as emoções do esporte, o ato sedentário de achegar-

---
* Ver epílogo de *A capital da solidão*.

-se à mesa com exercícios físicos, comer com exercitar-se. Os conceitos são quase antípodas, mas o nome foi bem achado. O esporte despontava com força no período; era outro ingrediente no caldeirão. O culto ao corpo, aliado ao desafio da competição, abria um mundo de atividade, de excitação, de beleza e de delícias, para quem podia desfrutá-lo.[21]

O frontão, ou pelota basca, jogo aparentado com o tênis e com o *squash* trazido por imigrantes espanhóis, foi uma paixão para boa parte dos jovens da elite paulistana. As lâmpadas de arco voltaico do Frontão Boa Vista, na rua desse nome, consumiam o total da produção de cinquenta kilowatts de um dos quatro geradores que a Companhia de Água e Luz, antecessora da Light, possuía na rua Araújo.[22] Em jogos entre profissionais, faziam-se apostas que chegaram a rivalizar com as das corridas de cavalo, realizadas na cidade desde 1876, data da fundação do Jóquei Clube e da construção do hipódromo da Mooca.

As bicicletas fizeram sua aparição na última década do século XIX, trazidas da França pelas famílias abastadas, e em pouco tempo viraram outra mania. "Todo mundo começou a pedalar; até mesmo respeitáveis damas e circunspectos cavalheiros, habituados à cartola e à indispensável sobrecasaca", anota um observador do período.[23] Um dos entusiastas era Antônio Prado Júnior, o segundo filho homem do conselheiro, que a vida inteira será identificado aos esportes. No começo ele e os amigos pedalavam pelas alamedas da Chácara do Carvalho. O passo seguinte foi convencer o pai a construir uma pista mais adequada. O local escolhido foi a chácara da família na Consolação onde morara dona Veridiana, a avó de Antônio Júnior, antes de se mudar para Higienópolis. Ali nasceu, em 1896, o Velódromo Paulista, destinado a fazer época. Ficava nas vizinhanças da igreja da Consolação, no local onde mais tarde seria aberta a rua Nestor Pestana. Alfredo Moreira Pinto descreveu-o tal qual se apresentava em 1900:

"Funciona à rua da Consolação, em frente da rua Araújo, no meio de um vasto jardim. Destina-se a corridas de *bicycletes*. Tem uma raia de 380 metros de extensão sobre oito de largura, onde correm os *bicycletistas*, e uma elegante arquibancada de setenta metros de comprimento sobre oito de largura para oitocentos espectadores. Na frente da arquibancada fica um vasto passeio para 2 mil pessoas, com corrimãos de ferro sustentados por colunas. A um dos lados ficam os compartimentos do jogo das *poules*, seguindo-se a estes um outro fechado com cinquenta camarotes para os corredores. Dentro do estabelecimento ficam a oficina mecânica para a reparação das *bícycletes* e o *buffet*."[24]

Vélódromo, rua da Consolação, 1901 | Centro Pró-Memória do Cap.

Outro brinquedo, além da *bícyclete*, viria à mesma época em socorro dos amantes do esporte. E que brinquedo!: sua majestade, a bola. Em 1894, um paulistano filho de ingleses chamado Charles William Miller voltou a São Paulo, depois de dez anos de estudos na Inglaterra, trazendo na bagagem duas bolas, uma bomba de encher, um par de chuteiras, uniformes e um livro de regras do esporte para o qual pretendia catequizar os conterrâneos — o futebol. O desembarque de Miller, então com vinte anos, assim equipado, equivale à descida dos céus de um anjo trazendo a graça aos aflitos. Tem algo de místico e de lendário. Mas é documentado, ao contrário das versões que dão precedência a colégios jesuítas em que já seria praticado o esporte, ou a marinheiros ingleses que tenham corrido atrás da bola em praias do litoral brasileiro.[25] O próprio Miller contou repetidas vezes sua história. Diferentemente de outros supostos predecessores, ele veio com a apostólica intenção de, com persistência e sistema, garantir a frutificação das sementes que trazia na bagagem no solo bruto da pátria. O êxito foi muito além do que poderia esperar e com isso, não bastasse ter sido o local em que foi proclamada a independência do Brasil, à cidade de São Paulo garantiu-se a glória de ter sido o berço do futebol no país.

Charles Miller nasceu na chácara que seus avós, Henry Fox e Harriet Mathilda Rudge Fox, possuíam na rua Monsenhor Andrade, no Brás. Henry Fox era dono de uma relojoaria e, entre outros trabalhos, construiu o relógio da velha catedral, do qual cuidou pessoalmente enquanto viveu. Aos dez anos Miller foi enviado à Inglaterra, em cujas escolas o culto dos esportes fazia-se valer em pé de igualdade com o das ciências e das letras. A Inglaterra, rainha do mundo, dona de um império no qual o sol não se punha, necessitava de uma elite preparada física e intelectualmente para cuidar de interesses tão diversos e distantes.[26] O futebol, o rúgbi e o críquete nasceram, ou pelo menos foram institucionalizados em regras e campeonatos, nesse ambiente. Miller jogou futebol em times de Southampton, onde estudou. De volta ao Brasil dedicou-se a recrutar companheiros para continuar na prática do esporte. No dia 14 de abril de 1895 conseguiu formar dois times para aquele que entrou para a história como o primeiro jogo oficial no país. De um lado, formavam funcionários da São Paulo Railway, a estrada de ferro da qual Miller era funcionário; de outro, os funcionários da São Paulo Gas Company. O jogo foi realizado na várzea do Carmo, nas proximidades das ruas do Gasômetro e Santa Rosa. Antes do chute inicial os jogadores tiveram de espantar os burros da companhia de bondes, que pastavam no local. Alguns, por falta de calções, jogaram de calças. Ganhou o time de Miller — 4 a 2.[27] O jogo assinalou o marco zero de outra tradição paulistana: os jogos nas várzeas.

Os rapazes ingleses e descendentes de ingleses daquela partida inicial encontrariam abrigo no São Paulo Athletic, clube da colônia fundado em 1888. A princípio voltado para o críquete, por influência de Miller o São Paulo Athletic tornou-se o primeiro clube de futebol da cidade. O campo para os jogos ficava na Chácara Dulley, no Bom Retiro, pertencente ao americano Charles Dimmit Dulley, engenheiro-chefe da estrada de ferro São Paulo-Rio de Janeiro.[28] O primeiro clube de futebol de brasileiros foi a Associação Atlética Mackenzie, formada pelos alunos desse colégio. Seguiram-se o Internacional, assim chamado porque misturava brasileiros com alemães, franceses e ingleses, e o Germânia, o futuro Pinheiros, fundado por Hans Nobiling, alemão que se iniciara como jogador num clube de Hamburgo também chamado Germânia. Internacional e Germânia são de 1889. Em 1900 seria fundado o Paulistano, e o futebol, esporte chique que era, praticado por gente chique, mais chique ainda ficaria com a chegada dos paulistas de velha cepa, os indefectíveis Prado à frente, congregados na nova agremiação. Já havia agora clubes e jogadores em número suficiente para merecer um palco mais nobre para a prática do esporte. Esse palco foi o Velódromo, adotado pelo Paulistano como sua casa. Pela primeira vez jogava-se num local com arquibancada para alojar a assistência.[29] O campo de futebol ficava no centro da pista de ciclismo. Os cinco clubes pioneiros juntaram-se em 1901 na criação da Liga Paulista de Futebol, aliás *Foot Ball*, e no ano seguinte disputaram o primeiro campeonato paulista. Venceu-o o São Paulo Athletic, que na partida final, jogada no Velódromo, superou o Paulistano por 2 a 1.[30]

E de que se compunha a assistência nos jogos de futebol? De mulheres, inclusive. Não nesse início, em que o frontão e o ciclismo ainda dominavam a preferência das pessoas, mas na década seguinte o futebol já atraía bom público — e nesse público se incluíam as mulheres. Anotou a revista *S. Paulo Ilustrado*:
"É uma delícia ver-se, no pitoresco parque Antártica ou nas vastas bancadas do Velódromo, uma fileira inteira de senhoras, em finas e

apuradas *toilettes* de verão, a agitar-se na emoção frenética do jogo, bater palmas sonoras para aplaudir um *goal*, olhar com franca simpatia para os *foot-ballers*, ou acompanhar com olhos ávidos, quase febris à força de intensidade emocional, a esfera de couro que subiu ao ar sob o impulso de um *shoot*."[31]

Do parque Antártica falaremos adiante. Importa por ora incluir mais um ingrediente, e dos mais importantes, no caldeirão de que cuidamos neste capítulo: as mulheres. A ordem de sair às ruas valia também para elas, com uma diferença: se para os homens sair às ruas era simples decorrência de maiores atrativos para tal, para as mulheres foi uma conquista. Não para todas, nem em todas as horas, nem em todos os lugares. E, de preferência, não sozinhas — melhor na companhia de outras mulheres, ou de um homem. Também não é que, raiado o novo século, tenha raiado junto o sol da liberdade e todas tenham invadido as ruas em triunfo. Tratou-se antes de um processo, em que a cada década se ganhava algum espaço. Ainda assim era um avanço. E se a tendência, como outras de que vimos falando, era mundial, na cidade de São Paulo, onde as mulheres até havia pouco viviam trancafiadas em casas protegidas por janelas de rótulas, era nada menos do que um choque.

A liberdade de sair às ruas representava conquista maior para as mulheres de classe alta. Para as operárias e comerciárias, ir e vir do trabalho era um imperativo incontornável, que anulava as restrições ao ir e vir impostas pelos tabus vigentes. Na verdade boa parte da "vida moderna" era uma construção da e para a classe abastada. Modernidade era para quem podia, não para quem queria, e com ela o próprio desenho da urbe tomava feição mais segregada do que em períodos anteriores. O Triângulo, onde antes os casarões da rua de São Bento estavam a um quarteirão dos prostíbulos da Líbero Badaró, era agora a sede de um comércio elegante que expulsava os despreparados para gozá-lo. Nos bairros ricos de Campos Elíseos e Higienópolis só na condição de empregados circulavam pessoas do lado mais ingrato da contradição social.

Os esportes e os clubes esportivos mais bem equipados eram exclusividade dos privilegiados. No Tietê praticavam-se o remo e a natação. Local preferencial para tais atividades eram os arredores da ponte Grande, no fim da avenida Tiradentes — a ponte era ainda a primitiva, de madeira e ferro, inaugurada em 1866. Dos dois lados do rio, ali, foram surgindo clubes que davam suporte à prática esportiva, o remo em primeiro lugar. Do lado de cá de quem vinha do Centro, o Clube Esperia, fundado por um grupo de jovens italianos amantes do remo em novembro de 1899, alugou a antiga Chácara Floresta, uma bucólica propriedade à margem do rio, para iniciar suas atividades. Quatro anos depois, desalojado pelo proprietário, o Esperia mudaria para a margem oposta. Em 1907 surgiria o Clube de Regatas Tietê, que faria o percurso inverso — primeiro, na margem de além Tietê, na chácara que pertencera ao general Couto de Magalhães, o último presidente da província no período imperial, e depois na Chácara Floresta, na margem de cá. Outro importante clube de remo foi a Associação Atlética São Paulo, criada na mesma região em 1914.[32] O rio Tietê, naquele trecho, não tardou a apresentar congestionamento de barcos. Em 1907, fora fundada a Federação Paulista das Sociedades de Remo. Típico do período, seus estatutos, sob inspiração do similar inglês, determinavam que estavam impedidos de praticar a atividade "todos os que exercerem qualquer profissão ou emprego que não esteja de acordo com o nível moral e social do esporte náutico", entre os quais se incluíam "todos os que tirarem sua subsistência de qualquer profissão braçal, entendendo-se por profissão braçal todas as que não exercerem esforço mental".[33]

    A exclusividade tinha limites. Não podia impedir a espionagem, à distância, pelos proibidos de entrar na festa. Foi o que ocorreu, exemplarmente, com o futebol. Desde os jogos entre aqueles ingleses de canelas brancas, na várzea do Glicério, os operários imigrantes das redondezas, os brasileiros de pele mais escura e outros tipos olhavam para aquilo e achavam interessante. Quando a gente rica trancafiou-se nos clubes, a várzea sobrou para eles. Já num domingo de 1903 jornais anunciavam estarem "combinados para hoje *matches* de *football*" entre os clubes A. A. Cruzeiro Paulista e A. A. Santos Dumont, S. C. Silvio de Almeida e S. C. Guarani. O local seria "o ponto final do *tramway* da Cantareira".[34] Ao longo da década surgiriam outras agremiações: Aliança, Paranaíba, Paraíso, Domitila, Minerva, Diamantino, Pari. O historiador do futebol Thomas Mazzoni informa que "o Paraíso e o Diamantino eram constituídos de jogadores de cor", e que "no Aliança o arqueiro Antenor teve mais fama do que qualquer craque do Velódromo".[35]

Na noite de 1º de setembro de 1910 deu-se um daqueles fatos que, à época pequenos e humildes, com os anos adquirem enorme significado. Numa esquina da rua dos Imigrantes, mais tarde renomeada José Paulino, bairro do Bom Retiro, reuniram-se, finda a jornada de trabalho, treze homens decididos a fundar um clube de futebol. Entre eles havia um pintor de paredes, um sapateiro, um motorista, um fundidor e um macarroneiro. Ali na rua mesmo, à luz do lampião, sacramentaram a decisão e iniciaram as discussões sobre os estatutos da nova agremiação. As próximas reuniões se deram no salão de barbeiros de Salvador Bataglia, na rua dos Italianos esquina de Júlio Conceição. Na primeira assembleia-geral, elegeu-se a diretoria e pôs-se em discussão o nome do clube. A presidência ficou com o alfaiate Miguel Bataglia, irmão do barbeiro Salvador. Quanto ao nome... "Santos Dumont", sugeriu alguém. Outro, no mesmo veio de invocação dos heróis da pátria, pensou em "Carlos Gomes". Mas as cabeças estavam todas tomadas por uma maravilha que ocorria naqueles dias: as exibições em São Paulo do famoso time inglês Corinthian Football Club. O Corinthian, formado basicamente por estudantes das universidades de Oxford e Cambridge, viera a convite do Fluminense, do Rio, e ali arrasara três adversários brasileiros por 10 a 1, 8 a 1 e 5 a 2. Em São Paulo, venceu o Palmeiras (um outro, não o que no futuro teria o mesmo nome) por 2 a 0, um combinado local por 5 a 0 e o São Paulo Athletic por 8 a 2. O Corinthian era chamado nos jornais de *Corinthian's team*. Foi assim que na versão brasileira ganhou um "s" e virou Corinthians. Era mais um das dezenas de clubes de bairros que surgiam a cada ano para jogar na várzea. Com os primeiros 6 mil réis arrecadados os corintianos compraram sua primeira bola — numa loja da rua São Caetano — e o primeiro jogo ocorreu no dia 10 de setembro — perderam para o União da Lapa por 1 a 0. Nos anos seguintes acumularam-se vitórias e em 1913 ingressaram na Liga, com direito a disputar o campeonato paulista.[36]

* * *

Tal qual a bicicleta, o automóvel foi no início mais um equipamento para a prática esportiva do que meio de transporte. No começo do século floresceu a paixão pelos grandes reides. Sucediam-se os desafios, cada vez mais impressionantes: da Inglaterra à França, da Inglaterra à Finlândia, circuitos atravessando França, Itália, Alemanha, Áustria, Suíça, Espanha, e mesmo inacreditáveis travessias Londres-Constantinopla e Pequim-Paris. Chegava-se a lugares onde as pessoas ainda não tinham visto automóveis.[37] Um dos ases de tais proezas era o conde francês Claude Lesdain. Num dia do início do ano de 1908, Lesdain desembarcou no Rio de Janeiro. Trazia no navio seu instrumento de trabalho (e de lazer): um automóvel Brasier, francês como a maioria das marcas naqueles anos pioneiros.[38]

Lesdain vinha ao Brasil para fazer história. Sua primeira proeza foi subir de carro até o alto do Corcovado. A segunda, mais ambiciosa, foi iniciar, no dia 7 de março, viagem com destino a São Paulo. Acompanhavam-no três motoristas-mecânicos franceses radicados no Rio. Na viagem, realizada ora sobre os velhos caminhos das tropas de burro, ora aproveitando os trilhos da estrada de ferro Rio-São Paulo, foi preciso improvisar pontes sobre o rio Paraíba e recorrer a carros de boi para sair de atoleiros. Em cada cidade ou povoado o francês era recebido com espanto e entusiasmo. Afinal, na tarde do sábado, 11 de abril, depois de 36 dias de viagem, despontou no subúrbio da Penha. Esperava-o um punhado de *automobilistes* paulistanos que, em seus carros, o acompanharam em comitiva até o centro da cidade. Às 18h30, sob aplausos, ele chegou à praça Antônio Prado. Daí seguiu até a Rotisserie Sportsman, então no seu endereço da rua de São Bento, onde foi homenageado.[39]

Na tarde do dia seguinte, domingo, Lesdain despontou, com seu Brasier, no parque Antártica. A história deste local começa quando a Companhia Antarctica Paulista, fabricante de cervejas e do precioso gelo com que eram refrigeradas as rústicas caixas térmicas antecessoras da geladeira, comprou uma vasta área junto à sua fábrica, no bairro da Água Branca. A intenção era proporcionar um espaço de lazer aos funcionários, mas a empresa acabou franqueando a área ao público, e o parque Antártica virou o mais concorrido centro de diversões e prática de esportes da cidade. Havia ali de pistas de bocha e rinques de patinação a roda-gigante e carrossel, e mesmo um campo de futebol, que logo ganhou arquibancada, no qual o Germânia mandava seus jogos.[40] Lesdain entrou no parque Antártica com o carro ainda coberto da poeira da viagem, para ser cercado e aclamado pela multidão.[41]

Depois do banho de povo, o perfume do mundo elegante. Na noite daquele mesmo domingo, Lesdain foi recepcionado na Vila Penteado, a mansão de Higienópolis do fazendeiro e industrial Antônio Álvares Penteado.* Vários Prado, diversos Penteado, e ainda Ramos de Azevedo, Numa de Oliveira, Conde Prates — estavam todos lá. Estava até um imigrante, daqueles graúdos, do grupo que começava a ser aceito nas altas rodas — o conde Alexandre Siciliano. Conversa vai, conversa vem, o francês se entusiasma por outro desafio em terras brasílicas — vencer a Serra do Mar. Um dos presentes sente-se intimamente incomodado. Por que deixar semelhante glória a um estrangeiro?[42]

O incomodado era Antônio Prado Júnior, à época com 28 anos e por sinal genro dos anfitriões, casado que era com Eglantina, filha de Antônio Álvares Penteado e Ana Paulina de Lacerda Franco. Prado Júnior multiplicara suas preferências das duas rodas da bicicleta para as quatro do automóvel. Na Europa, fizera uma viagem de 14 mil quilômetros por França, Suíça, Áustria, Alemanha e Bélgica ao volante de um Panhard amarelo.[43] Era um *sportsman* para não se botar defeito, com uma queda por aquilo que viria a ser chamado de "esportes radicais". Uma vez — e, surpreendentemente, na companhia de Eglantina — fizera um sobrevoo de Paris, num dos balões do amigo Santos Dumont. Em São Paulo costumava fazer expedições aos arredores da cidade — a Freguesia do Ó era um dos destinos favoritos — com os

---

* Trata-se da casa com entrada pelo nº 88 da rua Maranhão que, doada pela família à Universidade de São Paulo no final dos anos 1930, abriga a Faculdade de Arquitetura e Urbanismo desde sua criação, em 1948.

três automóveis que trouxera da França, dois da marca Sizaire--Naudin e um Peugeot.

Já no dia seguinte Prado Júnior reuniu-se na Chácara do Carvalho com um grupo de companheiros de aventuras automobilísticas; o propósito era, tão cedo quanto possível, empreenderem a inédita viagem a Santos. Ao longo dos apressados preparativos decidiu-se que dois carros e sete pessoas participariam da empreitada. Os carros eram um dos Sizaire-Naudin de Prado Jr. e o Motobloc do engenheiro Clóvis Glicério, representante dessa marca no Brasil. As sete pessoas eram Prado Júnior, seu irmão mais velho Paulo Prado, Glicério, o comerciante e desbravador dos sertões de Goiás e Mato Grosso Bento Canabarro, o jornalista Mário Cardim, de O *Estado de S. Paulo*, encarregado de contar a história, o mecânico José Carlos e o francês Malet, *chauffeur* (como se dizia e escrevia) da família Prado. No dia 17 de abril, Sexta-Feira Santa, às primeiras horas da manhã, o grupo deu início à aventura. O caminho a percorrer era a chamada estrada do Vergueiro, sucessora da estrada da Maioridade. A estrada da Maioridade fora inaugurada em 1844. Tinha menos curvas que a calçada do Lorena, do século XVIII, sua antecessora no trecho da serra, mas não passava de um caminho de tropas. Um pouco melhor, a estrada do Vergueiro, concebida por José Vergueiro vinte anos depois, aproveitara o traçado da anterior, restaurando-lhe alguns pontos mais degradados, corrigindo outros e ampliando a largura do trecho da serra para a passagem de diligências.

Foi só depois de um dia inteiro de viagem que o grupo chegou ao alto da serra. Haviam superado atoleiros — de um deles, só escaparam depois da aparição de um providencial carro de bois — e uma coleção de obstáculos representada por buracos, mato, árvores e pedras. "Para calcular quanto obstáculo foi vencido, basta lembrarmos que só para a remoção de uma pedra os viajantes gastaram mais de três horas para preparar o terreno convenientemente", anotou o repórter de O *Estado de S. Paulo*.[44] O caminho se deteriorara irremediavelmente desde que a inauguração da estrada de ferro, em 1867, o condenara ao desuso. Era tarde para prosseguir viagem, e os *touristes* pousaram na casa de "uns bondosos polacos", moradores do local, nas palavras do mesmo jornalista.[45] No dia seguinte o grupo sofreu uma defecção: Paulo Prado desistiu. Ia começar a parte mais difícil — a descida da serra — e havia dúvidas se o Sizaire-Naudin em que vinha seria capaz de enfrentá-la. Paulo Prado desceu a serra a pé, para lá embaixo empreender de trem a volta a São Paulo, enquanto ao mecânico José Carlos caberia regressar com o Sizaire-Naudin.[46] Os demais prosseguiram viagem no Motobloc, de motor mais potente. A descida foi assim descrita pelo jornalista e historiador do automobilismo Vergniaud Calazans Gonçalves:

"Prado Júnior e o mecânico Malet se revezam no volante. Os outros vão a pé, abrindo caminho para o carro passar. Canabarro, Cardim e Glicério removem troncos de árvores tombadas e enormes pedras, restos da pavimentação colonial. Num trecho, é preciso estourar a dinamite uma das pedras maiores. Clóvis Glicério lembra que, em São Paulo, algumas pessoas tinham achado um exagero levar dinamite na viagem."[47]

Ao cair da tarde do dia 18, cumprido o trecho da Baixada Santista, os aventureiros chegaram ao centro de Santos. Tinham viajado 36 horas e meia para vencer 63 quilômetros. Descontados os períodos de descanso e de reparos do caminho, sobraram, de efetivo deslocamento, 25 horas, média de 2,6 quilômetros por hora — inferior à de uma pessoa a pé.[48] Ainda assim, o companheiro de viagem que fez a cobertura para O *Estado de S. Paulo* podia concluir: "Quem conhece as condições das nossas estradas de rodagem e a natureza dos caminhos que volteiam a serra de Santos, pode bem avaliar quanto representou de ousadia a tentativa desses *sportsmen*, e, conseguintemente, quanto lhes custou, em esforços de toda ordem, concluir esse *tour de force*, que ficará memorável em nossa vida esportiva".[49]

Nesse mesmo ano de 1908 foi fundado o Automóvel Clube de São Paulo, e sob seus auspícios realizada, no dia 26 de julho, a primeira corrida automobilística da América do Sul. Catorze concorrentes largaram de um parque Antártica apinhado de gente para cumprir o circuito que, tomando o rumo sudoeste, percorreu estradas de Santo Amaro, Embu e Itapecerica da Serra, antes de voltar às ruas de São Paulo e acabar de novo no parque. Aclamação nas ruas, arcos de triunfo erguidos para saudar os competidores, flores jogadas à passagem dos carros, e a cidade ganha novo herói — Sylvio Álvares Penteado, o filho de 27 anos de Antônio e Ana Álvares Penteado. Ao volante de um Fiat, ele cumpriu o circuito — chamado "de Itapecerica" — em uma hora e meia, desenvolvendo a média de cinquenta quilômetros por hora.[50] O leitor já sabe: festa no parque Antártica, recepção na Vila Penteado etc. A vida moderna, naquele período apelidada de *Belle Époque*, era uma festa móvel para quem possuía o bilhete de primeira classe.

Sylvio Álvares Penteado em seu Fiat, 26 de julho de 1908 | Acervo da Prefeitura de Itapecerica da Serra, SP.

V.
ENTRE A BAIXADA DAS CHAMINÉS E OS ALTOS DA PAULISTA

Modernidade, entre tantas coisas, é barulho. O reinado do silêncio, ao longo dos primeiros séculos, foi quase absoluto em São Paulo. Seu maior desafio eram os sinos das igrejas, que, além de marcar as horas e chamar para as missas, anunciavam nascimentos e mortes, festas, chegadas, partidas, ameaças de ataque e incêndios. Na São Paulo da virada do século XIX para o XX os sinos começariam a sofrer uma concorrência que, vinda de locais e fontes diversas, aos poucos os abafaria a níveis quase inaudíveis. A era dos motores e das máquinas produziu o apito do trem, a buzina dos automóveis, o ruído do bonde sobre os trilhos — um concerto muito mais poderoso do que o trote dos cavalos ou o guincho dos carros de boi. Mais característico ainda, porque anunciava uma nova era no desenvolvimento econômico e um profundo rearranjo social, era o som das sirenes das fábricas. Ao anunciar o começo, o intervalo do almoço e o fim do dia do trabalho, imiscuíram-se com despudorado pragmatismo no fundo sonoro da urbe. Vieram para regular o tempo de modo mais severo do que os campanários, sua estridência monocórdia substituindo a musicalidade dos bimbalhos, sua pressa sobrepondo-se à calma solenidade do bronze. Não ganhavam em beleza, muito menos em lirismo. Ainda assim a mensagem era de avanço, de progresso, de futuro. Junto com o som das sirenes, a cidade adquiria um perfil de chaminés que rivalizavam em altura com as torres das igrejas. Com orgulho inocente, saudava-se aquele benfazejo despontar da poluição.

A indústria em São Paulo inicia-se como extensão das atividades dos grandes produtores de café. Em sua origem remota temos a fábrica de tecidos do major Diogo Antônio de Barros, instalada na rua Florêncio de Abreu em 1872. O major Diogo era filho de Antônio Pais de Barros, barão de Piracicaba, potentado da região de Itu e Sorocaba. Numa fase mais madura temos o exemplo já amplamente citado do conselheiro Antônio Prado. Outro expoente entre os que reinvestiram em fábricas os lucros do café é aquele Antônio Álvares

Anúncio veiculado na Revista Moderna n. 26, dezembro de 1898.

Penteado das recepções festivas na Vila Penteado. Herdeiro de terras em Santa Cruz das Palmeiras, junto aos trilhos da Paulista de Estrada de Ferro, ele se destacou pelo pioneirismo no emprego de imigrantes assalariados e de máquinas agrícolas em seus cafezais. Em 1889 fundou em São Paulo uma fábrica de tecidos de juta. A escolha é ilustrativa de como a indústria, nessa fase, é subproduto dos negócios do café. Com os tecidos de juta fazem-se os sacos de café; os consumidores seriam portanto os fazendeiros e comerciantes de café. Mas, se com isso mantinha um elo com as origens rurais, em outras atividades Álvares Penteado mostrava-se o puro citadino que pessoas de sua espécie iam se tornando. Além de ter erguido um teatro, o Santana, na rua Boa Vista, em 1900, foi um dos fundadores da Escola Prática de Comércio, em 1902, e doador do terreno em que ela edificará sua sede, no largo de São Francisco. A escola será rebatizada Escola de Comércio Álvares Penteado à sua morte e o prédio, inaugurado em 1908, comporá, com a Faculdade de Direito e as igrejas de São Francisco e da Ordem Terceira de São Francisco, a paisagem definitiva do local.[1] A atividade industrial de Álvares Penteado se completou em 1898, com uma fábrica de lãs, unidade autônoma, mas instalada junto à de tecido de juta.

Aos paulistas de famílias antigas se juntará, no processo de industrialização, e logo a superará, a plêiade de imigrantes que em pouco tempo será tão paulista, e tão paulistana, na marca que imprimirá ao estado e à cidade, quanto o mais legítimo descendente de Bartira e João Ramalho. Seria de um lirismo de fazer sonhar contar que esses homens vieram na terceira classe dos navios, começaram em humildes empregos e, graças à combinação de suas diligências com a terra de oportunidades encontrada pela frente, acabaram comandantes de poderosos impérios. Infelizmente, tal versão não corresponde à realidade dos fatos. Quase todos atravessaram o oceano em situação mais confortável do que a massa dos compatriotas; vinham de uma cultura urbana, com tradição familiar no comércio, na indústria ou nas profissões liberais e, principalmente, com algum capital. Nem por isso suas histórias deixam de ter origem embebida na lenda. Um neto de Francisco Matarazzo, o mais emblemático dos industriais imigrantes, encontra explicação para a decisão de emigrar do avô na posição das janelas do quarto por ele ocupado na casa da família, em Castellabate, junto ao mar Tirreno, região da Campânia. Dessas janelas, explicou o neto Sforza Ruspoli ao historiador Ronaldo Costa Couto, só se via o mar. De tanto contemplá-lo, Matarazzo teria pressentido que a solução para a estagnação econômica em sua região estava em cruzar o oceano.[2]

Não deixa de ser verdade que a soma de suas próprias diligências com uma terra de oportunidades propiciou-lhes o crescimento. Francisco Matarazzo, trabalhando duro e operando num mercado em que tudo ainda estava por ser feito, transformou-se, a partir da chegada ao Brasil, em 1881, de pequeno comerciante em fabricante de banha em Sorocaba; em 1890 mudou-se para São Paulo e criou na cidade, no alvorecer do novo século, o Moinho Matarazzo, fábrica de farinha de trigo, e a Tecelagem Mariângela, dois portentos para a época.[3] Rodolfo Crespi, outro italiano que, como Matarazzo, merecerá do rei Vittorio Emanuelle o título de conde, tal a repercussão de seus feitos na terra natal, chegou em 1893 como vendedor de uma exportadora milanesa de tecidos; em 1901 já estava à frente de sua própria tecelagem, com trezentos operários, e em 1909 possuía um complexo que exigia 1300 operários.[4] O primeiro dos irmãos Jafet a emigrar, Benjamin, natural da aldeia de Chouir, no Líbano, chegou em 1888 e de mascate passou a uma pequena loja na rua Vinte e Cinco de Março; daí, já na companhia de quatro irmãos, para uma casa atacadista na rua Florêncio de Abreu e finalmente, em 1907, para a própria fábrica.[5]

A imigração tem papel decisivo nas três pontas que explicam o processo de industrialização de São Paulo: a produção, a mão de obra e o consumo. Se os imigrantes estavam à frente das principais fábricas, são imigrantes também os operários que tocarão as máquinas, e serão ainda os imigrantes que constituirão o grosso dos consumidores dos artigos produzidos pela indústria local. Os antigos paulistas demorarão décadas para abrir mão dos produtos importados à venda nas lojas finas do Triângulo. A indústria têxtil fabricava artigos baratos, ao alcance do bolso do próprio operário, do artesão ou do pequeno prestador de serviços. A indústria de chapéus adaptava-se ao hábito dos europeus produzindo artigos de feltro, em lugar dos chapéus de palha dos nacionais. A indústria alimentícia incluiu entre suas especialidades as massas tão de agrado dos italianos e desconhecidas dos nacionais. A industrialização significava não só um desdobramento; era também uma evolução com relação à atividade agrícola representada pela cafeicultura. Mas nunca esquecer que como majestoso pano de fundo, a movimentar as engrenagens da economia paulista, continuava, soberana, a exportação do café. Ela é que punha em circulação o dinheiro sem o qual atividade alguma prosperaria. A cidade de São Paulo das primeiras décadas do século XX já não seria mais a capital do café, título aliás que poderia — e era — desafiado tanto por Campinas, a capital da região produtora, como por Santos, a capital da exportação. Mas era ainda, na feliz formulação do historiador econômico Flávio Saes, "a capital do capital cafeeiro".[6] Os industriais imigrantes chegaram, venceram...

... e foram todos para a avenida Paulista.
Inaugurada em 1891, fruto de inspirada intuição do empreendedor Joaquim Eugênio de Lima, a Paulista apresentava características mais do que atraentes. Era em princípio distante do Centro, mas ficara menos desde a inauguração da linha de bonde elétrico que lhe dava acesso, em 1900, e menos ainda para quem tinha automóvel. Era no lugar mais alto da cidade, percorrendo a cumeeira do morro divisor de águas entre os rios Tietê e Pinheiros, o que equivalia a ares saudáveis e boas vistas. Para fruição da vista, o projeto de Joaquim Eugênio de Lima reservara espaço para um belvedere, mais ou menos no meio da avenida, dando para o vale do riacho Saracura, onde mais tarde seria riscada a avenida Nove de Julho. Dali se avistava o centro da cidade. Requinte inesperado, do outro lado do belvedere permaneceu intacto um naco de Mata Atlântica, reminiscência da densa mataria que antes cobria toda a região, e que serviu de base para o parque de início chamado parque Villon, do nome do paisagista francês que lhe deu o primeiro tratamento (o mesmo que projetara os parques da recém-fundada cidade de Belo Horizonte e os jardins do Palácio do Catete, no Rio), depois parque da Avenida, e enfim Siqueira Campos.

Olhando-se para oeste, o lado em que a avenida terminava, dando lugar à descida em direção ao vale do riacho Pacaembu, contemplava-se o pico do Jaraguá. Somem-se a isso os terrenos generosos, ideais para a implantação de chácaras, ou de *villas*, como são chamadas na Itália as grandes e senhoriais residências, e eis a receita completa para quem, além de morar, quer prestar uma homenagem a si próprio, às próprias conquistas e ao próprio poderio.

A família Von Bülow, dos dinamarqueses fundadores da cervejaria Antarctica, foi a primeira a marcar presença. Sua casa, entre as alamedas Campinas e Joaquim Eugênio de Lima, datada de 1895, possuía um torreão que por muitos anos constituiu-se no ponto mais alto das redondezas e posto privilegiado para as fotos panorâmicas.[7] Francisco Matarazzo foi o segundo a construir na Paulista, e o primeiro dos italianos. Pela vida afora seria seu mais notável morador, assim como era o mais notável em tudo o que se envolvia. Sua casa foi inaugurada em 1898, obra de arquitetos italianos, e, com sua majestosa escadaria e a colunata quase igual à do Vaticano, se tornaria sede de memoráveis eventos e o maior ponto turístico dentro do ponto turístico que em si já era a avenida. Vá lá — é exagero comparar as colunas da mansão Matarazzo ao Vaticano; mas talvez não seja comparar o dono da mansão ao papa. Ele era o nº 1 na indústria, o nº 1 em riqueza, e o nº 1 até no automóvel — ao inaugurar-se o emplacamento na cidade, coube-lhe a placa P-1 ("P" de particular). Pessoas concentravam-se na calçada para vê-lo entrar ou sair do carro. No dia de seu aniversário, 9 de março, pequenas multidões reuniam-se junto aos muros e ele lhes acenava da sacada, como o papa.[8]

Francisco Matarazzo puxou o cortejo dos demais italianos rumo à Paulista, a começar pela parentada. Três outros Matarazzo fixaram residência na avenida, entre eles Andrea, irmão e sócio de Francisco, que viria a ser senador na Itália. Na tradição da família ficou a versão de que Andrea foi habitar aqueles altos porque lhe faria bem para os pulmões frágeis.[9] À sua mansão, situada no quarteirão seguinte ao da mansão de Francisco, ele chamou "Villa Virginia", o nome da esposa.[10] A proximidade propiciaria o início do namoro entre Francisco Jr., o Chiquinho, filho de Francisco, e a prima Mariangela, filha de

Andrea, consumado num casamento, em 1924, em que, para maior glória da família, tudo foi superlativo, como se verá no capítulo XXIII. Outros italianos da Paulista eram José Falchi, das fábricas de alimentos e bebidas; João Batista Scuracchio, Nicolau Scarpa e Rodolfo Crespi, do setor têxtil; Giuseppe Martinelli, de múltiplas atividades, do qual se falará com vagar num próximo capítulo; Egidio Pinotti Gamba, rival de Matarazzo nos moinhos de trigo; e Alexandre Siciliano, das máquinas de beneficiar café e dos artigos de ferro.

Avenida Paulista sentido Paraíso-Consolação, 1902. Ao fundo, o pico do Jaraguá e, à dir., a mansão dos Matarazzo | Foto de Guilherme Gaensly | Acervo Fotográfico do Museu da Cidade de São Paulo.

Um precioso levantamento do arquiteto e historiador Benedito Lima de Toledo, no livro *Álbum iconográfico da avenida Paulista*, localiza os moradores pioneiros. Italiano que não era conde nesse grupo era *comendatori* ou *cavalieri*. Eram, na vida real, o que o cav. uff. (*cavaliere ufficiale*) Salvatore Melli, dono de uma fábrica em São Caetano com 1200 teares e 36 mil fusos, "homem de negócios que enxerga longe", representava na ficção de António de Alcântara Machado, autor do clássico *Brás, Bexiga e Barra Funda*. Procuravam nas comendas e nos títulos — e obtinham — o reconhecimento da mãe pátria, com a qual mantinham tanto laços afetivos como financeiros. Francisco Matarazzo ilustra à perfeição um aspecto e outro. No plano afetivo, sua maior manifestação foi ter se fixado na Itália, nos anos da Primeira Guerra Mundial, e de ter se engajado no esforço de guerra, ao assumir a coleta, a administração e a distribuição de alimentos a civis e militares na região de Resina, perto do Vesúvio. Foi por esse serviço que ganhou do rei Vittorio Emanuelle, em 1917, o título de conde.[11] No plano financeiro, possuía a representação no Brasil do Banco de Nápoles — o qual, por força da legislação italiana, detinha o monopólio das remessas dos imigrantes para as famílias na Itália. Segundo cálculo do brasilianista Warren Dean, tais remessas perfaziam ao ano, na primeira década do século XX, um milhão de dólares da época.[12]

A Paulista não deixava de abrigar também barões do café. Fábio Prado, futuro prefeito de São Paulo, filho de Martinico e sobrinho do conselheiro Antônio Prado, morou lá, assim como Maria Dalmácia de Lacerda Guimarães, a baronesa de Arari, de uma família de cafeicultores da região de Limeira e Araras. Outro morador foi o alemão Francisco Schmidt, representante do espécime de estrangeiro que, em vez de fábricas, entesourava cafezais — tantos, no seu caso, que acabou coroado o "rei do café".[13] Mas o que mais se destacava na paisagem era esse novo potentado da economia paulista que era o industrial estrangeiro. Os nomes árabes são igualmente numerosos: Rizkallah, Mattar, Cutait, Lotaif, Racy, Calil, Mahfuz, Abdallah, Salem. Quem não era industrial era comerciante, quando não era as duas coisas. O Rizkallah que habitou a casa da esquina com a rua Bela Cintra era as duas coisas; trata-se do fundador da Casa da Boia, fabricante do material hidráulico que era vendido na caprichada loja em estilo art nouveau da rua Florêncio de Abreu.* Contam-se 37 nomes

---

* Exemplarmente preservada, a Casa da Boia continuava a existir, em 2014, no mesmo local.

árabes nos levantamentos de Benedito Lima de Toledo.[14] Os irmãos Calfat — Miguel, Elias e Demetrio, com fábrica no setor têxtil — tinham, os três, casas na avenida. A habitual escalada, entre os sírios e libaneses, era do serviço de mascate para a loja da rua Vinte e Cinco de Março, na qual passaria a abastecer os mascates; da Vinte e Cinco de Março para a casa atacadista, geralmente na rua Florêncio de Abreu, na qual abasteceria o varejo da Vinte e Cinco de Março; e da casa atacadista para a indústria, na qual passaria a abastecer a casa atacadista. Foi o percurso trilhado exemplarmente pelos Jafet, mas também pelos Abdallah, Salem e Camasmie. Para residência eles escolhiam primeiro a própria Vinte e Cinco de Março e arredores, até que os ventos da prosperidade os conduzissem aos altos da avenida.[15]

Outros irmãos na Paulista eram os alemães Alfried e Otto Weiszflog, da Companhia Melhoramentos. Entre os portugueses, destaca-se o mais emblemático deles — Antônio Pereira Inácio. Nascido na cidade do Porto, filho de sapateiro, e chegado ao Brasil aos dez anos, Pereira Inácio é uma exceção à regra de que os futuros industriais já chegavam com algum capital. Deu duro, estudando e trabalhando desde criança, e de pequeno negócio em pequeno negócio, de casa de secos e molhados a pequena fábrica de descaroçamento de algodão, acabou dono da Tecelagem Votorantim, na região de Sorocaba. O mais ousado feito de sua formação foi ter viajado aos Estados Unidos, em 1905, para empregar-se como operário numa fábrica de descaroçamento de algodão em Birmingham, estado do Alabama. Tinha 31 anos e, já razoavelmente bem de vida, o que tinha em mente era uma espécie de espionagem industrial: queria conhecer as máquinas e os procedimentos dos americanos. Trabalhou tão bem que foi promovido a mestre. Logo, quiseram promovê-lo a gerente industrial. A essa proposta, para surpresa dos donos da fábrica, replicou-lhes com um convite para jantar. Que ousadia era aquela? O que estaria tramando o funcionário? Pereira Inácio apareceu bem vestido e conduziu os patrões ao melhor restaurante da cidade. Ali, contou-lhes o motivo que o levara a se empregar na fábrica e propôs lhes devolver o que ganhara em salários. Os patrões abriram mão do dinheiro, mas as duas partes chegaram ao acordo de distribuí-lo entre os operários mais necessitados — e tudo terminou bem, como nos filmes terminam bem as artimanhas dos bons moços em busca de sucesso na vida.[16] A casa de Pereira Inácio ficava no fim da avenida, já junto à descida para o Pacaembu.

Os fatores que conduziram à transformação de São Paulo, entre as últimas décadas do século XIX e as primeiras do XX, imbricam-se e entrelaçam-se como fios de um mesmo novelo. O café levou à estrada de ferro, que levou a mais café, que levou a mais estrada de ferro, enquanto ambos, café e estrada de ferro, levavam à imigração, que levava a mais café e mais estrada de ferro, que levavam a mais imigração. Num segundo momento, café, estrada de ferro e imigração, inseparavelmente unidos no centro do novelo, levaram à industrialização, que por sua vez consolidou o café, a estrada de ferro e a imigração como o pano de fundo sem o qual nada seria como foi. Quanto aos efeitos de tais fatores na conformação da cidade, se o café despertou-a de um sono de séculos e a imigração proporcionou-lhe uma nova sociedade, mais dinâmica e mais complexa, a estrada de ferro e a industrialização trariam ao tecido urbano marcas físicas de duradouro efeito.

Enquanto se aboletavam na avenida Paulista, os industriais plantavam suas fábricas em locais em regra vizinhos à estrada de ferro. Uma vantagem era a facilidade no transporte das mercadorias. Outra eram os terrenos baratos nesses locais. Os ricos os desprezavam como lugares para morar. Trilhos, com os consequentes barulho e sujeira, a balbúrdia das estações, a mistura de gente e o comércio miúdo, não combinavam com suas aspirações e seus hábitos. Daí que, fora de cogitação para empreendimentos imobiliários mais ambiciosos, os terrenos fossem negociados a preços reduzidos. A São Paulo Railway cortava São Paulo num traçado de orientação leste-oeste. É nessa linha que se alojarão as fábricas — e junto a elas se fixarão as habitações dos operários, dando origem aos bairros populares. Quase sempre os operários eram imigrantes; levantamento de 1912, que tomou por base trinta indústrias têxteis, computou 80% de estrangeiros em 9 mil operários.[17] Essa maioria nas fábricas faria com que, durante muito tempo, bairros populares e bairros de imigrantes fossem expressões sinônimas.

Matarazzo localizou suas primeiras fábricas no Brás. O Moinho Matarazzo e a Tecelagem Mariângela foram implantados, um ao lado do outro, na rua Monsenhor Andrade. Na mesma rua ficava a Companhia Mecânica e Importadora, de Alexandre Siciliano. E na rua Rodrigues dos Santos, também no Brás, iniciaram suas atividades a fábrica de tecidos de juta e a fábrica de lãs de Antônio Álvares Penteado. Rodolfo Crespi implantou seu cotonifício no bairro da Mooca, no quarteirão compreendido entre as ruas dos Trilhos, Taquari, Visconde de Laguna e Javari. A Cervejaria Bavária também se instalou na Mooca, na rua que veio a se chamar Bavária. As fábricas citadas são todas da fase heroica da industrialização, entre a última década do século XIX e a primeira do XX. Não bastasse ficarem todas junto aos trilhos da estrada de ferro, serviam-se de desvios que, de seu interior, as punham em conexão direta com a linha principal.[18] O Brás e seu apenso, a Mooca, serão a expressão mais acabada do bairro operário/bairro de imigrante. Antes da era industrial, constituíam-se numa região de cunho rural, isolada do centro da cidade pela várzea do Carmo. Por ali espalhavam-se chácaras, entendida essa palavra não como terreno amplo, abrigando nobre residência, como quando se fala em Chácara do Carvalho, mas como unidade produtora de frutas e hortaliças aos cuidados de um chacareiro. A São Paulo Railway, à qual se seguiu, em 1877, a Estrada de Ferro do Norte, embrião da Central do Brasil, com trens partindo para o Rio de Janeiro da estação também chamada "do Norte", no coração do Brás, selou-lhe o destino industrial.

O número 54 da rua do Gasômetro, no Brás, foi o primeiro endereço residencial de Francisco Matarazzo em São Paulo.[19] Mas está claro que não eram imigrantes de sua estirpe que se iam fixar no bairro. Os que ficaram alojavam-se em casas geminadas, em vilas operárias ou em cortiços — as maneiras mais características de morar por lá. Outra marca da região eram as porteiras. As duas principais ruas de

Cortiços na rua Visconde de Parnaíba, no Brás | Fotógrafo não identificado |
Arquivo Público do Estado de São Paulo.

acesso ao bairro, a do Gasômetro e a avenida Rangel Pestana, eram cortadas pelos trilhos da estrada de ferro, e os viadutos que permitiriam uma passagem sobre eles permaneceriam durante décadas como adormecidos projetos da administração municipal.[20] Porteiras acionadas manualmente comandavam o tráfego, para grande irritação de motoristas, cocheiros, passageiros e pedestres. "O que não pode continuar é essa constante interrupção do trânsito na avenida Rangel Pestana, causando mil transtornos ao comércio e ao povo", reclamava em 1912 o jornal *A Capital*.[21] Por tanto tempo isolado pelas intransitáveis várzeas, o Brás agora apresentava-se trancado entre portas. A barreira só recuara um pouco.

O velho Brás é evocado em inúmeros depoimentos. Nos capítulos líricos temos as histórias de italianos originários de diferentes regiões, cada qual a construir a sua igreja: a da Madona de Casaluce pelos nativos de Caserta ou Pozzuoli, perto de Nápoles, na rua Caetano Pinto; a de San Vito Martire pelos nativos de Polignano al Mare, na Puglia, na rua Álvares de Azevedo. A Madona de Casaluce foi primitivamente honrada com uma modesta capelinha cor de anil, enquanto seguidas quermesses arrecadavam dinheiro para a capela definitiva — até que o tesoureiro fugiu com o dinheiro e se teve de começar tudo de novo.[22] O Teatro Colombo, inaugurado em 1908 no largo da Concórdia, veio trazer o consolo da ópera italiana para quem já se distanciara irremediavelmente da pátria. Os capítulos mais realistas encerram a precariedade das condições locais. Em 1912, "o imenso bairro popular e laborioso", na expressão de um viajante estrangeiro, não tinha luz elétrica nem pavimentação.[23] Um antigo morador se lembra de quando o primeiro "bico de luz" chegou à sua casa, na rua Carlos Garcia. "Punham um bico só porque a luz era muito cara, mais de 200 réis por mês. Com o tempo punha-se um bico na cozinha, no quarto, no quintal e assim por diante. Mas era usada uma luz bem econômica, porque não dava para pagar no fim do mês."[24] A situação mais frágil era a dos habitantes dos numerosos cortiços, constituídos de quartos que se alinhavam de um lado e de outro, com um comprido corredor no meio, e nos fundos instalações sanitárias e lavanderia para uso comum. A mortalidade infantil assumia proporções de calamidade. Em 1904, das 1140 pessoas enterradas no cemitério do Brás, 924 eram crianças.[25] Dados como esse nos levam a travar conhecimento com o lado B do processo de industrialização. Seus protagonistas são pessoas que ingressaram na Modernidade com bilhete de terceira classe.

Dentro das fábricas a revolução industrial paulista reencenou, com mais de um século de atraso, as condições da matriz inglesa. Os salários eram irrisórios, a jornada de trabalho chegava a dez, doze ou catorze horas, a semana tinha seis dias cheios, não havia direito a férias, o ambiente era sufocante e barulhento e os acidentes se multiplicavam. Em 1920 as mulheres representavam um terço da força de trabalho, talvez a metade dos operários tinha menos de dezoito anos e 8% eram menores de catorze.[26] O francês Paul Walle registrou que numa fábrica da Mooca, em 1917, meninos de doze e treze anos trabalhavam no período noturno e queixavam-se de que eram frequentemente espancados.[27] Difícil encontrar fábrica que não explorasse o trabalho infantil. As fotos de grupos de operários incluem muitas vezes contingentes de crianças. Outro apenso do Brás, o bairro do Belenzinho, responsável por estender a zona industrial até as beiradas do Tietê, conheceu uma concentração de "cristalerias" — fábricas de objetos de vidro. Nelas, os meninos executavam uma série de tarefas complementares às dos oficiais encarregados das funções principais, os vidreiros, segundo conta em suas memórias o autor Jacob Penteado. Escreve ele, sobre sua experiência na Cristaleria Itália, onde ingressou criança:

"O ambiente era o pior possível. Calor insuportável, dentro de um barracão coberto de zinco, sem janelas nem ventilação. Poeira micidial, saturada de miasmas de pó de drogas moídas. Os cacos de vidro espalhados pelo chão representavam outro pesadelo para as crianças, porque muitas trabalhavam descalças ou com os pés protegidos apenas por alpercatas de corda, quase sempre furadas."

Entre outras tarefas, os meninos tinham de levar aos vidreiros tinas cheias de água. Vinham em passos incertos, por causa do peso entre vinte e trinta quilos e a dificuldade de carregá-las junto ao peito, a borda das tinas colada ao rosto. Se a água não estivesse no lugar certo, no tempo certo, a surra também era certa. Outra função dos menores era cuidar dos moldes graças aos quais o vidro tomaria a forma de copos, garrafas, vasos e outros utensílios. Os primitivos métodos do período previam que ficassem os dois, vidreiro e menino, em níveis diferentes, o menino num buraco, "na mais completa imundície", e o vidreiro no nível do solo, pronto para estufar a massa vítrica soprando num tubo (ainda se fazia essa crucial parte "no bafo"). Cabia ao menino, no outro extremo do tubo, segurar firme as duas metades do molde, enquanto o vidreiro soprava. "E ai do coitado se, cedendo à violência do sopro, deixasse abrir os moldes, ficando a peça perdida. O vidreiro, lá de cima, metia o pé, sem dó, na cabeça do menino."[28]

A mais famosa tentativa de humanizar a condição dos operários ocorreu também no Belenzinho, por obra do industrial Jorge Street, com a construção da fábrica Maria Zélia e de uma vila anexa, para alojar os empregados. Houve vilas operárias também junto às fábricas Álvares Penteado, Santa Marina, Falchi e Crespi, entre outras.[29] Mas nenhuma se igualou à Maria Zélia, tanto pelas instalações-modelo quanto porque obedecia a uma ideologia de seu fundador, chamado de "poeta da indústria", e até de "industrial socialista". Street, nascido no Rio de Janeiro, em 1863, é uma das figuras mais interessantes da história industrial do Brasil. Sua atividade industrial começou na fábrica de sacaria de juta São João, no Rio de Janeiro, herdada do pai, e foi tão bem que, em 1904, comprou a fábrica de tecidos de juta de Álvares Penteado. Em 1907 transferiu a unidade carioca para São Paulo e uniu-a à outra.[30] Seu feito mais marcante se daria com a aquisição, em 1910, de um terreno que ia da avenida Celso Garcia ao Tietê, onde implantaria a Fábrica e a Vila Maria Zélia. Foi um empreendimento que "revolucionou o velho Belenzinho", nas palavras de Jacob Penteado. "Os tecelões faziam fila para conseguir vaga no recém-instalado estabelecimento fabril. A Vila Maria Zélia surgiu como uma autêntica cidade moderna, no bairro ainda meio atrasado."[31]

Um grande jardim, com coreto e igreja, marcava a entrada da vila, inaugurada em 1917, e separada da rua por um muro e um portão de ferro. Cento e trinta e oito casas, distribuídas por seis ruas principais e quatro transversais, alinhavam-se lá dentro, além de duas escolas (masculina e feminina), creche, jardim de infância, armazém, restaurante, salão de baile, campo de futebol e cancha de bocha. As casas tinham seis tamanhos diferentes, variando de 74,75 metros quadrados, com um quarto, a 110,40 metros quadrados, com três quartos.[32] Era uma utopia fabril, um algo fantástico desafio à luta de classe. Estamos a uma distância considerável das pobres condições de vida dos cortiços, mas evidentemente o patrão visava também a algo que ia além da simples generosidade. Na ideologia de Street, inspirada em modelos ingleses e alemães, ao conforto proporcionado aos funcionários corresponderiam a fidelidade à empresa e a disciplina. Ia-se longe no quesito disciplina. Não se podia fazer barulho depois das nove da noite, nem namorar nas ruas e praças da vila, nem consumir bebidas alcoólicas, nem podiam as crianças brincar nas ruas.[33] As proibições estendiam-se até para dentro das casas. Não se podia armar sofá ou cama para dormir na sala, depôs antiga moradora. E explicou: "O fiscal passava para ver".[34] O Grande Irmão velava pela ordem e os bons costumes. Com suas duas faces, a benemérita e a autoritária, a Vila Maria Zélia foi um marco arquitetônico, urbanístico e de experimentação social, mas a utopia de seu criador pouco durou. Seis anos depois de inauguradas, fábrica e vila trocaram de mãos. De tropeço em tropeço, Street acabaria falido.

À Mooca, ao Brás e ao Belenzinho acrescentam-se o Tatuapé, o Cambuci, o Pari e o Bom Retiro, formando uma contígua mancha fabril no tecido da urbe. Com relação ao que viria depois, as décadas iniciais da industrialização apresentavam ao trabalhador a vantagem de morar próximo do local de trabalho. Tais bairros possuíam feições próprias. "A associação da fábrica com a moradia criou para o Brás, Mooca, Barra Funda, um traçado urbano específico, onde a rua desdobrava-se, multiplicava-se em vilas, passagens, vielas, ruelas e pátios", escreve a urbanista Regina Prosperi Meyer.[35] Do lado oeste, a mancha seria retomada com a Barra Funda, a Água Branca e a Lapa. Há casos em que uma única fábrica induziu ao povoamento de todo um bairro. Foi o papel exercido pela indústria Crespi na Mooca, antes só lembrada pelo hipódromo que abrigava, e o da Vila Prudente, onde papel ainda mais preeminente foi exercido pelas indústrias Falchi.[36] Em 1920 Matarazzo comprou da Antarctica uma área de 100 mil metros quadrados na Água Branca, para ali reunir uma parte de suas fábricas, agora aglutinadas sob o rótulo de Indústrias Reunidas Francisco Matarazzo. Depois da pioneira Vidraria Santa Marina e da própria Antarctica, as IRFM — sigla que seria estampada no portão de entrada do complexo — consolidariam a vocação fabril do bairro, além de ajudar a povoar a vizinha Vila Pompeia.[37]

Uma nítida divisão entre as áreas fabris e as de residências das classes mais favorecidas marcaria fundo as divisões de classe na paisagem urbana. O grande industrial, encarapitado na Paulista, punha-se à distância da fábrica e dos operários, lá embaixo. Mas houve uma exceção. Os Jafet, os mais bem-sucedidos entre as famílias de origem árabe, plantaram tanto as fábricas como suas mansões no Ipiranga. Antes deles, o bairro era lembrado apenas pelo distante museu, edificado em fins do século XIX no rastro dos passos de d. Pedro I e no meio do nada. Em 1906 os Jafet compraram o primeiro de sucessivos terrenos, então muito baratos, na região. Ali instalaram, no ano seguinte, o portento em que iria se tornar a Fiação, Tecelagem e Estamparia Ypiranga, e cercaram os arredores com casas de funcionários e com suas próprias residências — exuberantes palacetes que converteriam a rua Bom Pastor, nos dois quarteirões que ladeiam os jardins do museu, em uma versão particular da avenida Paulista.[38]

Por mais ricos e decisivos que fossem os industriais imigrantes para a economia paulista, a aceitação pelas famílias tradicionais deu-se a passos cautelosos. Até 1918 nomes estrangeiros não eram aceitos no Jóquei ou no Automóvel Clube.[39] Casamentos entre as duas tribos eram raros. Uma exceção foi Alexandre Siciliano, que ainda no remoto 1881 casou com Laura Augusta de Melo Coelho, filha de rico fazendeiro da região de Piracicaba.[40] Isso talvez explique a presença de Siciliano nas recepções da Vila Penteado. Havia também casos em que partia dos próprios estrangeiros a reserva com relação ao matrimônio com nativos da terra, algo particularmente notável entre os árabes. Até casamentos fora da família, entre eles, era visto com reservas. Entre os Jafet, dos 37 filhos dos seis originais que vieram do Líbano (cinco homens e uma mulher), dez casaram entre si, primo com prima. Entre os Calfat, a proporção é ainda mais eloquente. Nada menos que metade dos 24 filhos gerados pelos quatro irmãos originais casaram entre si.[41] Com relação à união entre italianos e antigos paulistas, um marco foi o casamento de Fábio Prado, o filho de Martinico, com Renata, filha do conde Rodolfo Crespi, em 1914. Os Prado, como outras famílias da oligarquia cafeeira, também cultivaram em suas primeiras gerações o costume de casar entre si. A matriarca dona Veridiana era sobrinha do marido, Martinho. Na geração seguinte tal hábito perde impulso; entre os 22 casamentos contabilizados por um pesquisador, houve empate: onze com parentes e onze com não parentes. Na geração que se sucedeu, à qual pertence Fábio, já se registra uma prevalência absoluta dos casamentos com não parentes — 36 contra cinco.[42] Fábio fez mais do que simplesmente casar com uma não parente — casou com uma descendente de imigrante.

O que viria a ser a sociedade paulista, e não apenas no mais alto nível de riqueza, começava a tomar forma. Na ficção de António de Alcântara Machado, a esposa do conselheiro José Bonifácio de Matos e Arruda jurava: "Filha minha não casa com filho de carcamano!". Mas, ao fim e ao cabo, mostrou-se fraca para resistir ao desejo dos noivos e, sobretudo, aos encantos muito palpáveis, muito sonantes, do cav. uff. Salvatore Melli, o pai do noivo — aquele "homem de negócios que enxerga longe", dono de uma fábrica em São Caetano com 1200 teares e 36 mil fusos. No dia do noivado, conta Alcântara Machado, "o cav. uff. Adriano Melli na frente de toda a gente recordou à mãe de sua futura nora os bons tempinhos em que lhe vendia cebolas e batatas, *olío di Lucca* e bacalhau português quase sempre fiado e até sem caderneta".[43] Na vida real, Fábio Prado, não bastasse ter casado com filha de imigrante, foi trabalhar com o sogro.[44] Eis o rebento de um velho tronco da terra, e não um tronco qualquer, mas o outrora mais rico e poderoso deles, rendido ao poder carcamano.

VI.
O PRP, UNIDO NA ALEGRIA E NA TRISTEZA (COM UM JARDIM NO MEIO)

> *"Em São Paulo, outrora, todos eram primos"*
> (Capistrano de Abreu, em carta a
> Afonso d'Escragnole Taunay)[1]

Aos industriais imigrantes se permitia enriquecer o quanto pudessem e ostentar-se na avenida Paulista o quanto lhes aprouvesse. Também lhes era facultado utilizar-se dos mais nobres equipamentos da cidade, como o Theatro Municipal, onde se realizou o velório de Ermelino Matarazzo, filho querido e designado sucessor do conde Francisco Matarazzo, falecido num desastre de automóvel na Europa. Até casamentos com ilustres filhos ou filhas de famílias tradicionais já começavam a despontar. Mas havia um setor protegido por barreira além da qual não iam. Política não era para eles. Talvez não fosse mesmo de seu interesse; considerariam mais cômodo comprar os políticos do que arriscar a própria pele em tão arriscada seara.[2] O rol dos presidentes estaduais, parlamentares e prefeitos de São Paulo equivale, durante a República Velha, a um cadastro das famílias da terra: Morais Barros, Cerqueira César, Peixoto Gomide, Rodrigues Alves, Silva Prado. A elas os cargos públicos estavam reservados em caráter exclusivo. E o clube por meio do qual os ocupavam apresentava-se sob a denominação de Partido Republicano Paulista. Desde a proclamação da República, em 1889, até 1926, quando uma cisão nas elites resultou na constituição de uma agremiação rival, o Partido Republicano Paulista (PRP) atuou como partido único. Sólido na manutenção do poder, rigoroso na admissão de seus membros e implacável na persecução de seus fins, constituiu-se numa máquina de poder como nunca visto, nem antes nem depois, na história de São Paulo. O comando do partido, clube ainda mais fechado do clube fechado que era o PRP, cabia à Comissão Central, ou Comissão Executiva. Um manifesto desse órgão afirmava em 1894 que o PRP, sendo "partido de governo", tinha "necessidade de uniformizar a ação coletiva, restringindo tanto quanto possível o círculo de deliberação para que se estabeleça a indispensável unidade de pensamento". À Comissão Central, dizia o mesmo manifesto, os correligionários deviam "uma confiança sem reserva".[3] Tradução: manda quem pode, obedece quem tem juízo.

Estamos na fase dos partidos estaduais. Havia um Partido Republicano Paulista da mesma forma que havia um Partido Republicano Mineiro e um Partido Republicano Rio-Grandense, para citar os mais influentes. Cada um tinha domínio absoluto sobre o próprio território. Quando lançados à esfera da política federal, podiam entender-se ou não. O PRP, nascido na Convenção de Itu, de 1873, que congregou alguns dos mais influentes personagens da província no desafio à ordem imperial, era o mais antigo e — reflexo da prosperidade do estado — o mais forte. Conseguiu consagrar três dos seus, de enfiada, na presidência da recém-instalada República, todos eles caracteristicamente oriundos do robusto tronco enraizado no cultivo do café — o Prudente José de Morais Barros, de Itu; o Manuel Ferraz de Campos Sales, de Campinas; e o Francisco de Paula Rodrigues Alves, de Guaratinguetá. Falar de política era falar das velhas famílias, e falar das velhas famílias era falar de patrimônios fundados no café — eis o círculo de ferro que enfeixava a política no estado. Durante a crise ocorrida entre os anos finais do século XIX e iniciais do século XX, provocada pela baixa do preço do café no mercado internacional, um grupo de fazendeiros ameaçou formar um Partido da Lavoura, em desafio aos poderes constituídos. A reação do jornal O *Estado de S. Paulo* foi apontar a incongruência de a lavoura posar de desassistida e excluída do poder quando na verdade confundia-se com o poder, em todas as esferas. "Hoje a lavoura paulista vê um lavrador na presidência da República e outro na do estado", afirmou o jornal. "Lavrador é o vice-presidente do estado; lavradores são os presidentes do Senado e da Câmara, o secretário da Fazenda e da Agricultura do Estado, e lavradores são pelo menos metade dos membros do Congresso Legislativo de São Paulo." A presidência da República era na ocasião ocupada por Campos Sales, e a do estado por Fernando Prestes. "O que mais quer a lavoura?", perguntava o jornal.[4]

O círculo fechado em que se constituía a política paulista, no qual se imbricavam as grandes famílias e os interesses cafeeiros, foi radiografado exemplarmente pelo brasilianista Joseph Love. O autor isolou os 35 cargos mais importantes na União e no estado (inclusive presidente e vice da República, ministros, presidente e vice do estado, secretários, chefe de polícia, presidentes e líderes nos legislativos federal e estadual, prefeito da capital e presidente do Tribunal de Justiça) e concluiu que 263 pessoas os ocuparam, no período entre a proclamação da República e a instituição do Estado Novo, em 1937, já na era getulista. Essas escassas 263 pessoas constituiriam, para o historiador, a elite política do estado. Para ele, é "irresistível" chamar o grupo de "comitê executivo da classe dominante paulista".[5] O perfil dessas pessoas é previsível — homem, branco, de família antiga, detentor de diploma universitário. Um dado que mais ainda fecha o círculo é que 43% dos integrantes do grupo têm pelo menos um parente que também o integra.[6] Computados os catorze ocupantes titulares da presidência do estado mais os três vices que exerceram o cargo, no período entre dezembro de 1889 e outubro de 1930, quatro são pai e filho — Bernardino e Carlos de Campos, Fernando e Júlio Prestes. Três são nascidos em outros estados — Bernardino de Campos era mineiro de Pouso Alegre, Manuel Joaquim de Albuquerque Lins, alagoano de São Miguel dos Campos, e Washington Luís Pereira de Sousa, fluminense de Macaé —, mas os três perfeitamente aculturados. Bernardino de Campos chegou criança a São Paulo. Os outros dois vieram já moços, mas aqui iniciaram as carreiras profissionais e se apaulistaram ao máximo título por via de soberbos enlaces matrimoniais — Albuquerque Lins casou na família Sousa Queirós, dos comandantes do Partido Liberal no estado ao tempo do Império, e Washington Luís na família Pais de Barros, dos barões de Piracicaba.

Esses senhores residiram e trabalharam, até 1912, no velho palácio do pátio do Colégio. Não se dirá que os tempos eram amenos para os condutores do estado, mas havia sim tempo para amenidades impensáveis, algumas décadas mais tarde. O memorialista Jorge Americano registra que em 1900 as noites de quinta-feira eram de concerto da banda da Força Pública no jardim existente no largo. Quando começava a música, o então presidente do estado, Rodrigues Alves, aparecia na janela do palácio, chapéu na cabeça para se proteger do sereno. Algumas das pessoas que assistiam ao concerto acenavam para ele, e ele acenava de volta. Quando reconhecia, lá embaixo, um conhecido, mandava um mensageiro convidá-lo a entrar.[7] Jorge Tibiriçá, que governou um pouco depois, entre 1904 e 1908, tinha o "infalível" hábito, segundo seu biógrafo, de fazer um passeio noturno pelo centro da cidade. O passeio terminava no luxuoso bar e restaurante Progredior, na rua Quinze de Novembro, onde tocava uma orquestra, ou na mais modesta e mais silenciosa Casa Schorcht, na mesma rua. Num ou no outro, tomava chope, sua bebida predileta — e, segundo maledicência então corrente, pagava-os um a um, para não se acumularem na mesa os pires com que se contavam os já consumidos.[8]

Os candidatos a ocupar tal posição brilhavam nas eleições. Dos doze que se submeteram ao voto direto, no período até 1930, dez tiveram 100% dos votos. As exceções são Rodrigues Alves, na segunda vez que foi eleito, em 1912, com 98%; e Júlio Prestes, em 1927, com 99%.[9] (Coitados, que teria o eleitorado contra esses dois?) São Paulo premiava os escolhidos com escores que antecipavam os que iriam consagrar a União Soviética. O segredo é que, uma vez sagrado o candidato do PRP, não havia como segurá-lo. Os chefes locais e cabos eleitorais fariam o resto. Convenientemente, a grande massa do eleitorado — entre 92%, em 1892, a 81%, em 1927 — encontrava-se no interior.[10] E lá, mais do que na capital, havia recursos de sobra para o eleitor votar como ordenavam os chefes — desde a vigilância na boca da urna, para conferir o voto, necessariamente escrito, assinado e aberto, até a pancadaria ou os tiroteios puros e simples. Quando tais recursos falhavam, roubava-se a ata com os resultados e fazia-se outra, a "bico de pena", expressão que passou a designar o método por excelência de manobrar as eleições no período. O provecto Campos Sales permitiu-se ser irônico, certa vez, com um político que lhe escreveu comunicando a falsificação das atas. "A coisa é essa mesma [...] feitas assim, clandestinamente, são melhormente escritas, com boa caligrafia, podendo-se lê-las com facilidade", escreveu em resposta.[11] Fraudes e violências eram mais frequentes em eleições municipais. No caso da presidência do estado, o conflito vinha antes, na hora de escolher o candidato. Dissidências afloravam então com frequência. Quem era do contra no período era "dissidente", não opositor. Mesmo porque, segundo ensinava Francisco Glicério, uma das raposas do período, "fazer oposição, nessa nossa República, é rematada loucura".[12] Uma vez escolhido o candidato, cessa tudo o que a antiga musa canta, e lá vai o ungido, concorrente único, em direção aos 98% a 100% de consagração nas urnas.

O apreciador de chope e de passeios noturnos Jorge Tibiriçá tomou posse no governo de estado no domingo, 1º de maio de 1904. Um landau escoltado por policiais em uniforme de gala apanhou-o em casa por volta de meio-dia e meia e conduziu-o ao prédio do Congresso estadual, na praça João Mendes, onde prestou juramento. Seguiu-se recepção no palácio do pátio do Colégio, presentes os cônsules acreditados em São Paulo, e à noite, no mesmo local, jantar durante o qual, enquanto saboreavam pratos preparados pela Rotisserie

Sportsman, os convidados ouviam trechos de Verdi, Mascagni e Ponchielli (além de Alexandre Levy, único a salvar a honra dos compositores brasileiros no programa) executados no coreto da praça pela banda da Força Pública.[13] Tudo nos conformes para um homem nos conformes. Tibiriçá era riquíssimo fazendeiro, com terras em Itu, Jaú e outras paragens. Foi diretor de estrada de ferro — a Mogiana, no caso. Formara-se engenheiro agrônomo na Alemanha. E era casado com uma prima, Ana, filha de Antônio de Queirós Teles, o conde de Parnaíba, presidente da província no período imperial.[14] Mais nos conformes ainda, no sentido de que apregoa com a força de um berro a ligação antiga e profunda com a terra, é o Tibiriçá que carregava no nome, ao qual, como se não bastasse, acrescentava-se um Piratininga. Jorge Tibiriçá Piratininga de Almeida Prado, eis seu nome completo. Jorge herdou do pai, João — participante da Convenção de Itu —, o nome em que ao Almeida Prado original foram engastadas as homenagens ao cacique protetor dos jesuítas fundadores de São Paulo e ao local em que foi plantada a cidade.

Jorge Tibiriçá será o patrono do maior e mais atrevido programa de apoio à cafeicultura — e aos cafeicultores — levado a efeito no país. Será, por isso, o primeiro dos dois personagens que nos servirão de paradigma do político paulista na República Velha. O programa em questão foi chamado de "valorização do café". Já desde meados da década de 1890 a economia cafeeira revelava-se vítima do próprio vigor. A produção cada vez maior derrubava os preços do produto no mercado internacional. O preço por saca caíra de uma média de 4,09 libras em 1893 para 1,48 em 1899.[15] Curioso é que a ideia de um plano para remediar a situação tenha partido de um imigrante, o conde Alexandre Siciliano, se bem que um imigrante ligado, como sabemos, às famílias e aos interesses cafeeiros. Siciliano divulgou seu plano em reunião da Sociedade Paulista de Agricultura, em 1903.[16] Tratava-se, basicamente, de o governo comprar a preço fixo o café dos produtores e fazer estoques que regulassem a oferta do produto. A bancada paulista empenhou-se a fundo, mas não conseguiu que o governo federal aceitasse a proposta. Depois de mais de dois anos de debates, Jorge Tibiriçá convocou os presidentes dos dois outros principais estados produtores — o mineiro Francisco Sales e o fluminense Nilo Peçanha — e firmou com eles, na cidade de Taubaté, em fevereiro de 1906, um convênio pelo qual os três estados assumiam, eles próprios, o plano de valorização. O Convênio de Taubaté, um marco na história econômica da República Velha, equivaleu a um repto ao governo federal; se não era possível executar o plano com ele, seria apesar dele.[17] Era um tempo de larga autonomia, como nunca houvera nem haveria, dos governos estaduais.

O repto não foi perfeito, porém. O convênio previa que para lastrear as operações de compra do café seria contratado no exterior um empréstimo de 15 milhões de libras. Em princípio, os estados podiam, inclusive, contratar empréstimos no exterior. Ocorre que a soma era enorme. Sem o aval federal, nada feito com os banqueiros europeus. Para complicar as coisas, o convênio também previa a criação de uma Caixa de Conversão, cujo objetivo seria estabilizar o valor da moeda, e tal instituição só poderia ser criada pelo Congresso Nacional. Eis a questão de volta ao nível federal. O presidente da República, Rodrigues Alves, que saltara do governo estadual direto para o federal, era paulista e cafeicultor, mas, numa demonstração de que as coisas, tal qual vistas da sacada do palácio do pátio do Colégio, não se afiguravam as mesmas quando contempladas do Palácio do Catete, opunha-se ao plano. Afinal, tratava-se de empenhar dinheiro público para satisfazer a cafeicultura, ou, mais especificamente, os cafeicultores. Os políticos paulistas souberam esperar que a Rodrigues Alves sucedesse um presidente mais dócil às suas pretensões, o mineiro Afonso Pena; também jogaram alto em laboriosas negociações junto ao Congresso Nacional — e afinal o plano foi aprovado. Pelas décadas seguintes vigoraria a "valorização", em que à tranquilidade da compra assegurada pelo governo somava-se o câmbio baixo, favorável às exportações. O estratagema constituiu-se num ponto de inflexão na história da República Velha. Marcou, segundo o historiador Joseph Love, a ocasião em que o PRP trocou o controle direto do Executivo federal pelo domínio da política econômica.[18] Foi um bom negócio. Coube simbolicamente a um Jorge que era Tibiriçá e, não satisfeito, também Piratininga, garantir a São Paulo a hegemonia sobre os destinos nacionais, mesmo que pendurando o país ainda mais à dependência de um único produto agrícola.

Também no tempo de Tibiriçá, o governo vislumbrou um negócio capaz de amenizar o problema do cada vez mais atulhado palácio do governo — comprar o palacete que Elias Pacheco Chaves, o cunhado e sócio do conselheiro Antônio Prado, construíra nos Campos Elíseos. Pacheco Chaves contratara um arquiteto alemão, Matheus Haussler, de Stuttgart, para executar o projeto. A construção se fez entre 1893 e 1899.[19] Mas Chaves viria a morrer logo em 1903, o que talvez tenha sido o motivo pelo qual a família desinteressou-se em continuar residindo no local. Em 1906 a casa foi alugada ao governo estadual para hospedar o secretário de Estado americano Elihu Root — grande acontecimento, naquela São Paulo que recebia tão poucos dignitários estrangeiros. Em carta de julho desse ano, endereçada à nora, a viúva de Pacheco Chaves, Anésia, comentava os destinos da mansão: "O governo mandou pôr luz elétrica e parece que está com intenção de comprá-la agora para o palácio. No Congresso já está uma lei autorizando o presidente a fazer este negócio, porém o Tibiriçá ainda não resolveu".[20] As tratativas se prolongariam. Em 1911, enfim, o governo a arrematou, para servir de residência aos presidentes estaduais. O palácio do pátio do Colégio continuou como local de trabalho até 1932, quando o dos Campos Elíseos passou a servir também para o trabalho.

Em março de 1906, quando ia a meio do mandato, Tibiriçá trocou seu secretário da Justiça. Saiu José Cardoso de Almeida, entrou o deputado estadual Washington Luís Pereira de Sousa. Aos 36 anos, o escolhido era ainda desconhecido, tanto que o *Correio Paulistano* teve de explicar aos leitores que se tratava de "um jovem de preparo sólido e notáveis qualidades intelectuais, como tem mostrado em ponderados e substanciosos artigos publicados pela imprensa".[21] O fluminense Washington Luís viera estudar Direito em São Paulo e, pouco depois de formado, a convite de um colega de faculdade, estabelecera-se como advogado em Batatais. Além das "notáveis qualidades intelectuais", distinguia-se pelo belo talhe e pela possante voz de barítono, com a qual, entoando árias de Verdi e outros compositores italianos, animara os saraus tanto de Batatais como da capital, para onde vinha periodicamente. A voz foi decisiva para aproximá-lo de Sofia, ela também uma cultora do *bel canto*. Nos saraus domingueiros na casa paulistana dos pais dela, Rafael Tobias Pais de Barros e Maria Joaquina de Oliveira Barros, barões de Piracicaba, entre um dueto e outro, a possante voz, ou as qualidades intelectuais, ou o belo talhe, ou tudo isso junto, acabaram por se impor ao coração da jovem.[22]

Washington Luís é o segundo dos personagens que elegemos como paradigma do político paulista da República Velha (nesse caso "paulista de Macaé", como se dirá). A carreira política, ele a inicia como vereador e, logo, prefeito de Batatais. Nesses anos, ao influxo das divisões políticas características das presidências dos marechais Deodoro e Floriano, cujos reflexos se faziam sentir nos estados e nos municípios, Washington Luís tendeu a se afastar do bom caminho, isto é, do seio generoso, ainda que severo, do PRP. Logo se deu conta do engano. E acenou positivamente à sondagem formulada por um amigo no sentido de figurar na chapa perrepista de candidatos a deputado estadual. Esse amigo ponderava, em carta: "Será para V. uma doce vitória, e farás ver aos amigos que o lugar que te foi oferecido não é razoável recusá-lo, visto de dentro poderes fazer alguma coisa, ao passo que, na dispendiosa oposição, todos já sabem que é só gastar dinheiro, tempo, saúde, perder amigos, clientela etc. — e tudo isso sem uma mínima compensação".[23]

Era uma reiteração da lição que já aprendemos do velho Glicério — fazer oposição era "rematada loucura". Ainda antes de ser eleito, Washington Luís mudou-se com Sofia para São Paulo, e estabeleceu-se como advogado, com escritório primeiro na rua de São Bento, depois na rua Direita.[24] O convite para assumir a secretaria da Justiça, com apenas dois anos de mandato como deputado estadual, seguiu os conformes afetivo-familiares-compadrescos que eram da índole do PRP. O secretário da Agricultura, Carlos Botelho, um dia chamou a atenção do vice-presidente estadual, João Batista de Melo Oliveira, para a ausência de representante no governo de um dos mais tradicionais troncos da família paulista, o dos Pais de Barros. Melo Oliveira, por sua vez, levou a questão a Jorge Tibiriçá. Melo de Oliveira era irmão da baronesa de Piracicaba, e portanto tio de Sofia. Carlos Botelho, por sua vez, era cunhado tanto de Melo de Oliveira como da baronesa, e Tibiriçá era primo da baronesa e, portanto, também de Sofia. Estava tudo muito bom, tudo em família, como convinha, mas faltava um representante mais identificado à linha dos Pais de Barros. Washington Luís entrou na qualidade de genro.[25]

O novo secretário será o braço direito de Tibiriçá num projeto de modernização, ou, mais propriamente, militarização, da Força Pública. Tratava-se de uma tarefa que, tanto quanto a da valorização do café, expunha os anseios de grandeza e suficiência paulistas. A Força Pública, que já existia com esse nome desde 1901, era o braço armado da polícia. Para Tibiriçá, no entanto, faltavam-lhe qualificações que a tornassem verdadeiramente apta ao combate. Ainda antes da nomeação de Washington Luís, o presidente contratara um grupo de oficiais franceses para fornecer treinamento e projetar uma estrutura para a Força. A decisão causou controvérsia e gerou resistência. Os próprios membros da corporação, em primeiro lugar, sentiram-se ameaçados em suas posições. Os chefes do interior temeram perder o controle sobre as polícias locais. Enfim, havia os pudores nacionalistas; se era para contratar instrutores militares, por que não procurá-los no próprio Exército brasileiro?[26] Os quatro oficiais que compunham a "missão francesa", chefiados pelo coronel Paul Balagny, chegaram pouco depois da posse de Washington Luís. As críticas continuaram, e ocorreu mesmo um grave incidente: um atentado perpetrado por um sargento no interior do quartel-general da corporação, na avenida Tiradentes, matou um dos franceses — o tenente-coronel Raoul Negrel — e o alferes brasileiro que o acompanhava.[27]

Afinal a missão francesa cumpriu o seu papel, e a Força Pública teve suas estruturas renovadas. Instituíram-se escolas de soldados e oficiais e projetaram-se planos de carreira. Aumentaram-se os salários. O comandante da Força, que em 1900 recebia metade do que cabia ao diretor de uma escola normal, em 1912 já receberia mais, e em

1925 chegaria ao dobro do mesmo funcionário. Os contingentes cresceriam gradualmente, até atingir 14 mil homens em meados da década de 1920. Na mesma década seriam organizados um setor de artilharia e uma aviação e, na década seguinte, tanques de guerra se incluiriam entre as armas.[28] Peça por peça fora construído o que o jurista Dalmo de Abreu Dalari chamou de "Pequeno Exército Paulista" no título de um livro sobre o tema. A reformulação da Força Pública ajudou a poupar São Paulo das intervenções decretadas pelo governo do marechal Hermes da Fonseca (1910-1914) em outros estados, apesar dos focos de oposição entre os paulistas. Hermes não teria a mesma facilidade de impor-se militarmente.[29] Com seu pequeno exército, São Paulo assumia ares de pequeno país. Washington Luís, por seu lado, ganhou com sua passagem pelo governo status de estrela da nova geração de perrepistas. Em 1914 ele se tornaria o terceiro prefeito de São Paulo, sucedendo ao barão Raimundo Duprat. Reeleito em 1916, ficaria no cargo até 1919.

A eleição ocorreu em 30 de outubro de 1913. Era indireta; seriam eleitos os vereadores, que por sua vez elegeriam o prefeito. À boa e prática maneira do PRP, no entanto, tudo naturalmente já estava decidido de avanço — quais seriam os vereadores eleitos e, entre eles, qual seria o prefeito. O *Correio Paulistano*, jornal governista, cometeu a indiscrição de publicar, quatro dias antes do pleito, que Washington Luís fora "previamente convidado e aceitara o importante cargo de prefeito municipal".[30] Coube a Washington Luís figurar na cabeça da lista de candidatos, o que significava risco zero. Com a cidade dividida em distritos, como era regra na época, ele se apresentou nos bairros de Mooca, Bela Vista, Santana e Nossa Senhora do Ó. Teve uma votação consagradora: 848 votos![31] Pode parecer pouco, e é, mas foi a maior entre todos os candidatos. O eleitorado da capital era de um raquitismo de dar dó. Não costumavam ser alistados os inválidos, os mortos e até as pessoas inexistentes que faziam a grandeza do eleitorado do interior. No dia seguinte, o *Correio Paulistano*, órgão oficial do PRP, exultou: "Mais uma vez ficou indubitavelmente provada a inteira coesão e a forte disciplina do glorioso Partido Republicano Paulista que, na pugna de ontem, alcançou outro magnífico triunfo".[32] A posse dos vereadores ocorreu no dia 15 de janeiro de 1914; nesse mesmo dia, Washington Luís foi sacramentado como prefeito. Como lhe era facultado na época, porém, não precisou abandonar o mandato de deputado estadual. Seria não só prefeito e deputado ao mesmo tempo, como também líder do governo na Câmara estadual, posição que lhe facilitaria canalizar recursos para a prefeitura.[33]

Washington Luís na inauguração da piscina do Club Athletico Paulistano | Centro Pró-Memória do Cap.

Foi Washington Luís quem mudou a sede da prefeitura para um dos palacetes gêmeos construídos pelo conde Prates no Anhangabaú. Também lhe incumbiu dar continuidade aos planos de urbanização gestados nos mandatos anteriores. As obras do Anhangabaú lhe consumiram quase todo o mandato, concluindo-se em 1918, como também as de alargamento da rua de São João, iniciadas no último ano do mandato anterior. Em 1918 tiveram início as obras de saneamento da várzea do Carmo, para a implantação do parque D. Pedro II.[34] Couberam-lhe anos difíceis, porém. A Primeira Guerra Mundial, iniciada naquele mesmo ano de 1914, interrompeu os fluxos do comércio internacional e provocou carências diversas. Outras ocorrências que lhe atravessaram a gestão foram a grande greve de 1917 e a trágica epidemia da chamada gripe espanhola, no ano seguinte — eventos que serão tratados em capítulos posteriores. Também foram anos de alta do custo de vida, e um dos remédios imaginados para combatê-la teria vida longa na cidade — as feiras livres, ou "mercados francos", como foram chamadas na resolução que as criou. Os comerciantes ficavam autorizados a vender seus produtos em locais públicos e horários determinados pela prefeitura, sem pagamento de impostos. Não demorou e a prefeitura do Rio de Janeiro, interessada em implantar o mesmo sistema, requisitou à de São Paulo as leis e regulamentos sobre o assunto. A providência pioneira de São Paulo frutificava.[35]

No capítulo dos embelezamentos Washington Luís inaugurou, no mesmo ano de 1916, a praça Buenos Aires, no bairro de Higienópolis, e o pavilhão conhecido como Trianon, no belvedere da avenida Paulista. As aleias sinuosas da praça Buenos Aires obedeciam a projeto de Bouvard, que salpicou os espaços entre as árvores de esculturas francesas como ele. Este foi um dos trabalhos paralelos executados pelo arquiteto ao tempo em que examinava os projetos urbanísticos concorrentes dos anos 1910/1911. A praça-parque ocupava um terreno de topografia irregular, com as partes baixas convergindo para um centro mais elevado, onde o professor Lúcio Martins Rodrigues, titular de mecânica celeste da Escola Politécnica, aproveitou para implantar um mirante provido de um telescópio.[36] Eram os bons tempos em que daquele ponto se podia ter uma vista ampla e nítida do céu. O Trianon, que deve seu nome à semelhança com os famosos palácios de Versalhes em que se entretinham as mulheres e as amantes dos reis da França, muitas vezes elas por sua vez com seus amantes, foi projetado pelo escritório de Ramos de Azevedo. Era uma construção que, tal qual o prédio do Masp, que viria a lhe suceder no mesmo terreno, assentava-se sobre terraços dos quais se descortinava um vasto panorama, incluindo o centro da cidade e só se fechando na serra da Cantareira, ao longe. Em seus dois andares, distribuíam-se bar, restaurante, salão de chá e salão de baile, destinados a se tornar um dos epicentros da vida social da cidade. "A construção é toda de cimento armado, composto de grandes lajes sobre pilares", noticiava a imprensa. "É, nesse gênero, uma das mais interessantes construções executadas entre nós, realizando uma feliz aplicação do cimento armado."[37] A novidade que era o concreto armado ainda atendia preferencialmente pelo nome de cimento armado.[38] Ao lado foi levantado outro observatório astronômico, o que faz supor uma cidade obcecada pelas estrelas.[39] Coube ainda a Washington Luís iniciar, no último ano de seu mandato, as obras do largo e ladeira da Memória, no centro da cidade, para dar um entorno condigno ao mais antigo monumento de São Paulo, o Obelisco do Piques, erguido no largo da Memória, no vale do Anhangabaú, em 1814. Antiga passagem de mulas, cavalos e carroças, o local estava tomado pelo mato quando o prefeito encarregou o arquiteto Victor Dubugras, francês radicado em São Paulo, e professor da Escola Politécnica, de lhe dar um aspecto mais digno. Dubugras concebeu uma bonita escada com degraus em curvas, um chafariz e um painel de azulejos que, somados ao velho obelisco, resultaram num dos mais harmoniosos recantos da cidade, relíquia do art nouveau então em voga, e duradouro apesar dos maus-tratos a que seria submetido em fases mais selvagens da vida urbana.[40]

O evento de efeitos mais amplos e inovadores sobre o desenho da urbe ocorrido nos anos Washington Luís não consistiu em obra do prefeito, mas da iniciativa privada. Aqueles foram os anos de gestação do "bairro perfeito", uma "maravilha sem par em matéria de urbanismo", conforme a propaganda.[41] O bairro em questão era o Jardim América, primeiro de uma série que ocupará boa parte da mancha urbana, e que inaugurará um novo modo de morar, de transitar e de passear na cidade. Esta é uma história que se inicia alguns anos antes, e que mistura nomes já nossos conhecidos, como Victor da Silva

Freire e Joseph Bouvard, com outros mencionados só de passagem, como Horácio Sabino, e alguns que agora farão sua aparição neste livro, como Édouard Fontaine de Laveleye e Barry Parker. Ao tempo em que Silva Freire, como diretor de Obras da prefeitura, e Bouvard, como ilustre contratado, estavam empenhados no projeto de remodelação do Centro, Freire levou o francês a percorrer São Paulo, com um olho no presente e outro nas potencialidades futuras. Simultaneamente, o banqueiro francês (ou talvez belga) Fontaine de Laveleye, que tinha interesses em terras no Paraná, era incitado a investir em São Paulo, e Horácio Sabino, ativo homem de negócios, iniciava um loteamento na região da avenida Paulista.[42] Desse emaranhado vai surgir a São Paulo City Improvements and Freehold Company, empresa com sede em Londres que se incumbirá dos maiores empreendimentos imobiliários da história da cidade.

Horácio Sabino é ilustre, para os pósteros, sobretudo pelo local de sua residência, que viria a se tornar um dos pontos cruciais da cidade — a esquina da avenida Paulista com rua Augusta. Seu palacete, projetado por Victor Dubugras, com fachada em curvas que lembram Gaudí, ocupava o quarteirão onde depois seria levantado o Conjunto Nacional. Sabino possuía terras, algumas suas, outras herdadas do sogro, Augusto Milliet, na área contígua à Paulista que desce em direção às várzeas do rio Pinheiros. Nelas ele implantou um loteamento a que deu o nome de Vila América, em homenagem à mulher, América. De um mapa da cidade de 1905 já consta a Vila América, por essa época ainda um simples projeto de delineamento impreciso.[43] O loteamento vai tomar corpo na década seguinte, assentando-se, conforme mapa de 1913, no quadrilátero formado pelas ruas já chamadas alameda Santos, Rebouças, Padre João Manuel e a que receberá o nome de Estados Unidos.[44]

A esse tempo, a dupla Bouvard e Laveleye, de volta à Europa, ocupava-se em reunir sócios para investimentos imobiliários em São Paulo. Laveleye à frente, em setembro de 1911 foi constituída a City Improvements.[45] A maioria dos acionistas era inglesa, daí a sede em Londres e o nome oficial em inglês da empresa, que em São Paulo seria conhecida como Companhia City. A princípio distintas, a Edificadora

Vila América, nome da empresa de Horácio Sabino, e a Companhia City logo se confundiriam. Sabino figura entre os sócios fundadores da City, numa lista de brasileiros na qual ainda se incluem o vereador Cincinato Braga e o ex-presidente da República Campos Sales.[46] A Companhia City se encarregará das vendas dos lotes da Vila América, e Sabino será o intermediário na efetivação do primeiro grande negócio da City: a compra, naquele mesmo ano de 1911, da área que começava onde a Vila América terminava, ou seja: da rua Estados Unidos para baixo. Tratava-se de uma chácara de 1 milhão de metros quadrados pertencente aos herdeiros do coronel Ferreira da Rosa.[47] Já se vê que Vila América e Jardim América não se confundem. O nome "América" foi conservado talvez para sugerir continuidade com relação ao primeiro loteamento; tinha agora, porém, outra conotação — não se tratava mais de homenagear a sra. Sabino, mas o continente americano, cujos países darão nome às ruas. A Vila América se diluirá no futuro nos bairros que serão conhecidos como Cerqueira César ou Jardim Paulista; o Jardim América se estenderá num losango formado entre as ruas Estados Unidos, Groenlândia, Atlântica e Chile (que na maior parte desapareceria com a abertura da avenida Nove de Julho).[48] Os dois bairros se diferenciarão sobretudo pelo traçado, graças a uma inspirada iniciativa da City — a contratação dos arquitetos-urbanistas Barry Parker e Raymond Unwin para planejar o Jardim América.

Parker e Unwin, cunhados e sócios, vinham de uma marcante experiência que lhes assegurou lugar de destaque na história do urbanismo inglês — o planejamento da cidade-jardim de Letchworth, a primeira do gênero. "Cidade-jardim" é um conceito criado por Ebenezer Howard (1850-1928), e exposto em seu livro *Garden cities of tomorrow* (1902), de tanta repercussão que resultou na fundação de um movimento de coloração utópico-socialista, o Garden Cities Movement. Howard propunha a criação de povoados híbridos de cidade e campo — saudáveis e próximos à natureza como o campo, mas capazes de proporcionar os serviços e as oportunidades disponíveis nas cidades. Ele tinha em vista a classe operária e imaginava, com esse tipo de povoação, aliviar-lhes os rigores impostos pela Revolução Industrial. Parker e Unwin, discípulos de Ebenezer Howard, usaram seu talento de arquitetos para levar à prática as ideias do mestre, estabelecendo, com Letchworth, na periferia norte de Londres, um modelo depois muitas vezes multiplicado, na Inglaterra e em outros países. Do conceito de cidade-jardim derivou o de bairro-jardim, já não provido da autossuficiência prevista por Howard, mas como partes das grandes cidades, e sem o ideal socializante das origens. Parker e Unwin foram pioneiros também dessa modalidade, ao criarem o bairro londrino de Hampstead.[49]

Foi para aplicarem esta nova versão bairro-jardim, tão distante da *garden city* original quanto o operariado de seus patrões, que a City contratou Parker e Unwin, em 1915. Um primeiro esboço foi feito pela dupla em Londres. No início de 1917 Parker veio ao Brasil; a intenção era passar algumas poucas semanas e ele ficou dois anos. Desenvolveu o esboço feito em Londres e participou do projeto à política de vendas do negócio. A arborização farta, casas construídas no meio do terreno, com espaços em volta que as assemelhavam a casas de campo, praças em que predominavam a terra e as plantas e ruas que lembravam as aleias de um parque eram as marcas do empreendimento. Vigorava à mesma época nos planos urbanísticos propostos para a cidade a ideia de que o traçado quadriculado das ruas, como tabuleiro de xadrez, era sinal de civilização e de progresso, em oposição às ruas surgidas ao deus-dará da época colonial. Pois agora voltavam as ruas curvas, não mais como obra do improviso ou do acaso, mas de um planejamento que objetivava torná-las mais agradáveis como paisagem e efetivas na intenção de evitar que se transformassem em corredores de trânsito. Talvez a mais original das ideias de Parker tenha sido o espaço vago que previu para o interior das quadras, a ser transformados em jardins mantidos pelos proprietários dos terrenos circundantes. Os jardins internos duraram pouco; desavenças entre os proprietários quanto ao custo da manutenção, por um lado, e por outro o interesse da City em aumentar o número de terrenos à venda decretaram o seu fim. As ruas sem saída que depois surgiriam no bairro são produtos da necessidade de ganhar acesso às áreas planejadas como vazios no interior das quadras. No início a City pôs à venda 369 lotes. A ocupação das áreas internas e as sucessivas subdivisões elevaram esse número para 672. Se no início os lotes tinham uma média de 900 metros quadrados, no fim eram vendidos com até 360 metros quadrados.[50]

As vendas começaram em 1919 com outra inovação: a City as financiava em até vinte anos. Daí que o novo bairro fosse acessível não só a ricaços como os que ocupavam a avenida Paulista mas também a uma classe um patamar abaixo. Mesmo a construção podia ser financiada. O loteamento foi um grande sucesso, e o Jardim América virou atração turística, visitado por moradores de outros bairros e por gente de fora como ocorrera com a avenida Paulista. Para o sucesso foi imprescindível a colaboração dos poderes públicos. A City mantinha Victor Freire como consultor, o que lhe garantia um elo com a prefeitura. A Light, desde 1918, estendera a linha de bonde que até então parava na Paulista até a rua batizada de Colômbia, extensão da Augusta.[51] Os anúncios da City asseguravam que água, luz, gás e transporte estavam garantidos. O negócio apresentava-se tão rentável, e tão promissor, que a companhia estendeu suas vistas a outras regiões, e arrematou vastas outras áreas desocupadas, indo do lamacento vale do riacho Pacaembu a trechos da Lapa, do entorno da estrada da Boiada e da região além-Rio Pinheiros conhecida como Butantã. A City amealhou um total de 12 milhões de metros quadrados, onde seriam, depois do Jardim América, implantados bairros semelhantes. A maioria conservaria os nomes tradicionais; outros ganhariam nome novo. A Estrada da Boiada viraria Alto de Pinheiros; o trecho da Lapa destinado a zona estritamente residencial seria o Alto da Lapa. Barry Parker, nos dois anos que permaneceu em São Paulo, ainda teve tempo de desenhar os dois lançamentos seguintes da City: o Pacaembu e o Alto da Lapa.[52]

Em 1916, a prefeitura desapropriou o Velódromo da Consolação, "a célula *mater* do atletismo paulista", segundo um contemporâneo, para a abertura de uma nova rua, inicialmente chamada de Leôncia

Florisbela, depois Nestor Pestana.[53] O Velódromo era então ocupado pelo Clube Atlético Paulistano, que o alugava da família Prado. E agora? A decisão foi rumar para o novo bairro do Jardim América. O clube comprou da Companhia City um primeiro terreno de 23 mil metros quadrados, na rua Colômbia, ao qual foram agregados posteriormente terrenos vizinhos, totalizando 40 mil metros quadrados.[54] A inauguração da nova sede, projetada pelo arquiteto Ricardo Severo, se deu em dezembro de 1917, com a presença de ninguém menos do que o poeta Olavo Bilac, ao lado do prefeito Washington Luís. Não havia nada ainda nas vizinhanças. Anos depois um outro clube se instalaria no bairro, o Harmonia de Tênis, que ocupou um daqueles terrenos inicialmente reservados para jardim interno às quadras.

Em paralelo ao trabalho da Light, Barry Parker, atendendo a uma encomenda do prefeito Washingon Luís, engajou-se na elaboração de um projeto de remodelação do parque da Avenida, do outro lado do belvedere da avenida Paulista. A construção do Trianon impunha que do outro lado se melhorasse o recanto que lhe era como uma continuação. Num relatório ao prefeito, Parker observou que o parque, tal qual o encontrara, "não era mais do que um pedaço de floresta primitiva em sua glória natural, com exceção de umas poucas trilhas sinuosas entre as árvores", que "praticamente não era utilizado pelo público" e que "era possível passar e repassar por ele na avenida Paulista sem sequer se aperceber de sua existência". Para melhorá-lo, projetou uma pérgula que lhe faria as vezes de portal e combinava com o Trianon, do outro lado, arrancou algumas árvores e arbustos, podou outras e abriu aleias e pequenas clareiras.[55] A intervenção tornou o espaço mais amigável aos passeios e ao lazer, sem prejuízo da amostra de Mata Atlântica que perduraria pelos anos afora como surpreendente refúgio num dos pontos mais movimentados da cidade. A continuidade com o Trianon pespegou ao local mais um nome, este duradouro a ponto de ter ensombrecido a denominação oficial de "Siqueira Campos", conferida em 1931. Ele seria agora o "parque Trianon". Continuaria a sê-lo mesmo depois da demolição, do outro lado, do Trianon propriamente dito, e com essa denominação, não com a oficial, seria alçado, junto com o Masp, a nome de estação de metrô.

Ao aproximar-se o encerramento do mandato na prefeitura, Washington Luís era o político mais destacado do estado. Às "qualidades intelectuais", o belo porte, a voz de barítono etc., acrescentava-se agora a imagem de político moderno, afeito aos esportes e às modernas tecnologias, o que o integrava na caudal de entusiasmo pelas conquistas do novo século.[56] Em abril de 1919 São Paulo foi visitada pelos aviadores franceses Lafay e Verdier, membros de uma missão militar de seu país junto ao Exército brasileiro. Aviação era ainda, tal qual ocorrera com o automóvel e a bicicleta, sobretudo um esporte, propício a exibições e desafios. Washington Luís e o amigo Antônio Prado Júnior aproveitaram a festejada visita dos franceses para fazer seu "batismo do ar", como se dizia — o primeiro voo de suas vidas. Decolaram do campo de Guapira, próximo à serra da Cantareira, para um sobrevoo da cidade durante o qual a dupla apresentou-se devidamente aparatada com óculos, touca e luvas de aviador.[57] Washington Luís estava pronto para voar também na política. No dia 11 de setembro de 1919 a convenção do PRP sagrou-o candidato ao governo do estado. Cinco dias depois ele deixou a prefeitura e, candidato único, como de praxe, foi eleito com 100% dos 80 123 votos depositados nas urnas.[58]

A edição de domingo, 21 de janeiro de 1906, do *Correio Paulistano*, que era então, como sabemos, órgão oficial do Partido Republicano Paulista, iniciava assim o relato da principal notícia do dia: "Foi das mais pungentes, das mais dolorosas a notícia que ontem veio brutalmente emocionar toda uma população, referindo horrível tragédia, que enlutou distinta família de nossa sociedade, trazendo-lhe ao seio a angústia tremenda de se sentir, tão cruel e desapiedadamente, pelo destino privada dos carinhos de seu chefe e dos encantos de gentilíssima jovem".

A família em questão era a do presidente do Senado estadual, Francisco de Assis Peixoto Gomide. Tratava-se de um dos grandes do PRP; vice de Campos Sales no governo estadual, assumira a presidência do estado por um ano, entre 1897 e 1898, quando da saída do titular para ocupar a presidência da República. Na véspera, Peixoto Gomide, depois de uma noite maldormida, amanhecera silencioso e melancólico. Almoçara com a mulher e os quatro filhos às dez horas ("porque o dr. Peixoto Gomide, paulista dos antigos, conservava religiosamente os velhos hábitos de nossa cidade", anotou o jornal O *Estado de S. Paulo*). Depois do almoço, continuaram na sala de jantar o senador e a filha Sofia, de 22 anos. Sofia pôs-se a fazer crochê, numa poltrona, enquanto o pai continuou à mesa, sempre silencioso, e entretendo-se (ainda segundo a reportagem do *Estado*) em jogar ao teto bolinhas de miolo de pão. Passou muito tempo, depois, a andar da sala de jantar para a de visitas, da de visitas para a de jantar, sempre em silêncio. A alturas tantas aproximou-se de Sofia, ainda entretida nos pontos do crochê, sacou o revólver Smith and Wesson e atirou na cabeça da moça. Em seguida, ganhou a sala de visitas, sentou-se junto ao piano e atirou de novo, agora contra a própria cabeça. Estupefação geral. Os tiros, bem como gritos e choro, foram ouvidos pelos vizinhos e transeuntes da rua Benjamin Constant, no centro da cidade, onde ficava o sobrado da família. A filha morreu instantaneamente; o pai sobreviveu por vinte minutos. O repórter do *Estado*, cuja redação ficava ali perto, na rua Quinze de Novembro, chegou ainda em tempo de presenciar a agonia do senador, descrita pelo jornal em tons naturalistas:

"Quando nosso companheiro chegou à rua de Benjamin Constant nº 25-A e subiu as escadas da modesta residência do dr. Peixoto Gomide, este ainda estertorava, a longos e fundos haustos, estendido num grande sofá de palhinha da sala de visitas. Trajava paletó saco e calça de fazenda escura. Saía-lhe a massa encefálica pelo alto do crânio, do lado esquerdo. Tinha os olhos muito abertos e um, o esquerdo, fora de órbita. No chão, de onde o tinham erguido, havia uma grande poça de sangue, ainda quente. O arcediago Francisco de Paula Rodrigues e o monsenhor Benedito de Sousa estavam à cabeceira do agonizante e traçavam sobre a sua cabeça despedaçada o sinal da cruz. O arcediago Paula Rodrigues chegou-lhe os lábios ao ouvido e murmurou: 'Sou eu, dr. Gomide, o seu amigo padre Chico. Lembre-se da Virgem Nossa Senhora e peça-lhe perdão dos seus pecados'."[59]

O relato diz tanto sobre os hábitos como sobre a imprensa da época. Expostos os fatos, tanto o *Estado* como o *Correio Paulistano* abriram colunas inteiras para enumerar, uma a uma, as pessoas que acorreram ao velório, realizado na própria casa — a comunidade perrepista em peso, além de outros notáveis. O *Estado*, em sua minuciosa cobertura, aventurou-se em território que o *Correio* não ousou trilhar — as causas da tragédia. Sofia estava de casamento marcado para o dia 27 — dali a uma semana. O escolhido era o promotor público Manuel Batista Cepelos, moço de origem humilde, que a custo completara os estudos, e já se distinguia como poeta. Nos últimos dias, segundo o *Estado*, Peixoto Gomide vinha mostrando sinais de nervosismo, e teria confidenciado a amigos que não suportava a ideia de separar-se da filha. Chegara inclusive a procurar, no sanatório do Juqueri, o psiquiatra Franco da Rocha, a quem confessara suas apreensões.[60] Outra versão, não publicada por nenhum jornal, mas que pairaria sobre o caso pelos anos vindouros, é a de que Peixoto Gomide seria pai de Batista Cepelos. Incapaz de confessá-lo, teria escolhido a via mais drástica para impedir o casamento.[61]

Os funerais ocorreram, às expensas do estado, na manhã seguinte, sob chuva. Desde cedo, grande aglomeração de carruagens formou-se na rua Benjamin Constant, estendendo-se pelo largo de São Francisco, de um lado, e à praça João Mendes, de outro. Pai e filha foram transportados em coches separados até o cemitério da Consolação. Vinha a seguir, puxando a interminável fila, a carruagem do presidente Jorge Tibiriçá. As coroas de flores enchiam um carro só dedicado a elas: "Ao dr. Peixoto Gomide, do presidente do estado"; "Ao dr. Peixoto Gomide, da Comissão Central do Partido Republicano de São Paulo", e muitas outras. O presidente da República, Rodrigues Alves, mandou telegrama em que dizia: "O Estado de São Paulo perdeu um de seus melhores servidores". Notável, em todo o episódio, foi que não se falou em "crime", muito menos em "assassinato".[62] Tratava-se de "uma fatalidade", "uma tragédia", uma "obra do destino". O *Correio Paulistano* falou em "uma alucinação" que "abriu fundo golpe na sociedade paulista e na família republicana". O PRP abria suas amplas e frondosas asas na proteção de um dos seus, como de resto também o fazia a elite paulista. Entre pessoas como eles não poderia haver crime, muito menos assassinato. Sofia mereceu ser enterrada com o vestido de noiva, na mesma tumba do pai. Mas foi apenas uma coadjuvante no episódio.

VII.
PAESANDEU, VILA MARIANA E ABAX'O PIQUES

No primeiro reina uma madame de origem polonesa-espanhola, de carnes abundantes e rara índole empreendedora; no segundo, um cavalheiro de sólidas posses, influência política e gostos requintados; no terceiro, um poeta, jornalista e barbeiro dotado de notável espírito crítico. Estamos falando de três celebrados endereços da São Paulo que nos ocupa. São endereços distantes entre si, fincados em áreas de diferente prestígio e com diferentes níveis de urbanização. Os propósitos que os animam são de feição e espírito diversos, e interessam a públicos em princípio também diversos. Têm em comum o fato de que desconhecê-los é desconhecer o que era a cidade das duas primeiras décadas do século XX.

Nossa primeira escala será no Paesandeu, grafia pedante, aparentemente engendrada para emperequetar com um som francês o velho e bom Paiçandu, largo cujo nome homenageia a cidade uruguaia em que se travou uma das primeiras batalhas do conflito conhecido dos brasileiros como Guerra do Paraguai. Mas vamos sem pressa. Dirijamo-nos ao Paiçandu caminhando por essa extensa e reta rua de São João, com vagar suficiente para examinar os prédios e perscrutar as pessoas que ali residem, ali têm seus negócios, ali se divertem ou ali se reúnem. Temos para isso um excelente guia na pessoa de Cícero Marques (1884-1948), autor de um curioso livro, *De pastora a rainha*, em que percorre, quarteirão por quarteirão, da praça Antônio Prado até a alameda Glete, a rua de São João que conheceu no início do século. Com memória prodigiosa e suspiros de saudades, Marques inventaria cada loja de calçados, cada salão de barbeiro e cada rinque de patinação da rua, descrevendo as instalações e declinando o nome dos proprietários. Também enumera cada morador, de modestos italianos a gente importante como João Monteiro, diretor da Faculdade de Direito, que recebia em sua mansão, na esquina com Duque de Caxias, figuras da alta sociedade como o bispo (depois cardeal) Arcoverde e o escritor Eduardo Prado.[1] Na esquina, que um dia se tornaria célebre, da rua de São João com a rua Ipiranga, ele afirma ter havido um velho sobrado em que, na parte de baixo, o italiano Fontinelli mantinha uma casa de secos e molhados e, na de cima, Natália, "atraente mariposa do amor", compartilhava seu "casulo" com outras "alegres companheiras". Do outro lado da rua, havia a marcenaria do italiano Ângelo Tebaldi e, pegada a ela, uma casa pintada de azul onde Julieta Petachinikoff, uma eslava "morena, de olhos negros, alta, magra, bonita e elegante", montou "o seu ninho". Por ela, acrescenta o autor, um "grande tribuno, um dos luminares da jurisprudência, curvou-se fascinado".[2]

    Por essa amostra já se percebe a especialidade de Cícero Marques: o amor pago. A esse tema ele dedica o melhor de sua arte. Às cortesãs, às casas que as acolhiam e aos palcos em que se exibiam ele dedica os mais demorados e mais caprichados parágrafos. Marques não escreve porque imagina, ou por ouvir dizer. Fala com o conhecimento de causa de quem praticou com gosto e intensidade a vida boêmia. E a rua de São João, onde também morou, além de esquadrinhar os mínimos recantos do comércio do amor, não o desmereceu. Era o homem certo no lugar certo. Nada menos de dezesseis "pensões" de mulheres são enumeradas em seu livro, sem contar avulsas como "a francesa Juliette", que morreu envenenada, e a "caipirona gorda", que veio a São Paulo "conhecer as delícias tristes da vida alegre".[3] Percorre-se da pensão da Lola, "salerosa espanhola", junto à esquina com Líbero Badaró, até a da Maria Augusta, próxima à rua Aurora. A da Lola arregimentava "crescido número de inquilinas e divertia não menos numeroso grupo de rapazes e velhos"; a de Maria Augusta, colada à casa do respeitável professor Ribeiro, tinha três janelas, nas quais se exibiam as pensionistas, "com real escândalo das famílias".[4] Havia ainda as pensões da Maria Cavalheira, da Negrinha e da Barretinho, da Negrini, de madame Dorica e da portuguesa Maria Leal, onde brilhava "a célebre Cobrinha", numa enumeração que, ainda assim, não se esgota.[5]

No quarteirão entre a Líbero Badaró e a rua Formosa, no ponto em que a São João mergulha em direção ao Anhangabaú, para em seguida subir de novo, ficavam, lado a lado, o Politeama e o Casino Paulista, duas famosas casas de espetáculo. O Casino Paulista distinguiu-se pela apresentação de nus artísticos, arte na qual uma certa Sar-Farah tanto se esmerou que acabou interditada pela polícia.[6] O Politeama tinha dupla personalidade. Nas noites de ópera recebia os grandes da elite, acompanhados das dignas esposas. Mas também havia noites de "café-concerto", em que as maiores atrações eram as cantoras e as dançarinas insinuantes. Ao batalhão de moços solteiros, que bebiam chope e cerveja Antarctica em mesinhas dispostas na plateia, somavam-se, nas frisas, moças que, muitas delas, eram inquilinas das pensões dos arredores. O autor cita os nomes de algumas: Ana Cigana, Maria Grangée, Jeanne Cailloux, Benedita Flor do Chá, Alice Cavalo de Pau, Rosita Grega, Maria Cabaré, Jenny Cook, Inês Álvares.[7] No palco, podia exibir-se, por exemplo, a russa Boriska, que despertava na plateia exclamações de admiração pelo fato de "poucas vezes" se ter visto no mundo "um desenvolvimento tamanho dos músculos glúteos". As cançonetas por ela entoadas eram interrompidas por gritos de "Vira, vira" — e ela virava. Pediam de novo, "Vira, vira", e ela virava de novo — "e quanto mais madama virava, tanto mais era aplaudida".[8] Outra atração era a Bugrinha, "a campeã do maxixe", rara representante do elemento nacional entre as artistas. Num 11 de agosto em que a plateia estava tomada por estudantes de Direito, a certa altura um moço "alto, belo, corado, cabelos jogados para trás", invade o palco e atreve-se a acompanhar, em delírio, os passos da Bugrinha. Bailou "com a maestria de um profissional", comenta Cícero Marques, e acrescenta que a Bugrinha, sem o saber, teve como parceiro, naquela noite, "um jovem segundanista de Direito mais tarde eleito presidente da República".[9] Marques nega-se a declinar o nome do bailarino. Conferindo datas e seguindo a pista da qualificação "eleito" antes de "presidente da República" (por que não escrever só "presidente da República?), chega-se a uma aposta: seria Júlio Prestes, eleito em 1930 mas atropelado pela eclosão da Revolução de 1930 antes da posse.

Rua de São João, altura do largo do Paiçandu; o letreiro anuncia uma das famosas "pensões" | Foto de Aurélio Becherini | Acervo Fotográfico do Museu da Cidade de São Paulo.

* * *

Chegamos ao Paiçandu. Nos primeiros anos do século era, segundo o descreve Cícero Marques, um lugar sem calçamento e alagadiço, que servia de ponto para carros de praça — carros puxados a cavalo, bem entendido.[10] Não surpreende que fosse alagadiço. No local outrora existira uma mina d'água, uma das fontes de abastecimento da população.* Mas o largo — ou praça, a nomenclatura é indecisa nos primeiros anos — vai melhorar. Vai ganhar a igreja de Nossa Senhora do Rosário dos Homens Pretos que, desalojada da praça Antônio Prado, ali se estabelecerá, e, do outro lado, um templo do diabo: Au Paradis Retrouvé, estabelecimento que se autodescreve como "pensão de luxo para artistas", situado à "praça Paesandeu, nº 59 — S. Paulo". Neste ponto mudamos de autor e de livro. O autor é agora José Maria de Toledo Malta (1885-1951), um engenheiro pioneiro no uso do concreto armado, responsável pelo cálculo de notáveis obras na cidade, e que, numa segunda personalidade, para a qual usa o pseudônimo de Hilário Tácito, é autor do livro *Madame Pommery*. Não se trata de um livro de memórias, como o de Cícero Marques, mas de ficção. Ou melhor: ficção até certo ponto. Tal qual Cícero Marques, Toledo Malta não brinca em serviço: escreve sobre o que conheceu e, presume-se, viveu. Assegura-se que sua madame Pommery foi inspirada por uma certa madame Sanchez, proprietária de um estabelecimento de nome Palais de Cristal.[11] Por coincidência, Toledo Malta figura no livro de Cícero Marques, entre os frequentadores do Politeama.[12] É colocado no rol dos que costumavam comparecer nas noites de ópera, mas presumem-se nele jeito e gosto de quem não se sentiria estranho também nos dias de café-concerto.

A madame Pommery que dá título ao livro chamava-se nos documentos de identidade Ida Pomerikowsky. Teve pai judeu polonês domador de circo e mãe ex-noviça num convento de Córdoba. Toledo Malta/Hilário Tácito, com vocabulário precioso, citações em latim, divagações à Machado de Assis e filosofias à Montaigne (em mais uma de suas surpreendentes facetas, foi também tradutor dos ensaios do francês), revela-se um mestre da ironia. Diz que a pureza da pequena Ida foi vendida pelo pai depois de uma cuidadosa procura de um "estuprador idôneo". A certa altura, ei-la embarcando para a América do Sul, parando de porto em porto, sem saber ainda onde ficar. Na

---

* Ver *A capital da solidão*, capítulo XIX.

escala de Santos, quando jantava no Hotel do Parque, fica sabendo que o senhor ao lado, em companhia de uma ex-prostituta tornada respeitável senhora, era um coronel. Mas como coronel, se não usa farda? "Não é preciso", explicou-lhe o garçom. "Aqui, quando um freguês não é doutor, é coronel."[13] A revelação abriu um clarão na cabeça de Ida Pomerikowsky. Coronel! — eis uma instituição de respeito, que acenava com múltiplas promessas. Claro que esta era a terra onde se fixar. Logo têmo-la subindo a serra e, cultivando o patrocínio de coronel em coronel, estabelecendo-se com a mais prestigiosa e inovadora casa que São Paulo já conhecera no gênero. No processo, como ocorreu em tantos outros casos, a Polônia como por milagre virou França, e Pomerikowsky virou Pommery, como o champanhe do mesmo nome, ou como mme. Bovary.

Mme. Pommery chegou a São Paulo, explica o autor, quando os bondes elétricos ainda eram novidade e um automóvel que passasse por uma rua "fazia abrir repentinamente todas as janelas, cheias num instante de caras assustadas e curiosas".[14] O "glorioso Politeama" era o melhor teatro da cidade no "gênero Folies Bergères", seguido pelo Moulin Rouge, o Eldorado e o Casino. O café estava em crise mas "já se tratava de valorizar", o que prometia tempos auspiciosos.[15] No ramo da atividade bordelenga ao qual madame dedicava o melhor de seus estudos e a mais aguda nota de seu tino comercial, ela detetava duas grandes falhas. Primeiro é que os atrasados nativos bebiam chope e cerveja Antarctica. Ela corrigirá esse imperdoável mau gosto adotando o champanhe em seu estabelecimento, única e exclusivamente o champanhe, e vendendo-o às dúzias aos coronéis, com abundante lucro. O segundo é que nas casas então existentes não se cobrava mais do que "50 fachos", meros "cinquentões" (de quebra, ficamos sabendo que "facho" era gíria para mil-réis), por uma despesa que cobria "hospedagem e assistência profissional". Mme. Pommery dobrou a taxa para cem, o que não apenas valorizava seu produto, mas mesmo a autoestima do cliente, que ao pagar caro comprovava-se dono de prestígio e poder. O Paradis Retrouvé foi inaugurado na hora certa: "A cidade estava se transformando à vista de todo mundo; crescia, embelezava-se. O Theatro Municipal em breve se inaugurava. O café, tanto tempo sucumbido, sentia os primeiros estímulos da valorização. De todos os pontos acorriam à capital fazendeiros aos magotes, todos dinheirosos e ávidos, todos, por quebrar a longa abstinência dos maus dias passados, numa vida renascente de prazer e de fartura".[16]

Mme. Pommery estabeleceu-se num "vistoso e largo sobradão" do Paesandeu. O cliente chegava por volta da meia-noite, depois do espetáculo do café-concerto, e era recebido pessoalmente pela dona da casa. No salão, por cujas mesas se espalhavam as "alunas", vibrava a música de um terceto formado por piano, violino e flauta. E assim, num ambiente em que borbulhava o champanhe e tanto quanto possível se coibia a vulgaridade, madame ia contribuindo para a "desbotucudização" da Botucúndia. Pommery mantinha frisas cativas no Casino, ocupadas pelas alunas, que assim propagandeavam suas virtudes aos moços (ou velhos) da plateia. Findo o espetáculo eles saberiam onde encontrá-las. O livro de Hilário Tácito é uma aula sobre São Paulo. Com a inauguração do Municipal, explica ele, o Casino e o Politeama entraram em decadência. Importante de verdade, mais do que o teatro, foi o inovador Bar do Municipal. Teatros que precederam o Municipal, como o São José, o Santana e o Apolo, explica Tácito, também tiveram seus bares — aliás "botequins", como eram chamados, ou *buffets*". Funcionavam quando havia espetáculos. Já o do Municipal, além de se chamar "bar", numa deferência à modernidade americana, funcionava mesmo quando não havia espetáculo, o que podia ocorrer por longos períodos. Tal particularidade era facilitada pelo importante detalhe arquitetônico de contar com uma entrada independente, dando direto na rua, ao contrário dos anteriores botequins. O Bar do Municipal passou a funcionar como "feira de amores caros, ou antecâmara dos vários paraísos, tanto o de mme. Pommery como os das suas primeiras imitadoras".[17]

Estamos falando de uma época em que o recato entre as "boas famílias", com a consequente exigência de virgindade entre suas filhas, bem como o imperativo moral de nunca desfazer um casamento, tinham como contrapartida, para aplacar o fogo dos jovens ou o cansaço dos velhos com as parceiras de papel passado, a explosão da prostituição, praticada nas ruas, em espeluncas como as da rua Líbero

Badaró, em apartamentos exclusivos cuja dona estabelecia-se por conta própria, em estabelecimentos de nível médio como as "pensões" da São João ou em casas finas como a de madame Pommery. Políticos, jornalistas e outros influentes personagens frequentaram o Paradis Retrouvé. Desde cedo, a dona da casa cultivou com particular carinho relações com Romeu de Camarinhas, um alto funcionário da prefeitura. Seu cargo "justificava brilhantes expectativas, pois se iam empreender obras de vulto na municipalidade".[18] Um dia, já tendo amealhado apreciável fortuna, tantos foram os champanhes vendidos e as altas taxas cobradas da clientela, madame Pommery escolheu ascender a um novo patamar. Escolheu cuidadosamente um coronel para seu exclusivo usufruto, vendeu o Paradis Retrouvé, casou e, como outras igualmente bem-sucedidas no ramo de sua atuação, virou madame num outro sentido da palavra. Já tinha, ao longo da carreira, dado uma notável contribuição à sociedade nativa. O Paradis funcionara como escola de elegância, de modos e de graça de espírito. Suas alunas, expostas à apreciação das famílias nos teatros, no Bar do Municipal ou nos cinematógrafos, semeavam exemplos que frutificavam. "Cursar o Paradis Retrouvé ficou sendo, no conceito geral da gente fina, um título de merecimento e remate indispensável de toda educação aprimorada."[19] São Paulo só tinha que agradecer à agora veneranda senhora.

Do Paesandeu tomemos o bonde para a Vila Mariana. Um viajante italiano escreve sobre este lugar, na virada do século: "Na vizinhança de São Paulo, merece ser visitada a Vila Mariana, que, contrariamente a seu nome, não é uma pequena aldeia, nem um jardim, mas sim um descampado retangular limitado por algumas casas em cuja proximidade já surgem vários palacetes e casinhas, o que se pode constituir como o núcleo de um futuro local de veraneio".[20] A região não era mais o Caaguassu, ou o Mato Grosso, cuja feição já se adivinha pelo nome, mas ainda era apenas a escala intermediária do trenzinho a vapor que levava a Santo Amaro. O forasteiro estranha o fato de em

São Paulo se dar o nome de "vila" a algo que não é nem uma mansão, como a Villa Borghese, nem uma pequena cidade, mas a maior graça, em seu comentário, é imaginar um futuro de "local de veraneio" para a região.

Em 1904, um gaúcho de Alegrete, José de Freitas Valle, filho de ricos estancieiros e comerciantes, estabelecido em São Paulo desde que viera estudar Direito na cidade, comprou do alemão Ernesto Zschöckel uma propriedade no número 10 da rua Domingos de Morais, lá onde a avenida Paulista já ficou para trás e o espigão que separa as águas do rio Pinheiros das do Tietê começa a conhecer uma série de inflexões rumo ao sul. Freitas Valle tinha 34 anos e era pessoa já enraizada nos altos círculos paulistanos — pelo casamento, pela política e pela atividade cultural. Pelo casamento, com Antonieta de Sousa Aranha, unira-se a uma família de ricos cafeicultores de Campinas, a mesma da baronesa de Campinas, avó da noiva, e do marquês de Três Rios, seu tio. Na política, a militância nos quadros do PRP lhe rendera, no ano anterior, a eleição para deputado estadual. Na atividade cultural, era um promotor das artes e um poeta, com a peculiaridade, nesta última condição, de escrever versos em francês, sob o pseudônimo de Jacques d'Avray.[21]

Freitas Valle deu à casa da Vila Mariana o nome de Villa Kyrial. Kyrial remete ao grego *kírie*, senhor; o nome lhe fora sugerido pelo poeta mineiro Alphonsus de Guimaraens, seu amigo e correligionário na escola poética do simbolismo.[22] A Villa Kyrial vai se transformar num dos mais conhecidos, mais frequentados e mais exóticos salões de São Paulo — "salão" no sentido de espaço que acolhe periódicas reuniões socioculturais sob os auspícios de um anfitrião. O próprio Freitas Valle lembrou uma vez dos salões que, em São Paulo, precederam o seu: o de Francisco Pais de Barros, na então rua Alegre, depois Brigadeiro Tobias; o da família Gavião Peixoto, na mesma rua; o do casal Inácio e Olívia Penteado, na rua Duque de Caxias esquina de Conselheiro Nébias. Sobretudo destaca o salão de dona Veridiana Prado, em Higienópolis — a inauguradora do "salão intelectual".[23] O salão da Villa Kyrial se distinguiria dos anteriores e posteriores pela característica de clube, ou de seita, com suas regras e sua doutrina, tão admirada pelos fiéis quanto levada ao ridículo pelos críticos. A mansão era cercada por gramados e palmeiras, cortados por sinuosas aleias e esparramados por um terreno de 7 mil metros quadrados, com fundos para a rua Cubatão. O interior era decorado no estilo que não deixa sobrar um cantinho a salvo dos móveis, dos tapetes, das cortinas, dos vasos, dos cristais, das pratas, das porcelanas, todos da mais fina procedência. Os quadros, amealhados com a voracidade de grande colecionador, cobriam paredes inteiras.

Freitas Valle recebia os notáveis e mais quem de importante estivesse na cidade, em saraus que em certa época obedeceram a uma departamentalização por atividade: a segunda-feira era dos pintores, a terça dos escultores, a quarta dos músicos, a quinta dos poetas, a sexta dos prosadores e o sábado dos políticos. O traje era smoking ou casaca, exceto no domingo, dia de mistura das tribos, num almoço informal.[24] Era basicamente um clube de homens, já se adivinha; em raras ocasiões e pouco número mulheres eram admitidas. E era um clube gastronômico, entre outras coisas. O cardápio constituía-se de receitas de mestre Jean-Jean — o pseudônimo de Freitas Valle, em sua personificação de *maître de cuisine* — e de vinhos da preciosa adega comandada por Maître Tastevin — sua personificação de *sommelier*.[25] Era tudo muito francês, já também se adivinha. Freitas Valle escrevia em francês, pensava em francês, comia em francês, bebia em francês, respirava em francês e cheirava em francês — esta última atividade na condição de *maître parfumeur*, que acumulava com as de poeta, político, gastrônomo etc., sob o pseudônimo, desta vez, de Freval. Os perfumes de sua lavra eram vendidos — ele fazia questão de cobrar, para não desvalorizar sua arte — a clientes como a família Prado.[26] Os abusos no capítulo das frivolidades abriam o flanco para estocadas como as do jovem escritor e editor Monteiro Lobato, para quem tudo o que fosse "vilamarianesco", "kyrialesco", era desprezível.[27] Como poeta, Freitas Valle, aliás Jacque d'Avray, especializou-se nos "tragipoemas", peças contando pequenos casos tristes. Uma delas, *Les Aveugles-nés* ("Os cegos de nascença"), sugeriu a outra língua ferina, o advogado, jornalista e humorista Moacyr Piza, um soneto ("À Jacques d'Avray"), que terminava assim:

> *Lendo os* Aveugles, *acredita a gente*
> *Que tu te vês "autospectivamente",*
> *Por uma fórmula original, feliz:*
>
> *Que ali a concepção, o estilo, o fundo,*
> *São de quem nunca pôde ver no mundo*
> *Sequer dois dedos diante do nariz.*[28]

Frequentaram o salão da Villa Kyrial, ou pelo menos passaram por ele, alguns dos principais escritores, pintores, músicos e políticos do período. Os políticos Washington Luís, Carlos de Campos e Oscar Rodrigues Alves faziam parte da Hordem dos Gourmets, criada pelo anfitrião, no grau máximo — o de comendador. A mesma distinção foi negada a Júlio Prestes em razão de seus excessos alcoólicos — o que confirma nossa suposição de que fosse ele o parceiro da Bugrinha naquela noite de delírio no Politeama.[29] Os escritores Coelho Neto e Olavo Bilac, quando vinham a São Paulo, hospedavam-se na Villa Kyrial.[30] Dos rituais faziam parte receber os convidados ao som de clarins em certas noites, e cantar o Hino dos Cavalheiros de Kyrial.[31] Havia noites de concertos, comandados por maestros como Francisco Mignone. A partir de 1914, a casa passou a abrigar ciclos de conferências. O gosto predominante era o do anfitrião — a poesia simbolista, a pintura acadêmica — mas havia lugar para dissensos. Não tardará, e os moços do modernismo também terão lugar à mesa.

Uma faceta de Freitas Valle que se revelará mais profícua do que as "frevalices" da Vila Mariana (a expressão é ainda de Lobato) será a de patrono das artes. Em 1905, ele se juntou ao arquiteto Ramos de Azevedo e aos correligionários perrepistas Carlos de Campos e Sampaio Vianna para a fundação da Pinacoteca do estado; seis anos depois, como deputado, garantiu à instituição dotações que lhe permitiram ser finalmente aberta ao público, em salas do Liceu de Artes e Ofícios, ali junto à Estação da Luz.[32] Em 1912, com o poeta Vicente de Carvalho, o jornalista Nestor Rangel Pestana e outros, fundou a

Sociedade de Cultura Artística, destinada a uma vida longa, dedicada especialmente à promoção da música. Em 1913 patrocinou, numa sala da rua São Bento, a exposição de um jovem artista lituano de nome Lasar Segall — e assim o passadista Freitas Valle, defensor dos rigores da arte acadêmica, tornou-se a pessoa por trás da primeira exposição de arte moderna realizada em São Paulo.[33]

Sobretudo, o senhor da Villa Kyrial assenhoreou-se também do Pensionato Artístico, instituição criada pelo governo do estado em 1912, com o objetivo de patrocinar bolsas de estudo na Europa a jovens músicos e artistas plásticos. Os bolsistas eram selecionados por uma comissão julgadora na qual se revezavam figuras da política e da sociedade mas sobre a qual Freitas Valle, graças à sua privilegiada condição de elo entre as artes e o poder, reinava absoluto. "Entronizou-se desse modo na cadeira pontifícia da Estética Oficial", estrilou Monteiro Lobato, sempre ele. "É hoje Papa infabilíssimo. Premia e castiga. Dá e tira pensões."[34] Terá havido favorecimento e nomes logo esquecidos entre os agraciados, mas também houve investimento em gente que entraria na história da arte paulista e brasileira como os músicos Francisco Mignone e Sousa Lima, e o escultor Brecheret. O legado de Freitas Valle é ambíguo. Por um lado foi o caricato imitador das tendências de matriz europeia e inventor de modas que evidenciam o constrangedor provincianismo da Botocúndia; de outro, impulsionou instituições que haveriam de fazer avançar a produção artística dessa mesma Botocúndia. O político Freitas Valle, deputado e, depois, senador estadual, morreu com a Revolução de 1930. "Meu coração é perrepista e vou morrer PRP", disse — e recolheu-se.[35]

O endereço com o qual vamos encerrar nosso giro é a rua do Abax'o Piques, 24. Temos a indicação, para não nos perder, de que o referido local fica "pigado co ristorante do Xico".[36] Ali tem o seu salão o *dottore* Juó Bananére, "barbiére, giornalista, poeta, premiére zanfoniste da banda do Fieramosca e capitó-tenento indá a Briosa". O *dottore* é para fazer-lhe um agrado, agora que nos aproximamos de seus domínios. Nas poucas vezes que, por engano ou ironia do interlocutor, foi chamado assim, ele se sentiu nas nuvens. "Che gustoso", exclamou. Muito esperto na decifração dos códigos da terra, ele aprendeu logo que, assim como o coronel, por tais bandas, não necessariamente usa uniforme, assim também não é preciso gastar o bestunto em altos estudos para ser *dottore*. Os demais eram títulos com os quais ele próprio se apresentava e aos quais, justiça seja feita, era indubitavelmente credenciado.

Estamos de volta ao universo da ficção. Juó Bananére é ao mesmo tempo o personagem e o pseudônimo de Alexandre Ribeiro Marcondes Machado, em textos em que caricaturava este que consistia no mais caricaturável entre os tipos populares da cidade — o ítalo-paulistano. Marcondes Machado era engenheiro, tal qual Toledo Malta. Entre uma construção e outra, uma pesquisa e outra sobre a arquitetura colonial brasileira — sua paixão —, ele vestia a máscara de Juó Bananére e escrevia num dialeto macarrônico que fazia as delícias do público leitor. O dialeto, ele o teria apreendido e incorporado ao passear pelas ruas do Bom Retiro, à época de estudante em duas famosas escolas do bairro — o prestigioso Ginásio do Estado, alojado na avenida Tiradentes, no mesmo prédio do Liceu de Artes e Ofícios e da Pinacoteca, e a Escola Politécnica, na rua Três Rios.[37] O amor pelo Bom Retiro é expresso por Marcondes Machado/Juó Bananére, entre outros textos, no poema em que narra a disputa entre mestre e aluno, numa escola do Belenzinho. "Quale é o maiore distritto di Zan Baolo?", pergunta o mestre. O aluno responde:

— *O maiore distritto di Zan Baolo,*
O maise bello e ch'io maise dimiro
É o Bó Ritiro!
[O mestre se enfurece:] *O migliore distritto é o Billezigno.* [O aluno insiste:] *O distritto che io maise dimiro é o Bó Retiro. Segue-se que...*
O maestro, viremglio di indignaçó,
Alivantô da mesa come un furacó,
I pigano un mappa du Braz

Disse: Mostre o Bó Ritiro aqui si fô capaiz!
Alóra o piqueno tambê si alevantô
I baténo a mon inzima o goraçó,
Disse: — O BÓ RITIRO STÁ AQUI!

Juó Bananére no traço de Voltolino.

Para voltar à origem de Juó Bananére temos de nos dirigir a outro endereço, rua Quinze de Novembro, 50-A. Ali, aos 21 anos, o jovem Oswald de Andrade acomodou a redação de O *Pirralho*, semanário que fundou "sob a égide financeira de meu pai", segundo escreveu. Acrescentou: "Era uma simples sala ao fundo de um corredor, para onde minha mãe fizera transferir uma escrivaninha, um sofá e parte das cadeiras de casa".[38] O pai era rico. Entre outros empreendimentos, loteou uma gleba a que deu o nome de Vila Cerqueira César, na promissora região entre a avenida Rebouças e a rua Cardeal Arcoverde, grudada à Vila América e ao Jardim América. O *Pirralho* seria um brinquedo destinado a impulsionar o desejo do filho de marcar presença nos meios jornalístico-literários da cidade, mas acabou indo além das expectativas. Meio sério e meio satírico, meio voltado para campanhas políticas alinhadas com o PRP, meio para as caricaturas em que brilhavam os traços de Voltolino, pseudônimo do italiano Lemmo Lemmi, o pasquim foi um sucesso.[39] O primeiro número saiu com a data de 12 de agosto de 1911. No nº 2, estreou uma coluna chamada "Cartas d'Abax'o Piques", assinada por um certo Annibale Scipione, e escrita em idioma macarrônico. Era o próprio Oswald quem se escondia por trás do pseudônimo. Em 1912 Oswald partiu para uma longa viagem à Europa, e a coluna foi assumida por Marcondes Machado, então um estudante de vinte anos. Quem assinava as cartas agora, e teria seu nome para sempre associado a elas, era Juó Bananére.

Juó Bananére é um tipo encrenqueiro e briguento, cujas rocambolescas aventuras frequentemente terminam na cadeia. Dono de fortes opiniões e de delirante imaginação, é também um fanfarrão maníaco por contar vantagem. No meio disso tudo, deixa escapar verdades que fazem de seus textos também uma crítica dos costumes, inclusive os políticos. Na carta de 3 de fevereiro de 1912 mostra-se indignado com o fato de seu candidato a deputado federal ter tido apenas 3450 votos. "Eh! ma che mintira! Io só capaiz de giurà che o Garonello tive mais de quarantamille votos." E por que era capaz de jurar? Porque, com um companheiro, fora o mesário da eleição. E os dois conceberam uma urna com um buraco que "pigava p'ra fora tutto os voto che non fosse p'ro Garonello". Um mês depois ocorreu a eleição em que Rodrigues Alves concorria, mais uma vez, à presidência do estado. Bananére se põe a campo. "Io vutai; os mios inleitores, che io só gabo eleitorale, tabé vutaro e fumos tumá um choppo che pagó o Guvernimo, mesimo inda a sala pigado co'as leiçós." Resultado: vitória tranquila para "Rodrigos Alveros". Em outra ocasião, queixa-se dos prejuízos que, na sua condição de "gabo inletorale", lhe traz a política. Só pela urna falsa que mandou fazer pagou "cinquentaquattro massoni" e além disso deu 100 mil réis "pr'o garpentiére non cuntá nada pr'a ninguê". Em outra ainda, depois de fornecer almoço para os eleitores, transportou-os em "quattros bondi speciali" aos locais de votação. E a festa continuou: "In gada sessó inlettorali tê treiz barrile di schopp antartica, zanduixi de xova (aquillo pexigno intaliano uguali c'oa sardigna du Brandó), i zanduixi di salame intaliano da fabbrica du Gasparino. Té també vigno intaliano importaçó direttamente i xaruto toscano".[40]

A rua do Abax'o Piques em que Bananére tinha seu salão de barbeiro não existia. O Piques sim, como vimos no capítulo anterior, ao falar das obras em torno de seu Obelisco. Era a região da baixada do Anhangabaú que se estende do largo da Memória à atual praça das Bandeiras. "Abax'o Piques" é uma forma de dar conotação derrisória a uma espécie de Baixo Bexiga, com casinholas ainda mais precárias do que na parte superior do bairro. Bananére se dizia, orgulhosamente, "cidadó d'Abax'o Piques". O Abax'o Piques, e um pouco o "Bó Ritiro", eram, na sua concepção, os epicentros de "San Baolo", que por sua vez era o epicentro do universo. As estrelas estavam "tuttas pinduradas nu ciélo alli mesimo atraiz da serra da Gantariéra" e a Terra, quando girava, o fazia "no mesimo sentido du bondi da Barrafunda via Parmêra".

São Paulo já era a "cittá mais bunita do l'universimo", mas poderia ficar ainda mais bonita, e então, entrando na onda dos projetos urbanísticos em discussão, Bananére concebe o seu próprio. Um dos itens era a construção de uma avenida "pr'a s'imendá o Bó Ritiro co Brais e cum istu prospero districtto do Abax'o Piques, donde stó nascidos os mios fiiios e dondo sô io u migliore barbiere". Outros pontos eram a transformação da várzea do Carmo numa lagoa, "per a fazé a criaçó dos carangueijo", e a construção de "una purçó di larg'a Republiga e també mais quatro Teattro Municipalo". Em outra carta, ele revela que o projeto de melhoramento da várzea do Carmo, enviado à Câmara Municipal pelo "dottore Oxininto Luigi, inlustro prefetto", na verdade foi concebido por seu filho (dele, Bananére), o Beppino. Tal projeto prevê "um brutto d'un giardino lá inzima a Vargea, chi va desdo Piranga té a Barafunda". No meio do jardim seria aberta uma avenida "molto maise bunida da Venida Centrale do Rio". Os projetos urbanísticos estimulavam a febre de construções na cidade, fenômeno que também não poderia escapar a Bananére. Imagine, dizia ele ao leitor, que se vá fazer um giro na rua "da Consolaçó", depois do jantar, e lá se depare com um terreno cheio de capim. "Intó a genti vai alí pr'a dianti invisitá uno amighe e quano già vurtó, spia p'ro tirreno, ma che!! no té maise tirreno nisciuno, ma inveiz stá fazida lá una bunita casa."[41]

* * *

    Toledo Malta e Marcondes Machado, ou, pelo menos, Juó Bananére e Hilário Tácito, representam estocadas contra o establishment encarnado por Freitas Valle, quinze anos mais velho do que o primeiro e vinte do que o segundo. A soma dos três compõe um panorama, contraditório, da vida cultural/social/pândega da cidade no período. O francês de Freitas Valle tem seu exato oposto no macarrônico de Juó Bananére, assim como seu salão tem seu exato oposto no salão de barbeiro do outro. Houve pelo menos uma vez, no entanto, que seus caminhos se tocaram. Isso ocorreu em seguida ao famoso roubo da Mona Lisa, surrupiada do Museu do Louvre, em 1911, num evento que abalou o mundo. Quem seria o ladrão? Não se sabia, e o caso repercutia, tanto em São Paulo como no resto do planeta, envolto em mistério, perplexidade, temor pela sorte do quadro e admiração pela audácia e a habilidade do ladrão. Juó Bananére, que vez ou outra gostava de fazer o "Xirloco Ólimes", tomou a si a tarefa de investigar o crime. Investiga daqui, investiga dali, acompanhado de um amigo que fazia o papel de doutor Watson e de soldados, empreendem uma diligência num bairro distante da cidade. Chegaram a uma casa em que estava escrito: "Villa Quirinale".

    "Aora intremos tuttos i fumos entrano quano di ripente parece p'ra nois uno uomino parecido co cavalliero Tiberio che parló: — Ma che isbornia é questa inda a gaza mia?

    Intó io fiz duos passo frente i parlé:

    — Giacomo Davré! intrega a Gioconda sinó steje preso..."[42]

    A "Villa Quirinale" naturalmente era a Villa Kyrial, e o Giacomo Davré era Jacques d'Avray. Na Europa, demorou-se dois anos até se chegar à conclusão de que o autor do roubo fora o italiano Vincenzo Peruggia. Bem antes disso, Juó Bananére concluíra que o ladrão era Jacques d'Avray.

VIII.
Ao som da *Internacional*

Nos primeiros dias de junho de 1917 a direção do Cotonifício Crespi, a esta altura já com mais de 2 mil operários, situada na rua dos Trilhos, bairro da Mooca, informou aos operários que o horário do serviço noturno seria prolongado. Era assim, naquele tempo: comunicava-se. Desnecessário ouvir os interessados ou prover contrapartida em aumento de salário. O mal-estar na empresa resultou na paralisação de uma seção com quatrocentos operários e na reivindicação de aumentos salariais de 15% a 20%. A totalidade dos operários para em meados do mês, e as reivindicações se ampliam, inclusive a regulamentação do trabalho de mulheres e crianças e a abolição de uma curiosa "contribuição pró-pátria" — a ajuda, descontada dos trabalhadores de origem italiana, para o esforço de guerra da pátria distante, então envolvida no conflito que devastava a Europa.[1] Rodolfo Crespi, o fundador da fábrica, era um ardente patriota. Neste caso fazia patriotismo com o chapéu alheio, mas também o fez com o próprio. A paralisação no Cotonifício Crespi foi o ponto de partida para o maior movimento operário até então vivido pela cidade — a histórica greve geral de 1917. Se São Paulo tinha uma crescente classe de industriais, haveria de ter também uma crescente classe de operários. Nesse episódio, como nunca, os operários farão ouvir sua voz e sentir sua presença na cidade.

Não que greves fossem novidade para os paulistanos. Já vimos o conselheiro Antônio Prado às voltas com a greve da Companhia Paulista de Estrada de Ferro, em 1906. Embora o principal da ação, neste caso, tenha se passado em Jundiaí e Campinas, onde se concentrava o grosso dos funcionários da empresa, houve agitação e paralisações de solidariedade também em São Paulo, inclusive comício no largo de São Francisco, promovido pelos estudantes de Direito em favor dos grevistas, e choques no centro da cidade entre manifestantes e a cavalaria da Força Pública.[2] Em 1907, várias categorias, entre as quais metalúrgicos, pedreiros, têxteis, chapeleiros, vidreiros e até os marceneiros do Liceu de Artes e Ofício e os jardineiros e lixeiros da prefeitura, pararam, entre abril e maio, por uma causa comum — a jornada de oito horas de trabalho.[3] Duros eram aqueles tempos, como já sabemos, para o operário. As jornadas podiam chegar a catorze horas. As condições de segurança eram precárias e não havia indenização para acidentes de trabalho. Nas fábricas de tecidos, as mais bem equipadas e com maior número de operários, trabalhava-se em ambientes mal ventilados, sob o infernal barulho das máquinas e a vigilância severa de mestres e contramestres. Controlavam-se as conversas e as idas ao banheiro.[4] Na fábrica Santana, de Antônio Álvares Penteado, em 1902, cobravam-se 200 réis por cada uso do sanitário; sua revogação foi uma das reivindicações de um movimento então deflagrado pelos trabalhadores.[5]

A greve na fábrica Crespi, naquele 1917, contagiou primeiro os trabalhadores da Estamparia Ipiranga, dos irmãos Jafet. Mais 1,6 mil trabalhadores cruzaram os braços, a exigir aumentos de 20% para os salários diurnos e 25% para os noturnos. Estabeleceu-se uma ponte entre os bairros do Ipiranga e da Mooca. Os trabalhadores da Jafet foram atendidos em suas reivindicações, mas não se desmobilizaram; foram em passeata até a Mooca para expressar solidariedade aos companheiros da Crespi. A essa altura outro dominó havia caído — o pessoal da Antarctica, também na Mooca. Repetiam-se as concentrações, registravam-se os primeiros choques com a polícia. Na manhã do dia 9 de julho, um grupo de trabalhadores do Cotonifício Crespi, carregando faixas e bandeiras, encaminhou-se à fábrica Mariângela, de Francisco Matarazzo, na rua Monsenhor Andrade. Armaram-se piquetes para forçar a paralisação da fábrica. Um grupo destruiu uma carroça de entrega da Antarctica.

Tais incidentes soaram como um sinal de alarme para o governo. A presidência do estado era agora ocupada por Altino Arantes, um perrepista que, jovem deputado federal, distinguira-se nos esforços para fazer passar o plano de valorização do café. O secretário da Justiça e Segurança Pública era Elói de Miranda Chaves, grande cafeicultor e empresário, titular do cargo desde o governo anterior. Elói Chaves e o delegado-geral (chefe de polícia) Tirso Martins dirigiram-se à rua Monsenhor Andrade e foram recebidos com vaias. Retiraram-se e decidiram que, melhor do que a eles próprios, a ocasião requeria recurso mais pragmático — a Força Pública. Uma tropa de cinquenta soldados e trinta cavalarianos invadiu o Brás sem nenhuma cerimônia. Avançou sobre os manifestantes, ouviram-se tiros — e caiu morto o sapateiro espanhol José (ou Antônio, segundo algumas fontes) Martinez, de 21 anos. Se a intenção era acabar com a greve — e era —, deu errado. Aí sim é que a greve avançou como um furacão; naquele mesmo dia, chegou a 35 empresas e 15 mil trabalhadores.[6]

O enterro de Martinez, no dia 11, se converteria na maior manifestação operária na cidade até então, e raramente repetida depois. Desde as primeiras horas da manhã, segundo anotou o *Correio Paulistano*, o bairro do Brás "apresentava um aspecto belicoso, notando-se grupos exaltados pelas esquinas, pelas praças, por onde quer que houvesse um contingente de tropa para a manutenção da ordem". Uma multidão espremia-se na rua Caetano Pinto, onde morava o falecido e de onde deveria sair o enterro. Chamava a atenção a presença maciça de mulheres. Às nove horas saiu o caixão da casinha de número 91, formando-se o cortejo que o acompanharia até o cemitério. Atingido o centro da cidade, a multidão tentou enveredar pelo largo do Palácio (o pátio do Colégio), onde se manifestaria diante da sede do governo. A polícia a impediu, mas uma comissão foi autorizada a conferenciar com o delegado Tirso Martins. A ideia era pedir a libertação do polonês Antônio Nalepinski, operário do setor de calçados e militante anarquista preso dois dias antes. O caixão foi depositado no chão da rua Quinze de Novembro enquanto a comissão reunia-se com Martins e obtinha o compromisso de que o preso seria libertado assim que terminasse o enterro. Meia hora depois o cortejo retomava a marcha, tomando pelas ruas São Bento, viaduto do Chá, Barão de Itapetininga, praça da República e Ipiranga, até subir a rua da Consolação, dobrar na avenida Municipal (a futura Doutor Arnaldo) e ingressar no cemitério do Araçá. Na capela do cemitério falaram vários oradores e entoaram-se palavras de ordem.[7]

Enterro do sapateiro Martinez, 1917 | Fotógrafo não identificado | Centro de Documentação e Memória da Universidade Estadual Paulista Júlio de Mesquita Filho.

Calcula-se que 10 mil pessoas acompanharam o enterro de Martinez.[8] Terminada a cerimônia fúnebre, por volta de 13 horas, parte da multidão voltou ao Centro, para um comício no largo da Sé, enquanto outros grupos seguiam para o Brás, onde novos piquetes seriam armados diante de fábricas e pequenas oficinas ainda relutantes em aderir à greve. Algumas sofreram violência. A fábrica de cigarros Trapani, na rua Uruguaiana, foi apedrejada, sendo os operários forçados a abandonar o trabalho. Registraram-se assaltos e saques, o maior deles, ao cair da noite, nos armazéns do Moinho Santista, na

Mooca, de onde foram levadas seiscentas sacas de farinha de trigo.[9] No dia seguinte os habitantes deparariam com uma São Paulo nunca antes vista, fantasmagórica e assustadora — as indústrias paradas, o comércio fechado, e a tensão extravasando em explosões de violência. A Light até que tentou pôr os bondes nas ruas. Grupos de garotos, e algumas vezes até de moças, depredavam os veículos, quando não os invadiam, enxotavam os passageiros e faziam-nos tomar o destino que lhes aprouvesse. Aos poucos os bondes foram sendo recolhidos, e a partir de uma da tarde não se via nenhum nas ruas. Outros veículos, "desde o mais modesto tílburi até o mais luxuoso carro de garagem", como registrou O *Estado de S. Paulo*, também foram retirados das ruas. O pior ocorreu à noite, nas proximidades da Estação do Norte, no Brás, em local fortemente policiado, mas também ponto de encontro de manifestantes. Trocaram-se tiros, disparados inclusive das janelas e telhados da redondeza, e mais de duas dezenas de pessoas saíram feridas. Cada um dos lados alegou que foi o outro que começou.[10] São Paulo foi dormir, naquele 12 de julho de 1917, com a sensação de que vivia não apenas uma greve, mas o prenúncio de uma revolução.

Não vivia. O operariado carecia de força e articulação para representar ameaça ao regime. Falou mais alto, na maciça adesão à greve, a situação de necessidade que atormentava a classe trabalhadora. A crônica "carestia" que afligia o Brasil — a palavra "inflação" ainda não entrara no repertório — era agravada pelas consequências da Guerra Mundial. Literalmente faltava pão. A Argentina deixara de vender ao Brasil o trigo que, em condições mais vantajosas, agora exportava para os países litigantes. Daí talvez a volúpia com que grevistas se lançaram ao assalto às sacas de farinha de trigo do Moinho Santista.[11] Havia também o caso de indústrias brasileiras que, a exemplo das argentinas, desviaram para a Europa produtos por lá escassos, gêneros alimentícios especialmente, provocando o desabastecimento interno. "Os preços de todos os gêneros mais necessários duplicou, triplicou, quadruplicou, e os recursos normais de quase todos os indivíduos não têm feito senão restringir-se", comentou O *Estado de S. Paulo*, no dia 12. E mais adiante, compreensivo com os grevistas: "Ora, se a situação é esta para todos — excluída unicamente uma minoria de favorecidos da sorte — como não há de ser angustiosa e desesperadora para a maioria dos trabalhadores, para essa gente que mesmo nas boas épocas não conhece a fartura senão pelo que observa em torno de si, fora da sua casa?".[12]

Entre julho de 1916 e julho de 1917, o preço do arroz de primeira aumentara em 29%, e o de segunda, em 41%, o do feijão, em 160%, o da dúzia de ovos, em 25%, e o da batata, em 21%.[13] Ao problema da alimentação somava-se o dos aluguéis. Da lista de reivindicações apresentadas pelos grevistas, constava, além do "imediato barateamento dos gêneros de primeira necessidade", que "os aluguéis das casas de até 100 mil réis sejam reduzidos em 30%".[14] A lista fora elaborada por um Comitê de Defesa Proletária, formado no curso da greve para organizar o movimento. Dela constavam ainda a proibição do trabalho de menores de catorze e do trabalho noturno para menores de dezoito e para mulheres; aumentos salariais entre 25% e 35%; jornada de oito horas e estabilidade no emprego.[15] Também se pedia "que o pagamento dos salários fosse efetuado pontualmente a cada quinze dias ou, no mais tardar, cinco dias após o vencimento", e com isso atacava-se outra das crueldades do período: a falta de previsibilidade do dia do pagamento. Já numa greve de pedreiros, em 1909, denunciara-se "o uso, neste país, de pagar os operários depois de cinquenta dias e mesmo dois ou três meses".[16] Por fim, os grevistas de 1917 reivindicavam que fosse "respeitado do modo mais absoluto o direito de associação dos trabalhadores".

A história da associação dos trabalhadores em entidades que os representassem é permeada de percalços e de insucessos. Consta que o primeiro sindicato surgido em São Paulo foi o dos chapeleiros, em 1888. Outros se seguiram. "Entretanto", escreve um historiador, "quase todos os sindicatos mostravam-se bastante frágeis. Tipicamente, os trabalhadores estabeleciam seus sindicatos no decorrer ou depois das greves, mas as organizações tendiam a desaparecer mais tarde, durante conjunturas desfavoráveis e sob a demissão dos sindicalizados".[17] Uma Federação dos Operários de São Paulo, reunindo um punhado restrito de entidades da capital e do interior do estado, existiu entre 1905 e 1913, quando foi fechada e despejada de sua sede na travessa da Sé (rua extinta com a reforma daquela área).[18] Também existiam as "ligas operárias", organizadas por bairros. Em 1917 existiam ligas na Mooca, no Belenzinho, no Cambuci e na Lapa.[19] Na sede da liga da Mooca foram realizadas as assembleias que determinaram as paralisações no Cotonifício Crespi e na Antarctica. Por isso mesmo, foi fechada pela repressão, no dia em que morreu o operário Martinez.[20]

O que havia de associativismo, e de luta operária em geral, era fomentado, nessa aurora da industrialização, pelos socialistas, em menor grau, e, em maior, pelos anarquistas. Socialismo e anarquismo tiveram diferentes áreas de influência na Europa. O socialismo impôs-se nos países que primeiro se industrializaram, como Inglaterra e Alemanha, enquanto o anarquismo espraiou-se de preferência pela Europa do Sul, com destaque para os retardatários (em termos de industrialização) Itália, Espanha e Portugal. Ambos os movimentos chegaram à América Latina com os imigrantes. Alguns já eram militantes em seus países e vieram de contrabando entre as hordas de trabalhadores. Em São Paulo anarquistas e socialistas já faziam sentir sua presença em 1894, ocasião em que um punhado de partidários das duas tendências, na maioria italianos, foi preso quando articulava uma comemoração para o dia 1º de maio — o dia que trabalhadores ao redor do mundo, lembrando famosa greve e repressão em Chicago, tentavam fixar como comemorativo de suas lutas.[21] Não é de estranhar que o anarquismo tenha se imposto como dominante em São Paulo; predominavam esmagadoramente na cidade os trabalhadores estrangeiros e, entre eles, os do sul da Europa. Um estudo do Departamento Estadual do Trabalho, em 1912, abrangendo 33 indústrias têxteis — 31 da capital, uma de Santos e outra de São Bernardo —, concluiu que, de um total de 10 204 operários, apenas 1843, ou 18%, eram brasileiros. Os italianos constituíam-se em 59% do total, 8% eram portugueses, e o restante de outras nacionalidades.[22]

No plano estratégico-ideológico, enquanto os socialistas propunham uma luta que, sustentada por um partido, resultasse no domínio do aparelho do Estado, os anarquistas não queriam saber do Estado — o objetivo último era destruí-lo. Eram contra qualquer tipo de autoridade, da do pai à do padre, da do policial à do patrão, da do presidente à do papa. Diferenças assim haveriam de se refletir nos tipos de homem filiados a uma corrente e outra. Um dos socialistas mais preeminentes foi o piemontês Antônio Piccarolo. Intelectual de alto coturno, formado em Direito e Filosofia em Turim e divulgador do pensamento de Karl Marx, estivera entre os fundadores do Partido Socialista Italiano. Em São Paulo se tornaria diretor ou colaborador dos jornais socialistas *Avanti* e *Il Secolo* e professor.[23] Em matéria de circulação mundana, era um anfíbio — ia do movimento operário às altas esferas. Frequentava inclusive o círculo intelectual-social-gastronômico da Villa Kyrial, na Vila Mariana.[24] Caso mais estranho de circulação anfíbia é o de Dante Ramenzoni, fundador de uma fábrica de chapéus, com sede no bairro do Cambuci. A fábrica foi fundada em 1894; em 1902, já industrial, vamos encontrá-lo, ao lado do irmão Lamberto, na lista de participantes do congresso que, em São Paulo, pretendeu criar um Partido Socialista.[25] Os Ramenzoni pertenciam ao grupo minoritário de industriais que desembarcaram sem capital e começaram como operários.[26]

Entre os anarquistas o perfil usual é de homens (e mesmo algumas mulheres) nascidos no meio operário, e a ele restritos. Nomes que fizeram história são os dos italianos Luigi ("Gigi") Damiani e Oreste Ristori, do espanhol Everardo Dias e do brasileiro (caso raro) Edgard Leuenroth, "a maior figura do anarquismo em São Paulo", nas palavras do brasilianista John W. Foster Dulles.[27] Eles articulavam greves, organizavam comícios, empenhavam-se na educação dos companheiros e faziam tudo o mais que costuma fazer um líder de classe mas não permitiriam que os chamassem de líderes — líder é autoridade. Eram homens empenhados em criar um revolucionário mundo novo, habitado por um revolucionário homem novo, e por isso os mais puros entre eles tratavam primeiro por revolucionar-se a si próprios. Não bebiam nem fumavam. Alguns eram vegetarianos. Mostravam-se ferozmente anticlericais e, pelo menos em teoria, a favor do amor livre. Nas mesas do Café Guarani distinguiam-se pelas gravatas pretas e os chapéus de abas largas da mesma cor.[28] Muitos dos estrangeiros chegaram com história na bagagem. Gigi Damiani ainda na Itália fora perseguido como anarquista e aos dezoito anos já conhecera a prisão. Oreste Ristori passou pelo México e pelo Uruguai, de cujas polícias políticas tornou-se inimigo íntimo, antes de aportar em São Paulo e aqui distinguir-se como "o maior agitador aparecido no Brasil, orador fluente e cáustico", segundo o companheiro Everardo Dias.[29]

Dos quatro nomes citados, três — Ristori, Everardo Dias e Edgard Leuenroth — foram trabalhadores gráficos. Há nisso uma lógica: só pelo fato de serem alfabetizados os gráficos já se destacavam no meio operário. Era assim na Europa e seria assim no Brasil. Sua atividade distinguia-se como "o mais intelectual dos ofícios manuais", no dizer do poeta (e revolucionário) francês Lamartine.[30] O passo seguinte, em se tratando de operários-intelectuais, ainda mais que versados nas artes tipográficas, era fundar jornais. E foram muitos os jornais operários surgidos em São Paulo, em grande parte escritos em italiano e outras línguas que não o português, alguns misturando mais de uma língua, na maioria efêmeros, outros alternando fases em que apareciam e desapareciam.

Oreste Ristori e Gigi Damiani fundaram *La Bataglia* em 1901. Um Damiani típico foi o que escreveu, numa das edições do jornal: "Quem não crê em Deus, mas crê no Estado, não mudou nada; não se inclina ao padre, mas se inclina ao patrão".[31] O espanhol Everardo Dias editou, entre outros, *O Livre Pensador*, cujo cabeçalho exibia as epígrafes "Fugi, vampiros sociais" e "Abaixo o Vaticano". Em seus artigos pregava contra o uso do álcool e do tabaco. Fazia conferências cujos títulos dizem tudo, como "Jesus Cristo, agitador social".[32] Jornais desapareciam por força da repressão, da falta de recursos ou do arrefecimento da causa, mas outros títulos surgiam, sob o mesmo ou os mesmos responsáveis. Edgard Leuenroth, "homem de santo caráter", segundo Dulles, natural de Mogi Mirim, filho de imigrante alemão, lançou, em diferentes épocas, *A Lanterna*, *A Terra Livre*, *A Folha do Povo* e *A Plebe*, entre outros. Alguns números de *A Lanterna*, ao lado da data segundo o calendário gregoriano, faziam constar também a mesma data segundo o calendário da Revolução Francesa. Quando morreu o papa Leão XXIII, em 1903, o jornal publicou editorial em que o chamou de "velho inútil" e "vilíssimo traidor à doutrina do Mestre", que "nada fez do que mentir" em seu longo reinado.[33]

Nas publicações operárias Matarazzo era o "balofo escravagista", "ignóbil exterminador de crianças".[34] Trabalhadoras têxteis empregadas nas fábricas dos Jafet ou dos Calfat eram descritas como vítimas da "exploração escandalosa exercida pelos turcos".[35] Na greve da Companhia Paulista de Estrada de Ferro, em 1906, como vimos, o conselheiro Antônio Prado foi alcunhado "o Robespierre da burguesia".[36] Na de 1917, pela pena do escritor Lima Barreto, que acompanhava os eventos no Rio, virou "o açougueiro Antônio Prado". Pioneiro no ramo dos frigoríficos, o conselheiro era acusado de estar "à testa da especulação indecente das carnes frigorificadas, fornecidas a baixo preço aos estrangeiros enquanto nós aqui pagamos o dobro pelo quilo da mesma mercadoria".[37] O movimento operário desenhou pela cidade de São Paulo sua geografia afetiva. No centro da cidade o largo da Sé firmou-se como o local por excelência dos comícios e manifestações. Nas tentativas de comemoração do Primeiro de Maio era o ponto marcado para o encontro — a ser realizado desde que a polícia não chegasse antes. Em 1907 a polícia ganhou a corrida e ocupou o local. Mas, em 1914, com permissão das autoridades, realizou-se ali "concorridíssimo" comício.[38] No Brás o ponto para as concentrações era o largo da Concórdia. O mais comum, no entanto, dada a vigilância da polícia, eram as reuniões em recinto fechado. Um dos locais mais utilizados era o salão Celso Garcia, nomeado em homenagem ao jornalista e vereador tido como protetor dos trabalhadores, e situado na sede da Associação Auxiliadora das Classes Laboriosas, na rua do Carmo (depois rua Roberto Simonsen). Outro era o salão Itália Fausta, na rua Florêncio de Abreu, do nome da primeira atriz revelada em São Paulo a alcançar prestígio nacional. O salão fora comprado pelo pai da atriz, Alessandro Polloni, para sediar as atividades da filha.

O movimento anarquista expandia-se ainda no teatro e nas festas. Gigi Damiani era um dos autores dos textos teatrais educativo-doutrinários que, entre outros locais, eram apresentados no salão Itália Fausta. As reuniões festivas por vezes se realizavam, na descrição de Everardo Dias, "em pontos pitorescos dos arredores da cidade, como Cantareira, Ipiranga, Vila Mariana, Penha, Santo Amaro — festas campestres muito alegres e fraternais, em que cada família levava o seu farnel e terminavam sempre por uma palestra educativa".[39] Cantava-se e tocava-se, nessas reuniões. Na hora de entoar os hinos, o grande *hit* era, claro, a *Internacional*.

A *Internacional* seria cantada no dia 16 de julho de 1917 como fecho da assembleia que no largo da Concórdia, em frente ao Teatro Colombo, pôs fim à maior greve que São Paulo já conhecera. *O Estado de S. Paulo* calculou em 5 mil o número de operários presentes, devidamente vigiados por esquema policial comandado pelo delegado-geral Tirso Martins em pessoa. Everardo Dias, escrevendo muitos anos

Foto publicada na revista A Cigarra em 27 de julho de 1917 com a seguinte legenda: "Bandos de grevistas, na maioria mulheres operárias em várias fábricas desta capital, dirigindo-se ao largo do Palácio a fim de conferenciar com o sr. Secretário da Justiça e Segurança Pública, a quem pediram providências contra o despropositado aumento dos gêneros de primeira necessidade" | Hemeroteca do Arquivo Público do Estado de São Paulo.

depois, foi dezoito vezes além. Para ele, o comício reuniu "90 mil almas", formando um "oceano humano a espraiar-se pelo largo até a rua Bresser". A cidade nunca teria visto, acrescentou, "concentração tão numerosa, tão comovente e tão conscientemente disciplinada".[40] Em nome do Comitê de Defesa Proletária três oradores, entre os quais Leuenroth, apresentaram a proposta de volta ao trabalho, aprovada ali e em outras duas assembleias, igualmente concorridas, realizadas em salas de cinema da Lapa e do Ipiranga. Era o coroamento de um esforço que vinha de três dias antes, quando se constituiu uma "comissão de imprensa" para mediar a negociação entre operários e empresários.

Já vimos o papel da imprensa "nanica" da época, representada pelos jornais anarquistas e socialistas. Desta vez, a comissão de imprensa reunia os jornalões, *O Estado de S. Paulo* à frente, mas também o *Correio Paulistano*, o *Diário Popular*, *A Gazeta* e órgãos não partidários de comunidades estrangeiras, como o *Diário Espanhol*, o *Germânia* e o italiano *Fanfulla*. A ideia de uma comissão mediadora partira do capitão da Força Pública, Miguel Costa, um então jovem oficial que daria muito o que falar e que, apesar de encarregado da repressão, simpatizava com os grevistas. Miguel Costa levou a sugestão a outro simpatizante dos operários, Nereu Rangel Pestana, filho de Nestor Rangel Pestana. (Enquanto Nestor dividia a direção do sóbrio *O Estado de S. Paulo* com Júlio Mesquita, Nereu e seu irmão Acilino conduziam o mais leve e mais atrevido *O Combate*.) Aceita a sugestão, os representantes de um total de dezesseis jornais juntaram-se para empreender a tarefa. No dia 14 *O Estado* publicava no alto da primeira página, em letras fortes, sob o título "A GREVE", comunicado dando conta da constituição da comissão, cuja tarefa parecia viável "visto como não parece haver excessos de intransigência nem do lado dos industriais nem do lado dos grevistas, só faltando um meio prático e eficaz e se porem de acordo as partes em conflito". Na tarde daquele mesmo dia houve duas reuniões da comissão na redação do *Estado*, a primeira com representantes do Comitê de Defesa Proletária e a segunda com industriais, presentes os pesos pesados Crespi, Street, Siciliano, Gamba e Ermelino Matarazzo (filho do conde Francisco), entre outros.[41] Com surpreendente rapidez chegou-se a consenso que ia do aumento médio de 20%

nos salários e do pagamento "dentro da primeira quinzena que se segue ao mês vencido" ao respeito ao direito de associação e ao compromisso dos empresários de "melhorar as condições morais, materiais e econômicas do operariado de São Paulo".[42]

A comissão de jornalistas também se reuniu com o presidente do estado e com o prefeito da capital, para discutir as reivindicações que diziam respeito aos poderes públicos. Do presidente Altino Arantes arrancou os compromissos de pôr em liberdade os grevistas presos, de reconhecer o direito de reunião ("quando não contrário à ordem pública"), de vigiar as disposições que regulavam o trabalho dos menores e o trabalho noturno de menores e mulheres e de adotar medidas "tendentes a minorar a carestia". Do prefeito Washington Luís, também no sentido de conter o aumento do custo de vida, conseguiram o compromisso de aumentar as feiras livres.[43] Lidos tais compromissos nas assembleias e aprovada a volta ao trabalho, restou ao O *Estado de S. Paulo* comemorar que, pela "primeira vez no Brasil", a imprensa, "por seus diferentes órgãos", tenha se unido "para realizar, no campo da ação, um pensamento de tão alto alcance".[44] Estava enfim tudo em paz, tudo muito bem, ou quase — mas em setembro Leuenroth foi preso, acusado de ter comandado o assalto ao Moinho Santista. Permaneceria seis meses encarcerado.[45]

Outros líderes da greve foram punidos com um expediente que o estado brasileiro reservava aos estrangeiros — a expulsão do país. Tratava-se de item disponível no arsenal repressivo desde a famosa Lei Adolfo Gordo, do nome do deputado que a propôs, em 1907. Na sequência da greve uma dúzia de militantes foram expulsos, entre os quais o polonês Nalepinski, aquele cuja libertação fora exigida durante o cortejo fúnebre de Martinez. Os condenados foram embarcados em setembro no navio *Curvelo*, em Santos, e nele iniciaram viagem de rumo incerto e atmosfera entre o cômico, o trágico e o estapafúrdio. No Rio de Janeiro os advogados Evaristo de Morais e Roberto Feijó, defensores dos trabalhadores, subiram a bordo, mas não lhes foi permitido avistar-se com eles. Na escala do Recife o *Curvelo* recebeu um carregamento de peixes, trazidos a bordo em cestos pendurados em guindaste. Nalepinski e dois outros deportados — Florentino de

Carvalho e Francisco Arouca — aproveitaram a viagem de volta dos guindastes e esconderam-se dentro de um dos cestos. Não foram longe. Apanhados no cais e levados à prisão, conviveram em suas exíguas celas com pulgas e piolhos e a uma dieta de café mal coado e bolachas até ser reembarcados em outro navio, o *Avaré*, que ia para Nova York. O *Avaré* despejou-os na ilha de Barbados e ali permaneceram até dezembro, quando o Supremo Tribunal Federal lhes concedeu habeas corpus, a eles e aos demais deportados. Tanto o *Avaré* como o *Curvelo* empreenderam então viagem de volta, com os mesmos compulsórios passageiros com os quais haviam cumprido seu errático périplo pelos mares das Américas.[46]

Não. Não estava mesmo tudo em paz, nem muito bem. Os meses seguintes seriam marcados por eventos que sacudiriam o mundo e o Brasil, com repercussões para a causa operária. Acresce que a continuada carestia não demoraria a devorar os ganhos salariais obtidos na greve, e que muitas das promessas de melhoria nas condições de trabalho seriam desrespeitadas. Em outubro de 1917, dentro do terremoto que já era a Guerra Mundial, ocorreu outro terremoto — a Revolução Bolchevique na Rússia. Se para o governo e os patrões foi um evento que lhes redobrou a guarda e incitou-os a apertar o torniquete da repressão, para as lideranças operárias mais exaltadas, ou mais românticas, foi o sinal de que o impossível estava ao alcance da mão. "1917 foi para nós como um arrebol anunciando uma aurora radiosa de redenção, e sob nossos olhos estáticos surgiam os rostos dramáticos de homens e mulheres do povo russo acompanhando seu guia genial", escreveu Everardo Dias.[47] No mesmo mês de outubro, em meio a intensa campanha patriótica, o Brasil decide entrar na Grande Guerra, ao lado dos Aliados. Para os operários o fato representou um triplo prejuízo: primeiro, o clima nacionalista e belicista acicatou os ânimos contra lideranças que pregavam o pacifismo e denunciavam a guerra; segundo, o fervor patriótico facilitava a exploração do sentimento contra os "estrangeiros", o que em São Paulo em grande medida equivalia a "operários"; terceiro, o Congresso aproveitou o estado de guerra para decretar o estado de sítio, o que multiplicava a possibilidade de medidas de restrição das liberdades.[48]

O ano de 1919 conheceu mais greves e agitações. No dia 1º de maio foi realizada grande manifestação na Sé. Calculou-se em 10 mil o número de presentes. No dia seguinte os operários da Tecelagem Mariângela entraram em greve. Três dias depois o movimento já atingia 20 mil trabalhadores e a repressão não se fez esperar. No dia 6 a cavalaria investiu contra manifestantes no largo da Concórdia. As reivindicações dos grevistas eram basicamente as mesmas de 1917, com destaque para a jornada de oito horas. Concessões nesse sentido, mais outro aumento de 20%, fizeram o movimento refluir, mas em outubro estava de volta, tendo como eixo uma greve iniciada pelos funcionários da Light. A repressão contou nesse caso com inesperado reforço — o dos estudantes da Politécnica e do Mackenzie, que se dispuseram a substituir os grevistas na condução dos bondes. *A Plebe*, jornal em que Leuenroth, Gigi Damiani e outros conduziam a causa anarquista, reagiu denunciando em manchete os "fura-greves" e recebeu o troco: estudantes empastelaram suas oficinas.[49]

Prisões e torturas em escala inédita na cidade sufocaram o movimento. Everardo Dias, um de seus mais ativos articuladores, foi preso no dia 27 de outubro e levado a Santos. Ia começar um martírio de proporções bíblicas. Depois de três dias trancafiado em solitária, nu, ele foi arrastado ao pátio da prisão e submetido a 25 chicotadas. De volta a São Paulo despacharam-no ao Rio, de trem, e na central de polícia da capital federal passaria três dias sem comer nem dormir, até enfim lhe servirem uma refeição de café e pão. A ordem era expulsá-lo do país. Everardo ardia em febre mas mesmo assim ainda juntou-se ao coro da *Internacional*, com 22 outros condenados, ao ser levado no dia 30 para embarque no navio *Benevente*, do Lloyd Brasileiro. Na escala de Salvador permitiram que os deportados escrevessem a parentes e amigos. Everardo escreveu que se sentia "mais morto do que vivo, muito fraco". Temia estar tuberculoso. Sua carta foi lida na Câmara dos Deputados pelo deputado Maurício de Lacerda, um aliado da causa operária, e o caso tomou dimensão nacional.

Enquanto isso transcorria a viagem do *Benevente*, destinada a tornar-se ainda mais errática e absurda do que a do *Curvelo*, dois anos antes. Na escala de Recife os deportados foram levados à terra e passaram três dias em celas minúsculas. Seguiram-se escalas na ilha da Madeira e em Lisboa, onde foram despejados os deportados portugueses. Vigo, na Espanha, era o destino dos espanhóis — mas faltou combinar com as autoridades locais, que impediram o desembarque. Próxima parada: Le Havre, na França. Fazia frio de rachar os ossos e, além de não haver aquecimento nas cabines dos deportados, faltavam agasalhos a bordo. Em Roterdam foi desembarcado um grupo de alemães que em função da guerra também havia sido expulso do Brasil. Meia-volta e vai-se tentar Vigo, de novo, mas chega a notícia de que o governo paulista, responsável pelas expulsões, concordou em reconsiderar o caso de Everardo Dias, a pedido do governo federal. Enceta-se a viagem de volta, na qual sobrou para Everardo Dias o consolo de uma calorosa recepção e três dias de homenagens em Recife, por parte de movimentos sociais locais. A repercussão do caso tornara-o célebre. A 5 de fevereiro de 1920, 67 dias depois da partida, o *Benevente* encerrava no Rio de Janeiro seu desvairado périplo.[50]

As greves de 1917-1919, com rebarbas em 1920-1921, assinalam o auge e o início da decadência do movimento operário, tal qual conduzido até então. A década seguinte será marcada no Brasil por outro tipo de desafio à ordem vigente. Será a vez dos movimentos militares ditos "tenentistas", que ao mesmo tempo absorverão e lançarão sombra à chamada "questão social". O anarquismo perderá seu momento histórico de preeminência no movimento operário para o Partido Comunista, fundado em 1922. A partir daí definhará até perder sentido e morrer. Alguns analistas também enxergam nas agitações de 1917-1919 a ocasião em que os industriais paulistas passam a vislumbrar no migrante nacional um elemento mais confiável do que o imigrante estrangeiro, para efeito da desejada paz nas fábricas.[51]

No dia 21 de novembro de 1917, o jovem repórter Oswald de Andrade é encarregado pelo *Jornal do Comércio* de cobrir a palestra patriótica que o secretário da Justiça Elói Chaves faria no Conservatório Dramático e Musical, a propósito da entrada do Brasil na Grande Guerra. O Conservatório, fundado em 1906, abrigava-se desde 1909 num bonito edifício da rua de São João, quase esquina da rua Conselheiro Crispiniano. Um professor da entidade, Mário Raul de Moraes Andrade, ainda mais jovem, foi encarregado de saudar o visitante, e tanto abusou da musa patriótica que lhe saíram palavras como: "Pátria é a saíra que singra o azul de São Paulo; é a onda esbatendo-se contra os rochedos da Guanabara; é a carnaúba flamulando ao vento nas restingas adustas do Ceará! Pátria é a gurara para o norte, Curupaiti no sul!".[52] O repórter gostou tanto que quase saiu a tapas com os colegas da imprensa para arrancar do orador as páginas datilografadas do discurso e publicá-las com exclusividade em seu jornal. Oswald de Andrade tinha então 27 anos, e Mário de Andrade, 24. As greves que agitavam a cidade não lhes diziam respeito; tinham a cabeça nas nuvens, as nuvens das artes e das letras, aspirantes que eram a grandes coisas nesse ramo. No entanto, a amizade/parceria que estabeleceram a partir desse primeiro encontro iria, à sua maneira, também sacudir a cidade.

IX.
Dias de medo e de morte

Não seria exatamente igual a Moscou ou a Nova York mas algo destas distantes cidades impregnava o aspecto da avenida Paulista ao amanhecer do dia 25 de junho de 1918. Uma "tênue e alva camada pulverulenta", segundo a descrição do Serviço de Meteorologia do Estado, cobria o seu leito. São Paulo conheceu naquele dia uma de suas mais baixas temperaturas. A mínima foi de 3,2°C abaixo de zero, e a mesma cena da Paulista coberta de gelo repetiu-se em outros pontos da cidade. Na várzea do Tietê a camada de gelo atingiu três centímetros de espessura. Nas Perdizes apresentava espessura de um centímetro. Na Paulista a tal camada pulverulenta "foi-se engrossando ao descer pela encosta em direção ao córrego do Saracura", segundo o mesmo comunicado do Serviço de Meteorologia.[1]

Na cidade o fenômeno poderia ser divertido. No dia seguinte, com temperatura idêntica, pessoas sapatearam sobre placas de gelo na região da Ponte Grande. Para a lavoura, anunciava o desastre. A geada daquele ano castigou com dureza a produção do café. Havia municípios que calculavam as perdas em 80%.[2] A geada foi um dos quatro "Gs" que naquele ano assolaram os brasileiros, em especial os paulistas. Outro era a guerra da Europa, que agora, com a prometida participação brasileira, se afigurava mais próxima. Outro, a praga de gafanhotos que se encarregaria de destruir nas fazendas o que a geada poupou. E outro ainda, o que mais penas e mortes cobrou dos brasileiros, a gripe — a terrível gripe espanhola.

Hoje se sabe que a gripe espanhola não era espanhola. Sua primeira aparição teria ocorrido nos Estados Unidos, em tropas que se concentravam no estado do Kansas. De lá teria sido levada para a Europa pelos soldados e se espalhado pelo continente. A Espanha ficou com a fama porque foram médicos espanhóis que deram o alarme quanto ao alto grau de contágio e à alta letalidade da doença. Em agosto de 1918 a epidemia alcançava virtualmente o mundo inteiro, concorrendo com a Grande Guerra na produção do massacre que caracterizou o período. Os primeiros brasileiros infectados o foram por efeito conjunto da guerra e da gripe. Uma missão de médicos e marinheiros, organizada para ser a primeira contribuição do Brasil aos Aliados, veio a sofrer suas primeiras baixas ainda antes de chegar ao teatro de operações; na escala do navio em Dacar, vários dos passageiros e tripulantes contraíram o vírus. Não demorou e começaram a atracar nos portos brasileiros navios que traziam passageiros infectados. A epidemia avançou primeiro sobre as cidades litorâneas. Em Santos, uma semana depois de diagnosticado o primeiro caso, já se contavam 4 mil doentes. O Rio de Janeiro, em meados de outubro, exibia um aspecto que o *Correio Paulistano* chamou de "desolador", com as ruas vazias e o comércio fechado. Até as farmácias, tão necessárias no combate à infecção, eram obrigadas a cerrar as portas porque também sobre seus funcionários se abatia a doença. A situação aproximava-se do caos. "Por falta de coveiros, muitos dos quais se encontram doentes, deram-se várias irregularidades nos serviços dos cemitérios, sendo a polícia chamada para manter a ordem", informava o jornal.[3]

Em São Paulo diagnosticou-se a doença, no dia 9 de outubro, em cariocas hospedados no Hotel d'Oeste, no largo de São Bento. No dia 14 de outubro o médico Arthur Neiva, diretor do Serviço Sanitário, que na época fazia as vezes de Secretaria da Saúde, convocou uma reunião de delegados da saúde para avaliar a situação do município e, no dia seguinte, declarou-o em estado epidêmico.[4] O avanço do mal se fazia a galope. No dia 16 foram notificados 29 casos; no 17, 99; no

18, 179. Mais alguns dias, e a ordem de grandeza já era outra: 982 casos no dia 22, e 1144 no dia 23.[5]

Para fazer frente à emergência, com que recursos contava a cidade? Seu mais antigo hospital, o da Santa Casa de Misericórdia, então quase bicentenário, funcionava havia já três décadas nas amplas instalações do novo bairro da Vila Buarque, ocupando um quarteirão inteiro. Nos altos do Araçá, assim chamados por causa da frutinha homônima, funcionava o Hospital de Isolamento, maior investimento do poder público na área da saúde. Naquela mesma área o governo municipal instalara em 1880, portanto ainda sob o regime imperial, o Lazareto dos Variolosos, para acolher as vítimas da varíola. Ata da Câmara Municipal deixou registrado que o local fora escolhido por

O Hospital de Isolamento, nos "altos do Araçá", por volta de 1910 | Fotógrafo não identificado | Acervo Fotográfico do Museu da Cidade de São Paulo.

estar "bastante arredado de caminho ou estrada que comuniquem pontos povoados", de modo a oferecer "condições de completo isolamento, indispensável para obter-se o fim a que se destinam os lazaretos".[6] A referência é ao ponto de confluência do caminho de Pinheiros (futura avenida Rebouças) com o caminho do Araçá (futura avenida Doutor Arnaldo), onde sucessivos acréscimos de terrenos, novas construções e novos departamentos fixariam ao longo dos anos o maior polo de instituições de saúde do estado. O fato de o lugar estar não muito distante do primeiro — e àquela altura, ainda único — cemitério público da cidade (o da Consolação) e, principalmente, de os cadáveres poderem ser trasladados do novo instituto ao cemitério sem atravessar áreas povoadas também foi citado na ata como vantajoso. Dessa forma a população estaria livre dos "miasmas virulentos que emanam dos cadáveres" em que se acreditava na época.

A República elevaria os cuidados com a saúde pública a novo patamar. Por força do regime federalista a saúde agora era de responsabilidade dos estados; para organizar os serviços da área o governo paulista criou em 1892 o Serviço Sanitário, órgão vinculado à Secretaria do Interior. Cabiam-lhe a fiscalização do exercício profissional, o combate às epidemias e a pesquisa científica na área de saúde. É surpreendente como a pesquisa tenha merecido desde logo atenção especial. A mesma lei que criou o Serviço Sanitário criou também o Instituto Bacteriológico. No ano seguinte, surgiu o Instituto Vacinogênico, para a produção da vacina contra a varíola, e em 1901 o Instituto Butantã, destinado à fabricação do soro antiofídico. Estas unidades seriam entregues a profissionais destinados a fazer história na medicina paulista e brasileira. O Instituto Bacteriológico ficou a cargo do carioca Adolfo Lutz, o Vacinogênico, sob a responsabilidade do campineiro Arnaldo Vieira de Carvalho, e o Butantã coube ao mineiro Vital Brazil. Eram todos homens com formação na Europa, onde Louis Pasteur e outros cientistas procuravam no estudo da microbiologia soluções para as doenças epidêmicas. Surpreende menos a preocupação em criar tais instituições quando se tem em conta que a época é de acelerado crescimento populacional, no estado e na cidade, com contingentes de imigrantes de diversas origens, muitas vezes já desembarcados doentes ou, quando sãos, presas fáceis para a infecção, num ambiente para o qual não apresentavam as necessárias defesas. Proporcionar-lhes um mínimo de apoio na proteção das condições de saúde era uma necessidade até para o bom funcionamento da economia.[7]

O Lazareto dos Variolosos foi assumido pelo estado, por ocasião da criação do Serviço Sanitário, e transformado em Hospital de Isolamento. Agora não abrigaria só doentes de varíola, mas também de outras doenças infecciosas. No Hospital de Isolamento se daria, entre dezembro de 1902 e janeiro de 1903, uma página marcante da medicina brasileira, que teve como protagonista o médico Emílio Ribas. Nascido em Pindamonhangaba, formado na Faculdade de Medicina do Rio de Janeiro e com estudos nos Estados Unidos e na Europa, ele tinha na época quarenta anos e havia quatro dirigia o Serviço Sanitário, posto no qual permaneceria até 1917. A febre amarela era o flagelo do momento. Grassava com particular violência em Santos e Campinas, e sobre sua etiologia grassava, em paralelo, uma acirrada polêmica nos meios médicos. Emílio Ribas era defensor da tese de que o transmissor da doença era o mosquito na época chamado *Stegomyia fasciata*, depois conhecido como *Aedes aegypti*. Quem primeiro a formulara fora o médico cubano Carlos Juan Finlay. Mas ainda existiam vozes discordantes, algumas apegadas à antiga teoria dos miasmas pestilentos emanados da matéria em decomposição, outras sustentando que a transmissão se faria pela água ou pelo contato direto. Com a polêmica pegando fogo pelos jornais, Emílio Ribas propôs-se a deixar-se ele próprio picar pelo mosquito. Acompanharam-no o colega Adolfo Lutz e mais quatro voluntários. Ribas e Lutz contraíram a doença em sua forma moderada; dois dos voluntários apresentaram a forma grave. Estava comprovado o mecanismo pelo qual a infecção se transmitia e se disseminava. O resultado da experiência fixou o padrão de enfrentamento da febre amarela — o combate ao mosquito — que seria seguido por outro ícone da medicina brasileira, Osvaldo Cruz, em suas campanhas no Rio de Janeiro.[8]

O instituto comandado por Vital Brazil, inicialmente chamado de Instituto Soroterápico, instalou-se na antiga Fazenda Butantã, situada nos confins de além-Rio Pinheiros e desapropriada pelo governo do estado para esse fim. Era um lugar de difícil acesso; como não havia pontes sobre o rio, só se chegava lá depois de uma travessia de balsa, seguida de boa caminhada.[9] Já o Instituto Bacteriológico foi acomodado junto ao Hospital de Isolamento. Em 1897 seria inaugurado na mesma região o cemitério do Araçá. O antigo e modesto caminho do Araçá, que abrigava uma instituição e outra, foi então promovido a avenida, com o nome de avenida Municipal — até mais adiante ser rebatizada de "Doutor Arnaldo", em homenagem a Arnaldo Augusto Vieira de Carvalho, personagem de múltipla presença na história da medicina paulista. Já o citamos como diretor do Instituto Vacinogênico. Sua atuação foi muito além disso. Nascido em 1867, era filho de Joaquim José Vieira de Carvalho, advogado, professor da Faculdade de Direito e político que, assim como o filho, também seria nome de avenida — é em sua homenagem o nome de Vieira de Carvalho dado à via entre a praça da República e o largo do Arouche (e não por acaso: os Vieira de Carvalho tinham sua chácara na área, com frente para a praça da República e fundos na rua de São João).[10] Arnaldo formou-se no Rio, trabalhou como médico na Hospedaria dos Imigrantes e aos 27 anos já era diretor clínico da Santa Casa. Em 1895 esteve entre os fundadores da Sociedade de Medicina e Cirurgia de São Paulo, a primeira entidade de médicos do estado. Tal sociedade criaria por sua vez a Policlínica, para atendimento dos mais necessitados.

A Sociedade de Medicina, instalada numa sala na Faculdade de Direito do largo de São Francisco, e a Policlínica, com endereço na esquina das ruas de São Bento e Direita, faziam as vezes de escolas informais e foi no seio delas e da Santa Casa que começou a germinar a ideia de se fundar uma Faculdade de Medicina.[11] Arnaldo pôs-se à frente da causa. Era a pessoa certa no lugar certo. Além das qualificações profissionais, possuía a de ser, entre os colegas médicos e pesquisadores, o que mais tinha acesso à elite dirigente do estado, e isso pela simples e boa razão de pertencer ele próprio a essa elite. Como elite combina com elite, suas duas filhas, Marina e Alice, viriam a se casar com os dois filhos do diretor de O *Estado de S. Paulo*, Júlio Mesquita — Júlio Filho e Francisco. Arnaldo pôs seu prestígio e influência a serviço da ideia e finalmente viu-a tornada realidade por lei estadual de dezembro de 1912. De início sem sede, a faculdade usava diferentes locais para seus cursos — principalmente a Santa Casa, onde eram ministradas as aulas práticas, mas também a Escola de Comércio Álvares Penteado e a Escola Politécnica. Só em 1930 teria casa própria, naquela mesma área de hospitais e institutos na agora já não mais isolada região do Araçá. Para sempre a faculdade seria apelidada de "a casa de Arnaldo". O Instituto Bacteriológico e o Hospital de Isolamento, na morte de seus diretores históricos, seriam rebatizados com seus nomes — Instituto Adolfo Lutz o primeiro e Instituto Emílio Ribas o segundo.

Às instituições públicas é preciso acrescentar, para completar o quadro dos serviços de saúde existentes naquele fatídico 1918, as oriundas de entidades privadas. Entre as últimas décadas do século XIX e o início do século XX surgiram hospitais das sociedades de apoio aos imigrantes. O mais antigo era o São Joaquim, mantido pela Sociedade de Beneficência Portuguesa, na rua Brigadeiro Tobias. A colônia italiana contava com o Hospital Umberto Primo, no bairro da Bela Vista, e a alemã com o Hospital Alemão, no Paraíso. Havia ainda o Hospital Santa Catarina, na avenida Paulista, criado por congregação de freiras de origem alemã e cujo diretor clínico era o médico austríaco Walter Seng, o Hospital Samaritano, dos protestantes, entre os quais americanos, alemães e ingleses, no ponto em que Higienópolis encontra o Pacaembu, e alguns poucos mais. Instituição híbrida, de caráter particular mas dependente de subvenções públicas era o Instituto Pasteur, fundado em 1903 por iniciativa de destacados médicos e empresários. Entre os empresários sobressaem, como maiores doadores, Francisco Matarazzo e Guilherme Vilares. Entre os médicos, Ulysses Paranhos, o principal articulador das tratativas que levaram à fundação da entidade, e Arnaldo Vieira de Carvalho. Os principais objetivos eram a fabricação da vacina contra a raiva e o tratamento dessa doença (até então, as vítimas de mordidas de cães hidrófobos só encontravam tratamento no pioneiro Instituto Pasteur do Rio de Janeiro), mas também passariam a ser produzidos ali soros contra a difteria e o tétano. Programado inicialmente para instalar-se numa chácara nos arredores da cidade, o instituto acabou ocupando prédio adquirido em plena avenida Paulista.[12]

A estrutura existente em São Paulo, como de resto qualquer estrutura, em todo o mundo, era insuficiente para fazer frente a uma epidemia das proporções da gripe espanhola. A cidade jamais conhecera algo igual. Seria necessário inventar expedientes de emergência. Uma rede de hospitais improvisados foi montada em escolas, clubes e outros locais. Não só o número galopante de casos tornava a providência necessária, mas também a recusa dos hospitais regulares em acolher os doentes da gripe, de medo que infectassem os demais pacientes. A direção do Hospital Umberto Primo preferiu montar uma unidade numa escola da rua Piratininga, no Brás, para atender os compatriotas infectados, a interná-los em suas instalações, e a Santa Casa só no fim de outubro concordou em acolhê-los.[13] O maior dos hospitais improvisados, com mil leitos, foi instalado nos espaços generosos da Hospedaria dos Imigrantes, na Mooca, com o propósito de atender aos mais necessitados. O Hospital de Isolamento, que resistiu enquanto pôde a aceitar doentes da gripe, em troca encarregou-se de fornecer funcionários e equipamentos à Hospedaria.[14]

No início de novembro a média dos casos novos já se situava nos 7 mil diários: 7786 no dia 4; 6985 no dia 5; 7496 no dia 6.[15] A essa altura a cidade já mudara de cara. Boa parte do comércio fechara as portas, seja por falta de fregueses, seja por medo deles, seja por doença dos funcionários. "O movimento nas ruas diminuiu sensivelmente", anotava *A Gazeta*. "O elemento feminino desapareceu quase por completo. [...] Não existe há vários dias o *footing* que emprestava ao Centro de nossa urbs, das 16 às 18 horas, um aspecto encantador, cheio de carinhas risonhas, deliciosas de graça e de beleza."[16] O Serviço Sanitário distribuía conselhos à população, divulgados com destaque pela imprensa. Evitar aglomerações, não fazer visitas, evitar toda fadiga e excesso físico, evitar as causas de resfriamento. Tomar cuidados higiênicos com o nariz e a garganta, por meio de inalações de vaselina mentolada e gargarejos com água iodada, ácido cítrico ou tanino. Aos primeiros sintomas (ou *symptomas*, conforme grafia da época, mais grave e assustadora), ir para a cama.[17] Foram fechados o parque Antártica, o parque da Aclimação e outros locais de lazer. As escolas suspenderam as aulas. As autoridades pediram o fechamento das casas noturnas e seus proprietários, relutantemente, acabaram acedendo. O Theatro Municipal foi o último a fazê-lo; afinal, tinha um programa de assinaturas vendidas previamente a cumprir. O problema era que, assim como até farmácias, as fundamentais farmácias, fechavam porque seu pessoal adoecia, assim também a Companhia Lírica tinha suas baixas. No dia 22 de outubro o Municipal anunciou que Mme. Vallin-Pardo, incumbida do papel título da ópera *Louise*, de Charpentier, caíra doente. Assim, a representação daquela noite dependia dos arranjos para que o navio *Vouban* adiasse por um dia a sua partida, permitindo que Mlle. Yvonne Gall, única integrante da companhia que conhecia o papel, pudesse substituí-la. Dois dias depois vinha a capitulação. O Municipal suspendia suas atividades, mesmo porque "devido à epidemia reinante, os srs. assinantes não podem vir ao teatro".[18]

Todo mundo ficava doente. O delegado-geral Tirso Martins pegou a gripe e passou o cargo a seu segundo, Augusto Pereira Leite, que por sua vez pegou a gripe e deixou o cargo novamente vago. A dama da sociedade Antônia de Queirós, presidente da seção paulista da Cruz Vermelha, entidade das mais empenhadas no socorro aos doentes, também caiu gripada e passou o cargo, mas sua substituta também adoeceu, e também a substituta da substituta. No dia 1º de novembro noticiou-se que, da diretoria, "só se acha com saúde a exma. sra. Eleonora da Silveira Cintra, que assumiu ontem a direção de todos os serviços". O prefeito Washington Luís visitava diariamente os hospitais, em companhia do doutor Arthur Neiva, "o supremo chefe da luta" — até que os dois caíram doentes.[19] Oferecimentos de locais para abrigar hospitais provisórios choviam de todo lado. O Palestra Itália, clube da colônia então jovem de quatro anos, ofereceu sua sede, na rua Líbero Badaró. A Cruz Vermelha montou ali 81 leitos, financiados, entre outros, pela Companhia Puglisi, a Companhia

Mecânica e Importadora de Siciliano, Vittorio Fasano e Cia., Rodolfo Crespi e o jornal *Fanfulla*.[20] O Paulistano seguiu o exemplo, transformando em hospital uma das dependências da sede da rua Colômbia. O Corinthians divulgou humilde comunicado afirmando que, sendo composto em sua maioria por operários, sentia-se "na obrigação de vir, apesar de sua insignificante valia, concorrer, com seu esforço [...] para o alívio dos infelizes operários atacados pela pandemia que assola esta capital". Assim, embora "pobre por sua natureza", achou-se "forte para sair de seu modesto canto" e abrir uma lista de contribuições aos sócios e admiradores, cuja arrecadação seria destinada à Cruz Vermelha.[21]

O futebol, para esses clubes como para todos os outros, estava suspenso. A prática do esporte era considerada debilitadora e, portanto, capaz de tornar a pessoa vulnerável à gripe. No dia 20 de outubro, primeiro domingo depois da declaração do estado de epidemia, uma autoridade compareceu a cada um dos locais onde se travariam jogos dos "segundos *teams*" de futebol e informou que o campeonato estava suspenso. A vigilância mostrava-se severa. Pena que se mostrasse também capenga, porque os times, para não frustrar a assistência que já pagara ingresso, simularam um treino, em lugar do jogo oficial, praticando assim, do mesmo jeito, os temíveis exercícios corporais.[22] Entendia-se que esforços físicos de outra natureza também seriam prejudiciais, e foi assim que um indignado leitor de O *Estado de S. Paulo* escreveu ao jornal denunciando que "o vício cada vez mais abre suas portas a uma mocidade que ainda não sopesou bem no seu espírito a gravidade da doença que invadiu os lares da nossa terra". Prosseguia o leitor: "Indiferentes aos conselhos da ciência, quando prega a integridade de todo o vigor físico, a fim de que cada um possa resistir aos ataques da moléstia, bem como a abstenção do álcool, que só pode concorrer para definhar o organismo humano, muitos moços, e até uns velhos, passam as noites nas pensões chiques, entregues a orgias que se prolongam até a madrugada. Esses retardatários recolhem a casa precisamente à hora em que a garoa envolve a cidade, e numa debilidade tão grande que a gripe não pode ter grande dificuldade em lhes transmitir o respectivo bacilo".[23]

Nos primeiros dias de novembro, quando a epidemia estava no auge, os hospitais improvisados eram 37. Entre eles, contavam-se os montados nos colégios Sion (avenida Higienópolis), São Luís (rua Bela Cintra), Mackenzie (rua Piauí) e Des Oiseaux (rua Caio Prado). Os "postos de socorro" eram 36.[24] Os movimentos de solidariedade vinham de várias partes, e eram registrados minuciosamente nos jornais. As listas de subscrições — da Associação Comercial, dos jornais *O Estado de S. Paulo* e *Fanfulla* — eram atualizadas a cada dia, com nome do doador e quantia doada. Também havia oferecimentos em espécie. No dia 31 de outubro, a Cruz Vermelha informava que recebera os seguintes oferecimentos: da Casa Mappin, um caminhão-automóvel; da Fábrica Iracema, duas dúzias de pijamas; das sras. Paulina de Sousa Queirós, Andresina de Barros, Pádua Sales, Gastão de Mesquita, Francisco Raymond e Christina Colistino, camisolas; da Casa Lombarda, camisas e ceroulas; da Casa Guizo e Caruso, sessenta quilos de macarrão; da Casa Cardoso e F°, um livro-caixa; de Sebastião Pedroso, uma dúzia de vidros de xarope "Brasil"; de Pereira Ignacio e Cia., 48 garrafas de água Platina; de Octaviano Anacleto, uma lata de desinfectante; e de Joaquim Dias Galvão, uma caixa de latas de mate em "*tablettes*". Também eram listados oferecimentos em instalações para serviços de saúde, e enfim informava-se que o sr. Pedro Vicente de Azevedo Jr. ofereceu seu automóvel, e sua filhinha Gilda, os níqueis de seu cofre, na importância de 24 mil réis.[25]

Arnaldo Vieira de Carvalho, além de ter mobilizado professores e alunos da Faculdade de Medicina para a assistência aos doentes, encarregava-se da administração dos hospitais improvisados, por delegação de Arthur Neiva. Emílio Ribas saiu de seu retiro de aposentado para também servir, mas sempre faltavam médicos. Não faltavam locais para instalação de hospitais e postos de socorro, ou ofertas de vários tipos, mas os médicos faltavam porque, entre outras razões, eles também ficavam doentes. O Serviço Sanitário apelava repetidamente para que outros se apresentassem. Pedia com insistência que as comunidades de imigrantes recrutassem os médicos existentes em seu meio. Também faltavam automóveis para transportar os médicos, e sucediam-se os apelos para que quem os tivesse os emprestasse. Quando isso começou a ser feito, o nome dos beneméritos emprestadores também era noticiado. A propaganda aproveitava a brecha e atacava, nos jornais. "Contra a influenza espanhola o melhor remédio é o Quinado Constantino"; "Mentholatum — poderoso preservativo contra a espanhola"; "Comunicam do Rio de Janeiro que muitas pessoas se têm libertado da influenza graças ao uso do preparado Odorana"; "A gripe espanhola já nos visitou e agora o melhor meio de prevenir-se contra a infecção consiste em higiene rigorosa e contínuas desinfecções com Creolisol"; "Srs. Médicos, na convalescença da gripe, o melhor tônico é o Vanadiol. Age com rapidez no levantamento de forças"; "Influenza espanhola — este novo flagelo que infelizmente começa a assolar o Brasil só poderá ser combatido com as eficazes e conhecidas Pílulas Sudoríficas de Luiz Carlos".[26] Correu o boato de que cachaça prevenia a doença. Daí que: "Todos os médicos aconselham como o melhor preservativo a caninha do Ó com limão, mais conhecida com o nome de batida. A melhor e mais pura caninha do Ó é a da marca Caipira, da qual são únicos depositários Fratelli Guidi, telefone 1837 Central, a quem devem ser feitos os pedidos imediatamente, a fim de evitar de ser atacados dessa terrível influenza".[27] Mais exótica ainda era a ideia de que o automóvel Torpedo seria capaz de velocidade tão grande que não daria oportunidade ao vírus de atacar os passageiros.[28] Outro pouso seguro seria "Poços de Caldas — a Suíça brasileira — altitude 1200 metros — A esta estância a gripe espanhola não atinge".[29]

Se a incidência da doença era alta, a letalidade, até o fim de outubro, era baixa. O Serviço Sanitário insistia nesse ponto, para tranquilizar a população, e os jornais o secundavam. "Basta, como resistência à moléstia, tomar, com rigor, as poucas e fáceis precauções aconselhadas pelos médicos da cidade", advertiu O *Estado de S. Paulo*. "Quanto ao resto, não se preocupar e falar do morbo o menos possível, procurando manter em redor uma atmosfera de tranquilidade e confiança." Dias depois o jornal voltava a bater na mesma tecla, afirmando ser necessário "fugir ao terror, que tanta gente leviana inconsideravelmente espalha entre a população, transmitindo quanto boato inverídico aparece e até mentiras descabeladas".[30] Insistia-se em que os poucos casos fatais observados ocorriam em portadores de doenças ou vulnerabilidades preexistentes. O *Correio Paulistano* culpava as vítimas pela mania de trabalhar: "[...] em geral os casos fatais têm sido observados em operários que, embora já se percebam doentes, insistem em suas ocupações laboriosas, só as abandonando quando vencidos pela afecção, cujo tratamento se torna então mais difícil".[31] O primeiro óbito foi registrado oficialmente no dia 21 de outubro. Uma semana depois eles se situavam na casa dos dois dígitos, no dia 2 de novembro já eram 141 e nos dias seguintes chegavam perto de duzentos.[32] O argumento da baixa letalidade caía por terra, e a cidade agora convivia com a cena de cadáveres sendo transportados pelas ruas. A Light, que já reservara bondes para o transporte de doentes, o fez também para o transporte de cadáveres. O escritor Paulo Duarte registrou em suas memórias uma viagem pela cidade naqueles dias: "A avenida Paulista, onde fui tomar o bonde, quase deserta. Pouquíssimas pessoas no bonde, quase todos cheirando alguma coisa, uns cheiravam álcool mentolado ou canforado, outros álcool puro, um cheirava até a boca de um vidrinho de tintura de iodo. Quase todos com ar mais ou menos apavorado. Em toda a rua da Consolação, e isso era geral em toda a cidade, muito pouca gente a pé, alguns automóveis, principalmente de médicos, e os caminhões carregando cadáveres para os cemitérios. Esta paisagem tornou-se rotina. Já não se prestava atenção naqueles montes de caixões de defunto, todos iguais, uns sobre os outros nos caminhões".[33]

O Serviço Sanitário passou a discriminar o registro de mortes por bairros, o que propiciou a comprovação estatística de que, como era previsível, a moléstia atacava mais pesado nos bairros operários. A prefeitura, responsável pelos cemitérios, trabalhava para evitar o tétrico espetáculo de cadáveres na rua ou insepultos durante dias nos cemitérios, ocorrido no Rio. O amplo Palace Theatre, na rua Brigadeiro Luís Antônio, oferecido por seu proprietário à Municipalidade, armazenava caixões produzidos aos montes e cedidos gratuitamente, e servia de imenso necrotério.[34] Construiu-se um novo cemitério na Lapa e ampliaram-se os do Araçá, da Consolação e do Brás. Abriram-se valas comuns no do Araçá e no do Brás, as primeiras, segundo seu administrador, não utilizadas, mas as segundas sim — enterraram-se ali 337 corpos, sem caixões, provindos principalmente do hospital da Hospedaria dos Imigrantes.[35] Às pressas instalou-se luz elétrica nos cemitérios, para que enterramentos fossem realizados à noite. O macabro e o medo perpassavam o cotidiano da cidade. Contavam-se histórias de enterrados vivos. Espalhava-se que na Santa Casa e na Hospedaria do Imigrante ministrava-se o "chá da meia-noite" aos pacientes, para apressar o serviço da moléstia.[36]

No final de novembro o número de casos declinava fortemente. A vida começava a voltar ao normal. Nos primeiros dias de dezembro o comércio reabria as portas, como também as casas de espetáculo, e os torneios esportivos eram retomados. No dia 19 de dezembro Arthur Neiva declarou encerrado o estado epidêmico na cidade, depois de 66 dias. Na conta oficial, 116 777 pessoas foram infectadas na cidade de São Paulo e 5331 morreram. Cálculos extraoficiais fazem o número de infectados avançar para até 350 mil, o que corresponderia a dois terços dos habitantes. Relatório da Secretaria do Interior apontou que, se de 1909 a 1917 a média anual das mortes por doença infecciosa tinha sido de 15% do total, em 1918 elevara-se a 44,8%.[37] Impossível saber quantas foram as vítimas no Brasil, dada a carência de registros na maior parte do país. O longo braço da gripe vitimou até soldados estacionados em Fernando de Noronha.[38] De quebra levou um presidente da República, Rodrigues Alves, que, eleito para um segundo mandato, não chegou a tomar posse. No mundo, as estimativas vão de 20 milhões a 40 milhões de mortos — a mais devastadora epidemia registrada na história.

Em dezembro de 1917 o ex-promotor no interior do estado e ex-fazendeiro taubateano José Bento Monteiro Lobato, então com 35 anos, mudou, com mulher e filhos, para São Paulo. Morou primeiro na rua Formosa, depois no número 9 da rua Genebra, onde o bairro do Bexiga se encontra com o Centro.[39] Ainda não era o criador da Narizinho e da Emília, que só aparecerão dali a quatro anos. Não tinha nem livro publicado — *Urupês*, o primeiro, viria à luz em meados do ano seguinte — mas já era um nome conhecido nos meios literários e na imprensa. Desde que, em 1914, quando ainda era fazendeiro em Taubaté, *O Estado de S. Paulo* publicara dois artigos seus, um deles lançando a infeliz figura do Jeca Tatu, tornara-se colaborador frequente dos jornais. Em São Paulo, onde já morara no tempo de estudante de Direito, não teve dificuldades em se enturmar — na verdade já tinha aqui uma boa turma, seja de conhecimentos diretos, seja pessoas com quem se correspondia — e deu-se, entre outras atividades, àquela conhecida como "sapo de redação". O próprio Lobato definiria o espécime: "Sapo de redação quer dizer o sujeito, amigo da casa, que lá comparece todas as noites e fila o café, e faz daquilo o seu clube. Os sapos comentam as notícias do dia, dão palpites, tosam nos adversários e metem a ronca no próprio jornal".[40] Lobato exercia suas prerrogativas de sapo na redação do *Estado*, na praça Antônio Prado, acompanhado, entre outros, pelo botânico Manequinho Lopes, os médicos Arnaldo Vieira de Carvalho e Oscar Freire, o humorista Filinto Lopes e o caricaturista Voltolino.[41]

Lobato encontrava-se no pleno exercício do ofício de sapo quando, como era inevitável, a gripe pegou forte também nos quadros da imprensa. No dia 29 de outubro, *O Estado* abria a seção "Influenza espanhola" na qual concentrava as notícias sobre o assunto, com uma nota que explicava: "O noticiário relativo à epidemia vai-se tornando demasiado extenso. O pessoal desta redação, como o das oficinas, está diminuído, e o trabalho que nos dão as subscrições, a colheita de notas e a enorme correspondência desta capital e de fora excede não só a capacidade de nosso esforço como excederia o espaço de que podemos dispor". Pedia-se em seguida a todos os que tivessem comunicados a enviar à redação que "restringissem o quanto possível as suas palavras, cingindo-se exclusivamente àquilo que na realidade importa dar a público".[42] O *Correio Paulistano* também sentia o baque. "Em consequência da epidemia reinante, que tem atacado vários auxiliares desta folha", advertia, no dia 30, "é possível que venham a dar-se quaisquer irregularidades ou deficiências na entrega do *Correio Paulistano* [...]. Assim, desde já pedimos aos nossos assinantes que nos relevem as faltas que se verificarem."[43]

No *Estado* as baixas não pouparam a mais alta cúpula. Um dia caiu doente — ou simplesmente "caiu", como se passou a dizer — a figura máxima da casa, Júlio Mesquita. Noutro caíram os filhos Júlio Filho, seu segundo na redação, e Francisco, o chefe da administração. Noutro ainda caiu o todo-poderoso secretário de redação, Nestor Rangel Pestana. Plínio Barreto assumiu em seu lugar, mas logo caiu também e assumiu Pinheiro Júnior, que não demorou a cair por sua vez. Na "vala comum", como era chamado o salão em que se amontoavam os redatores e repórteres, a baixa era de 50% do pessoal. O jornal ameaçava não sair. Foi então que Lobato chamou o amigo Filinto Lopes e propôs: "Amigo Filinto, a situação é grave. O jornal está sem cabeça e correndo o risco de paralisação. E não há a quem recorrer. Os donos caíram, e caíram os gerentes e mais da metade do pessoal. Dos sapos só restamos nós dois. Até Maneco, apesar de sua grande barba, foi para a cama. Proponho que assumamos o comando. Do contrário, não teremos O *Estado* na rua a partir de amanhã". Assim foi feito. Lobato aboletou-se na sala de Nestor Rangel Pestana e ali selecionava "do famoso bauzinho de 'matéria'" o que devia sair no dia seguinte, "podando excessos, baixando os adjetivos, rabiscando instruções". Ficou com medo de que, voltando os titulares, seria tratado como um usurpador; ao contrário, recebeu agradecimentos.[44] Mais alguns dias, e eis que o próprio Lobato adoece — ele, os quatro filhos e as encarregadas do serviço doméstico, segundo informa em carta ao amigo Godofredo Rangel.[45] Só a mulher, Purezinha, foi poupada.

A gripe espanhola ainda serviria de tema a um conto, "Fatia de vida", inserido por Lobato em seu livro *Negrinha*. A lavadeira Isaura tinha em casa duas filhas, um filho e uma neta, dos quais passou a cuidar quando, todos, adoeceram. Ela própria também pegou a gripe, mas não tinha tempo para si, e "sarou de pé", enquanto se desvelava pela prole. Um dia, enquanto saíra às compras, uma vizinha apiedou-se dela e foi a um posto médico pedir que a ajudassem. Veio a ambulância e levou os doentes para o hospital da Hospedaria dos Imigrantes. Isaura assustou-se. "Corriam boatos apavorantes a respeito desse hospital improvisado, onde — murmuravam — só se recebiam os pobres bem pobres e o tratamento era o que devia ser, porque pobre bem pobre não é bem gente." Nada apavorava tanto o "povinho miúdo", escreve Lobato, do que ir para a Imigração. Dali em diante a vida de Isaura foi uma desesperada peregrinação ao hospital, onde nunca a deixavam entrar e quase nunca lhe davam informação. Afinal ficou sabendo que uma filha pegara tifo. Qual? Não lhe disseram. Depois soube que a filha morrera, assim como a neta, e os dois sobreviventes haviam sido removidos para o Hospital de Isolamento. Enfim, quando voltaram para casa, o filho apresentou-se "semimorto, cadavérico", e a filha com uma tosse de tuberculose. "Tudo porque me levaram de casa os filhos", dizia Isaura.[46] O conto reflete a convicção popular de que quando não se morria de gripe morria-se de hospital.

X.

Panorama 1920 (com muitos números e um gran finale)

No dia 1º de setembro de 1920 São Paulo tinha 579 033 habitantes. Foi esse o resultado a que chegou o censo nacional realizado naquela data. São Paulo mantinha a condição de segunda cidade do Brasil, obtida no censo anterior, de 1900, mas ainda aparecia distante da primeira, o Rio de Janeiro, que contava 1 157 873. O estado de São Paulo tinha 4 592 188 habitantes, e era o segundo mais populoso, atrás de Minas Gerais, com 5 888 174. A população do Brasil situava-se nos 30 635 605. Com relação ao censo de 1900, que registrou 17 318 556 habitantes, a população brasileira apresentava crescimento de 77%. Já na cidade de São Paulo, com relação aos 239 820 de 1900, o crescimento era de 140% — percentual bem superior ao do Rio, de 42% (de 811 443 a 1 157 873) e ao de Salvador (ou São Salvador, como se dizia), a terceira cidade do país, de 38% (de 205 813 a 283 422). A população da capital de São Paulo representava um oitavo da do estado, proporção muito menor do que viria a ser (um quarto em 2010), e a população do estado representava menos de um sétimo da população brasileira (quase um quinto em 2010).[1]

A divisão administrativa da cidade contemplava doze distritos urbanos (Sé, Liberdade, Consolação, Bela Vista, Santa Ifigênia, Bom Retiro, Santa Cecília, Brás, Mooca, Belenzinho, Vila Mariana e Cambuci) e oito suburbanos (Santana, Lapa, Penha de França, São

Miguel, Nossa Senhora do Ó, Butantã, Ipiranga e Osasco).[2] Os mapas da época mostram uma mancha urbanizada que, compacta no centro, esparramava-se desigualmente nas bordas. Na direção oeste, ultrapassado o bairro de Higienópolis, seguia-se o vazio do vale do Pacaembu, além do qual despontavam Perdizes e o novo bairro da Vila Pompeia, para em seguida apresentar-se outro vazio, até surgir a solitária Lapa. A sudoeste, após a rua Groenlândia, que assinalava o final do Jardim América, o vazio imperava até o rio Pinheiros e além. Do outro lado do rio, confrontando com o bairro de Pinheiros, as poucas casas do Butantã consistiam no único e solitário local habitado. Do lado sudeste, a avenida do Estado e a avenida D. Pedro I eram cortes no meio do nada, até atingir o isolado Ipiranga. Do lado leste, a antiga avenida da Intendência, renomeada Celso Garcia, também cortava o vazio até chegar, lá longe, ao antigo povoado da Penha. Ao norte, à margem direita do Tietê, Santana e Freguesia do Ó eram igualmente núcleos isolados. Se Osasco ainda fazia parte do município de São Paulo (sua autonomia viria em 1962), Santo Amaro, ao contrário, era autônomo (viria a ser incorporado em 1935).

Os distritos mais populosos eram Mooca (69 209 habitantes), Brás (67 074) e Belenzinho (45 828). As menores concentrações encontravam-se nos distritos suburbanos: Osasco (4178), São Miguel (4702), Butantã (5319) Freguesia do Ó (5534), Penha (6080). Os subúrbios da Lapa e do Ipiranga, já transformados em centros fabris, apresentavam população numerosa (22 001 e 12 040).[3] Os estrangeiros constituíam porção considerável do total de habitantes — 205 245, ou 35%. Os maiores contingentes eram de italianos (91 544), portugueses (64 687) e espanhóis (24 902), vindo em distantes quarto e quinto lugares os "turco-asiáticos", como o censo chamou os árabes (5988), e os alemães (4555).[4] Na comparação com outras cidades, a proporção de estrangeiros em São Paulo — 350 em cada mil habitantes — era comparável à de Nova York no mesmo ano (356 em cada mil), superior à do Rio de Janeiro (208) e inferior a Buenos Aires (494).[5] Os maiores contingentes de estrangeiros, previsivelmente, encontravam-se na Mooca (30 326), no Brás (28 858) e no Belenzinho (17 602).[6] Note-se que na conta só entram os nascidos no exterior, excluída a já numerosa massa de filhos de imigrantes. Entre as comunidades de estrangeiros apontadas pelo censo despontava uma novidade: um primeiro grupo de japoneses. Eram ainda escassos 966, mas já marcavam presença, como representantes do último país a nos enviar seus nacionais no quadro da imigração planejada e subsidiada.

O lendário *Kasatu Maru*, primeiro navio a trazer japoneses ao Brasil, aportou em 1908 com um grupo de 781 pioneiros. Encerrava-se assim um período de longas e tormentosas negociações, iniciadas ainda no século XIX e marcadas por obstáculos que, no Brasil, ecoavam o mesmo tipo de preconceito já registrado nos Estados Unidos. Em 1880, quando se começou a falar em receber japoneses, o historiador português Oliveira Martins defendeu um Brasil "europeu, não asiático", que por isso mesmo deveria fugir da "perigosa tentação de ir buscar braços a outro viveiro de raças inferiores".[7] Em 1895 o Brasil estabeleceu relações diplomáticas com o Japão e em 1906, não por acaso o mesmo ano do Convênio de Taubaté, que abriu novas perspectivas para a expansão do cultivo do café, foi firmado o primeiro acordo entre o governo paulista e o de Tóquio.[8] Como os europeus antes deles, os japoneses vinham para trabalhar nas fazendas. O acordo não travou de vez o preconceito, numa época em que o racismo era artigo tão banal e tão compartilhado, nos meios políticos e intelectuais, quanto as notas de 1 mil réis. O encarregado de negócios do Brasil em Tóquio advertia, nesse mesmo 1906, contra a recepção de "um elemento completamente disparatado, como seja o sangue mongólico, sem falar na fealdade dessa raça", e em 1920 o deputado Fidélis Reis argumentava: "Se o japonês se cruza com o nacional, vamos ter um mal irremediável — o mestiço; se não se cruza, teremos outro inconveniente — o de ficar constituindo uma ameaça perigosa para o futuro".[9]

Os autores do compêndio que reúne os resultados do censo de 1920 julgaram necessário registrar sua oposição a tais argumentos. Um território tão vasto como o do Brasil, segundo eles, "está indicando a necessidade imprescindível de facilitar a entrada de imigrantes que possam favorecer com o seu concurso o progresso do país, não sendo oportuno nem razoável, portanto, criar restrições à imigração estrangeira, com preconceitos étnicos ou embaraços ao ingresso dos indivíduos de raça amarela — colonização assaz eficiente, no que diz respeito aos japoneses, e considerada por uma autoridade no assunto 'como magnífico elemento de trabalho, no meio dos nacionais, principalmente nas zonas de clima menos próprio para europeus'".[10] O censo contou 27 976 japoneses em território nacional, a grande maioria — 24 435 — no estado de São Paulo.[11] Coube-lhes preferencialmente trabalhar nas regiões mais remotas do estado, o extremo oeste, onde até pouco antes havia só selva e onde a conquista das terras se fazia à custa de massacres de índios. A paulatina fuga das fazendas ocorreu pelos mesmos motivos que antes acometera os europeus — os maus-tratos, a inadequação dos muitos que não possuíam um passado de camponês, a pura e simples atração das cidades. Os 966 que segundo o censo pioneiramente se estabeleceram em São Paulo inauguravam uma saga que contribuiria decisivamente para a marca cosmopolita da cidade. Na década de 1920 os japoneses passariam a morar e abrir negócios nos imóveis baratos que encontravam na rua Conde de Sarzedas. De lá se expandiriam pelas ruas adjacentes, engendrando o Japão em São Paulo em que se transformaria o bairro da Liberdade.

Quanto à idade, segundo o censo de 1920, aproximadamente 50% da população da cidade situava-se na faixa de zero a vinte anos, distribuídos igualmente em 25% até dez anos e 25% até vinte. Quarenta por cento tinham entre 21 e 49 anos e só 10% cinquenta ou mais.[12] A mortalidade infantil evidenciava as precárias condições sociais e ambientais. Os óbitos de crianças entre zero e um ano registrados em 1920 foram 3473, contra 19 936 nascimentos, o que resulta numa taxa de 174,21 óbitos a cada mil nascimentos — melhor do que nas recordistas Maceió (318,18 por mil) e Fortaleza (317,10), mas pior que a do Rio de Janeiro (154,31) e praticamente igual à da média das capitais (175,16 por mil).[13] (No Uruguai em 1908 a taxa era de 117,30 por mil; e na Argentina, de 119,39. A da Alemanha em 1920 era de 120,78; a da França em 1921, de 122,66; e a da Inglaterra no mesmo ano, de 82,76.[14]) Sabiam ler e escrever na cidade de São Paulo 713 em cada mil pessoas com idade acima de quinze anos. O resultado era um pouco menor do que o registrado no Rio (742 por mil) e muito menor do que em Washington (972 por mil) ou Roma (896 por mil). No Brasil como um todo os alfabetizados entre os maiores de quinze anos eram apenas 351 em mil, o que caracterizava uma desastrosa rabeira com relação ao Chile (634 por mil) e a Argentina (619 por mil entre os maiores de sete anos), para não falar nos Estados Unidos (940 por mil entre maiores de dez anos).[15]

O ano de 1920 foi de troca de comando no município e no estado. Como prefeito assumiu, por indicação do antecessor, Washington Luís, o advogado formado no largo de São Francisco (claro), fazendeiro (claro), ex-juiz e ex-vereador Firmiano Pinto. Tinha 59 anos e permaneceria no cargo por dois mandatos de três anos. O governo do estado passou a Washington Luís, que, prosseguindo em sua irresistível ascensão, alcançava o novo posto no vigor dos cinquenta anos. Político cujo prestígio já ultrapassava as fronteiras do estado, com credenciais que o colocavam na primeira fila entre os aspirantes à presidência da República, sua posse foi cercada de aparato até então desconhecido em evento do gênero. O desfile em carruagem pela cidade teve como ponto alto uma chuva de flores quando passou pela rua de São Bento. Era um dia Primeiro de Maio e em vez das comemorações operárias, completamente ausentes, sucederam-se os desfiles de tropas e de escolares. Segundo o jornal O *Estado de S. Paulo*, a cidade apresentava "um encantador aspecto", com as ruas centrais cheias de gente. A investidura do novo presidente estadual foi acompanhada, nos ares, pelo espetáculo inédito das evoluções dos aviões recém-adquiridos pela Força Pública.[16] Já sabemos que Washington Luís era um "esportista", e tão desprendido que já fizera seu batismo no ar. Com tais proezas ia cercando a carreira política com o que décadas depois seria qualificado como "marketing pessoal". Naquele dia, seu amor pela aviação servia ao deleite da população.

A cidade que caberia ao prefeito Firmiano Pinto administrar tinha, segundo o censo daquele ano, 73 696 edificações e 80 169 domicílios. Na média, 7,22 pessoas ocupavam cada domicílio. Havia 407 prédios de três pavimentos, 93 de quatro, trinta de cinco e dez de mais

Largo de São Bento em 1920; à esq., junto ao início do viadu[to]
demolida em 1925 | Foto de Aurélio Becherini | Ace[rvo]

ta Ifigênia, a sede da Companhia Paulista de Estrada de Ferro, ográfico do Museu da Cidade de São Paulo.

de cinco. Em todo o Brasil havia apenas 34 prédios de mais de cinco andares.[17] Paralelamente aos vários grossos volumes com os resultados do censo de 1920, uma outra publicação, o *Anuário Demográfico*, elaborado pela Diretoria do Serviço Sanitário do governo do estado, oferece outros dados. O leitor quer saber em quantos dias choveu, naquele ano, na cidade? Em exatos 124. E dias de neblina? Foram 62. Os dias de chuva variaram de um máximo de 17, em fevereiro, a um mínimo de cinco em julho. A temperatura máxima do ano foi registrada no dia 21 de fevereiro — 32,8 graus centígrados —, e a menor no dia 5 de junho — 0,4. As temperaturas médias revelam um clima ameno — média de 21 graus em janeiro e de 13,1 em agosto.[18] Nasceram 19 704 crianças na cidade ao longo do ano, segundo o *Anuário Demográfico* (o número é ligeiramente diferente do do censo), o que resulta numa média de 53,83 nascimentos por dia; e morreram 10 565 pessoas, média de 28,86 por dia. As crianças de zero a dois anos representaram a barbaridade de 44,96% do total dos mortos.[19] Os casamentos foram 4585, média diária de 12,52, sendo que 44,05% ocorreram entre brasileiros, 27,28% entre estrangeiros e 28,65% entre brasileiros(as) e estrangeiros(as). A mistura que viria a caracterizar a sociedade paulistana estava a caminho. Previsivelmente, o maior número de casamentos mistos deu-se entre brasileiros(as) com italianos(as) — 118 —, seguida da de brasileiros(as) com portugueses(as) — 107.[20]

Uma terceira publicação, o *Guia do Estado de São Paulo*, produzido por iniciativa da Secretaria Estadual da Agricultura, Comércio e Obras Públicas, edição de 1920, indicava aos estrangeiros o que ver e o que usufruir na cidade. Entre os passeios a pé, recomendava começar pelo largo do Palácio (pátio do Colégio) — lugar "habitualmente silencioso, só frequentado pelo mundo oficial". De lá o turista — ou melhor, *touriste* — seguiria pelas ruas do Triângulo, "onde estão situados os mais importantes estabelecimentos comerciais, como os grandes bancos nacionais e estrangeiros, casas de câmbio, agências de vapores, casas de modas e de joias finas". Ao passar pela rua Líbero

Badaró, "incontestavelmente a mais bela da cidade, quer pelo seu traçado como pela estética de suas construções", teria a oportunidade de lançar os olhos à "moderna avenida São João, asfaltada e arborizada da praça Antônio Prado até o largo do Paiçandu". A praça Antônio Prado mereceria uma parada. "É ali o centro comercial, bancário, jornalístico e mundano da cidade." Sediava as redações dos dois principais jornais, O *Estado de S. Paulo* e *Correio Paulistano*, além das mais concorridas confeitarias. "É como um pequeno mundo. Ouve-se ali o tagarelar de toda uma infinidade de tipos de nacionalidades e raças as mais variadas, que se confundem num vaivém contínuo, ininterrupto. [...] A dura pronúncia do português do Alentejo se confunde com o sotaque carregado do filho do norte. Um toscano fala arrogantemente ao lado de um grave filho da Grã-Bretanha, e os sons guturais de um sírio contrastam com o vivo desembaraço de um francês." Entre três e cinco da tarde, quando a "hora febril dos afazeres começa a declinar", um novo espetáculo tem lugar: "A invasão das sedas sussurrantes e dos chapéus vistosos". São as "senhoras e senhoritas da alta sociedade", que percorrem as ruas "ora numa despreocupação de passeio, ora no afã de prover as mil e uma necessidades domésticas".

O guia recomenda que o visitante desça às ruas General Carneiro (que estranhamente ainda chama de "João Alfredo", nome substituído em 1897) e Vinte e Cinco de Março para sentir, em contraste com a elegância do Triângulo, a vida das classes populares. "Existe ali ainda qualquer coisa de tradição colonial, no aspecto modesto das casas e na forma de seu comércio." Os mascates que de porta em porta oferecem "as agulhas, a linha, as fitas e tantas outras minudências domésticas" encontram na região os seus fornecedores, "em grande parte de nacionalidade síria, como sírios são em sua maioria os mascates". Ao fim da rua General Carneiro ficava o antigo Mercado Municipal. O ambiente no local "lembra um manicômio, pela confusão e pelo bruaá ensurdecedores". Encontram-se à venda "desde a fruta europeia até a áurea banana e os abacaxis; desde o azeite de Luca até a carne-seca e a língua do Rio Grande; desde o vinho Chianti até a caninha do Ó, a superior aguardente de cana-de-açúcar; desde o queijo gorgonzola até as azeitonas portuguesas". Ao lado, num outro mercado, o de peixe, "o alarido aumenta de modo quase inverossímil". Os vendedores são quase todos italianos do sul, "sempre cheios de uma alegria tumultuosa, numa contínua exaltação provocada pelo rumor infernal do meio em que vivem".[21]

Saindo do Centro, haveria bons passeios para fazer de bonde. A linha 17, "Glete", partiria do largo de São Bento, "onde, ao fundo, se ergue a majestosa Abadia de São Bento, com os anexos do ginásio e da Faculdade de Filosofia e Letras". Desde 1914 a igreja, o mosteiro e o colégio de São Bento abrigavam-se no bonito conjunto projetado pelo arquiteto alemão João Lourenço Maiden, em substituição às velhas construções coloniais. O largo, explicava o *Guia*, "apresenta sempre o aspecto alegre, por ser o ponto de partida de bondes que conduzem a pitorescos recantos da cidade". Dali o bonde tomaria a Líbero Badaró, onde o passageiro veria, à sua direita, "os edifícios da Municipalidade e do Automóvel Clube, separados entre si por dois extensos belvederes, olhando para o parque do Anhangabaú". Os edifícios em questão são os nossos já conhecidos palacetes do Conde Prates, um deles ocupado pela prefeitura e o outro tendo como inquilino principal, mas não único, o Automóvel Clube. Entramos então no viaduto do Chá, "imensa ponte metálica, construída sobre o parque". Já se nota, pelo "metálico", que se trata do antigo viaduto, inaugurado em 1892. O trajeto prosseguiria pela rua Barão de Itapetininga e de lá pela praça da República, "vasta e bela, com um esplêndido jardim em que se veem lindos lagos e graciosas pontes". Ao fundo da praça se descortinaria "o palácio da Escola Normal, imponente obra arquitetônica", de onde saem "em massa os educadores e educadoras, esforçados artífices da grandeza futura do Brasil, os quais, espalhando-se por todos os pontos do território do estado, levam a luz da civilização às mais longínquas paragens".[22]

No capítulo dos parques e jardins, a primeira recomendação do *Guia* é o parque da Luz, o mais antigo da cidade, a essa altura já centenário, "situado em magnífica posição, no arrabalde de que tira o nome, a dois passos, pode-se dizer, do centro da cidade". Também merecem recomendação dois parques que, embora particulares, são franqueados ao público. Um é o nosso já conhecido parque Antártica. "A entrada é pela avenida Água Branca [a futura Francisco Matarazzo], partindo do portão principal, a cuja direita existe um lindo pavilhão e uma grande alameda, toda arborizada. No fim dessa alameda abre-se um pequeno largo." Entre as atrações do local são citados o barracão de tiro ao alvo, o rinque de patinação, caramanchões e quiosques com bancos e mesinhas e "o botequim da Antarctica". O outro é o Jardim da Aclimação. "É muito pitoresco o seu grande lago, orlado de frondosas árvores, povoado de majestosos cisnes e de ótimas embarcações para o exercício do remo. Possui uma casa de conformação muito original para bailes, patinação, espetáculos e outras diversões, bem como um bom restaurante." O Jardim da Aclimação era de propriedade do médico, fazendeiro e político Carlos de Arruda Botelho, o primeiro diretor clínico da Santa Casa, que se inspirou no Jardin d'Acclimatation tão seu conhecido nos tempos de estudante em Paris. O *Guia* não se esquece das necessidades práticas do visitante, e cataloga desde hotéis e restaurantes a locais de aluguéis de carruagens e automóveis (ainda se podia alugar um tílburi ou uma carruagem de luxo, na São Paulo de 1920), barbeiros e engraxates ("Por toda parte, quer no centro da cidade, quer nos arrabaldes, encontram-se engraxates, alguns deles instalados em elegantes salões. O preço cobrado nos salões é de duzentos réis, e de cem réis nos engraxates avulsos"). O *Guia do Estado de São Paulo*, edição 1920, ajuda-nos a nós, *touristes* vindos da posteridade, a nos situar na cidade daquele tempo.[23]

O ano de 1920 terminaria com um *gran finale*. No dia 29 de dezembro, o paulista Edu Chaves completou a primeira travessia aérea Rio de Janeiro-Buenos Aires, perpetrando proeza acompanhada com arrebatamento na cidade. Eduardo Prado Pacheco Chaves era filho de Elias Pacheco Chaves, o cunhado e sócio do conselheiro Antônio Prado que construiu o palácio dos Campos Elíseos, e de Anésia Prado. Como típico filho da elite paulista — melhor, no caso, *da realeza paulista* — foi educado entre Londres e Paris e, como Santos Dumont antes dele, interessou-se na Europa mais pelas máquinas do que pelas letras. Obteve o brevê de aviador em 1911, aos 24 anos, na França. Em 1912 voltou ao Brasil trazendo no navio um avião Bleriot de 50 HP, todo desmontado e com as peças devidamente encaixotadas. Montou-o na praia de José Menino, em Santos, sob o olhar de uma crescente aglomeração de curiosos; terminado o serviço acionou a hélice, decolou e, depois de uma rápida circulada pela enseada, voltou a pousar na areia, para susto e gáudio da plateia. Consta ter sido este o primeiro voo de um brasileiro no Brasil (até então, os voos de exibição e "batismos no ar" eram promovidos por estrangeiros).

Na carreira de Edu Chaves tratou-se apenas do primeiro de uma série de pioneirismos. Ele só não se tornou o primeiro a voar de Santos a São Paulo, em março de 1912, porque cavalheirescamente cedeu a primazia ao piloto francês Roland Garros, então em visita ao Brasil para um série de exibições; mas foi o segundo, e no mesmo dia. Em abril daquele mesmo ano tentou algo maior: a primeira viagem São Paulo-Rio. Correu tudo muito bem até Guaratinguetá, com o público acompanhando entusiasmado, nos placares à porta dos jornais, os telegramas dando conta da passagem por cada município do vale do Paraíba. (Imagina-se a emoção que à época era ver passar um

Edu Chaves, s. d. | Fotógrafo não identificado | Acervo Fotográfico do Museu da Cidade de São Paulo.

avião, um único e solitário avião, sobre sua cidade.) Agora viria a etapa mais arriscada — a descida das alturas da Serra do Mar à baixada litorânea. Crescia a ansiedade — e nada de notícia de Edu. As horas passavam. Temia-se um acidente. Enfim chegou o telegrama: "Por falta de gasolina, caí no mar, perto de Mangaratiba, depois de três horas de voo. Bruto azar. Abraço do Edu". Em julho de 1914 ele tentaria de novo, agora com sucesso. Partiu de São Paulo sem alarde e quatro horas e quarenta minutos depois pousava no campo dos Afonsos, no Rio, onde naquele momento mesmo, com a presença do presidente da República, marechal Hermes da Fonseca, realizava-se cerimônia de inauguração da Escola Nacional de Aviação. Foi de caso pensado que ele programara em segredo chegar no exato dia do evento.[24]

Agora, dezembro de 1920, aos 33 anos, multiplicava a aposta por sete, em termos de quilometragem. Em lugar dos quatrocentos quilômetros entre São Paulo e Rio, propunha-se a vencer os 2,8 mil quilômetros entre o Rio e Buenos Aires. Desde o ano anterior várias tentativas, de pilotos de diversas nacionalidades, haviam resultado em fracasso. Edu não disputaria sozinho a primazia. Teria um concorrente que, partindo de Buenos Aires, se dispunha a fazer o percurso em sentido contrário — o argentino Eduardo Miguel Hearne, rico criador de gado. Ambos travariam o clássico sul-americano da fortuna cafeeira contra a fortuna ganadeira. O representante cafeeiro começou mal. Ao tentar decolar do campo que ele próprio mantinha em Guapira (mais tarde renomeada Jaçanã), na zona norte de São Paulo, quase ao pé da serra da Cantareira, em direção ao Rio, onde começaria a prova, sofreu um acidente que lhe avariou irremediavelmente o avião. O ganadeiro ganhava considerável vantagem. Em São Paulo inicia-se a pressão para que o governo estadual empreste a Edu um avião da Força Pública. Washington Luís cede e põe à disposição do piloto um Curtis-Oreole, com a bandeira paulista pintada à fuselagem. No dia 25 ele inicia viagem, em companhia do fiel mecânico francês Robert Thiry, cumprindo a etapa Rio-São Paulo, e no dia seguinte prossegue até Guaratuba, no litoral paranaense, onde pousou na praia. Hearne continuava na frente. A essa altura cumpria a etapa Ponta Grossa-São Paulo, ao fim da qual só restaria o trecho São

Paulo-Rio. Eis que o mau tempo obriga-o a pousar em Sorocaba em vez de em São Paulo. Ao tentar decolar uma irregularidade na pista faz seu avião descontrolar-se e capotar. Fim de sonho para o argentino.[25]

Disparam as esperanças de Edu. Guarapuava-Porto Alegre e Porto Alegre-Montevidéu foram as etapas seguintes. Na praça Antônio Prado e na rua Quinze de Novembro, onde os placares com os telegramas eram substituídos de hora em hora à porta dos jornais, a multidão adensava. "Aqui em São Paulo, neste meio bem conhecido pela sua natural reserva, que às vezes até parece frieza, a população está verdadeiramente apaixonada pelo grandioso empreendimento e suas possibilidades", comentou O *Estado de S. Paulo*.[26] No dia 29, Edu Chaves pousava gloriosamente no Aeródromo El Palomar, em Buenos Aires, depois de ter percorrido cerca de 470 quilômetros por dia, a uma velocidade média de 138 quilômetros por hora. Um cronista anotou o que ouviu de um alvoroçado menino na praça da Sé, dirigindo-se a outro: "Edu é *arrivato, alle tredice ore!*".[27] São Paulo era assim, vibrante e ingênua em várias línguas, em 1920. Quinze dias depois, quando Edu voltou à cidade, foi recebido apoteoticamente na Estação da Luz e embarcado numa carruagem puxada por seis cavalos. Dezenas de automóveis a seguiam em corso. Na rua Sebastião Pereira uma das rodas da carruagem quebrou e ele prosseguiu o percurso até sua casa nos braços da multidão.[28]

A vibrante e ingênua São Paulo contara na empreitada com um aliado da roça — uma casa de cupim. Fora num desses resistentes montículos que o avião do argentino Hearne tropeçara, ao tentar decolar em Sorocaba.

A cidade dos 580 mil ao 1,3 milhão de habitantes

XI.
ANNUS MIRABILIS 1922

"O Futurisimo é una robba che a gente faiz uguali como té di sê maise tarde"
(Juó Bananére)*¹

    Mil novecentos e vinte foi um ano difícil para Mário de Andrade, o jovem professor de Estética e de História da Música do Conservatório que encontramos ao final do capítulo VIII. Gastava o que tinha e o que não tinha na compra de livros e por isso vivia enrascado em problemas de dinheiro. Sentia esgotadas as experiências poéticas com bem-comportados versos parnasianos mas não conseguia encontrar o novo caminho e a nova voz pelos quais ansiava. Para piorar as coisas, o clima na família era "torvo", segundo o descreveu. "Tinha discussões brutas em que os desaforos mútuos não raro chegavam àquele ponto de arrebentação que... por que será que a arte os provoca!... A briga era brava e, se não me abatia nada, me deixava em ódio, mesmo ódio."² Mário, a mãe viúva, dona Mariquinha, a tia, dona Nanhã, o irmão Carlos e a irmã Maria de Lourdes moravam num sobrado do largo do Paiçandu (desta vez Paiçandu mesmo, não *Paesandeu*). Na casa ao lado moravam

---
* O futurismo é uma coisa que a gente faz igual ao que tem de ser mais tarde.

outros tios e primos, e havia parentes do interior que frequentemente vinham hospedar-se numa ou noutra casa. Deu-se então que Mário se apaixonou por uma cabeça de Cristo de seu admirado Brecheret. A escultura traduzia o sofrimento numa bela e trágica imagem, a testa voltada para baixo, como a curvar-se ao suplício, a boca aberta como a ofegar de dor, ou de sede, os cabelos repartidos ao meio e caindo em tranças para o lado. Como fazer? Endividou-se mais uma vez e comprou a peça, ele que, além dos livros, arriscava-se a colecionador de arte. Ao abrir o pacote, triunfalmente, em casa... Ele mesmo conta:

"A notícia correu num átimo, e a parentada que morava pegado invadiu a casa para ver. E pra brigar. Berravam, berravam. Aquilo até era pecado mortal!, estrilava a senhora minha tia velha, matriarca da família. Onde se viu Cristo de trancinha!, era feio, medonho! [...] Fiquei alucinado, palavra de honra. Minha vontade era matar. Jantei por dentro, num estado inimaginável de estraçalho. Depois subi para o meu quarto, era noitinha, na intenção de me arranjar, sair, espairecer um bocado, botar uma bomba no centro do mundo. Me lembro que cheguei à sacada, olhando sem ver o meu largo do Paiçandu. Ruídos, luzes, falas abertas subindo dos choferes de aluguel. Eu estava aparentemente calmo, como que indestinado. Não sei o que me deu. Fui até a escrivaninha, abri um caderno, escrevi o título em que jamais pensara, *Pauliceia desvairada*."[3]

Mário de Andrade acabara de ser contemplado com a graça a que mais aspiram os poetas. "O estouro chegara, afinal, depois de quase ano de angústias interrogativas", escreveu. Ele não ganhara apenas o título de um livro; com ele, vieram uma temática e a forma de abordá--la, muito diferente das formas convencionais que até então praticara. Mas a graça, imensa e generosa, não se bastou em satisfazer a figura singular de Mário de Andrade; cobriu a própria cidade com uma marca, que cabe bem não só àqueles anos 1920 que então se iniciavam, os "anos loucos", como se disse em outras plagas, mas a todo o meio século coberto por este livro. "Desvairado, adj. — 1. caracterizado pela diversidade; variado, sortido; 2. de tipo, forma ou características diferentes; diverso, desigual; 3. sem coerência; contraditório, incongruente, discrepante; 4. que perdeu o juízo; fora de si; alucinado, tresloucado"

(*Dicionário Houaiss*). A São Paulo de que falamos se encaixa em qualquer dessas acepções. A sensação, e nada como um artista para captá-la no ar e traduzi-la em duas palavras, era de aceleração do tempo. Os paulistanos sentiam-na porventura com mais força do que outros brasileiros, quer pelo processo de industrialização, quer pelo rápido crescimento da população, quer pelo influxo de camadas sociais que balançavam o barco das antigas certezas, quer pelo fato de tão velozmente terem saltado da modorrenta cidade dos períodos colonial e imperial para o projeto de metrópole que se esboçava. Mário de Andrade vai refletir este estado de coisas nos versos nervosos, estranhos, desvairados, da *Pauliceia desvairada*. Não importa que a cidade ainda fosse fortemente provinciana, fortemente caracterizada por ruralidades e, perto do que viria, ostentasse ainda o ar de vila interiorana. Importa que os habitantes mais sensíveis, e entre eles em especial os artistas, tinham a *sensação* de desvario. Ou que eles projetassem que, do jeito que as coisas iam, acabariam em desvario. Vivia-se, para trocar o título do poeta pelo nosso, como numa vertigem. Subia-se alto, nos projetos e nas pretensões, e logo se verá que se subia também nos elevadores e nos arranha-céus. Andava-se velozmente, nos automóveis e nos bondes elétricos. Aviões (raros, é verdade) cruzavam os ares. A tontura era inevitável. O perigo da queda, permanente.

Nosso destino é a tão falada Semana de Arte Moderna de 1922. Mas, para chegar até lá, segundo recomenda itinerário traçado pelo próprio Mário de Andrade, impõe-se recuar ao mês de dezembro de 1917, quando uma moça paulistana de origem italiana, de nome Anita Malfatti, expôs num salão da rua Líbero Badaró, cedido pelo rico proprietário Antônio de Toledo Lara, o conde Lara — dono de numerosos imóveis no Triângulo —, os quadros que produzira durante prolongadas temporadas de estudo na Europa e nos Estados Unidos. "Delirávamos diante do *Homem amarelo*, a *Estudanta russa*, a *Mulher dos cabelos verdes*", recordou Mário, nomeando algumas das obras expostas. O "grupinho de intelectuais" que pressentia a necessidade de "uma arte nova, um espírito novo", encontrava ali uma primeira materialização de seus anseios.[4] Anita era de uma família com situação privilegiada na sociedade paulistana — pai engenheiro, italiano naturalizado brasileiro, bem relacionado — e a exposição foi prestigiada por altas figuras, a começar pelo presidente estadual, Altino Arantes, e o secretário da Justiça, Elói Chaves.[5] Os quadros eram estranhos para o gosto da época — figuras deformadas, cores escapando das figuras — mas, a princípio, se alguém viu ali algo de extravagante, abusivo ou ofensivo, guardou para si. Anita, que naquele mesmo mês completava 33 anos, mereceu elogios (mornos, é verdade) e chegou mesmo a vender algumas obras. Até que, oito dias depois da inauguração da exposição, Monteiro Lobato — o terrível Monteiro Lobato — publica em O Estado de S. Paulo um artigo cujo título dizia tudo: "Paranoia ou mistificação?". Lobato — o contraditório Lobato —, que não escrevia convencionalmente, defendia nas artes plásticas o gosto convencional. Ele via em Anita "tendências para uma atitude estética forçada no sentido das extravagâncias de Picasso e companhia". E advertia: "Sejamos sinceros: futurismo, cubismo, impressionismo e *tutti quanti* não passam de outros tantos ramos da arte caricatural. É a extensão da caricatura a regiões onde não havia até agora penetrado".[6]

Outras vozes saíram da toca após o grito de Lobato. A frágil Anita sentiu o baque e levou anos para recuperar-se. O "grupinho" de que Mário de Andrade fala, no entanto, ganhou ali seu primeiro e poderoso impulso. Eles acabavam de ser contemplados com aquilo de que mais precisavam: o antagonismo. O movimento modernista de São Paulo, como se verá, sempre precisou de antagonismo para avançar. O antagonismo os unia e dava-lhes consciência de grupo. A exposição Malfatti foi inaugurada apenas 23 dias depois do encontro de Mário com Oswald de Andrade, no evento ocorrido no Conservatório. A principal dupla estava formada. A ela se viria juntar o terceiro maior protagonista desses tempos heroicos — Menotti del Picchia. Outros chegariam — nas letras, nas artes plásticas, na música. Não que produzissem grandes coisas, naqueles anos, mesmo porque jovens e imaturos. Antes das obras, o que mais afiadamente aprimoraram — e por isso deram tanto o que falar — foi o espírito de combate.

Um reforço de peso no elenco modernista deu-se em janeiro de 1920, com o episódio já nosso conhecido da descoberta de Brecheret pelo grupo, escondido numa sala do ainda inacabado Palácio das Indústrias. Num dos poemas da *Pauliceia desvairada*, Mário de Andrade escreveu:

> *Na Cadillac mansa e glauca da ilusão*
> *passa o Oswald de Andrade*
> *mariscando gênios entre a multidão*[7]

Foi numa dessas "mariscadas" que Brecheret foi pescado — e Brecheret foi logo cultuado como um gênio. "Este era o mínimo com que podíamos nos contentar, tais os entusiasmos a que ele nos sacudia", disse Mário. O escultor vinha se somar a Anita na tão procurada concretização de uma expressão nova já em obras, não no blá-blá-blá das teorias. Uma peça de Brecheret iria conduzir à espécie de transe em que Mário recebeu das fadas as palavras "Pauliceia Desvairada". Mas o transe pode ser explicado também pelo estado do grupo no período entre a exposição de Anita e os meses seguintes à Semana de Arte Moderna. "Durante essa meia dúzia de anos fomos realmente puros e livres, desinteressados, vivendo numa união iluminada e sentimental das mais sublimes", recordou Mário. "Isolados do mundo ambiente, caçoados, evitados, achincalhados, malditos, ninguém pode imaginar o delírio ingênuo de grandeza e de convencimento pessoal com que reagimos. O estado de exaltação gozado em que vivíamos era incontrolável. [...] E eram aquelas fugas desabaladas dentro da noite na Cadillac verde de Osvaldo de Andrade, a meu ver a figura mais característica e dinâmica do movimento, para ir ler as nossas obras-primas em Santos, no alto da serra, na Ilha das Palmas."[8] Lá está ela de novo, a tal Cadillac, o veículo que conduzia a turma à vertigem do futuro.

Ou melhor: do futurismo. Estamos agora em 1921. No dia 27 de maio desse ano Oswald publica, no *Jornal do Comércio*, um artigo intitulado "O meu poeta futurista". Ele não divulga o nome do poeta em questão. Descreve-o como um "lívido e longo Parsival bem-educado, conhecido pelo seu saber crítico". Mas em seguida dá pistas que permitiriam uma fácil identificação. Diz que o poeta vem colaborando com artigos na *Revista do Brasil*, no *Jornal de Debates* e na revista *Papel e Tinta*, e que "leciona com rara honestidade de erudição no nosso Conservatório". Pois essa pessoa — eis a auspiciosa notícia que Oswald tem a dar aos leitores — é autor de um "supremo livro", chamado *Pauliceia desvairada*, que se constitui em "cinquenta páginas talvez da mais rica, da mais inédita, da mais bela poesia citadina".[9] Em seguida transcreve, como aperitivo, um dos poemas do livro, o "Tu", aquele que saúda a cidade de São Paulo com versos como:

> *Mulher mais longa*
> *que os pasmos alucinados*
> *das torres de São Bento!*
> *Mulher feita de asfalto e de lamas de várzea,*
> *toda insulto nos olhos,*
> *toda convite nessa boca louca de rubores*

O artigo de Oswald impulsiona a circulação das palavras "futurismo" e "futurista". Não que tais palavras, criadas pelo italiano Marinetti para qualificar o movimento literário de que era o chefe, fossem desconhecidas. Juó Bananére se dizia futurista desde pelo menos 1912. Mas agora futurista passou a ser usada a qualquer pretexto, e quase sempre no mau sentido — o de extravagante, malcomportado, maluco. Era esse o entendimento que lhe davam os pacíficos cidadãos da Pauliceia Judiciosa que se opunha à Desvairada. Até na política era usada, para desqualificar adversários.[10] Dois dias depois do artigo de Oswald o mesmo *Jornal do Comércio* publica soneto de autor anônimo afirmando, sobre o suposto autor-revelação, que "Embora seja um poeta futurista/Não é, por certo, um poeta futuroso".[11] Mário de Andrade, tão discreto e reservado — tão ao contrário do turbulento Oswald —, vê-se em meio a um escândalo. Antes conhecido apenas no mundinho artístico-literário, era agora a encarnação do diabólico futurismo, o movimento que vinha para abalar a paz das instituições e o sossego das famílias. Acossado, ele toma a palavra para dizer, sempre no *Jornal do Comércio*, que não era nem nunca tinha sido futurista. As "artes ou artimanhas de Marinetti" não eram com ele, assim como não era com ele qualquer doutrina literária. Vai além e afirma-se católico "de prática diária" (pura verdade: era congregado mariano e seguia procissões) e jura que "reformador, revolucionário, iconoclasta, não o será jamais".[12] Além das literárias e filosóficas, ele tinha razões de cunho mais imediatista para defender-se: estava sob a ameaça de perder alunos. Os pais dos meninos, e principalmente das meninas, agora se davam conta do monstro a que expunham os rebentos.

O escândalo fortaleceu o espírito de combate. Se Mário fugia do epíteto, Oswald e Menotti, este com presença assídua nas páginas do *Correio Paulistano*, do qual era um dos principais redatores, passaram a brandir o "futurismo" como provocação e desafio. Nos meses finais de 1921 tem origem o projeto de uma reunião, um evento, uma celebração, qualquer coisa que marcasse a entrada do grupo no panorama artístico nacional. Quem teve a ideia? Mário de Andrade, num depoimento, diz que nunca soube; em outro, diz que foi de Di Cavalcanti.[13] Oswald de Andrade assegura que não foi ele, nem Mário, nem Menotti, e arrisca — "parece que foi o Di Cavalcanti".[14] O carioca Emiliano Di Cavalcanti vivia em São Paulo desde 1917. Arrumou emprego no jornal O *Estado de S. Paulo* e lá cuidava dos arquivos enquanto treinava a mão no desenho e na pintura.[15] Em 1921 era um dos frequentadores da livraria "O Livro", propriedade de Jacinto Silva, na rua Quinze de Novembro, onde se reuniam os jovens autores. Jacinto, livreiro da escola de José Olympio, com quem trabalhara no Rio de Janeiro, gostava de promover eventos no salão que mantinha ao fundo da livraria. Foi lá que outro dos novos, Guilherme de Almeida, leu os poemas de seu livro *Era uma vez*. Em novembro Di Cavalcanti ali realizou sua primeira exposição de pinturas a óleo.[16] Neste ponto a ideia de Di de reunir a produção dos novos talentos num evento, talvez na própria livraria de Jacinto Silva, vai tomar corpo com a introdução de dois senhores mais velhos, de respeitável e inatacável presença na boa sociedade brasileira — Paulo Prado e Graça Aranha.

Paulo Prado, o filho primogênito do conselheiro Antônio Prado, dobrava a condição de empresário com a de homem de cultura. Tinha um olho no mercado de café e outro no da produção literária, historiográfica e artística. O maranhense Graça Aranha dobrava a condição de diplomata com a de escritor medalhão, membro fundador da Academia Brasileira de Letras. Os dois eram muito ligados. Graça Aranha, entre um compromisso diplomático e outro, nos anos que passou na Europa, prestava serviço aos Prado nos contatos e na intermediação de negócios. Não bastasse, enganchara-se na família, ao embarcar num longo caso extraconjugal com Nazaré, filha do conselheiro.[17]

Foi Graça Aranha quem trouxe Paulo Prado para junto dos jovens artistas ou Paulo quem trouxe Graça Aranha? Os depoimentos divergem. Di Cavalcanti afirma que um dia apareceu em sua exposição na livraria de Jacinto Silva o "belo e elegante" Graça Aranha, "perfumado de lavanda". Acabara de chegar da Europa e expressou o desejo de conhecer os expoentes da nova geração. Di então teria reunido Mário, Oswald, Menotti e Guilherme de Almeida e os levado ao Grande Hotel da Rotisserie Sportsman, onde Graça se hospedava. Ali teriam discutido a realização de um festival artístico, e Graça Aranha lhes sugerira que procurassem Paulo Prado para ajudá-los. Di tomou a si o encargo. "E fui eu, do grupo modernista" — escreveu — "o primeiro a conhecer aquela figura nobre e elegante de civilizado paulista, educado pelo tio Eduardo Prado, por Eça de Queirós, amigo de Claudel, homem que conheceu Oscar Wilde, dançarinas do tempo de Dégas e o próprio Dégas."[18] Já para Oswald, "foi Paulo quem trouxe o Graça do Rio".[19] Com os dois pesos pesados, de qualquer forma, estava viabilizada a realização do projetado evento. Teria partido da mulher de Paulo Prado, a francesa Marie Lebrun, a Marinette (curiosamente, uma xará, ou quase xará, do futurista italiano), a sugestão de que se adotasse o formato de uma semana de eventos, à semelhança da Semana de Deauville, que ela bem conhecia de sua terra natal.

Mil novecentos e vinte e dois era o ano do centenário da Independência. Por todo o Brasil planejavam-se comemorações. A maior delas foi a exposição internacional montada no Rio de Janeiro. Em São Paulo o principal da festa se daria no Ipiranga. Já em 1916, em preparação para a efeméride, diversas ruas do bairro receberam nomes alusivos ao passado histórico. A rua que em linha reta vai dar no museu passou a chamar-se D. Pedro I. Outras receberam nomes de vultos do período, como Paulo Barbosa e Cônego Januário; de grupos de paulistas que se associaram para lutar pela Independência, como Ituanos, Sorocabanos e Leais Paulistanos; e de episódios, como o Fico e a Constituinte.[20] O isolado Ipiranga constituía-se então do prédio do museu, inaugurado em 1895, da fábrica de tecidos dos Jafet e de uma meia centena de ruas e ruelas sem calçamento e com iluminação a gás. Evento maior seria a construção de um monumento à Independência, fechando o eixo que se inicia na escadaria do museu e percorre o centro do magnífico jardim plantado a partir de 1907. Um concurso internacional para a realização da obra foi aberto pelo governo do estado em 7 de setembro de 1917. Apresentaram-se 22 projetos, dos quais só seis de escultores residentes no Brasil — cinco de São Paulo, um de Pernambuco. Sete projetos vieram da Itália, três da Argentina, dois da Espanha, um da Suíça, um da Dinamarca, um dos Estados Unidos e um do Uruguai.[21] Lembremos que foi para conhecer esses projetos, expostos no Palácio das Indústrias, que os rapazes modernistas visitaram o local, no dia em que travaram conhecimento com Brecheret.

A celebração do modernismo identificava-se, na propaganda dos rapazes, à celebração do centenário. Era uma forma de dar relevância histórica ao movimento. O modernismo seria uma segunda independência, agora da literatura de linguajar empolado, da arte acadêmica e dos temas estranhos à nacionalidade. "Geração do centenário" era como se intitulavam. Oswald, num romance (*A estrela de absinto*) impregnado de referências autobiográficas, em que havia até personagem que, como Brecheret, montou ateliê no Palácio das Indústrias, retratou a excitação provocada nos moços pela combinação da efeméride com a busca de novas formas de expressão: "São Paulo tumultuava na expectativa das festas do Centenário. Artistas brasileiros, recém-chegados da Europa, armavam *ateliers* ao seu lado [do personagem Jorge d'Alvelos], no Palácio das Indústrias, agora em rápido acabamento. No pavilhão térreo, alinhavam-se as maquetes para o concurso para o monumento do Ipiranga. Havia uma pulsação desconhecida nos meios artísticos da cidade. Fundavam-se revistas, lançavam-se nomes, formavam-se grupos".[22]

Na vida real os rapazes faziam campanha para que a prefeitura comprasse a escultura *Eva*, de Brecheret. "Os novos jardins da Pauliceia clamam por que se lhes oferte para a glorificação a *Eva*, de Brecheret", escreveu Oswald.[23] Quando Washington Luís abraçou a ideia de, além do monumento à Independência, levantar-se também um aos bandeirantes, o grupo vislumbrou a vitória de Brecheret. Exposta na Casa Biyngton, na rua Quinze de Novembro, a maquete pela qual tanto combatiam chegou a ser visitada pelo presidente do estado. Ocorre que nesse entretempo a colônia portuguesa se propôs a oferecer à cidade um monumento do escultor patrício Teixeira Mendes, cujo tema também seria as bandeiras. Entre uma e outra opção, Washington Luís ficou com nenhuma. Deixou-se de falar no assunto e aos poucos ele morreu. Para Menotti, o projeto de Brecheret se convertera "no monumento que os portugueses mataram sem o substituir".[24] Sobrou, como consolação a Brecheret e aos modernistas, que a *Eva* foi realmente comprada pela prefeitura, em 1921, e implantada nos jardins do Anhangabaú.*

O movimento modernista, tal como o traduziam seus líderes, foi acentuadamente brasileiro, moderadamente paulista e desbragadamente paulistano. Num discurso no Trianon, em janeiro de 1921, durante banquete em homenagem a Menotti del Picchia, que lançava o livro *Máscaras*, Oswald igualou o modernismo à cidade de São Paulo. "São Paulo é já a cidade que pede romancistas e poetas, que impõe pasmosos problemas humanos e agita, no seu tumulto discreto, egoísta e inteligente, as profundas revoluções criadoras de imortalidades", disse.[25] Menotti, em resposta, afirmou que tudo assombra, "nesta São Paulo de prodígios", e acrescentou que, "se no plaino da cidade baixa as chaminés do nosso industrialismo vitorioso se empavesam de fumo; se nas ruas do Centro o comércio delirante, nos pesadelos dos alarmas, na vertigem das altas, cria fortuna e bancarrota; se a tragédia etnológica deste choque de raças caldeia e transfunde o tipo forte e definitivo da pátria, uma vida mais intensa dramatiza uma arte mais univer-

---

* Hoje (2014) encontra-se no Centro Cultural São Paulo, na rua Vergueiro.

salizada e complexa e uma curiosidade mais expectante acicata a proclamada lerdice de nossa incultura".[26] Num artigo também de 1921 Menotti diria que São Paulo era "uma metrópole febril, milionária, impressionantemente enorme...".[27]

Na verdade a cidade não era nem milionária nem, ainda, "impressionantemente enorme"; sobrava o "febril", que pelo menos era o modo como a sentia o grupo do articulista. Os dois principais arautos do modernismo, na trincheira dos discursos e dos artigos de imprensa, que eram Menotti e Oswald, viam São Paulo como que por uma lanterna mágica que a ampliava no tamanho, acelerava na velocidade e multiplicava na relevância. A São Paulo que enxergavam era "um Paris, um Nova York menos intenso, um Milão mais vasto [...] uma formidável e gloriosa cidade ultramoderna" (Menotti). E ainda uma "metrópole cosmopolita" destinada a "futurismos de atividades, de indústria, de história e de arte" como "nunca" esteve "nenhuma aglomeração humana" (Oswald).[28]

Menotti e Oswald, que no futuro trilhariam caminhos opostos, nesse momento irmanavam-se na teoria de que o eixo da civilização deslocava-se da Europa para a América. "À América caberá a fatal liderança do universo", proclamou um artigo de fundo da revista *Papel e Tinta*, dirigida pelos dois. "A fatalidade desloca a civilização multissecular para o continente novo", escreveu Menotti em outra ocasião. Oswald, no já citado discurso do Trianon, afirmou que o "eixo da vida de pensamento e ação parece deslocar-se, num milagre lento e seguro, para os países descobertos pela súplica das velas europeias".[29] Mesmo que fosse verdade que o farol do mundo se deslocasse para a América, não lhes ocorria que estivessem na América errada. Eram tempos de inocência. O caminho estaria aberto por igual aos países jovens, em contraposição à Europa dilacerada pela Grande Guerra. Os líderes modernistas, com toda sua vanglória e seu escandaloso otimismo, não estariam sozinhos na visão de um futuro de promessas ilimitadas. A inocência levava à vertigem. Ao fim e ao cabo, a teoria de que a América herdava a liderança na corrida da civilização trazia a tocha para o Brasil e, dentro do Brasil, para São Paulo. "Rinchem de inveja as outras capitanias do país", escreveu Menotti; "em matéria de arte e política, São Paulo continua e continuará com a batuta e a liderança."[30]

A Semana de Arte Moderna consistiu numa exposição de artes plásticas e em três dias de apresentações, na segunda, quarta e sexta-feira dias 13, 15 e 17 de fevereiro de 1922. A entrada de Paulo Prado no projeto possibilitou que se pensasse grande. Nada de um espaço simples como a livraria de Jacinto Silva. O evento teria lugar no Theatro Municipal, e contaria também com a presença de artistas do Rio de Janeiro identificados com as novas tendências. Para arcar com as despesas foi lançada uma lista de subscrições, encabeçada por Paulo Prado e integrada por mais alguns Prado, por Penteado e outros sobrenomes ilustres. O aluguel do Municipal custou 847 mil réis (para comparação, anúncio em *O Estado de S. Paulo* do dia 15 de fevereiro estipulava em 600 mil réis o aluguel mensal pedido por sobrado da rua Cardoso de Almeida, 210, com cinco dormitórios e dependências, "para famílias de trato"[31]). O aluguel e as despesas de hospedagem do grupo carioca, entre os quais a grande atração era um músico do qual muito se falava, chamado Heitor Villa-Lobos, seriam cobertos pelo dinheiro arrecadado. Estava consolidado o rumo do modernismo paulista — um movimento "revolucionário" respaldado por grandes nomes da elite social e econômica e abençoado pelo PRP, cujo órgão oficial, o *Correio Paulistano*, seria o jornal que maior cobertura lhe daria. Menotti del Picchia, além de cronista ocupado com as atividades sociais e artísticas na cidade, era redator político do jornal, e nessas funções despachava diretamente com o presidente Washington Luís.[32]

Em consonância com tão altos patronos, a Semana abriu com o teatro lotado e a presença daquilo a que se costuma chamar de "nata" da sociedade, a começar pelo presidente do estado. Graça Aranha fez a conferência de abertura. De modernista ele não tinha nada; talvez o movesse a intenção de ser "relançado" com o movimento dos jovens. Em todo caso, entre os escritores, o único que já era modernista de verdade, com uma obra de acordo com as ideias que professava, era Mário de

Andrade, com a *Paulicéia desvairada*. Oswald ainda não era. Menotti, apesar da ênfase que dava ao movimento em seus artigos jornalísticos, na literatura nunca o seria de todo. Guilherme de Almeida, só quando se distraía. Eis outra singular característica da Semana de Arte Moderna, em sua face literária: o modernismo era à época muito mais alardeado do que praticado. No saguão do teatro montou-se uma exposição de artes plásticas e aí, mais do que nos textos, notava-se a presença de uma linguagem nova — em obras de Anita Malfatti, Brecheret, Di Cavalcanti ou do pernambucano Vicente do Rego Monteiro.

A Semana seguia sua vidinha, com conferências e leituras de poemas ou trechos de romance, até que, na quarta-feira, deu-se o

Modernistas em evento no Hotel Terminus, na rua Brigadeiro Tobias. Entre outros, aparecem: Manuel Bandeira (segundo à esq., de gravata-borboleta); Mário de Andrade (o seguinte, calvo, de óculos, e quase do mesmo tamanho, embora com o pé direito dois degraus abaixo); Paulo Prado (ao centro, bigode negro e farto, aparentemente segurando um cigarro na mão esquerda); Graça Aranha (o seguinte, de terno também escuro e corpo ligeiramente voltado para a esquerda); Oswald de Andrade (sentado no chão) | Acervo Iconographia.

grande momento — a vaia. Foi quando Oswald apresentou-se no palco. "Uivos, gritos, pateadas no assoalho, risadas, dichotes chistosos ou impertinentes. Um caos!", escreveu Menotti.[33] Vaiava-se antes a pessoa — o irreverente, pândego, atrevido Oswald — do que uma obra que não havia por que ser vaiada. Calmo, Oswald esperou o ambiente readquirir um pouco de sossego e começou a ler trecho de seu romance *Os condenados,* no fundo um dramalhão que por pouco não se identificaria com a produção do século anterior. Mais vaia e ele erguia a voz, menos e ele a baixava, e assim chegou calmamente ao fim. Mário de Andrade substituiu-o no palco — e mais vaia. Ele recitou "Inspiração", aquele poema que começa com "São Paulo, comoção de minha vida!". Mário, o tímido, intimidável Mário, fraquejou; ameaçou deixar o palco, voltou; terminou a sofrida leitura aos urros da plateia.[34]

A vaia foi a consagração. Deu à Semana a fama de acontecimento tão polêmico que era capaz de atiçar paixões. Tão necessária era que desde sempre levantou a suspeita de que teria sido orquestrada pelos próprios participantes. Faz sentido. Se tudo se passasse mansa, morna e pacificamente, como no primeiro dia, onde a controvérsia, onde o antagonismo? O suspeito número 1, claro, era Oswald. Oswald sempre negou. Segundo Di Cavalcanti, Paulo Prado teria completado suas funções de grande patrono e financiador da Semana com a de autor intelectual da vaia. Insatisfeito com os bons modos vigentes no primeiro dia, ele teria chamado o amigo Cícero Marques, o meticuloso recenseador das "pensões" de moças da rua de São João, em seu livro *De pastora a rainha,* e pedido: "Promova uma vaia! Tenho horror de isso ficar parecendo com festinha".[35] Menotti notou que os vaiadores se distribuíam em pequenos grupos, estrategicamente distribuídos pela plateia. Para ele, seria evidência de algo encomendado e ensaiado.[36] Além de Cícero Marques, outro participante da assuada teria sido Carlos Pinto Alves, que como veremos integrará, algumas décadas depois — ó, ironia! —, a direção do Museu de Arte Moderna.[37]

De qualquer forma, foi uma santa, sagrada vaia. Nunca houve vaia tão consequente em São Paulo. Até hoje ela ecoa, a coroar a mística gloriosa da Semana de Arte Moderna.

* * *

O italiano Ettore Ximenes ganhou o concurso para o monumento da Independência. Teve o apoio dos influentes Freitas Valle, o senhor da Villa Kyrial, e Nestor Rangel Pestana, chefe de redação de O *Estado de S. Paulo*, que a essa função acrescentava a de crítico de arte do jornal, e a oposição dos modernistas, desta vez com o reforço de Monteiro Lobato. Lobato lançou suspeita sobre a lisura da decisão. Contou ele num artigo que certo dia, passeando com um amigo no Guarujá, cruzara com "um tipo enfunado, de marca exótica, com esse ar petulante dos que chegam à colônia, veem e vencem". O amigo informa que se trata do escultor Ximenes, "o tal que vai fazer o monumento da Independência". Como vai fazer? Como, se o concurso ainda nem se encerrou? O amigo explica: "Ingênuo. Não conheces ainda São Paulo? Julgas, acaso, que um certame artístico possa ser regido por um critério moral diferente do que rege os casos políticos e os concursos para empregos públicos? Concorra quem concorrer, Michelangelo, Rodin ou Jevach ressuscitados, o vencedor há de ser este Ximenes".[38*]

Chegou afinal o grande dia. Bandeiras e luminárias enfeitavam as lojas e prédios públicos; as vitrinas exibiam montagens com vultos da pátria. Uma intensa programação oficial estava marcada para o 7 de setembro de 1922, uma sexta-feira, e festividades paralelas se realizariam em instituições particulares. A principal das atividades foi a primeira — a inauguração do monumento da Independência. Desde a madrugada automóveis dirigiam-se ao local. A Light pôs mais bondes na linha que servia o Ipiranga e eles chegavam cheios. A Washington Luís caberia presidir naquele dia a maior maratona de inauguração de monumentos que São Paulo já conhecera. O da Independência foi o primeiro. Dali o presidente e seu numeroso cortejo seguiram para a avenida Paulista, onde inauguraram, na praça em que a avenida termina, anunciando a descaída rumo ao Pacaembu, monumento a Olavo Bilac, o poeta-patriota autor da letra do Hino à Bandeira e da campa-

---

* O "Jevach" no texto original é provavelmente fruto de erro tipográfico. O autor quereria dizer Jeová?

nha pelo serviço militar obrigatório. Era ano de modernismo, mas quem merecia a mais alta (sete metros) e mais sólida (cinco peças de bronze — uma com o busto do poeta e as outras representando obras suas) das homenagens já prestadas na cidade a um poeta, ainda por cima esculpida pelo escultor acadêmico William Zadig, era o representante supremo do supremo inimigo dos modernistas — o parnasianismo.* Tanto no Ipiranga quanto na avenida Paulista houve longos discursos; no Ipiranga, acrescentaram-se música e desfile militar. No começo da tarde a comitiva tomou o trem e desceu a Santos para inaugurar o monumento aos Andradas, na praça da Independência, e o monumento ao padre Bartolomeu de Gusmão, na praça do mesmo nome. Na volta, ainda inaugurou, na subida da serra, os quatro monumentos plantados à beira da estrada alusivos a episódios da história do Brasil. Quem aguentou ainda enfrentou parada militar, à noite, na avenida Paulista, noite de gala no Municipal e baile no Trianon.[39]

Nem o monumento a Bilac nem o dedicado à Independência estavam acabados. Ambos causaram controvérsia. O de Bilac, além de repartido em peças que não falavam entre si, bloqueava o horizonte da avenida. O de Ximenes, dizia-se na época, foi um improviso para o qual o escultor teria aproveitado peças em que estava trabalhando para um monumento ao czar da Rússia quando adveio a Revolução Bolchevique.[40] O monumento à Independência ainda conheceu a complicação de Ximenes ter pedido uma verba extra, sem a qual não conseguiria terminar o trabalho. O governo do estado recusava-se a satisfazê-lo. Ximenes insistiu, a controvérsia atravessou três anos e afinal o governo cedeu. O monumento foi concluído em 1925.[41] Mário de Andrade chamou-o de "colossal centro de mesa de porcelana de Sèvres".[42]

---

* Na década de 1930 o conjunto foi desmontado e recolhido aos depósitos da prefeitura; em anos posteriores as várias partes que o compunham tiveram destinos separados: o busto de Bilac foi para a praça Mário Kozel Filho, no Ibirapuera; o *Caçador de esmeraldas* para os jardins da Escola Estadual Fernão Dias, na avenida Pedroso de Moraes; *O pensador*, também chamado *A tarde*, para o parque da Independência, no Ipiranga; *Pátria e família*, para a praça Presidente Kennedy, na Mooca; e *O beijo*, que mostra um casal nu se beijando, depois de ser expulso de dois diferentes locais por campanhas moralizadoras, acabou sequestrado pelos estudantes de Direito e entronizado no largo de São Francisco.

Missa campal comemorativa ao Centenário da Independência, na praça da Sé | Foto publicada n'A Cigarra, n. 193, ano X, em 10 de outubro de 1922 | Hemeroteca do Arquivo Público do Estado de São Paulo.

Outro monumento, aliás conjunto de monumentos, inaugurado em São Paulo em 1922 foi o da homenagem a Carlos Gomes, com o busto do compositor cercado por representações de suas obras, plantado nos jardins do Anhangabaú, junto ao Theatro Municipal. Era uma oferta da colônia italiana, e trazia a assinatura do genovês Brizzolara. Ligadas ou não às comemorações do centenário, o ano registrou outras importantes inaugurações. O parque da várzea do Carmo finalmente ficou pronto, e — novidade — ganhou o nome de D. Pedro II. O governo republicano havia suspendido o banimento da família real, vigente desde 1889, e com isso possibilitava a volta dos nomes igualmente banidos dos logradouros. Os Correios, que até então tinham seu escritório central no pátio do Colégio, mudaram-se para uma nova e majestosa sede, projetada pelo escritório de Ramos de Azevedo e levantada na intersecção da avenida São João com o Anhangabaú. Algumas casas nos arredores foram demolidas e criou-se ali a praça do Correio. No capítulo das construções religiosas, as novas igrejas de São Bento e a de Santa Ifigênia, projetadas pelo mesmo arquiteto — o alemão João Lourenço Maiden —, receberam nesse ano os últimos retoques. Quando Mário de Andrade fala nos "pasmos alucinados das torres de São Bento", está se referindo a algo de muito novo, na paisagem da cidade.[43]

Apesar das ilusões ingênuas e da desmedida estridência dos tempos de afirmação, o modernismo vai colocar São Paulo no mapa literário do Brasil. Escritores paulistas figurarão no primeiro escalão das letras do país, e suas obras — a dos dois Andrades, sobretudo — terão na cidade de São Paulo a inspiração para a poesia e o cenário para a prosa de ficção. No poema "Sambinha", do livro *Clã do Jabuti* (1927), Mário de Andrade pinta um retrato singelo e amoroso da São Paulo de seu tempo:

> *Vêm duas costureirinhas pela rua das Palmeiras.*
> *Afobadas braços dados depressinha* [...]
> *Fiquei querendo bem aquelas duas costureirinhas...*
> *Fizeram-me peito batendo*
> *Tão bonitas, tão modernas, tão brasileiras!*
> *Isto é...*
> *Uma era ítalo-brasileira.*
> *Outra era áfrico-brasileira.*
> *Uma era branca.*
> *Outra era preta.*[44]

Em *Macunaíma — o herói sem nenhum caráter*, que Mário publicaria em 1928, a inteligência do personagem-título sofre de grave perturbação ao chegar a São Paulo, ele que era filho das selvas e nada conhecia de cidades. Confundiu objetos e sons com os objetos e sons da mata, até que certas cunhãs lhe explicam que: 1. "o saguí açu não era saguim não, chamava elevador e era uma máquina"; 2. "todos aqueles piados berros cuquiadas sopros roncos esturros não eram nada disso não, eram mas clácsons campainhas apitos buzinas e tudo era máquina"; 3. "as onças pardas não eram onças pardas, se chamavam fordes hupmobiles chevrolés dodges mármos e eram máquinas"; 4. "os tamanduás os boitatás as inajás de curuatás de fumo, em vez eram caminhões bondes autobondes anúncios-luminosos relógios faróis rádios motocicletas telefones gorjetas postes chaminés".[45]

Oswald de Andrade ambientou todos os seus romances na cidade. No livro *Serafim Ponte Grande* (1933) um Oswald maduro — o Oswald que entrou para a história, abusado, maldoso, absurdo — passou a limpo a tal história da Europa transmitindo o bastão civilizacional para a América/Brasil/São Paulo, no seguinte diálogo:

"— Meu caro amigo, o Brasil é isso. Daqui a vinte anos os Estados Unidos nos imitarão.

"— Só temos um inconveniente: as baratas. E também os nomes das ruas não evocam coisa alguma! Largo do Piques!"[46]

XII.
Pausa para uma revolução

O poeta Blaise Cendrars conheceu Paulo Prado na livraria Americaine, do bibliófilo Charles Chadenat, situada no quai des Grands-Augustins, em Paris.[1] Corria o ano de 1923. Cendrars, nascido na Suíça e naturalizado francês, já era, aos 36 anos, uma das estrelas do modernismo na França, enturmado com pintores como Chagall, Léger e Modigliani e escritores como Guillaume Apollinaire e Jean Cocteau. Paulo Prado, aos 53 anos, estava de volta a Paris, seu eterno porto seguro, depois da aventura da Semana de Arte Moderna. Por coincidência, a brasileirada modernista também se encontrava em peso na capital francesa. Oswald de Andrade ali se fazia acompanhar do novo amor, uma pintora que só não participara da Semana porque nesse período cumpria temporada anterior na mesma Paris — a bela Tarsila do Amaral, filha de ricos cafeicultores de Capivari. Agora ela estava incorporada à linha de frente do grupo modernista, a quinta integrante do chamado "grupo dos cinco", no qual Mário, Menotti e Anita faziam companhia ao casal Tarsiwald (como o chamava Mário). Também se encontravam em Paris Di Cavalcanti, Brecheret, Villa-Lobos, o escritor Sérgio Milliet — outro participante da Semana — e até uma senhora que, não sendo artista, muito contribuiria com o grupo, como incentivadora e patronesse — dona Olívia Guedes Penteado, viúva de Inácio Penteado, anfitriã de um disputado salão já mencionado no capítulo VII e, nessa temporada europeia, convertida ao modernismo. Oswald e Tarsila já haviam feito amizade com Cendrars, um dos vários artistas, brasileiros e europeus, que frequentavam os almoços, com pinga e feijoada, oferecidos por Tarsila em seu ateliê da praça Clichy.² A ideia de trazer Cendrars ao Brasil, ao que parece, foi de Oswald; o patrocínio, como sempre, foi de Paulo Prado.³ Eis então que, em fevereiro de 1924, aporta no país o autor de *A prosa da Transiberiana e a pequena Jehanne de França* e *Páscoa em Nova York*, títulos pelos quais já se adivinha o gosto pelas viagens, quanto mais aventurescas melhor.

Blaise Cendrars com o casal Paulo Prado-Marinette, em 1926 | Fotógrafo não identificado | Agência Estado.

Cendrars escreveu uma espécie de diário em versos da viagem ao Brasil. Depois de breve escala no Rio de Janeiro, embarcou para

Santos, de onde tomou o trem para São Paulo. Sobre a subida da serra, escoltado pela Mata Atlântica, escreveu:

A natureza é de um verde muito mais escuro do que na nossa
                                                                                       [*terra* [...]]
A floresta tem cara de índio
[...]
Dos dois lados do trem bem perto ou então do outro lado do vale
                                                                                                       [*longínquo*
A floresta está aqui e me espia e me inquieta e me atrai como a
                                                                          [*máscara de uma múmia.*[4]

E sobre a chegada a São Paulo:

Enfim algumas fábricas um subúrbio um bondinho simpático [...]
Imagino que estou na estação de Nice
Ou que embarco em Charing-Cross em Londres.[5]

O francês ficaria no Brasil até o fim daquele ano de 1924. Em julho já estava familiarizado com a cidade. Por volta de meia-noite do dia 4 para o dia 5 daquele mês, segundo conta Oswald de Andrade, ele e Cendrars encontravam-se na redação do *Correio Paulistano*, cercados por redatores que "bocejavam de tédio ante os últimos telegramas e a calma de uma noite sem notícias", quando irrompe na sala o novo presidente estadual, Carlos de Campos, no cargo havia apenas pouco mais de dois meses. Na roda formada em volta do presidente falou-se do problema do momento — a broca que atacava os cafezais. "Vou mandar os soldados da Força Pública atacarem a broca", disse Carlos de Campos, brincalhão. "Eles não fazem nada."[6] Era a santa inocência de quem conversa despreocupadamente, ri e faz piada, enquanto às suas costas, sem que se dê conta, as paredes começam a trincar. Naquela madrugada um grupo de oficiais rebeldes do Exército tomaria quartéis e outros pontos estratégicos na cidade, dando início ao episódio que passou para a história como a Revolução de 1924. O presidente do estado, "o gentil Carlos de Campos", como escreveu

Cendrars — um dirigente que acumulava as condições de advogado (inclusive da Light, como sabemos) e destacado quadro do PRP com as de pianista e compositor, frequentador assíduo e até concertista nos saraus de Freitas Valle —, seria um dos principais alvos dos revoltosos.[7] Cendrars era um veterano da Grande Guerra. Dos combates nas trincheiras trazia o legado de um braço perdido. Tinha todas as razões para temer ser tragado para o palco de um novo conflito — exceto que possuía em igual dose, ou talvez até maior, a curiosidade e o gosto da aventura. Segundo um contemporâneo, sua reação foi a de se sentir mais feliz ainda por estar no Brasil num momento desses. "Presenciar uma dessas revoluções americanas. Que sorte."[8]

O primeiro esclarecimento a fazer sobre a Revolução de 1924, por vezes também chamada de "Revolução Paulista de 1924", é que ela não foi paulista. Foi o segundo capítulo do movimento nacional chamado "tenentismo", tendo o primeiro ocorrido dois anos antes, no Rio de Janeiro, com o famoso levante do forte de Copacabana. O capítulo II era tão sequência do primeiro que, para não deixar margem à dúvida, os revoltosos escolheram o mesmo dia 5 de julho do evento anterior para desencadeá-lo. O que houve de paulista foi a escolha da cidade para essa segunda tentativa de derrubada do governo da República pelas armas. Por que essa escolha? O primeiro motivo era a dificuldade de realizar a operação no Rio de Janeiro, onde o Exército, depois do episódio de Copacabana, redobrara a atenção às dissidências em suas fileiras. O segundo era a importância de São Paulo, econômica e política, e do decorrente efeito nacional do que nela se produzisse. E o terceiro, a posição estratégica da cidade, dotada da melhor rede de comunicação ferroviária do país, e de onde seria possível atingir em poucas horas a capital da República, o alvo final dos insurretos.[9]

O plano era fazer de São Paulo a base de um ataque relâmpago que se desdobraria na tomada do porto de Santos e numa ofensiva, pelo vale do Paraíba, capaz de chegar ao Rio na manhã do dia seguinte. As coisas não se deram dessa forma. Atrasos e descoordenação dos revolucionários, de um lado, e resistência maior do que a esperada dos governos estadual e federal, de outro, tiveram o efeito de prolongar o conflito e circunscrevê-lo a São Paulo, que assim se viu convertida em praça de guerra, com direito a trincheiras abertas nas ruas, combates nas esquinas, postos de vigilância e cercas de arame farpado, além de bombardeios — até bombardeios — durante 23 dias. Oswald escreveu, no romance *Serafim Ponte Grande*: "Um vento de insânia passou por São Paulo. Os desequilíbrios saíram para fora como doidos soltos. [...] Oficiais parecem estrangeiros que conquistaram a população de olhos medrosos. [...] Soldados embalados não deixam passar. Altos lá! Quem-vens-lá? [...] Há gatinhos machucados por toda a parte. Silvos e o sangue que responde. As balas enroscam-se nas árvores". Conclusão: "São Paulo ficou nobre, com todas as virtudes das cidades bombardeadas".[10]

Foram os oficiais veteranos do levante de Copacabana que atiçaram o fogo para um repeteco da revolta. Cinquenta deles haviam sido condenados a longos anos de prisão. Alguns já cumpriam a pena; outros, foragidos, eram tidos por desertores, entre eles figuras que gravariam seus nomes na história do Brasil, como os irmãos cearenses Joaquim e Juarez Távora e o fluminense Eduardo Gomes. Os condenados tinham articulação com outros que, na ativa, partilhavam de igual descontentamento, por razões que iam das frustrações na carreira militar ao desprezo pelas oligarquias em poder nos governos federal e estaduais.[11] A presidência da República era agora ocupada pelo mineiro Artur Bernardes; os rebeldes tinham mais razões ainda para se revoltar, diante de um presidente de "um absolutismo convicto", como escreveu Cendrars, intolerante com as oposições, implacável com a indisciplina militar, e que cumpriu todo o seu quadriênio sob estado de sítio.[12] Para comandar o movimento os rebeldes puseram-se em busca de um oficial de alta patente e encontraram-no na pessoa do general reformado Isidoro Dias Lopes, gaúcho de Dom Pedrito, de 59 anos, veterano da propaganda da República e da Revolução Federalista de 1893, no Rio Grande do Sul.[13]

Decisivo aliado que os rebeldes tinham em São Paulo era o capitão da Força Pública Miguel Costa. Trata-se do mesmo oficial que, na greve de 1917, simpático aos grevistas, sugeriu a formação de uma comissão de jornalistas para mediar o conflito. Nascido em Buenos Aires em 1876, filho de imigrantes catalães, trazido ao Brasil ainda criança, quando os pais mudaram para Piracicaba, e naturalizado brasileiro, Miguel Costa acabaria por ascender a lugar de primeira plana no movimento tenentista, apesar de ser oficial da Força Pública, não do Exército.[14] Quando alertado de que se deveria manter vigilante contra rebeliões militares, Carlos de Campos desdenhou de que ousassem eclodir em São Paulo.[15] Aqui ele tinha o amparo da poderosa Força Pública, respeitada e temida como se fosse um Exército estadual. Mal desconfiava que a força em que se amparava estava naquele momento submetida a um trabalho de sapa. Miguel Costa haveria de dividi-la e juntar boa parte do contingente às hostes rebeldes.

A partir do segundo semestre de 1923 os conspiradores empenharam-se em viagens a diferentes pontos do país, em busca de apoios. Nos primeiros meses de 1924 começaram a concentrar-se em São Paulo, com falsas identidades. No número 27 da rua Vautier, entre os bairros da Luz e do Pari, alugaram um sobrado para servir de central da conspiração — e foi desse endereço, às duas da madrugada do sábado, 5 de julho, apenas duas horas portanto depois da amena conversa de Carlos de Campos na redação do *Correio Paulistano*, que o capitão Juarez Távora e o tenente Eduardo Gomes partiram a pé para o bairro de Santana, com o objetivo de sublevar o quartel do 4º Batalhão de Caçadores. Tão longa e penosa caminhada, de uma hora de duração, debaixo do frio que fazia naqueles dias, foi o singelo ponto de partida da conflagração. Deu bom resultado. Já infiltrado de sediciosos, o quartel foi posto a serviço da revolta sem luta. De lá oficiais e cinquenta praças rumaram em marcha unida à Luz, onde se dedicariam a tomar o mais importante complexo de unidades da Força Pública na cidade. Também não enfrentaram dificuldades em ocupar os batalhões aquartelados na avenida Tiradentes e adjacências, sendo que a joia da coroa, o Batalhão de Cavalaria, foi sublevada por Miguel Costa. Às seis da manhã, o general Isidoro já podia instalar o QG revolucionário na sede do 1º Batalhão — o famoso quartel projetado por Ramos de Azevedo nos moldes dos fortificações francesas da Legião Estrangeira.[16]

Cenas da Revolução de 1924 | Fotógrafo não identificado |
Arquivo Público do Estado de São Paulo.

Às 7h30, começou o ataque ao palácio dos Campos Elíseos, a residência do presidente estadual. Os rebeldes esperavam tomar o local com a mesma facilidade, mas depararam com a resistência da guarda palaciana, reforçada por soldados do vizinho quartel do Corpo de Bombeiros. Carlos de Campos e auxiliares escaparam de ser presos. Às dez horas os rebeldes dobram a aposta e desfecham ataque de artilharia, a partir de posições no campo de Marte. Foi o primeiro dos bombardeios do conflito — e, como aconteceria quase sempre, erraram o alvo. Duas bombas atingiram a alameda Nothman, matando duas pessoas e ferindo outras duas. Outra atingiu o Liceu Coração de Jesus, no quarteirão ao lado, fazendo ruir o teto de uma das salas, ferindo um menino e causando pânico entre professores e alunos. Soldados do Exército fiéis ao governo chegaram para reforçar a defesa do palácio. Ao longo dos três dias seguintes prosseguiria a batalha pelo local, onde o presidente e um numeroso séquito de funcionários e políticos sobreviviam com víveres cada vez mais escassos, banheiros sujos e camas improvisadas. No Liceu Coração de Jesus, que além de bombardeado por engano era cobiçado por ambos os lados pelo excelente ponto de observação representado pela torre da igreja anexa, deu-se um dos episódios mais pungentes do conflito. Os alunos internos foram retirados do prédio e, a pé, conduzidos pelos padres, iniciaram uma longa marcha em direção à Hospedaria dos Imigrantes, na Mooca, onde se abrigariam. Ao cruzar a várzea do Carmo, forças legalistas que os observavam do Palácio do Governo acreditaram que se tratasse de uma coluna inimiga. Os fuzis começavam a ser engatilhados quando o engano se desfez.[17]

No domingo, dia 6, o cenário de guerra se espalhara pela cidade. "Combatia-se cegamente ao dobrar de cada esquina, ao desembocar no âmbito desafogado das praças, em torno dos edifícios públicos e, às vezes, dentro destes ou por sobre os seus telhados", descreveu Juarez Távora.[18] Muito da confusão se devia a boa parte dos combatentes não conhecer a cidade. Os serviços públicos encontravam-se paralisados. As estações de trem haviam sido tomadas pelas tropas de Miguel Costa, e os trens foram impedidos de circular. As sedes do Telégrafo Nacional e da Companhia Telefônica, ambas no centro da cidade, tiveram igual destino, depois de renhidos combates. Os bondes da Light não tinham condições de operar. Assim continuaria nos dias seguintes, os primeiros dias úteis desde a deflagração do conflito, e a cidade parou — comércio quase todo fechado, fábricas idem, idem bancos, escolas, repartições públicas, e o que mais houvesse para parar. Os telefones e o fornecimento de energia funcionavam precariamente. O grosso das forças legalistas concentrava-se no pátio do Colégio e ruas adjacentes, onde se situavam, junto ao Palácio do Governo, as principais secretarias de estado e a central de polícia. Canhões posicionados atrás do palácio ou da Polícia Central, onde a colina histórica encontra seu limite nas encostas que descem em direção à várzea do Carmo, disparavam contra o QG dos rebeldes, na Luz, e atingiam transeuntes.[19] Por sua vez, canhões rebeldes dispostos no campo de Marte disparavam contra o pátio do Colégio e acabavam por atingir alvos como o escritório do arquiteto Ramos de Azevedo, na rua Boa Vista (um funcionário morto).[20] Tem-se uma ideia do ambiente reinante pelo relato do jornalista Paulo Duarte, quando, em companhia do também jornalista Hormisdas Silva, perambulava pelo Centro, no dia 8:

"Não pudemos descer a ladeira de São João, rumo à Cruz Vermelha, na rua Líbero, por causa do tiroteio que as forças do capitão Guedes da Cunha sustentavam, do alto da ladeira, na praça Antônio Prado, com as forças revoltosas no largo do Paiçandu. Pelo largo de São Bento, impossível passar. A fuzilaria aí era mais intensa. Deixamos o carro em frente à redação do *Estado* e, colados às paredes, aventuramo-nos ladeira abaixo. Algumas balas assobiaram em nosso entorno."[21]

Nesse mesmo dia 8, Carlos de Campos e seu séquito de alguma forma conseguiram escapar dos Campos Elíseos e se estabeleceram na Secretaria da Justiça, no pátio do Colégio. Pouco tempo se passa e o canhão assentado pelo tenente Eduardo Gomes na esquina das ruas João Teodoro e Cantareira acerta em cheio o edifício em que se encontrava o presidente estadual.[22] Por orientação de militares governistas, Carlos de Campos deixa a cidade de automóvel e refugia-se na pequena estação ferroviária de Guaiaúna, na Penha. Até o fim o presidente permanecerá nesse local, despachando num vagão de trem e dormindo na mansão do empresário Antônio Proost Rodovalho, na então chamada ladeira da Penha.[23] A retirada do governo estadual era parte de um plano mais amplo, de retirada da cidade de todas as forças legalistas. Ironicamente o general Isidoro, naquele mesmo dia, tendo concluído pela inutilidade de continuar o combate, também resolvera retirar as forças rebeldes. Mudou de ideia ao constatar que a cidade lhe caíra de graça nas mãos.[24] Em Guaiaúna Carlos de Campos juntou-se ao general Eduardo Sócrates, designado pelo governo federal para o comando das tropas legalistas. Com os trens impedidos de entrar na cidade, Guaiaúna era a última estação da Central do Brasil; tropas vindas da capital federal ali se concentravam. A partir de agora seria o QG das forças legalistas e ponto de partida para um contra-ataque pelos flancos sul e leste da cidade. Da forma como se apresentava o panorama militar, os rebeldes tinham São Paulo nas mãos, mas estavam trancafiados dentro dela.

* * *

A vida na cidade, enquanto isso, apresentava-se de pernas para o ar. A desordem imperava, o abastecimento era precário, multiplicavam-se os saques. Mercados e armazéns constituíam-se nos principais alvos, mas mesmo os edifícios governamentais, na área do pátio do Colégio, foram atacados pelos saqueadores depois que o governo se retirou. Paulo Duarte, a cujas vivas descrições recorreremos repetidas vezes, testemunhou a invasão da Secretaria da Justiça: "Uns carregavam pequenos objetos, outros as poucas carabinas que ali ficaram esquecidas, até uma máquina de escrever vi sair porta afora nas mãos de um homem descalço".[25] Quem podia fugia para o interior ou para outros estados. Blaise Cendrars acompanhou Paulo Prado e Marinette na retirada para as fazendas Santa Veridiana e São Martinho, de propriedade da família.[26]

A urgência por alguma coisa que se assemelhasse a um governo acabou por reservar papel de protagonista ao empresário José Carlos de Macedo Soares, eleito no ano anterior presidente da Associação Comercial. De uma família rica e influente, em que vários integrantes já se haviam destacado, e outros ainda haveriam de se destacar nos cargos públicos, Macedo Soares tomou a si a tarefa de enfrentar a anomia, a desordem, o prejuízo ao comércio e ao parque industrial e, por último, mas não menos importante, de seu ponto de vista, o risco de a situação ser aproveitada pela agitação anarquista e comunista. Entendeu-se com o prefeito Firmiano Pinto, que ao contrário de Carlos de Campos continuava na cidade, e juntos, foram ao encalço de algum tipo de entendimento com Isidoro. Uma reunião na mansão de Macedo Soares, na rua Major Quedinho, esquina de Consolação, inaugurou uma fase de cortês relacionamento com o general rebelde. "Foi insopitável a surpresa com que os presentes acolheram o chefe da revolução", escreveu Paulo Duarte. "Com efeito, quando todos esperavam ver a figura de um atleta, feições rijas indicadoras da maldade e da crueza que, por certo, deveria ostentar o autor da dolorosa confusão reinante numa população indefesa, eis que surge na sala o vulto simpático e minguado de um velhinho risonho, que a todos cumprimentava com jovialidade."[27] Macedo Soares teria semelhante impressão do general. "É um homem baixo, de corpo regular, corado, fisionomia intensamente iluminada por seus inquisidores olhos azuis, exprimindo-se com grande facilidade, calmo, muitas vezes irônico e quase sempre modesto", escreveu.[28] O abastecimento e a segurança pública foram os problemas postos à mesa. Quanto ao primeiro, estabeleceu-se que uma comissão sob a direção de Vitor da Silva Freire, o eterno diretor de Obras da Prefeitura, cuidaria de rastrear os estoques existentes, garantir novos, tabelar preços e criar pontos de distribuição. Quanto ao segundo, criou-se uma guarda municipal para substituir a polícia sumida das ruas. Viriam a integrá-la, entre outros voluntários, estudantes da Faculdade de Direito.

Dois dias de calmaria sucederam-se à retirada governista, após os quais a luta tomou outro rumo. O bombardeio da cidade pela artilharia dos federais seria agora a tônica. A partir de posições no outeiro da Penha e na parte alta do Ipiranga, o fogo procurou primeiro concentrações rebeldes na Mooca e no Belenzinho. De cambulhada, destruía casas e matava civis. Liberdade, Aclimação e Vila Mariana foram as vítimas seguintes. Se os bairros operários, densamente povoados, seriam os mais afetados, sobrou também para os bairros ricos, como Higienópolis e Campos Elíseos.[29] Bombas ou estilhaços caíram nas ruas São Luís, Augusta, Caio Prado e Santa Ifigênia, bem como na avenida São João e nos largos Paiçandu, de São Bento e da Sé.[30] As fugas da população agora eram maciças. Em socorro dos retirantes os rebeldes permitiram uma pontual retomada de linhas de trem para o interior.[31] As estações da Luz e Sorocabana ficaram atulhadas de gente desesperada por fugir. Pior era a situação de quem não tinha como sair da cidade, só lhe restando correr de um bairro para outro, alojando-se nem que fosse em barracos montados na rua. Paulo Duarte encontrou tais infelizes nas proximidades de São Bernardo. "Enormes barracões de lona armados aos dois lados do caminho abrigavam centenas de famílias, a maior parte de italianos. Crianças e mulheres, ao sol, aqueciam os membros hirtos pelas frias noites de julho, sofridas ao desamparo. Um pouco além, uma verdadeira multidão cercava a pequena carroça que trazia um punhado de provisões a aquelas bocas famintas."[32]

Efeito de uma bomba jogada de um aeroplano em 3 de julho de 1924 | Coleção Paulo Nehring.

O sofrimento da população levou o arcebispo d. Duarte Leopoldo e Silva, o prefeito Firmiano Pinto e outros notáveis a enviar mensagem ao presidente Bernardes e ao ministro da Guerra, Setembrino de Carvalho, pedindo-lhes a "intervenção caridosa" no sentido de poupar a cidade dos bombardeios, uma vez que os rebeldes já se haviam comprometido a fazê-lo. Em resposta o ministro afirmou não poder fazer a guerra tolhido da artilharia, pois o inimigo disso se aproveitaria, e acrescentou duas impiedosas frases: "Os danos materiais de um bombardeio podem ser facilmente reparados, mormente quando se trata de uma cidade servida pela fecunda atividade de um povo laborioso. Mas os prejuízos morais, esses não são susceptíveis de reparação".[33] Os cônsules dos países com colônias na cidade organizaram uma comissão, coordenada pelo cônsul da Itália, que foi pessoalmente levar mensagem semelhante a Carlos de Campos, em Guaiaúna. Inutilmente.[34] Macedo Soares, em nome da Associação Comercial, afirmou que a vitória legalista "só poderá ser obtida pelo arrasamento de São Paulo, depois, portanto, da pilhagem dos bancos, das casas de comércio e da indústria e depois, talvez, do massacre da população inerme e indefesa".[35] Outro apelo inútil. Motivado por manifestações de apoio da Câmara e do Senado federais, Carlos de Campos divulgou nota em que, na mesma linha do general Setembrino, o terrorismo verbal contra a população desembocava num convite à imolação: "Estou certo de que São Paulo prefere ver destruída a sua formosa capital do que destruída a legalidade no Brasil".[36]

Precedidas pelos bombardeios, colunas legalistas avançavam contra posições rebeldes. Intensos combates foram travados no dia 23 na Liberdade e na Vila Mariana, onde os rebeldes mantinham linhas de defesa contra o avanço do inimigo. Junto ao Ginásio Anglo-Americano, na Vila Mariana, as ruas ficaram "juncadas de cadáveres", na expressão de Juarez Távora.[37] No dia 24, o assalto legalista contra os rebeldes que havia cinco dias ocupavam a igreja da Glória, no Cambuci, desencadeou outro sangrento combate. Esta igreja, encarapitada num outeiro, e com uma torre curiosamente construída em forma de torreão de castelo medieval, constituía-se em privilegiado ponto de observação e ataque ao inimigo. Vencidas as últimas resistências, os federais tiveram a surpresa de encontrar, no ponto mais alto da torre, um jovem casal — a mulher morta, o marido ferido, junto à metralhadora com que ele atirava e ela ajudava a municiar.[38] A igreja, com suas portas e paredes cravejadas de balas, viria a figurar, junto à destruída caixa-d'água da rua João Teodoro, na Luz, e aos restos incendiados da fábrica do Cotonifício Crespi, na Mooca, entre os símbolos mais marcantes da fúria destruidora do conflito.

A ofensiva legalista encurralava os rebeldes. Bombardeios aéreos vieram reforçar os ataques de artilharia. No dia 26 aviões governistas despejaram folhetos em que o ministro Setembrino, tendo em vista a necessidade de "agir com liberdade contra os sediciosos", arrematava: "Faço à nobre e laboriosa população de São Paulo apelo para que abandone a cidade, deixando os rebeldes entregues à sua própria sorte".[39] O terrorismo oficial chegava ao ápice. "Tais notícias deixaram a população na maior angústia", comentou o jornal O *Estado de S. Paulo*. "Fugir, para a maioria, era impossível. Ficar era entregar a sorte ao destino."[40] Ao cabo de repetidas tentativas, que se sucediam desde a eclosão da revolta, os legalistas conseguiram enfim acertar o quartel-

-general rebelde. Uma primeira bomba fez uma nuvem de pó levantar-se na rua João Teodoro.[41] Uma segunda fez ir pelos ares o teto do quartel. Isidoro transferiu o comando para a estação da Luz.

Pouco restava aos rebeldes, mas não se renderam — retiraram-se. Dadas as circunstâncias, foi surpreendente que o tivessem feito com calma e em ordem. Várias composições de trens dispuseram-se em linha, da Luz à Lapa. Também caminhões e automóveis serviriam ao transporte. Às 22 horas do dia 27, partiu o primeiro trem. O último partiria às 3h30 da madrugada do dia 28. A uma tropa retirante calculada em 3,5 mil homens acrescentavam-se canhões, metralhadoras, cavalos, munição e víveres.[42] Tomaram o rumo oeste e, nove meses depois, ao juntar-se a rebeldes do sul, comandados pelo capitão Luís Carlos Prestes, foram escrever novo capítulo da história do Brasil, conhecido como Coluna Prestes, ou Coluna Prestes-Miguel Costa, em reverência ao oficial da Força Pública paulista que coliderou a campanha. Só ao amanhecer do dia 28 os legalistas se deram conta da retirada do inimigo. As igrejas da cidade repicaram os sinos e as fábricas fizeram soar as sirenes, em comemoração.[43]

Que queriam os rebeldes? Três manifestos foram por eles divulgados, enquanto durou a ocupação da cidade. Bem espremidos os três, não resulta senão um vago programa. Condenam o "nepotismo", a "advocacia administrativa" e a "incompetência técnica da alta administração". Falando em nome do Exército, de quem se julgavam os verdadeiros intérpretes, proclamam: "O Exército quer a Pátria como a deixou o Império, com os mesmos princípios de integridade moral, consciência patriótica, probidade administrativa e alto descortino político".[44] (É surpreendente que o "Exército", o mesmo Exército que derrubou o Império, agora invocasse suas virtudes.) Não pretendiam os revolucionários senão proporcionar ao povo "os meios de reivindicar seus direitos, substituindo os atuais poderes por forma e organização mais consentâneas com os interesses gerais".[45] Que providências adotar? Ponto 1: "voto secreto e censo alto". O voto secreto, em oposição ao abusivo e abusado voto escrito e assinado, era na época reinvindicação que unificava descontentes de todos os matizes. Mas os rebeldes queriam também o "censo alto", qual seja — só vota quem tem renda acima de certo (e elevado) patamar. Ponto 2: "justiça gratuita e reforma radical no sistema de nomeação e recrutamento dos magistrados", de forma a torná-los imunes aos "processos de suborno empregados pelo Executivo". Ponto 3: reforma dos programas e métodos da instrução pública, "abolindo o atual conceito que tem como meta do nosso ensino primário o aprendizado da leitura e escrita e substituindo-o pela noção de que à escola primária compete, pelo ensino objetivo, a formação do caráter e da mentalidade do jovem brasileiro".[46] (Tão intrigante proposição não esclarece como se formará o jovem abandonando a meta de ensiná-lo a ler e escrever.) Em paralelo aos manifestos, um panfleto preparado para ser lançado "aos cariocas e fluminenses" num fracassado plano de sobrevoo da capital federal acrescentava a ideia de promover a "diminuição do número de unidades da federação, a fim de torná-las mais equilibradas".[47]

Inútil procurar consistência nas proposições do movimento tenentista, no episódio de 1924 ou em qualquer outro. Mais fácil é desfiar o rol do que eram contra: o poder das oligarquias e dos coronéis locais; a fraude eleitoral; a corrupção, aguda como sempre na história republicana; o compadrio e o favoritismo na administração pública. E, quanto a esses pontos, não lhes faltava companhia. Em São Paulo, gestava-se uma fratura nas elites. Não é à toa que num dos manifestos os rebeldes tenham proposto o nome do conselheiro Antônio Prado para presidente do estado.[48] Como estranho no ninho do PRP, o nome do velho conselheiro (84 anos, agora) despontava como catalisador dos descontentes. Como o jornal O *Estado de S. Paulo* era o porta-voz da parte da elite que dissentia, o general Isidoro tentou atrair seu diretor, Júlio Mesquita, para o movimento. Não teve êxito, na precisa observação de um historiador, porque, apesar de fazer oposição aos situacionismos estadual e federal, os dissidentes "não pretendiam nenhum movimento revolucionário e não apoiavam movimentos subversivos dirigidos por elementos estranhos à sua classe".[49]

Júlio Mesquita não aderiu, mas fez parte dos notáveis, ou "cidadãos-prestantes", como se dizia, que, com Macedo Soares, procuraram de alguma forma aliviar a situação angustiosa vivida pela cidade. Pagaram, tanto ele como Macedo Soares, um preço por isso. Os dois foram detidos, ao fim do conflito, acusados de colaborar com os revoltosos, sendo que Macedo Soares conheceu punição maior: 49 dias de prisão, no Rio, e em seguida exílio na Europa. A *vendetta* desabara com força tanto em cima dos revolucionários, quanto de seus simpatizantes e seus interlocutores e, como era de esperar, aos peixes menores sobraram os piores castigos. "O cano de borracha, a água fria, o isolamento, a subnutrição e os maus-tratos de toda hora constituem a página negra da reação legalista", escreveu um autor.[50] Paulo Duarte reporta a história do tenente Arlindo de Oliveira, recolhido "a uma solitária imunda do pardieiro da avenida Tiradentes" — refere-se à cadeia pública, vizinha ao jardim da Luz. O tenente Arlindo dormia no cimento molhado, recebia alimentação insuficiente "e, para as mínimas necessidades de higiene, não lhe davam sequer uma simples folha de papel". Quando foi transferido para a Hospedaria dos Imigrantes (improvisada em prisão) saiu "carregado da ambulância, escaveirado, com os membros inchados, sujo, coberto de piolhos e outros insetos sugadores".[51]

O jornal O *Estado de S. Paulo* foi punido com a proibição de circular por duas semanas, a partir do dia 29. O fato era inédito na história da publicação. A rivalidade entre os dois mais influentes jornais da cidade, o independente *Estado* e o perrepista *Correio Paulistano*, chegou no episódio a um ponto de ebulição. Nas palavras de Menotti del Picchia (que era do *Correio*) os dois matutinos eram "como duas capitânias de duas esquadras em combate", cada um contando com jornais menores como "navios auxiliares".[52] Paulo Duarte (que era do *Estado*) chama o *Correio* de "jornaleco", "orgãozinho do PRP". Os redatores desse jornal, segundo Duarte, serviam-se de "duas grandes gamelas, uma cheia de termos engordativos e outra transbordante de injúrias chulas e vocábulos pornográficos". Serviam-se da primeira gamela e saíam títulos como "Viva a República!", "Vitória do Direito!", "Um grande soldado!", "Um monumental presidente!", "Um himalaico secretário!".

Serviam-se da outra e o resultado era "O correio da revolta!", "A bolsa ou a vida!", "A metralha e a mentira!". "No dia seguinte", prossegue Paulo Duarte, "a calúnia, a mentira, o dito baixo infestavam a cidade pela mão dos pequenos jornaleiros que, inconscientes como os ratos a espalhar a pulga bubônica, distribuíram o *Correio Paulistano* ao poviléu ávido de escândalo."[53]

A cena dos jornaleiros trançando pela cidade e apregoando sua mercadoria era típica do período. Blaise Cendrars incluiu-os no poema em que descreve o amanhecer da cidade, tal qual o via do hotel do largo do Paiçandu em que se hospedara ao chegar:

Os primeiros bondes de operários passam
Um homem vende jornais no meio da praça
Gesticula entre as grandes folhas de papel que batem asas e
                                          [executa uma
        [espécie de balé sozinho acompanhando-se de gritos guturais...
...STADO... ERCIO... EIO.[54]

Outro jornal punido era ainda uma relativa novidade no panorama da imprensa paulista — a *Folha da Noite*. Havia surgido três anos antes, em fevereiro de 1921, de modo surpreendente para quem décadas depois viraria a *Folha de S. Paulo* e desafiaria a hegemonia do *Estado*. Pois a *Folha da Noite,* muito longe de qualquer intenção de confronto, nasceu de uma vértebra do *Estado*, e criou-se sob suas asas protetoras. O *Estado* mantivera, durante seis anos, uma edição vespertina, o *Estadinho*. Mais ágil e solta do que o sisudo matutino, esta publicação reuniu colaboradores como Monteiro Lobato, Toledo Malta (o Hilário Tácito de madame Pommery), Alexandre Marcondes Machado (o Juó Bananére) e Moacyr Piza. Como efeito colateral, o *Estadinho* inspirou um apelido que acompanharia o irmão mais velho vida afora — *Estadão*. O *Estadinho* fechou e, menos de um mês depois, surgia a *Folha da Noite*. Não era por acaso — a redação do novo jornal compunha-se basicamente de profissionais egressos da outra. Entre esses profissionais encontrava-se o próprio Júlio de Mesquita Filho, o herdeiro do *Estadão*, que enquanto não chegava a vez de substituir o pai passara aqueles seis anos treinando a mão como diretor do *Estadinho*. Mesquita Filho ficou pouco na *Folha*. Seus verdadeiros condutores seriam Olival Costa, como chefe de redação, e Pedro Cunha, como gerente administrativo, que em 1925 dobrariam a aposta criando a *Folha da Manhã*. Mas foi Mesquita Filho quem escreveu o "programa" com que a publicação se apresentava ao público no número 1.[55] Em 1924 a *Folha da Noite*, que durante todo o conflito, por causa da situação de anormalidade na cidade, deixara de circular (o único jornal que saiu todos os dias foi o *Estado*, reduzido a esquálidas duas páginas, dando conta exclusivamente do movimento revolucionário, e devidamente controlado pela censura rebelde), ainda tomaria uma suspensão no fim do ano, por suas críticas ao governo de Artur Bernardes.[56]

A revolta de 1924 não conseguiu ir além de um movimento militar. Miguel Costa, que liderava a ala mais radical, quis distribuir armas entre a população mas Isidoro opôs-se.[57] Líderes operários, segundo recorda o anarquista Everardo Dias, tentaram aproximar-se do general revoltoso. Eram recebidos "com displicência por qualquer oficial inferior, que os mandava apresentar-se aos postos de recrutamento". No entanto, prossegue Dias, Isidoro não se furtava em receber "o presidente da Associação Comercial e outros magnatas da finança e da indústria".[58] Um dos manifestos divulgados por Macedo Soares alertava: "Os operários agitam-se já e as aspirações bolchevistas manifestam-se abertamente". Isidoro abrigava igual receio. Em outro manifesto da mesma origem lia-se: "Não faltam na cidade perigosíssimos elementos anarquistas — italianos, espanhóis, russos e de outras nacionalidades — esperando só o momento oportuno para subverterem a ordem pública e a ordem social".[59] Grossos batalhões de estrangeiros, um frequente fantasma do período, não passaram da imaginação alarmada, ou das intenções alarmistas, dos que os evocavam. Mas houve sim, entre os que se alistaram nas tropas rebeldes, a presença de um misterioso contingente de húngaros e alemães, aparentemente recém-chegados ao Brasil, entre os quais alguns seriam veteranos da

Grande Guerra — todos atraídos por uma diária de 15 réis, alimentação e a promessa de receber lotes de terras, vitoriosa a revolução.[60] Muitos teriam morrido em combate ou fuzilados ao fim do conflito. Outros seguiram a coluna rebelde em sua retirada. Húngaros e alemães constituíam a maioria, na força rebelde que ocupava a igreja do Cambuci, quando foi tomada pelos legalistas.

Blaise Cendrars e seus anfitriões, Paulo Prado e Marinette, não ficaram o tempo todo nas fazendas. Voltaram ainda durante o conflito a São Paulo e o poeta comprazia-se em incursões para visitar as áreas bombardeadas. Também, segundo Marinette, exibia sua pretensa perícia de veterano de guerra anunciando, a cada explosão, a distância das bombas: 1 quilômetro, 2, 10, 20. Errava sempre.[61] Sobre os bombardeios, escreveu:

"Mal colocou sua artilharia em posição sobre as colinas que dominavam a cidade, o general Sócrates, comandante das tropas federais de cerco, desencadeou sobre a cidade aberta, da qual nenhum dos 800 mil habitantes havia sido evacuado, um bombardeio *à alemã*. Soube aproveitar as lições da Grande Guerra europeia. Não tendo nenhuma catedral de Reims para demolir, Sócrates dava como alvo a seus canhões ora um hotel reluzente de novo, ora uma bela fábrica moderna, ora um dos novos arranha-céus. Os obuses caíam em rajadas no centro da cidade, destroçando um bonde, mandando aos ares uma confeitaria, espirrando numa escola, explodindo numa praça ou num bar. Aviões dirigiam a operação, lançando bombas que caíam por todo lado, e explodiam ao acaso."[62]

À parte típicos exageros e imprecisões, como estimar os habitantes em talvez 100 mil a mais do que deviam ser, como afirmar que nenhum deles deixara a cidade, ou como referir-se a arranha-céus que para ser arranha-céus de verdade ainda estavam por ser erguidos, a passagem dá uma ideia da provação pela qual passou a população. Um balanço divulgado pela prefeitura deu como 503 o total de mortos no conflito, sendo 4846 os feridos. Prédios de quinze empresas e instituições públicas foram listados como tendo sofrido os maiores incêndios, sendo o primeiro da lista o do Cotonifício Crespi, e dez empresas como as que sofreram os maiores saques, entre as quais Matarazzo, Moinho Gamba e Moinho Santista. O número de pessoas socorridas em abrigos ou postos de saúde, segundo o mesmo balanço, totalizou 174 095.[63] Não houve cálculo oficial de quantas pessoas deixaram a cidade. Teriam sido mais de 200 mil. No dia 16, segundo o jornal O *Estado de S. Paulo*, 12 800 passagens foram vendidas na estação da Luz, para as viagens ao interior permitidas pelos rebeldes. No dia 17, 10 633 passagens.[64] Em seu próprio balanço do movimento, Mário de Andrade escreveu ao amigo Sérgio Milliet, no dia 11 de agosto: "A gente começa a pensar sobre o Brasil, destinos do Brasil, o horror da aventura passada, e não há como livrar-se de ideias acabrunhadoras. [...] Quanto à cidade, só te digo que arrasamento não houve. Quem anda pelos nossos lados quase nada percebe. Umas machucaduras pelos Campos Elíseos, outras na rua Florêncio de Abreu. Horrível ficou a Mooca. [...] O prejuízo não foi tanto físico e epidérmico. Mas por dentro, Sérgio, foi um desastre. Vinte, trinta, quantos anos de atraso? Ainda não se pode imaginar bem. E o vexame, sobretudo".[65]

XIII.
Brás, Bexiga e praça Buenos Aires

Carmela Santini e Romilda Machiaverni têm a mesma origem italiana, vêm do mesmo extrato social, e abrigaram desde cedo ambições semelhantes. Carmela apresenta-se ao leitor de forma já eloquente ao sair do serviço, numa rua Barão de Itapetininga que, àquela hora — 18h30 —, mostra-se animada de "automóveis gritadores" e costureirinhas que "riem, falam alto, balançam os quadris como gangorras". Seu vestido, de organdi verde, coladinho ao corpo, deixa os braços nus, o colo nu e os joelhos de fora. "Espia se ele está na esquina", pede ela a Bianca, a colega que a acompanha. "Ele" é o moço de óculos que, na direção de um Buick, já outro dia estivera na espreita. Quem aparece, em vez do "caixa-d'óculos" é o Angelo Cuoco, "chapéu à Rodolfo Valentino, paletó de um botão só". "Dê o fora", ordena Carmela. Ele chega mais perto. "Não segura no braço", ela reclama. O Buick não falha; esperava na esquina da praça da República. De novo, cruza com ela na rua do Arouche. "Quem é aquele cara?", pergunta o Angelo. "Como é que eu vou saber?", ela responde. "Você dá confiança para qualquer um. Nunca vi, puxa! Não olha para ele que eu armo já uma encrenca!" Pobre Angelo. Não é que ela dê confiança para qualquer um. O que lhe interessa é o tipo do caixa-d'óculos. Mais ainda, o que lhe interessa é o Buick.

Romilda Machiaverni nasceu em 1897 e chegou aos dois anos ao Brasil. Foi morar, claro, no Brás. Como Carmela, começou a vida como costureira. Aos dezesseis anos obteve emprego melhor, o de camareira no Hotel Bela Vista, na rua Boa Vista. Ali a atenção dos ricos hóspedes despertou-a para o grande capital que tinha nas mãos (e não apenas nas mãos): a "formosura raras vezes vista", como escreveu um jornal contemporâneo. Não tarda, e ela põe tal capital a rodar. Do hotel salta para as pensões de luxo. Cada vez mais festejada, cada vez mais requisitada. Das pensões salta para casa só dela, para receber com mais comodidade e mais privacidade os clientes. E estes eram figuras importantes — empresários, fazendeiros, jornalistas, políticos. Dizia-se que entre os favorecidos incluía-se o próprio Washington Luís. Romilda Machiaverni a essa altura não era mais Romilda Machiaverni, nome que denunciava a origem na terceira classe dos navios e nos acanhados sobrados, quando não nos cortiços do Brás. Era agora Nenê Romano, apelido muito mais apropriado a uma estrela da noite, a quem a generosidade dos patrocinadores cobria de joias e de roupas caras. Tal qual ocorria com as discípulas de madame Pommery, alcançou, em sua especificidade, o reconhecimento que lhe abria as portas para seletos ambientes, como o Theatro Municipal e o Trianon. Não lhe faltavam cavalheiros de fino trato para acolitá-la, nessas e em outras ocasiões.

Nenê foi mais ao ponto e mais fundo do que Carmela, na trilha proporcionada pelos poderes de sedução. A maior diferença entre elas, no entanto, é que uma é personagem de ficção, e a outra da vida real. Carmela é personagem de um dos contos do livro *Brás, Bexiga e Barra Funda*, de António de Alcântara Machado. Já a ex-Romilda Machiaverni, agora "a famosa cortesã" Nenê Romano, como a tratavam os jornais — sim, porque não só a boca do povo, mas até as páginas dos jornais ela conquistou —, é personagem real.[1] O título de "cortesã" denunciava, como na Paris da Dama das Camélias, a mais alta patente na carreira da prostituição; o fato de aparecer nos jornais mostra que, entre as cortesãs, atingira o grau de celebridade. Os destinos de Carmela e de Nenê Romano ficam para mais adiante. Por ora, abramos espaço para o criador de Carmela, que além de autor de um clássico da literatura paulistana foi cronista da cidade. Em seus textos pulsa a São Paulo na qual, uma no reino da ficção, outra na da realidade, Carmela e Nenê se movimentaram.

* * *

António de Alcântara Machado nasceu em 1901, na rua Barão de Campinas, 21, rebento de família estabelecida na capitania desde os mais remotos tempos e que, nas três gerações precedentes, produzira figuras de destaque na história paulista. Seu bisavô, José Joaquim Machado de Oliveira, foi político, diplomata e historiador, autor do livro *Quadro histórico da província de São Paulo*. O avô, Brasílio Machado de Oliveira, foi jurista, professor da Faculdade de Direito e político. O pai, José de Alcântara Machado, também jurista, também professor da Faculdade de Direito e também político, fez incursões pela história das quais resultou o livro *Vida e morte do bandeirante*, sobre os primeiros paulistas. António (com acento agudo, como se escrevia e falava no período) formou-se também ele — como fugir? — na Faculdade de Direito do largo de São Francisco. A advocacia lhe será porém atividade secundária com relação ao jornalismo, no qual aos dezenove anos já experimentava a mão, e à literatura. O conto "Carmela", ele o publicou em 1925 no *Jornal do Comércio*. Pouco antes, havia publicado "Gaetaninho", sobre um menino da rua do Oriente, no Brás, que é atropelado por um bonde e só morto realiza o sonho de andar numa das imponentes carruagens em que se faziam os enterros de então. Ia se tecendo a série à qual dava o título de *Os ítalo-paulistas*. Em 1927 a série vira livro, com outro título — *Brás, Bexiga e Barra Funda*, nomes de três bairros em que era acentuada a concentração de imigrantes italianos, de primeira ou segunda geração.[2]

Tão paulistano era o assunto que Alcântara Machado deu ao livro o subtítulo de "Notícias de São Paulo". Em simples parágrafos da obra, às vezes simples frases, surgem flagrantes que são como janelas abertas para o espírito da época. Exemplo: "No Grupo Escolar da Barra Funda Aristodemo Guggiani aprendeu em três anos a roubar com perfeição no jogo de bolinhas (garantindo o tostão para o sorvete) e ficou sabendo na ponta da língua que o Brasil foi descoberto sem querer e é o país maior, mais belo e mais rico do mundo".[3] Outro exemplo: "O armazém de Natale era célebre em todo o Bexiga por causa deste anúncio: 'Aviso às excelentíssimas mães de família! O Armazém Progresso de São Paulo, de Natale Pienotto, tem artigos de todas as qualidades. Dá-se um conto de réis a quem provar o contrário. N.B. — Jogo de bocce com serviço de restaurante nos fundos'".[4] Alcântara Machado tem a ver com Alexandre Marcondes Machado, o Juó Bananére, no sentido de que os dois exploram o universo ítalo-paulista. Mas o fazem de maneiras diferentes. Juó Bananére é o autor amalucado que, num peculiar idioma, inventa histórias e, de contrabando, ridiculariza costumes e figuras. A especialidade de Alcântara Machado são quadros sucintos, ágeis e realistas dos bairros populares. Ainda estudante ele estivera entre os que vaiaram as apresentações da Semana de Arte Moderna. Adiante se converteria a ponto de virar parceiro de Oswald de Andrade no movimento antropofágico. A prosa de *Brás, Bexiga e Barra Funda* situa-o como modernista tanto na forma despojada, próxima da oralidade, quanto na opção pelos temas singelos do cotidiano.

De 1921 a 1927, de modo mais regular a partir de 1924, Alcântara Machado foi cronista do *Jornal do Comércio*, edição de São Paulo (publicação que tinha a matriz no órgão homônimo editado no Rio). Um tema recorrente seu era a cidade — as obras em andamento, o trânsito, os transportes, a arquitetura, os monumentos. Ou então os humores da população e o aspecto das ruas. Ao iniciar sua colaboração regular, a Revolução de 1924 ainda estava fresca na memória. A vida ia voltando ao normal. "O Triângulo, que é a montra onde se expõem todas as cousas e todas as gentes desta boa terra piratiningana, já voltou ao ramerrão de antes do pesadelo." Mas... os "canhões" continuavam a desfilar, todas as tardes. Ou seja: só dava mulher feia nas ruas. "O encanto maior do Triângulo", argumentava, "foi sempre a numerosa concorrência feminina: a numerosa e formosa concorrência feminina." Agora elas andavam sumidas. "Já se restabeleceu a ordem. Que mais esperam as mulheres formosas de São Paulo para restabelecerem a beleza?" O cronista inconformava-se com as "descabeladas mentiras" acolhidas pela imprensa estrangeira sobre o evento. "Em Paris, o *Fígaro* noticiou que o general Rondon, à frente de 5 mil nhanbiquaras armados até os dentes, brandindo tacapes formidáveis, tinha tomado de assalto a capital paulista e aqui instalado um governo provisório. Nos Estados Unidos, os jornais garantiam que o mesmo general

Rondon, feito general revolucionário, havia deposto as autoridades da República." E ainda havia o *Diário de Notícias*, de Lisboa, a afirmar que havia sido arrasado o Hotel Esplanada, assentado atrás do Theatro Municipal e ainda reluzente de novo, e lorde Palmour, em Londres, a garantir à Câmara dos Comuns que os revoltosos marchavam para o Rio de Janeiro e que o Rio Grande do Sul já tinha um ditador. Em resumo, a ser verdade o noticiado pela imprensa estrangeira, "São Paulo estaria reduzido hoje a um punhado de ruínas, a sua população massacrada, a sua fortuna para sempre destruída".[5]

Em setembro desse mesmo 1924, ei-lo exasperado com o projeto de construção de dois túneis ligando a praça do Patriarca ao Anhangabaú. Praça do Patriarca? Ela já tinha esse nome, mas não passava de um quarteirão vazio, à espera de tratamento urbanístico. "Há um ano já, foram arrasados os edifícios que se erguiam na famigerada praça. Há um ano já, a população espera uma solução inteligente: ou o ajardinamento, construindo-se um ou dois refúgios para a espera dos bondes, ou a construção de um prédio gigantesco, nos moldes do Hotel Avenida do Rio." No entanto, vinha a prefeitura com um projeto que transforma o "belo parque" do Anhangabaú em garagem e a praça em "vestíbulo da cidade, onde, em lugar de chapéus e bengalas, a população deixa os seus automóveis". O cronista explica o mecanismo imaginado, com a intenção de desafogar o trânsito nas estreitas ruas do Triângulo: "Os automóveis ficam no vale; os seus proprietários e passageiros na praça. Estes dão o número do carro a um soldado à entrada de um dos túneis e daí a segundos, por um golpe de magia, surge o auto". Dias depois a prefeitura arquiva o projeto e anuncia a intenção de pôr no centro da praça uma estátua de José Bonifácio. Alcântara Machado não se irrita tanto, mas torce o nariz. "José Bonifácio já tem sua estátua no monumento da Independência, erigido no Ipiranga. Essa dívida para com a memória do grande patriarca da nossa liberdade já está solvida, portanto." Sua preferência é pela venda do terreno no centro da praça a quem se disponha a construir "um edifício grandioso, cujo andar térreo seja em forma de arcadas". O térreo aberto à circulação dos pedestres serviria de refúgio para a espera dos bondes, os quais, "vindos do viaduto, o contornariam, deixando portanto, como acontece agora, de atravancar as ruas do Triângulo".[6]

Em setembro de 1924 iniciaram-se as obras de calçamento da rua Bela Cintra. Excelente notícia. "O dia em que lá apareceram os primeiros operários foi de grande festa e de grande alegria para os moradores." Seguiu-se a decepção, ao se saber que a obra se limitaria ao trecho até a alameda Franca. Ora, a Bela Cintra é uma via que liga o "bairro da Avenida" ao Jardim América. "Calçada até este novo bairro, ela seria uma auxiliar valiosa da rua Augusta, que já não comporta o grande movimento que tem." Que fazer? "É o triste destino da cidade: tudo quanto a possa beneficiar se faz sempre lentamente, pachorrentamente, aos bocadinhos." Outro tormento para a população eram os bondes sempre lotados. Eles passavam "aos solavancos, levando os bancos repletos, e gente nas plataformas, e gente nos estribos", especialmente nas linhas mais requisitadas — Ponte Grande, Perdizes, Avenida, Barra Funda, Pinheiros, Angélica. O fato, segundo o cronista, é que a Light punha em circulação número insuficiente de veículos. "Os protestos aparecem, mas a poderosíssima e onipotente empresa canadense faz-se de surda." E o serviço de táxis, então? "Em toda parte do mundo o automóvel de aluguel é um meio de transporte relativamente módico. Só em São Paulo não o é. Aqui, é um objeto de grande luxo, ao alcance de bolsas milionárias unicamente." Além de caros seriam conduzidos por motoristas desonestos. Aparecia o passageiro e eles logo avisavam: "O cavalheiro desculpe: o relógio não funciona". Na estação do Norte, onde chegavam os trens do Rio, havia sempre grande número de táxis, quase todos ditos "de luxo" ("o mais das vezes são calhambeques sórdidos"), mas os motoristas só se dispunham a aceitar passageiros que lhes parecessem visitar a cidade pela primeira vez. "São automóveis exclusivamente para caipiras e estrangeiros. E são automóveis que, para vir da estação do Norte ao centro da cidade, nunca deixam de passar primeiro por Vila Mariana, Santana ou outro bairro."[7]

À sensibilidade modernista de Alcântara Machado repugnavam a arquitetura e os monumentos de São Paulo. Tome-se a Catedral, cujas obras aliás vinham sendo tocadas em ritmo ainda mais pachorrento do que o de costume. Resolve-se fazê-la. A decisão é correta.

"Mas a quem encomendam o projeto? A um alemão. E o alemão já sabe: surge com uma coisa em estilo gótico." O Palácio da Justiça que se projetava construir, para em boa hora começar a dispensar as improvisadas instalações até então ocupadas pelo Poder Judiciário, "será mais um exemplar da engraçada arquitetura oficial". O Palácio das Indústrias "não tem jeito de nada e sua divisão interna chega a dar raiva". O recém-inaugurado edifício dos Correios "é ignóbil: foi feito para fábrica e é assimétrico como um bandido lombrosiano". O Theatro Municipal "não tem equilíbrio". Quanto aos monumentos que vinham sendo espalhados pela cidade... O de Bilac, no fim da avenida Paulista, é "hediondo". O de Giuseppe Verdi, no Anhangabaú, é "o horror mais absurdo". O da Independência, no Ipiranga, apresenta, entre outras aberrações, "um Tiradentes ginecomasto". O de José Bonifácio, o Moço, no largo de São Francisco, fez desse ilustre poeta e professor da Faculdade de Direito "outra vítima da posteridade". E o que celebra a fundação da cidade de São Paulo, no largo do Palácio — obra do mesmo italiano Amedeo Zani que fez o monumento a Verdi —, só está lá porque Anchieta, ao fundar a cidade, não previu que haveria um monumento à fundação. Se previsse, "não fundava nada".[8] O aspecto geral da cidade, ele assim descreveu: "São Paulo é uma batida arquitetônica. Tem todos os estilos possíveis e impossíveis. E todos eles brigando com o ambiente. Quer os edifícios públicos, quer as casas particulares, aberram do solo em que se levantam. A cidade tem assim um arzinho de exposição internacional".[9]

Se os rumos da cidade lhe tiravam o sossego, em outra esfera Alcântara Machado era um moço do século, entusiasmado com as conquistas tecnológicas e com o futuro que elas prometiam. Ao comentar, em outubro de 1924, a "realidade estupenda" da viagem do dirigível Z. R. 3, da Alemanha aos Estados Unidos, vencendo 4 mil milhas de "nações e mares" em 48 horas, ele fica a imaginar "o que será, diante de alguns anos, a navegação aérea, a rede imensa que, pelos ares, unirá pontos os mais separados do universo, pondo em contato povos e raças diferentes, o deserto e a cidade, a civilização e a barbárie". Em março de 1926, saudava o rádio, aliás a "radiotelefonia", como se dizia, da mesma forma como o cinema era o "cinematógrafo", nesses tempos ainda indecisos em batizar as inovações. O rádio surgira em São Paulo em 1923 (um ano depois de o pioneiro Roquette-Pinto ter posto no ar sua emissora do Rio de Janeiro), com a criação da PRA-6 Sociedade Rádio Educadora Paulista, iniciativa de quatro engenheiros (Leonardo Jones Jr., Otávio Ferraz Sampaio, Georges Corbisier e Luiz Ferraz de Mesquita) e um comerciante (Luís do Amaral César). O nome "sociedade" não estava lá por acaso: a emissora sustentava-se com a mensalidade dos sócios. As precárias instalações ocupavam uma das torres do Palácio das Indústrias e as transmissões não eram contínuas. Agora, nesse ano de 1926, a emissora lançava a pedra fundamental do edifício no qual prometia instalar "a mais poderosa estação irradiadora da América do Sul", e era esse o fato que o cronista comemorava. "Já houve tempo, e não faz muito, em que o gramofone apaixonava o mundo. [...] O radiotelefone desbancou-o. Não há quem não queira ter a volúpia de ouvir através das distâncias uma voz ou um som longínquo vindo de terras desconhecidas e exóticas." A programação da Educadora Paulista consistia em óperas e concertos; as pessoas se reuniam em torno dos aparelhos para ouvi-los. "Entre nós", acrescentava o cronista, "a mania do século tem contaminado muita gente. São vários os centros de irradiação e incontáveis os aparelhos em constante funcionamento."[10]

Ao Alcântara Machado ranzinza, intolerante com o que via de errado e feio em sua amada cidade, contrapõe-se o doutor Washington Coelho Penteado, de rosto varonil e muito amor pelo Brasil. Doutor Washington é personagem de um segundo livro do escritor, *Laranja da China*, outra coletânea de contos curtos, também ambientados em São Paulo, mas sem os italianos como protagonistas. Washington Coelho Penteado era um entusiasta do Brasil em geral e de São Paulo em particular. O conto o acompanha num passeio, na direção de seu Chevrolet, com mulher e filho, rumo a Mogi das Cruzes. Ele passa pelo Anhangabaú e comenta: "O capitão Melo me afirmou que não há parque europeu que se compare com este". Ao cruzar a Sé aponta para a obra da catedral, ainda no começo: "Vai ser a maior do mundo. E gótica, compreenderam? Catedral gótica!". O tipo do doutor Washington não haveria de ser raro, naqueles tempos de entusiasmo com o crescimento da cidade. O movimento nas ruas o deslumbrava: "Paris que é Paris não tem movimento igual. Nem parecido". A alturas tantas, já avançado na periferia, ufana-se com o fato de ter cruzado com dez automóveis e nenhum — nenhum! — carro de boi. O Chevrolet avança na poeira da estrada. "Poeira é progresso", comenta. E mais adiante: "Qual é o número mesmo daquele automóvel que está parado ali? P-925. Veja você! P-925!". Isso significa que pelo menos 925 automóveis particulares já foram matriculados em São Paulo. Um assombro!".[11]

Alcântara Machado morreu em abril de 1935, um mês e dez dias antes de completar 34 anos. Não teve tempo de apurar o talento. Seu nome permanece ligado sobretudo aos contos ítalo-paulistas de *Brás, Bexiga e Barra Funda*. O italiano Brecheret empolgava-se na época com a ideia de transformar em pedra o mito de origem dos antigos paulistas que foi a epopeia das bandeiras. Alcântara Machado fez o mesmo percurso na mão inversa. Coube a ele, paulista quatrocentão, fixar quadros que flagram a comunidade italiana da São Paulo de seu tempo. Um historiador da literatura brasileira o considera "um dos melhores exemplos de que, com todas as demasias, o modernismo trazia alguma coisa de importante".[12]

Nenê Romano poderia ser uma personagem de Alcântara Machado. Em 1918 vamos encontrá-la no corso da avenida Paulista, onde se dava o carnaval chique da cidade, em princípio — mas só em princípio — reservado às "famílias". Lá ia a bela Nenê, num carro aberto, talvez sentada no capô ou no paralama, quando recebe o bilhete de um admirador. Talvez também lhe tenha sido enviado um beijo, de longe (as versões divergem). E talvez o admirador não fosse apenas um admirador, mas um favorecido (de novo, há divergências). Importa é que tão trivial e fugaz episódio trouxe graves consequências. O moço estava prometido a uma das filhas da fazendeira Iria

Alves Ferreira Junqueira, de Ribeirão Preto. E a viúva Iria, que tocava com mão de ferro e nervos de aço a fortuna e o prestígio da família, não era de perdoar deslizes, nem que fossem triviais e fugazes. Meses depois, quando chegava em casa, Nenê Romano foi atacada por três homens. Dois a imobilizaram. O terceiro avançou com uma navalha. A intenção era desfigurar-lhe o rosto, tal qual se costumava fazer nas escravas com as quais os patrões se haviam engraçado. O golpe foi mal dado, e pegou-lhe o pescoço. Perpetrava-se a vingança de Iria Junqueira, a implacável coronel de saias.

Nenê procurou reparação na Justiça. Mas a Justiça tarda, e quando há gente importante como acusada costuma falhar. Malsucedida nas primeiras tentativas de levar o processo adiante, resolve procurar um novo advogado. Eis que entra em cena nesta história outro interessante personagem da São Paulo de então — Moacyr de Toledo Piza. Já o vimos como autor de um soneto em que satiriza o poeta Jacques d'Avray e como integrante da equipe que fez o jornal O *Estadinho*. Moacyr Piza tinha na veia satírica a maior característica de sua produção literária/jornalística. Foi parceiro de Juó Bananére num folheto chamado *Calabar*. É bem possível que Nenê Romano já o conhecesse das lides boêmias. O fato é que Moacyr Piza foi o advogado escolhido para retomar o processo. Daí ao romance foi um passo. Aos encantos de Nenê, resistir quem havia-de? À inteligência, ao prestígio, à juventude e à boa aparência do advogado, que mocinha ítalo-paulista haveria de se manter incólume? O quatrocentão que se apaixona pela ítalo-paulista: a sombra da ficção de Alcântara Machado deita sobre a realidade. A ítalo-paulista que se deixa envolver pelo quatrocentão: a realidade inclina-se para a ficção de Alcântara Machado.

O caso teria durado uns dois anos, durante os quais Nenê Romano renunciou à vida antiga em favor da exclusividade ao amante. Num certo ponto, ela começou a dar mostras de cansaço. Moacyr tornou-se mais ciumento do que já era. Ensimesmou-se a ponto de não mais procurar os amigos. Nenê enfim cansou de vez, ainda mais que as restrições do namoro lhe tornavam difícil manter a antiga vida de luxo e riqueza, e encerrou o caso. Moacyr não se conformava. No dia 25 de outubro de 1923, na tentativa de uma última cartada, ele corre à rua

Nenê Romano em capa da revista Marreta de 24 de agosto de 1923 em que aparece também Moacyr Piza (à esquerda).

Timbiras, na qual a antiga amante habita o número 18-A. Encontra-a, por volta das nove da noite, na calçada, na iminência de subir a um táxi. Moacyr diz que precisa falar-lhe. Ela concorda em que ele suba ao táxi. Conversarão no caminho. Moacyr ordena ao motorista que vagueie pelas ruas sem destino. Assim o casal terá mais tempo para conversar. O táxi entra aqui, dobra acolá, e enfim embica na avenida Angélica. O motorista percebe que o casal discute, no banco de trás. À altura da esquina da rua Sergipe, junto à praça Buenos Aires, ouvem-se três tiros. Moacyr disparara contra Nenê, que caiu morta no chão do carro. Em seguida Moacyr atira contra o próprio peito, e cai sobre o corpo da amada. O motorista segue, desacorçoado, para o pátio do Colégio, onde ficam a polícia central e, junto a ela, a Assistência, capaz de prestar os socorros que ainda fossem possíveis. Moacyr vinha gemendo pelo caminho, mas o que o sustentava era apenas um fiapo de vida. Morreu antes de o carro chegar ao destino. Tinha 32 anos.

Nenê Romano tinha 26. Morreu com um chapéu de seda, onde espetara um alfinete de metal branco. Trazia, segundo constou do relatório policial, uma bolsa de miçanga forrada de seda, e dentro da bolsa uma carteira com espelho e arminho, contendo uma moeda de 100 réis.[13]

O motorista Faustino Soares, que fora chamado na Garage de Luxo, situada na rua Conselheiro Crispiniano, para atender a cliente na rua Timbiras, contou na polícia a história dessa sua mais trágica das corridas. O jornalista Paulo Duarte, o mesmo que se mostraria tão ativo durante a Revolução de 1924, estava nessa noite no teatro, em companhia de Luís de Toledo Piza, irmão mais moço de Moacyr. "Uma hora depois", conta ele, "na companhia de Carlos Monteiro Brizola, eu me dirigia, com a morte na alma, à rua General Jardim, àquela casa na qual entrei alegre muitas vezes, para pedir à sua mãe a roupa com que seria vestido pela última vez." A mãe percebeu, pela fisionomia dos recém-chegados, que algo triste acontecera. "Meu filho foi assassinado!", exclamou. Ela temia já havia algum tempo a vingança de algum dos atingidos pela verve do filho. Os três puseram-se a remexer no guarda-roupa do falecido. Apanharam afinal uma camisa. "Não, leve uma melhor, esta é muito velha", disse a mãe.[14] Curiosa foi a reação dos diferentes jornais. Os vespertinos A *Folha da Noite* e *O Combate* descreveram em detalhes o crime seguido de suicídio. O *Estado de S. Paulo* noticiou a morte de Moacyr Piza sem dedicar uma linha às circunstâncias em que isso ocorrera. Em compensação, no dia seguinte, preencheu cerradas três colunas e meia com os nomes ilustres das pessoas que compareceram ao velório, na rua General Jardim, e ao enterro no cemitério da Consolação, bem como a relação das pessoas que enviaram coroas de flores (com as respectivas inscrições) e telegramas.[15]

A culpa pelo ocorrido, o jornal O *Combate* não teve dúvidas, cabia a Nenê Romano, "a mulher fatal, que tinha um rosto de anjo e uma alma perversa". Sob um longo título na primeira página ("O doutor Moacyr Piza, num momento irrefletido, assassina a tiros de revólver a conhecida mundana Nenê Romano e suicida-se em seguida"), o jornal assim sintetizou sua versão do episódio: "Nenê Romano, flor da rua e da lama, mulher do povo e contra o povo, que possuía o sorriso que acendia os mais perigosos fogos da paixão tonitruante e louca; o mais completo símbolo da leviandade e da perversidade mulíebre, conseguiu, com a sugestão da mulher que faz sofrer e ri, armar o braço de Moacyr Piza e desafiar a morte".[16] O túmulo de Moacyr Piza no cemitério da Consolação, para sempre dos mais visitados, mereceu uma bonita escultura, de autoria de Francisco Leopoldo e Silva, irmão do arcebispo d. Duarte. Um perfil de mulher nua, retorcido à maneira de um ponto de interrogação, remete aos mistérios da paixão. Nenê Romano não se sabe se foi enterrada no cemitério do Araçá ou da Quarta Parada (as versões, de novo, divergem), nem se mereceu uma mísera coroa de flores. Teve o consolo de ser enterrada num vestido novo, que encomendara para a temporada lírica do Municipal.[17] Alcântara Machado não encontraria, para personagem de igual destino, roupa melhor.

Quanto a Carmela, está claro que não demorou a subir no Buick, primeiro temerosamente, na companhia da amiga Bianca, depois, acedendo aos apelos do caixa-d'óculos, sozinha. Bianca conta tudo a outra amiga, a Ernestina. Ernestina pergunta:
— E o Ângelo, Bianca?
— O Ângelo? O Ângelo é outra coisa. É para casar.
— Ahn!...[18]

XIV.
AO ENCALÇO DA DEUSA ESQUIVA

Metrópole para ser metrópole, nas primeiras décadas do século XX, carecia de dois equipamentos que lhes resumiam a singularidade e o poder de sedução — o arranha-céu e o bulevar.[1] O primeiro era mais próprio dos Estados Unidos, o segundo da Europa. O primeiro tinha sua mais eloquente expressão no perfil assombroso de Nova York. O segundo definia a escala e o gênio de Paris. O arranha-céu, como implícito no próprio neologismo com que foi apelidado, configurava um desafio à sensatez, à lei da gravidade e aos deuses. O bulevar, largo, bonito e de uso múltiplo, foi concebido para concentrar em si o prodígio da circulação das multidões e dos veículos. Um nos ares, outro no chão, tinham ambos um caráter autocelebrativo. Por meio deles, as metrópoles alardeavam-se como símbolos maiores de conquistas tecnológicas que inauguravam um novo modo de viver. São Paulo, na década de 1920, daria os primeiros passos no sentido de ganhar um e outro. Apressava-se para, de posse deles, assegurar-se o galardão de metrópole. O que significava também credenciar-se a esta deusa esquiva, tão cobiçada quanto exigente, chamada "Modernidade".

A palavra "arranha-céu", tradução do original americano, desembarcou no Brasil pela primeira vez de forma impressa, segundo o dicionário Houaiss, na edição número 315 da revista carioca *Careta*, datada de 4 de julho de 1914.[2] Nesse ano não havia arranha-céu em nenhuma cidade brasileira. O nome debutou no país antes da coisa nomeada. Os modernistas excitavam-se com as fábricas, as máquinas, os automóveis, os aviões, a velocidade. Menotti del Picchia, como vimos no capítulo XI, chamou São Paulo de "metrópole cosmopolita", num outro caso de nome que precede a coisa nomeada. Havia no ar uma excitação que precipitava os acontecimentos antes de eles acontecerem. Sentia-se, e nisso os modernistas não estavam sozinhos, a vertigem da mudança acelerada. Mas vertigem, para ser vertigem, precisa de altura.

A história dos arranha-céus em São Paulo percorre uma linhagem que começa com um trisavô, passa para dois bisavós, chega ao avô, salta para o pai e acaba por espraiar-se em numerosos filhos. O trisavô é o edifício de portentosos cinco andares construído em 1904, no coração da cidade, por Martinho Prado Júnior. Ficava na praça Antônio Prado, o qual na época era o prefeito, seu proprietário era irmão do prefeito, e para culminar o festival de autocelebrações da família Prado ganhou o nome de palacete Martinico. Os bisavós são o palacete Médici, na esquina de Líbero Badaró com Doutor Falcão, inaugurado em 1912, e o edifício Guinle, na rua Direita, concluído um ano depois. O palacete Médici veio substituir, no mesmo terreno e para os mesmos fins, o casarão que antes abrigava a Casa de Empréstimos e Penhores do empresário Luís Médici. Construído entre duas ruas em desnível, tinha quatro pavimentos voltados para a Líbero Badaró e outros três na baixada que dava para a Doutor Falcão, e mais tarde seria rebatizado "edifício Riachuelo". O edifício Guinle, construído para a família desse nome, proprietária da Companhia Docas de Santos, tinha oito pavimentos.[3]*

A verticalização das construções tornou-se possível em virtude de duas cruciais inovações tecnológicas — o concreto armado e o elevador. O concreto armado marcou maior presença na América do Sul do que na do Norte. Na do Norte eram as estruturas metálicas que serviam de esqueleto às edificações que a partir de finais do século XIX modificaram drasticamente os perfis de Nova York e Chicago. Estrutura metálica foi o que se usou em São Paulo na construção da estação da Luz,

---

* Os três edifícios citados ainda existem. O palacete Martinico abriga a Bolsa de Mercadorias e Futuros; o edifício Guinle, com outro nome, fica na rua Direita, 49.

feita pelos ingleses e inaugurada em 1900, assim como nos dois palacetes gêmeos do conde Prates no Anhangabaú. Faltava ao Brasil, no entanto, um parque siderúrgico capaz de produzir as peças de aço pré-moldadas necessárias a tal procedimento, e importá-las elevava os custos a níveis proibitivos. Ao contrário, o concreto armado, obtido da mistura de cimento e ferro, podia ser produzido localmente. Desenvolvida na França, a técnica viria a ser dominada em São Paulo graças a experiências de laboratório nas quais foi pioneiro o Gabinete de Resistência de Materiais instalado em 1898 na Escola Politécnica. O primeiro edifício em concreto armado da cidade teria sido o levantado em 1909 na esquina das ruas Direita e São Bento pelo engenheiro italiano Francesco Notaroberto, composto de térreo e dois andares. Mais significativos como pioneiros dessa técnica foram o palacete Médici e o edifício Guinle. O Médici é obra de Samuel das Neves e de seu filho Cristiano Stockler das Neves, o primeiro já nosso conhecido como autor de um dos planos urbanísticos que se digladiaram nos anos 1910/1911 e o segundo formado nos Estados Unidos, onde se familiarizou com a estética dominante em Nova York e Chicago. O Guinle foi levantado pelo engenheiro-arquiteto Hipólito Pujol Júnior, em colaboração com o Gabinete de Resistência de Materiais da Politécnica.[4]

O primeiro elevador instalado em São Paulo teria sido o do colégio São Bento, da marca Otis, datado de 1908.[5] Longo foi o caminho desse equipamento tão banal e sem glamour, uma simples caixa que sobe e desce, até o aperfeiçoamento que lhe permitiu desempenhar tão decisivo papel na configuração das cidades no século XX. Às geringonças puxadas por corda e manivelas usadas para levantar cargas desde a Antiguidade sucederam-se modelos movidos a vapor, energia hidráulica e finalmente, no fim do século XIX, energia elétrica. Os primeiros elevadores de São Paulo — e do Brasil — eram importados prontos. Seguiu-se, em São Paulo, uma empresa que, surgida da associação de engenheiros ingleses com o brasileiro Carlos Dumont Villares, importava componentes para proceder ela mesma à montagem. Um exemplar assim produzido foi instalado em 1920 no Hospital Santa Catarina, na avenida Paulista. Em 1922 a mesma empresa instalou os cinco elevadores que serviriam à nova e majestosa sede central dos Correios e Telégrafos.[6] A primeira vez que o poder

Jardins do parque do Anhangabaú, c. 1925. O Sampaio Moreira entre os

cetes Prates | *Foto de Guilherme Gaensly* | Acervo Instituto Moreira Salles.

municipal se pronunciou acerca dos elevadores foi na lei n. 2332, de 1920, que consolidou diversas antigas posturas e criou outras. A menção ao elevador foi para dizer que sua existência não eliminava a necessidade de escadas — algo que aos pósteros pode soar como anedota mas que naquele período, em que se lidava com a extraordinária novidade de uma máquina feita para poupar o esforço de galgar degraus, talvez fosse mesmo necessário deixar claro.[7]

O avô dos arranha-céus paulistanos é o elegante edifício Sampaio Moreira, inaugurado em 1924 na rua Líbero Badaró, quarteirão entre a avenida São João e a praça do Patriarca. Tinha catorze andares e era mais uma obra levantada em concreto armado por Cristiano Stockler das Neves, sob encomenda do comerciante com cujo nome foi batizado. O arquiteto a princípio esbarrou em dificuldades. O projeto previa um balcão, essencial para o efeito decorativo da fachada, de dois metros de largura, enquanto a lei de 1920 permitia para tais elementos uma largura máxima de 85 centímetros. A questão colocou em polos opostos as duas maiores autoridades municipais: o diretor de Obras, Vitor da Silva Freire, era contra a violação da lei que ele próprio criara; já o prefeito Firmiano Pinto inclinava-se a favor do arquiteto. Segundo Cristiano das Neves, a verdadeira implicância de Vitor Freire era contra a altura pretendida. Os prédios altos lhe repugnariam o senso estético, formado na Europa.[8] Venceram o arquiteto e o prefeito, e a lei, não pela primeira vez, muito menos pela última, foi feita letra morta. O Sampaio Moreira, com 8 mil metros quadrados de área, construído sobre um terreno de 680 metros quadrados, destoava na paisagem paulistana como o aluno pescoçudo na foto da turma da escola. Ficava do outro lado da rua, mas bem no meio dos dois palacetes do conde Prates. Quem o contemplava do Theatro Municipal, do outro lado do Anhangabaú, via um magrela comprido acolitado por dois baixotes atarracados.* Seu domínio dos ares duraria pouco, porém. Logo entraria em cena o pai indisputado dos arranha-céus da cidade — o prédio Martinelli, cuja construção se converteu numa odisseia que arrebatou a população.

---

* Muito ao contrário, o Sampaio Moreira é hoje (2014) um baixote em meio a uma selva de grandalhões.

* * *

 Giuseppe Martinelli nasceu em 1870, num lugarejo nos arredores de Luca, na Toscana. O pai era pedreiro e empreiteiro de obras. O filho seguiu o mesmo caminho até os dezoito anos, quando emigrou para o Brasil. No princípio, em São Paulo, exerceu funções humildes: foi empregado de açougue e mascate junto a fazendas de café. Começou a mudar de vida quando uma firma italiana de exportação e importação de secos e molhados convidou-o para cuidar de seus interesses em Santos. Mais alguns anos e ele cria firma própria, de representação de empresas italianas de exportação. Em 1906, com apenas oito anos de Brasil, já era um empresário de respeito. E mais ainda o seria quando se tornou representante do Lloyd italiano e de outras companhias de navegação do país natal, o que lhe possibilitou entrar no que o país de adoção oferecia de melhor — o comércio de café. A Grande Guerra, que viria a interromper o trânsito dos navios europeus, ofereceu-lhe a oportunidade de um novo salto: a criação de sua própria companhia de navegação. A nova empresa cresceria no vácuo do conflito europeu, e em 1917 seria registrada com o nome de Lloyd Nacional. Mais tarde vendida à União, a companhia se transformaria em símbolo do negócio da navegação no Brasil.[9]

 Para o perfil de Martinelli e sua trajetória empresarial nos serve de guia o bem informado livro O *prédio Martinelli — a ascensão do imigrante e a verticalização de São Paulo*, de Maria Cecília Naclério Homem. Alto de 1,90 metro e corpulento, o italiano não se tornara apenas rico e poderoso. Como outros de sua estirpe, gostava também de se exibir rico e poderoso. Fixando-se no Rio de Janeiro, instalou-se num palacete da avenida Osvaldo Cruz, entre os bairros Flamengo e Botafogo, que transformaria numa das mais suntuosas residências da capital federal. Oitenta lustres de cristal Lalique, pisos de mármore de carrara e móveis Luís XV e Luís XVI juntavam-se aos dezoito, nada menos que dezoito jardineiros, e a um famoso mordomo japonês para compor a legenda de capricho e fantasia da Vila Martinelli, como era chamada. Não contente, comprou o morro da Viúva, que ficava atrás da casa, construiu sobre ele um bangalô e instalou um elevador, para lhe possibilitar o acesso.[10] Modestamente...

Edifício Martinelli em construção. Avenida São João, c. 1928 | Fotógrafo não identificado |
Acervo Fotográfico do Arquivo Histórico de São Paulo.

Modestamente, sim, porque em matéria de monumentos erigidos à glória pessoal ainda viria mais. Em 1914 ele comprara o prédio da então chamada ladeira de São João, junto à praça Antônio Prado, onde ficava o conhecido Café Brandão, e mandara demoli-lo. O local, mais central impossível, era o ideal para levantar alto, bem alto, o nome do antigo funcionário de açougue, e perpetuar-lhe a memória.

Martinelli contratou o arquiteto húngaro William Fillinger para fazer os primeiros esboços. Neles já apareciam as quatro reentrâncias, dando ideia de quatro corpos distintos, que seriam a marca registrada do edifício. A construção começou em 1924. Os cálculos da estrutura de concreto armado eram feitos com a meta de se levantar de catorze a eventualmente dezoito andares. Martinelli queria tudo do bom e do melhor. O cimento, que só dois anos depois começaria a ser produzido no Brasil, era importado da Suécia. Previa-se que a obra duraria um ano, mas acumulavam-se os problemas. As entregas atrasavam. As escavações libertaram uma mina d'água no subsolo, o que obrigou a imprevistos serviços de drenagem. Pior foi quando as fundações abalaram o prédio vizinho, com frente para a rua de São Bento. Martinelli resolveu a questão ao seu modo grandioso: comprou o prédio, demoliu-o e agregou o terreno ao próprio empreendimento, para seu maior espraiamento. Outro problema é que naquela São Paulo com um pé no futuro e outro no passado a remoção da terra se fazia em carroças puxadas a burro, que a levavam em longas viagens até depósitos em Santana. E outro ainda é que o próprio Martinelli interrompia as obras para fazer alterações. Do começo ao fim ele seria o arquiteto-supremo, o supremo mestre de obras e até o pedreiro supremo — movido, em todas essas qualidades, por supremas ambições. Em 1928, decidiu esticar o prédio para vinte andares. Queria deixar o Sampaio Moreira vencido de modo claro e insofismável. Ainda era pouco e logo a meta passou a 24 andares. Isso se dava num momento em que a inexperiência com o concreto armado despertava preocupações. Em maio desse mesmo ano os engenheiros da firma Amaral & Simões, encarregada dos cálculos, tomados de insegurança e saturados das faraônicas pretensões do contratante, jogaram a toalha. Publicaram nos jornais nota afirmando que o espichamento para 24 andares sobre fundações calculadas para catorze resultava em que "tal prédio não oferece segurança".[11]

A essa altura a obra apaixonava a cidade. A *Folha da Noite* noticiou que, depois da manifestação dos engenheiros, não se falava senão do "Monstro de Aço".[12] Virara atração turística, embora nem todos se encorajassem a chegar muito perto. As ambições de Martinelli davam--se num contexto em que se digladiavam o ufanismo e o medo. Por um lado a população irmanava-se à fantasia do empresário e torcia por mais e mais andares. Por outro temia que tudo acabasse em catástrofe. Os jornais, em manchetes cada vez mais estridentes, refletiam um lado e outro. Destacavam-se, nesse afã, o *Diário Nacional*, o *Diário da Noite* e *A Gazeta*. Trata-se de títulos, uns mais, outros menos novos, na frondosa paisagem da imprensa paulista. Como era inevitável naqueles tempos, muito mais do que viria a ser depois, tratavam do assunto de acordo com seus compromissos políticos.

O *Diário Nacional* era órgão oficial do Partido Democrático, criado em 1926 para fazer frente ao Partido Republicano Paulista, como se verá no próximo capítulo. Não espanta, assim, que carregasse nas tintas, dada a proximidade de Martinelli com os perrepistas. "Poderá ruir o prédio Martinelli", estampava na primeira página, em letras gritantes, ao noticiar o alerta dos engenheiros. O prefeito agora era José Pires do Rio, engenheiro formado na Escola de Minas de Ouro Preto, ex--deputado federal e ex-ministro da Viação e Obras Públicas. Assumira em janeiro de 1926, sucedendo a Firmiano Pinto. O *Diário Nacional* anotava: "Não há dúvida: a prefeitura está acéfala. Mas não nos admiramos; as iniciais do senhor Pires do Rio são quase as mesmas do PRP".[13] Aliados de Martinelli eram *A Gazeta* e o *Diário da Noite*. O vespertino *A Gazeta*, fundado em 1906 com secreto investimento da Light e com o propósito de defender-lhe os interesses, como vimos no capítulo II, adquirira novo fôlego ao passar, em 1918, às mãos do jovem (29 anos) mas já experiente (de um jornal que possuíra no Rio) Cásper Líbero. Com novas e modernas máquinas nas oficinas e com dinâmicas estratégias editoriais, o jornal trouxe ao panorama da imprensa paulista inovações como um suplemento dedicado ao esporte. O *Diário da Noite*, fundado em janeiro de 1925, só ganhou relevância seis meses depois, quando foi adquirido pelo paraibano Francisco de Assis Chateaubriand Bandeira de Melo, na primeira investida em São Paulo daquele que iria se tornar o maior magnata da imprensa brasileira.[14] Com Martinelli, Chateaubriand viria a manter a relação de sua especialidade: falava bem, mas, implícita ou explicitamente, apresentava a conta. Martinelli viria a contribuir pesadamente em alguns de seus empreendimentos.[15]

A prefeitura nomeou uma comissão de engenheiros para examinar as condições da obra. Um deles era José Maria de Toledo Malta, em sua encarnação de respeitado especialista em concreto armado, não do pândego Hilário Tácito de *Madame Pommery*. Para provar sua crença na solidez do prédio, Martinelli mandou mobiliar — com o luxo habitual — o nono andar e ali se instalou, com mala, cuia, e, para que não se ousasse duvidar de sua intenção de ficar, o mordomo japonês, transferido do Rio. Em setembro a comissão divulgou seu parecer. O prédio não ofereceria risco, desde que se diminuísse a carga, com a supressão de paredes e outros elementos internos. *A Gazeta* celebrou, na primeira página: "O arranha-céu Martinelli não cai". No mês seguinte uma comissão de engenheiros cariocas, cujo parecer fora solicitado por Martinelli, também deu parecer favorável. *A Gazeta* celebrou mais ainda: "O prédio Martinelli não cai mesmo!".[16] Animado, Martinelli subiu mais um andar, e chegou ao 25. E não ficou nisso: na cobertura construiu para si próprio uma suntuosa residência, que, bem contados o porão e os terraços, perfazia cinco andares. O total chegava portanto a gloriosos trinta andares. A inauguração foi em 1929.

O prédio abrigou um hotel — o São Bento —, um cinema — o Rosário — e salões para eventos — o salão Verde e o Mourisco. Tudo "de luxo". Segundo o minucioso inventário de Maria Cecília Naclério Homem, os 46 123 metros quadrados de área construída, assentados num terreno de 2 mil metros quadrados, continham sessenta salões, 960 salas, 247 pequenos apartamentos, 510 telefones, 1057 degraus e 2133 janelas. O uso seria misto, residência e escritórios, mas morar em prédios ainda demoraria para se tornar um hábito na cidade, e assim só dois andares, o 23º e o 24º, continham os dezesseis apartamentos, de três dormitórios, reservados a essa destinação.[17] O *Diário da Noite* comentou: "Quando os paulistas apontam o formidável edifício com vaidade, não é possível esquecer o homem que aqui conquistou a sua fortuna e aqui a está empregando". O apelo era supérfluo. O próprio Martinelli tratou de imortalizar-se em duas placas de mármore, nas entradas do edifício, em que o Giuseppe original vinha abrasileirado em "José": "Prédio Martinelli/ projeto e desenho do proprietário/ José Martinelli". Em letra menor, a placa dava crédito a Italo Martinelli como engenheiro; era o sobrinho, que supervisionara a obra e assinara as plantas.[18]

O bulevar, tal qual concebido em Paris na gestão do célebre prefeito Georges Eugène Haussmann, foi, segundo o americano Marshall Berman, no livro *Tudo o que é sólido desmancha no ar*, "a mais espetacular inovação urbana do século XIX, decisivo ponto de partida para a modernização da cidade tradicional".[19] Haussmann, usando dos poderes discricionários que lhe conferia a ditadura do imperador Napoleão III, saiu rasgando avenidas de trinta até cem metros de largura onde antes se apertavam antigos quarteirões medievais, ampliando os horizontes e abrindo inéditas possibilidades de circulação. Marshall Berman, um estudioso do que ele chama de "experiência da Modernidade", prossegue, enumerando as vantagens que, sob a perspectiva de seu criador, seriam trazidas pela inovação: "Os novos bulevares permitiriam ao tráfego fluir pelo centro da cidade e mover-se em linha reta, de um extremo a outro — um empreendimento quixotesco e virtualmente inimaginável até então. Além disso, eliminariam as habitações miseráveis e abririam 'espaços livres' em meio a camadas de escuridão e apertado congestionamento. Estimulariam uma tremenda expansão de negócios locais, em todos os níveis, e ajudariam a custear imensas demolições municipais, indenizações e novas construções".

A abertura das novas avenidas implicou o deslocamento das populações pobres, expulsas dos bairros que haviam habitado por séculos, mas, paradoxalmente, "franqueou toda a cidade, pela primeira vez em sua história, à totalidade de seus habitantes", escreve Berman. A vocação dos bulevares, com suas largas calçadas, sua vistosa arborização e suas luzes, era atrair multidões. "Agora, após séculos de vida claustral, em células isoladas, Paris se tornava um espaço físico e humano unificado."[20]

A primeira via de São Paulo construída com largura e cuidados estéticos que a credenciavam à condição de bulevar foi a avenida Paulista. Ela acabaria por atingir tal status, mas só muitas décadas depois. No período deste livro, em que permaneceu como exclusivo bastião de milionários, faltou-lhe o ingrediente básico das multidões, o que a equiparava, sob este aspecto da aspiração a bulevar, a um corpo sem alma. "Estávamos produzindo espaço novo, pelas suas características físicas, para funções convencionais", escreveu a urbanista Regina Prosperi Meyer. Tratava-se de uma "avenida cenário", destinada a marcar "uma *mise-en-scène* da vida burguesa provinciana" e, portanto, "mais comprometida com a opulência do que com a Modernidade".[21] Via que já nasce com ambições a bulevar, ainda que com meio século de atraso em relação ao original parisiense, ao modo dos países retardatários, é a que surge da metamorfose da rua de São João em avenida São João. O alargamento do velho caminho que levava aos rincões oeste da cidade e, lá no fim, ao interior do estado, é uma empreitada que desponta como consequência lógica da transformação do antigo largo do Rosário em praça Antônio Prado. A rua contígua, que começava como "ladeira de São João", aquela em que viria a ser implantado o prédio Martinelli, apresentava potencialidades boas demais para continuar estreita e modesta. Uma lei de 1912, do tempo do prefeito barão de Duprat, autorizou seu alargamento, "a 30 metros" e "em linha reta", desde a praça Antônio Prado até a rua Lopes de Oliveira, onde se juntaria à rua das Palmeiras.[22] A largura de trinta metros e a linha reta configuravam corpo digno de bulevar. A alma viria do fato de ser uma via enganchada no centro da cidade, capaz de atrair grossas e diversificadas camadas de pedestres, e de ao mesmo tempo prestar decisivo serviço ao trânsito de veículos.

A obra, iniciada ainda na gestão do barão de Duprat, se daria em etapas, e não foi imune a controvérsias. Ao contrário, suscitou um mar de suspeitas, tantas que, segundo um autor, "envenenou todas as almas". Segundo o mesmo autor, Paulo Cursino de Moura, a "insofrida ganância" estaria por trás dos que mais se empenhavam a favor, e os trabalhos teriam transcorrido em meio a características muito familiares aos brasileiros: "Desapropriações escandalosas. Dinheiro a rodo. Cada metro de terreno, os olhos da cara".[23] Também transcorria lentamente, outra característica brasileira. Em 1920 já chegara ao largo do Paiçandu; em 1930, chegaria ao cruzamento da praça Marechal Deodoro com avenida Angélica.[24] Em julho de 1929, na etapa final das demolições, um grupo de senhores de terno, gravata e, muitos deles, colete, com a cabeça devidamente coberta por chapéus, reuniu-se para uma curiosa cena, registrada num filme promocional da administração Pires do Rio. Como num cabo de guerra, os tais senhores — "altos funcionários da prefeitura e representantes da imprensa", segundo a legenda do filme — puxam uma corda amarrada, na outra ponta, às fachadas ocas das duas últimas construções ainda de pé. Um puxão, dois, e as fachadas vêm abaixo, num festival de poeira. Os dignos senhores saíram sem dúvida com os ternos emporcalhados, talvez mesmo com os narizes irritados — mas felizes, como se comprova pelas expressões, uma vez cumprida a tarefa. Tinham, alegremente, pago o preço de ter reduzido a pó uma antiga concepção de cidade, em favor de outra.[25]

Avenida São João em 1930 | Fotógrafo não identificado | Fundação Energia e Saneamento.

A nova avenida São João possuía, segundo a urbanista Regina Prosperi Meyer, "compromisso explícito com a racionalização do tráfego e, sobretudo, com o transporte coletivo".[26] As faixas centrais eram reservadas aos bondes. Nos pontos de parada, ilhas serviam ao embarque e desembarque de passageiros. Vista do ponto elevado representado pela praça Antônio Prado oferecia uma límpida e bela perspectiva. O mesmo autor que registrou a controvérsia e as suspeitas que cercaram a obra escreveu que, afinal, "o vendaval passou", e a avenida, "embora tivesse custado dezenas de milhares de contos de réis", resultou "linda e rica de cintilações soberanas".[27]

A lei de 1912 estabelecia, em seu artigo 3º, que "o prefeito não permitirá, na rua já referida, construções de prédios com menos de três andares e sem fachada aprovada pela prefeitura". Lei anterior, ainda do tempo do conselheiro Antônio Prado, estabelecia que as fachadas dos prédios do Centro deveriam observar os estilos "mais perfeitos arquitetonicamente falando". Uma comissão de engenheiros julgaria os projetos, prevendo-se prêmios para os mais bem avaliados.[28] Tais exigências serviram para dar unidade aos prédios da avenida. Nos primeiros anos da década de 1920 a São João apresentava-se já bastante edificada, com prédios de altura uniforme e dois elegantes renques de árvores, um de cada lado, depois suprimidos. Esteticamente, também passava no teste de suas pretensões a bulevar. Para lembrar o título do livro de Cícero Marques, de pastora era promovida a rainha. Outro livro, *A estrela de absinto*, de Oswald de Andrade, mostra o personagem central, Jorge d'Avalos, a cismar no prédio da São João em que morava: "Ficara [o personagem] manhãs inteiras no quarto a ler, a rodar, a descobrir pela janela o estirão da ladeira, com árvores nos canteiros de grama, entre os asfaltos largos. Automóveis passavam buzinando; bondes lá embaixo cruzavam-se. E desfilavam mulheres, escolares, prostitutas, mendigos — era o seu drama de grande espetáculo".[29]

Bulevar é por excelência o locus onde se dá o espetáculo da cidade. É exclusivo das metrópoles porque só elas possuem população numerosa e diversificada o bastante para imprimir-lhe o ritmo acelerado, ganancioso e caótico que lhe é característico. A São João viria a representar para São Paulo a promoção a outro patamar, com relação ao Triângulo, em cujas ruas estreitas o ir e vir ainda ecoava o *footing* das vilas do interior. Nos quarteirões junto ao Centro a avenida apresentava uma variedade de comércios e serviços, entre os quais despontariam os bares, restaurantes e casas de espetáculo. E assim cumpria outra função do bulevar: o lugar em que o solitário se dissolve na multidão, e as relações privadas se exercem em público. Num de seus mais interessantes achados, o autor de *Tudo o que é sólido desmancha no ar* lembra a atração das luzes e dos cafés dos bulevares parisienses sobre os casais de namorados, para concluir que "o bulevar será tão importante como a alcova na consecução do amor moderno".[30]

A São João e o Martinelli firmam-se, não por acaso, num momento de consolidação da vocação industrial de São Paulo. Em 1919 o parque industrial paulista ultrapassou o do Rio de Janeiro. Representava 32% da indústria nacional, o dobro dos 16% de 1907, quando se realizou o primeiro censo industrial no país.[31] Os anos 1920 conheceriam a escalada institucional da indústria. Em 1924 era inaugurado no parque D. Pedro II, segundo o plano de Bouvard, o Palácio das Indústrias, desenhado por Domiziano Rossi e construído pelo escritório de Ramos de Azevedo. Destinava-se às exposições do setor e já pelo nome de "palácio" explicitava suas altas ambições. Em 1928 os industriais apresentavam suficientes coesão, peso econômico e presença social para criarem o Centro das Indústrias do Estado de São Paulo (Ciesp). Com o novo órgão, embrião do qual mais tarde surgirá a Federação das Indústrias do Estado de São Paulo (Fiesp), os industriais ganhavam uma instituição para atuar politicamente em favor de seus interesses. O Ciesp surgiu de uma cisão da Associação Comercial. Desde seu surgimento, em 1898, a Associação Comercial acolhia indiferentemente comerciantes e industriais, mesmo porque a maioria dos industriais era também comerciante, e as eleições para sua diretoria transcorriam na rotina tranquila das chapas únicas. Em janeiro daquele ano de 1928 a tranquilidade foi rompida pelo surgimento de uma chapa dissidente, na qual se alinhavam os industriais. Os dissidentes perderam a eleição, mas viram aí a oportunidade da independência, e replicaram com a criação da entidade própria.[32]

Primeira diretoria do Ciesp, 1928. Sentados, a partir da esq.: Horácio Lafer, Jorge Street, Francisco Matarazzo, Roberto Simonsen e Plácido Meirelles. De pé: Antônio Devisate, José Ermírio de Morais, Carl von Büllow e Alfried Weiszflog | Fotógrafo não identificado | Acervo Ciesp.

O escolhido para a presidência do Ciesp foi o conde Francisco Matarazzo. Ele não gostava de fazer discursos, não frequentava gabinetes de políticos, falava uma língua entre o italiano e o português, mas quem mais poderia ser? Na foto, de 1º de junho daquele ano, em que os nove integrantes da diretoria posam com solenidade, cinco sentados à frente e quatro de pé atrás, todos metidos em respeitáveis paletós negros, Matarazzo ocupa a posição central, pernas cruzadas, os sapatos pretos prolongados por um par de polainas. Em 1928 já se estava distante do início da grande imigração. Daí que, entre os diretores, só mais um, além de Matarazzo, era nascido no exterior — o alemão

Alfried Weiszflog, da Companhia Melhoramentos. Outros cinco eram filhos de imigrante — Horácio Lafer, da fábrica Klabin-Lafer de papel, filho de judeus lituanos; Karl von Bülow, da Antarctica, filho de dinamarqueses; Jorge Street, do setor têxtil, o homem da Vila Zélia, filho de pai austríaco de origem inglesa; Roberto Cochrane Simonsen, da construção civil, filho de inglês; e Antonio Devisate, do setor de calçados, filho de italianos. Os dois restantes, Plácido Meirelles, do setor têxtil, e José Ermírio de Morais, da Votorantim, eram os únicos que vinham de famílias brasileiras antigas, e é curioso que eram os dois de outros estados — Meirelles gaúcho e Ermírio pernambucano da velha estirpe dos usineiros.[33] Mas Ermírio, se era brasileiro antigo, representava a empresa do sogro, o português Antônio Pereira Inácio — o que reforça a conclusão inevitável de que os estrangeiros e filhos de estrangeiros lideravam a indústria paulista. A foto de fundação do Ciesp mostra, em sua pompa e solenidade, antes cavalheiros do século XIX do que do febril século XX. Mas eles eram agentes da Modernidade tanto quanto os arranha-céus e os bulevares. Melhor ainda, sem a indústria, que eles representavam, não haveria o dinamismo que propiciou uma avenida como a São João e um prédio como o Martinelli.

O bulevar e o arranha-céu que São Paulo acabara de ganhar eram modernos, mas seriam modernistas? Moderno é uma palavra esquiva. A rigor, "moderno" é sempre o último avanço tecnológico, a última moda, a última tendência estética, de forma que o que era moderno ontem hoje já não é mais. Em história, "moderna" é a idade que se abre com o fim da Idade Média, no já remoto século XV. Derivados de "moderno", nas ciências sociais e nas artes, surgiram os conceitos de "modernização" e "modernismo".[34] "Modernização" significa a atualização das estruturas econômicas, políticas e sociais de um país, ou cidade, de acordo com os modelos mais avançados do período. "Modernismo" é uma corrente estética que atualiza a linguagem das diferentes manifestações artísticas de acordo com as transformações econômicas, políticas e sociais trazidas pela modernização. O prédio

Martinelli nasceu como exemplar híbrido, fincado numa encruzilhada entre o futuro e o passado. Apontava para o futuro na ousadia da altura, conforme o rumo sugerido pelas cidades dos Estados Unidos; mas foi colher no baú da história arquitetônica europeia os muitos arcos, colunas, óculos, balaústres e esculturas da hiperdecorada fachada. Sua exuberância e sua revolucionária estrutura de concreto armado, segundo Maria Cecília Naclério Homem, assumiram em São Paulo "o mesmo caráter de uma feira internacional, ou da torre Eiffel".[35] Era moderno, moderníssimo até, em termos brasileiros, na audácia de subir; representava a modernização dos modos de construir, de trabalhar e de morar. Nas linhas arquitetônicas, inversamente, nada tinha de modernista. E, no entanto, o modernismo arquitetônico, nessa mesma época, começava a forçar passagem na cidade.

Na Semana de Arte Moderna a arquitetura foi representada pelo espanhol Antonio Garcia Moya e pelo polonês Georg Przyrembel, ambos radicados em São Paulo. Garcia Moya expôs uma série de desenhos de residências e prédios públicos jamais realizados, mesmo porque irrealizáveis, em que predomina a inspiração pré-colombiana. Przyrembel, ao contrário, compareceu com as maquetes e os desenhos de casas de verdade, por ele projetadas num estilo — o neocolonial — que, a partir das pregações de Ricardo Severo, sócio de Ramos de Azevedo, começava a impor-se no gosto das classes média e alta brasileiras.[36] Nenhum dos dois, independente de seus méritos, engatou com o movimento modernista. Este papel estava reservado a outro estrangeiro — Gregori Ilitch Warchavchik, nascido em 1896 em Odessa, na Ucrânia, então parte do Império Russo. Warchavchik fugiu do país natal convulsionado pela guerra civil em 1918; estabeleceu-se na Itália, onde estudou arquitetura; e em 1923, aos 27 anos de idade, embarcou para o Brasil, atraído por um contrato de trabalho com a Companhia Construtora de Santos, do empresário Roberto Simonsen. Nos dois anos seguintes permaneceu dedicado ao emprego em Santos, mas é possível que já tivesse tido contato com os moços modernistas de São Paulo. Em 1925, publica no *Correio da Manhã*, do Rio de Janeiro, o artigo "Acerca da arquitetura moderna", considerado o registro de nascimento da arquitetura moderna no Brasil.[37]

Warchavchik desenvolve nesse texto ideias derivadas das do suíço Le Corbusier, um dos papas internacionais do modernismo em arquitetura, a começar do conceito de "máquina de morar". "Uma casa é, no final das contas, uma máquina cujo aperfeiçoamento técnico permite, por exemplo, uma distribuição racional da luz, calor, água fria e quente etc.", escreve. Sendo máquina deveriam, tal como "os automóveis, os vapores e as locomotivas", ser regidas "pelos princípios de economia e comodidade". A beleza viria das formas e linhas impostas pelo próprio método construtivo, como o concreto armado, nunca por "uma fachada postiça, imitação de algum velho estilo", por vezes sacrificando-se com isso a funcionalidade da edificação. Os arquitetos antigos, prossegue Warchavchik, trabalhavam em harmonia com seu tempo. Já tal harmonia "não poderá existir enquanto o homem moderno continue a sentar-se em salões Luís tal ou em salas de jantar estilo *Renaissance*". Conclui o artigo: "Tomando por base o material de construção de que dispomos, estudando-o e conhecendo-o como os velhos mestres conheciam sua pedra, não receando exibi-lo no seu melhor aspecto do ponto de vista da estética, o arquiteto moderno saberá comunicar à arquitetura um cunho original, cunho nosso, o qual será talvez tão diferente do clássico como este o é do gótico. Abaixo as decorações absurdas e viva a construção lógica, eis a divisa que deve ser adotada pelo arquiteto moderno".[38]

Em 1927 Warchavichik casou-se com Mina Klabin, filha do industrial Maurício Klabin, de origem lituana. Integrava-se assim a um clã judaico como ele, e como ele com origem no Império Russo. Lasar Segall, outro artista de mesma origem, viria agora a ser seu concunhado, casado que era com outra filha de Maurício Klabin, Jenny. No mesmo ano, em terreno destacado da vasta gleba possuída pelo sogro na Vila Mariana, ele poria pela primeira vez em prática suas ideias com a construção, na rua Santa Cruz, para própria residência, daquela que passaria para a história como a primeira casa modernista do Brasil. Toda branca, em formas rigorosamente geométricas e sem resquício de recursos decorativos, a casa da rua Santa Cruz, inaugurada em 1928, causou na mentalidade vigente espanto semelhante aos quadros de Anita Malfatti ou aos poemas da *Pauliceia desvairada*. Em artigos nos jornais, sucederam-se as polêmicas entre Warchavchik e seus detratores, entre os quais os arquitetos Dácio de Morais e Cristiano Stockler das Neves.[39] Foi o sinal para que os modernistas e os mecenas dos modernistas cerrassem fileiras em defesa do ucraniano. Ao impulso do apoio recebido Warchavchik respondeu com uma segunda casa modernista, agora na rua Itápolis, no novo bairro do Pacaembu, em terreno cedido pela Companhia City.

A nova casa, terminada em 1930, seria aberta à visitação pública, numa exposição que servia a duplo propósito — para a City, a promoção do bairro; para Warchavchik, um manifesto vivo de suas teorias e habilidades. Decorada com móveis também desenhados pelo arquiteto, e quadros e esculturas do grupo modernista, a casa permaneceu exposta entre março e abril daquele ano, e foi visitada por 20 mil pessoas.[40] O sucesso de público não calou os críticos. "É lamentável que a prefeitura tenha permitido a construção dessas casas grotescas", escreveu Christiano Stockler das Neves. E mais adiante: "Como

A casa modernista da rua Itápolis, 1930 | Fotógrafo não identificado | Acervo Iconographia.

arquiteto e professor da mal compreendida arte arquitetônica no Brasil, protestamos veementemente que se qualifique como obra de arquitetura as tais máquinas de habitar, sensaboronas e feias, atarracadas e banais, que permanentemente afligirão os nosso olhos".[41] Oswald de Andrade por seu lado decretou: "A casa de Warchavchik encerra o ciclo de combate à velharia, iniciado por um grupo audacioso, no Theatro Municipal, em fevereiro de 1922. É a despedida de uma época de fúria demonstrativa".[42]

Na esquina da rua Duque de Caxias com a Conselheiro Nébias, a três quadras da avenida São João, ficava a casa de dona Olívia Guedes Penteado, a grande dama que se tornara protetora, mecenas e aglutinadora dos rapazes da Semana de Arte Moderna. Oswald de Andrade chamava-a de "Nossa Senhora do Brasil". "Jamais vi pessoa destilar tanto encanto quanto essa senhora", escreveu o mineiro Pedro Nava, jovem médico e poeta bissexto que conheceu a viúva de Inácio Penteado em 1924, em Belo Horizonte. Já na condição do minucioso e inspirado memorialista que se tornou na maturidade, Nava acrescentou: "Fisicamente não era muito alta e compensava essa estatura mediana usando penteados que lhe levantavam os cabelos fortes, ondeados e grisalhos. Tinha o rosto oval, maçãs e queixo bem traçados, nariz aquilino sem ser grande, boca admiravelmente desenhada, lábio superior gênero 'arco de Cupido' e sobretudo tinha os olhos que Deus lhe deu. Eram negros, líquidos, brilhantes, movediços, expressivos e seguiam, ou melhor, faziam eles mesmos sua mímica — de que todo o resto da fisionomia era apenas traço acessório. Ria o melhor e mais discreto dos risos, andava bem, pisava bem, sentava bem e nessa hora sempre sua mão ficava enrolando e desenrolando o enorme '*sautoir*' de pérolas que lhe vinha do pescoço à cinta".[43]

A casa de dona Olívia tinha um lado dando para a Duque de Caxias, outro para a Conselheiro Nébias, e no meio, acompanhando a esquina, um corpo arredondado, coroado por uma cúpula. Fora projetada por — quem mais poderia ser? — Ramos de Azevedo, o arquiteto campeão dos prédios públicos e das residências aristocráticas, e a decoração interior seguia o mesmo rigor patrício, com móveis cheirando a antiguidade, assim como os muitos lustres, cortinas, tapetes persas, pratarias, porcelanas, objetos de arte, tudo do mais fino e raro ocupando, como também é próprio de uma residência aristocrática, cada espaço dos amplos salões. Mas dona Olívia era agora modernista; como conciliar esta nova condição com as tradições do século XIX que lhe eram como uma marca genética? A solução, em 1925, foi reformar as antigas cocheiras, transformando-as num ambiente radicalmente diferente — decoração enxuta, móveis de desenhos simples e funcionais, linhas geométricas e, para coroar, paredes cobertas por murais

Olívia Guedes Penteado | Acervo da família.

encomendados a Lasar Segall. Dona Olívia, notável anfitriã, das maiores que a cidade conheceu, sem deixar de ser una, agora dividia-se em duas. Os amigos antigos, inclusive poetas parnasianos, como Alberto de Oliveira, ela recebia nos salões da entrada. Na cocheira acolhia Mário, Oswald, Tarsila e companhia num recinto em que os quadros e esculturas que trouxera da Europa — de Léger, Picasso e Brancusi — misturavam-se aos dos amigos brasileiros.[44]

Com a antiguidade nos salões nobres e o modernismo, com todo o respeito, nas cocheiras, dona Olívia, sem perder a característica elegância, domesticava o tempo. Transmudou o turbilhão da modernidade numa leve aragem, que apenas lhe roçava os cabelos. Fosse na frente, fosse nos fundos da casa, os dedos continuavam a comandar o ritmo da vida enquanto deslizavam pelo colar de pérolas, como pelas cordas de uma harpa.

XV.
ÁGUAS EM TRANSE

> *"I do not know much about gods; but I think that the river*
> *Is a strong brown god — sullen, untamed and intractable,*
> *Patient to some degree, at first recognised as a frontier;*
> *Useful, untrustworthy, as a conveyor of commerce;*
> *Then only a problem confronting the builder of bridges."*
> (T.S. Eliot, "The Dry Salvages")*

    António de Alcântara Machado escreveu que São Paulo carecia de um rio. "Rio largo, rio cheio de pontes, rio cheio de curvas, e cais, ostensivo e inevitável, que corte o miolo da cidade sem dó."[1] Atacava-o a conhecida síndrome da nostalgia da cidade europeia — graciosa e bem arrumadinha, uma parte na banda direita, outra na banda esquerda, harmoniosamente distribuídas pelo rio que corre sinuoso entre lindas pontes. Da parte de cá do oceano Atlântico, e em especial na porção sul, lamentavelmente não vingou o modelo Paris-Londres-

---

* "Não sei muito acerca de deuses, mas creio que o rio/ É um poderoso deus castanho — taciturno, indômito e intratável,/ Paciente até certo ponto, a princípio reconhecido como fronteira,/ Útil, inconfidente como caixeiro-viajante;/ Depois, apenas um problema que desafia o construtor de pontes." (Tradução de Ivan Junqueira)

-Roma-Florença-Praga-Budapeste-e-tantas-outras. O Tietê, o maior rio que corta o sítio de São Paulo, corre demasiado distante do Centro para ter tido semelhante papel. Idem com relação ao segundo maior, o rio Pinheiros. O Tamanduateí sim, insinua-se pelo Centro, e mais ainda se insinuava quando passava raspando à colina histórica, antes de ser empurrado para mais adiante por sucessivas retificações. Faltou-lhe porte, e faltaram-lhe cuidados além dos voltados a meros fins utilitários, para ser, não se diga o Tibre, nem o Danúbio de São Paulo, mas pelo menos o rio que dá ordem à mancha urbana e serve de referência para que moradores e visitantes saibam onde estão. E no entanto a trindade de rios que dão o ar de sua graça em São Paulo tem uma poderosa presença na história da cidade, e vital função em seu povoamento e sua economia.

O Tietê, que em vez de procurar o mar corre para dentro do continente, e que no início da colonização serviu de guia para a exploração dos infindáveis sertões, aparece nos mapas da década de 1920 ainda enredado de curvas e meandros, ameaçando ir para um lado e voltando para o outro, perdendo-se em incontáveis divagações, errático e imprevisível como um bêbado em busca do caminho de casa. Nesse seu estado ainda *in natura*, salvo pequenas e precárias intervenções, percorria 46 quilômetros para vencer uma distância de 25 em linha reta, desde a Penha, por onde penetra no município de São Paulo, até o então bairro de Osasco, por onde o deixava. A largura entre as margens, nesse trecho, variava entre 25 e cinquenta metros e a profundidade entre dois e três. Longe de contentar-se com esses limites, porém, extravasava pelas margens, criando áreas alagadas — em São Paulo consagradas pelo nome de várzeas — que percorriam o município de leste a oeste, e podiam ser largas de até 2,5 quilômetros.[2] A vasta área alagada impunha uma barreira à expansão da cidade, dificultava as comunicações entre bairros e conformava uma "espécie de terra de ninguém", na expressão de um estudioso. Era usada como depósito de lixo, pasto para animais, campos de futebol improvisados e treinamentos militares, e acumulava lodo e imundícies de variada espécie.[3]

Nem por isso o rio e suas várzeas deixavam de apresentar atividade econômica. Em 1922 a Fiscalização dos Rios e Várzeas, órgão da prefeitura, acusou a existência de 506 barcos matriculados na cidade, sendo 309 destinados ao transporte de materiais, 188 à recreação e nove (duas balsas e sete botes) ao transbordo de passageiros de uma margem à outra. Em 1926 o total já era de 712, entre os quais 443 destinados ao transporte de materiais, sendo um deles equipado com "máquina para extração de areia" e cinco balsas de transbordo de margem a margem.[4] Além do Tietê tais embarcações navegavam também no Pinheiros e no Tamanduateí. As balsas que faziam a comunicação entre uma margem e outra supriam a falta de pontes. No Tietê apenas a ponte Grande, ao fim da avenida Tiradentes, apresentava-se maior e mais bem construída. Outras — na Freguesia do Ó, no Limão ou na Lapa — eram precárias. Às balsas particulares inventariadas pela Fiscalização dos Rios e Várzeas somavam-se as da prefeitura, que prestavam o mesmo serviço.[5]

O que levavam os barcos de transporte era basicamente material de construção — areia, pedregulho e argila. Os próprios barqueiros, no princípio — e isso vinha desde finais do século XIX, tanto no Tietê quanto no Pinheiros, mas em maior escala no Tietê —, também extraíam os materiais no leito dos rios ou nas várzeas. Quando a construção civil na cidade ganhou vulto, empresas passaram a dominar o negócio da extração, operando com dragas. Na década de 1920 cumpria aos barqueiros apenas o transporte, até portos em que a carga era depositada para dali seguir viagem, em carroças, caminhões ou nos bondes de carga mantidos pela Light, rumo aos compradores. A maioria dos portos concentrava-se nas proximidades da ponte Grande.[6] Os depósitos de areia nas várzeas encontravam-se a profundidades entre 1 metro e 1,5 metro; entremeadas à areia, apareciam camadas de argila. Para extraí-las, seja à mão, seja com máquinas, faziam-se grandes buracos, e eis então as margens dos rios submetidas a outro flagelo, o da transformação da paisagem num "labirinto de grandes buracos rasos, com águas empoçadas", como escreveu o geógrafo Aziz Ab'Saber.[7] A argila era a matéria-prima com que olarias de início situadas nas próprias margens do rio fabricavam tijolos e telhas. Em 1913 as olarias foram proibidas no município, transferindo-se para as várzeas de além da Penha, rio acima.[8]

Atividades de olaria no Tietê, em foto tirada da Ponte Grande; ao fundo, instalações dos clubes Tietê e Espéria | Foto de Aurélio Becherini | Acervo Fotográfico do Museu da Cidade de São Paulo.

* * *

Problemas antigos, como as enchentes e a incomunicabilidade entre áreas do município, e novos, como a degradação do rio e das várzeas por efeito da exploração predadora, da industrialização e do crescimento populacional, levaram o prefeito Firmiano Pinto a criar, em 1923, uma Comissão de Melhoramentos do rio Tietê, e entregar seu comando à maior autoridade brasileira em saneamento de cidades — o engenheiro Francisco Saturnino Rodrigues de Brito. Nascido em 1864 em Campos dos Goytacazes, estado do Rio de Janeiro, Saturnino de Brito tinha no currículo decisivas intervenções em Recife, Belo Horizonte e Vitória, entre outras cidades brasileiras. No estado de São Paulo fez projetos de saneamento para Campinas, Ribeirão Preto, Limeira, Sorocaba, Amparo e, principalmente, Santos, onde articulara o sistema de canais que, além do combate às águas paradas, responsáveis por surtos epidêmicos que remontavam ao período colonial, conferira à cidade uma nova e elegante cara. O projeto de Saturnino de Brito para o Tietê, elaborado entre 1924 e 1925, previa a retificação do trecho que atravessa São Paulo de forma a reduzi-lo em vinte quilômetros. A declividade média de treze centímetros a cada quilômetro seria aumentada para 22,5 centímetros, e as descargas de esgotos que empesteavam as águas seriam deslocadas à jusante, já fora da área do município. A retificação e a consequente canalização preveniriam as enchentes, e em consequência a área de várzeas seria ganha para o avanço da cidade. Avenidas seriam construídas em uma margem e outra. Novas e modernas pontes possibilitariam a expansão urbana mesmo para a outra margem e enfim, ao seu modo característico de combinar o saneamento com o paisagismo, Saturnino de Brito propunha para a área da ponte Grande dois grandes lagos, com 1 milhão de metros quadrados, os quais, além de servir para regularizar o curso das águas, formariam uma ilha ao se abraçarem junto às margens. É de suspeitar que a inspiração fosse Paris — sempre Paris — e sua Île de la Cité. Se não era bem o adereço fluvial com que Alcântara Machado sonhava, tinha potencial para lhe servir de consolo.[9]

Em 1926 houve troca de prefeito. Saiu Firmiano Pinto, e com ele Saturnino de Brito. Entrou Pires do Rio e nomeou o engenheiro e professor da Politécnica João Florence de Ulhôa Cintra, que já trabalhava na prefeitura como assistente do diretor de Obras, Vitor da Silva Freire, para dirigir a Comissão do Tietê. Houve modificações no projeto, uma das quais foi esquecer os lagos e a ilha da ponte Grande. Conservou-se o essencial — a retificação e a recuperação das várzeas — e também as avenidas laterais, assim justificadas pelo novo prefeito: "Sabei que o plano geral das grandes artérias da cidade de São Paulo se acha traçado pelas linhas gerais dos seus cursos d'água; já uma grande avenida existe ao longo do Tamanduateí, entre o monumento do Ipiranga e a ponte Pequena. Cogitamos atentamente da grande avenida do Tietê".[10] Turbulências econômicas e políticas do fim da década de 1920 e começo da de 1930 acabaram porém por congelar o projeto, só retomado uma década depois.

Havia uma diferença sensível entre as terras situadas na margem esquerda do Tietê (a voltada para o centro da cidade) e na direita (voltada para o norte). Na margem esquerda terras planas e alagadas seguiam-se por vários quilômetros antes de atingir níveis mais elevados, onde o povoamento se adensava. À direita, a planície alagável logo encontra elevações e colinas que são as manifestações iniciais da serra da Cantareira.[11] As primeiras povoações da margem direita procuraram as colinas. Foi assim que, ainda na era colonial, surgiram Santana e a Freguesia do Ó, a primeira originária de uma fazenda dos jesuítas e a segunda de um ponto de pouso e refresco das tropas que demandavam o noroeste do estado. Aos poucos, nas duas primeiras décadas do século XX, despontaram novos povoados, mas sempre guardando distância segura do rio. Uma exceção foi a Vila Maria, surgida em 1917 do irresponsável loteamento de um antigo sítio em plena várzea. A venda de terrenos iria causar aos compradores, oriundos das camadas pobres da população, anos de sofrimento.[12] O primeiro aeroporto de São Paulo, o campo de Marte, inaugurado em 1920 e instalado também na várzea, em virtude das áreas amplas e planas ali disponíveis, também

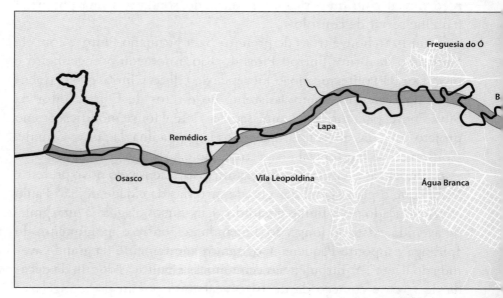

O Tietê cheio de meandros em seu curso natur

teve suas operações prejudicadas pelas cheias por muitos anos.[13] Na década de 1920 outros loteamentos surgiram. Mas a efetiva ocupação da margem direita se manteria lenta enquanto permanecia congelado o projeto de retificação do rio. São Paulo, que lá nos primórdios se aninhara entre os rios Tamanduateí e Anhangabaú, seguia agora aninhada pelo abraço entre o Tietê e o Pinheiros, só escapando de tais limites em raras incursões para a margem oposta.

Não bastasse a revolução dos tenentes, o ano de 1924 trouxe outro flagelo à cidade: uma prolongada estiagem, que avançou pelo ano seguinte. Em oito meses de 1924 as chuvas não chegaram a 60% do normal para o período e nos dois primeiros meses de 1925, em plena estação chuvosa, não chegaram a 45%. A vazão dos rios diminuiu sensivelmente e a usina de Santana de Parnaíba, que já mal e mal dava conta da demanda, chegou perto do colapso. Em fevereiro de 1925, a pedido da Light, o prefeito Firmiano Pinto baixou medidas que incluíam a

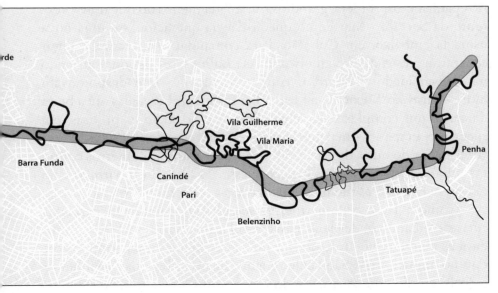

lização que o encurtou em vinte quilômetros.

redução da iluminação pública, a proibição de iluminação de vitrines, fachadas e de anúncios comerciais, a diminuição do número de bondes em circulação e limites de consumo de energia para residências particulares. O carnaval, dali a duas semanas, transcorreu na penumbra. "Um aspecto curioso era o de várias ruas do Belém e da Mooca, iluminadas quase que somente pelas lâmpadas das casas particulares, que os moradores puxaram até a janela", anotou o jornal O *Estado de S. Paulo*. As medidas revelaram-se insuficientes e, novamente por apelo da Light, foram reforçadas em março com restrição ainda maior da iluminação pública, supressão dos bondes entre as dez da noite e as cinco da manhã, corte do fornecimento de energia aos particulares durante o dia, fornecimento às indústrias apenas três dias por semana e fechamento de bares, restaurantes e casas de diversão às 22h.[14]

O racionamento duraria até dezembro daquele ano. Enquanto isso a Light construía às pressas uma nova hidrelétrica no Tietê, no lugar chamado Rasgão, pouco adiante de Parnaíba, mas com a consciência de que não passava de medida paliativa. Para a solução que supunha definitiva, ou pelo menos capaz de aguentar longos anos, engendrava-se desde 1923 um plano que iria revolucionar a vida dos rios paulistanos. A ideia, grandiosa, era nada menos do que usar a vertente da Serra do Mar como queda-d'água que acionasse uma nova usina lá embaixo, em Cubatão. Para comandar a operação a Light contratou o engenheiro americano Asa Billings, profissional formado na Universidade Harvard e com currículo em que despontavam hidrelétricas no México e na Espanha. Para trazer as águas até a beira da serra, um complexo esquema previa, como maiores proezas, em sucessivas etapas, formar uma nova represa, com um perímetro seis vezes maior do que a de Guarapiranga (oitocentos quilômetros contra 135 quilômetros) e virar os rios do avesso.[15] O herói (ou vítima) cujo maior sacrifício o esquema demandava era o rio Pinheiros.

Como o Tietê, o Pinheiros, em seu estado de natureza, percorria curvas e meandros, desde as nascentes junto à Serra do Mar, e inundava as margens, até desembocar no Tietê. Apenas uma ponte o cortava no município de São Paulo — a que ligava os bairros de Pinheiros e do Butantã, o único situado do lado oposto ao Centro. Inaugurada em 1865, fora a primeira ponte metálica construída em São Paulo e arredores. Outras duas pontes existiam no trecho em que o rio percorria o vizinho município de Santo Amaro.[16]

O "Projeto da Serra", como era chamado o plano de Billings, numa primeira etapa aproveitaria o rio Grande, um dos formadores do rio Pinheiros, e vários dos rios menores da área para a formação da nova represa. O rio das Pedras, que, ao contrário do Pinheiros, corre em direção ao mar, também daria lugar a uma represa, conectada com a outra por um canal, e serviria de escoamento às águas represadas no rumo das grossas tubulações que as fariam desabar 750 metros abaixo. Esse esquema foi suficiente para que, ainda na década de 1920, tomasse forma a "represa do rio Grande", nome depois substituído pelo do engenheiro seu idealizador, e entrasse em operação a usina de Cubatão. Numa segunda etapa, cujas obras se prolongariam pelos anos vindouros, o volume de águas na represa seria reforçado pela audaciosa manobra de inversão do curso do Pinheiros, de modo que em vez de correr para o interior, até desaguar no Tietê, o fizesse em direção às suas próprias origens, na serra. Duas potentes estações elevatórias (Traição e Pedreira) se incumbiriam do serviço. Até o Tietê poderia também, pelo mesmo processo, e sempre que necessário, ter o curso invertido, entre a usina do Rasgão, em Pirapora do Bom Jesus, e a confluência com o Pinheiros, de modo a fornecer um caudal ainda mais robusto a infiltrar-se Pinheiros adentro e demandar a nova represa.[17]

Eis a configuração hidrográfica da região de São Paulo torcida até virar no seu contrário. O Tietê transformava-se em afluente do Pinheiros. O Pinheiros, como um velho que engatasse a marcha a ré e percorresse a vida ao contrário, até o útero materno, correria em direção às próprias nascentes. E os caudalosos Tietê e Pinheiros se converteriam, ao fim da louca corrida, em afluentes do modesto rio das Pedras. A usina de Cubatão começou a funcionar em 1926, mas as obras de retificação do Pinheiros demorariam décadas. Dessas obras resultaria o ganho, para efeitos de urbanização, de uma área de 32 milhões de metros quadrados de terrenos alagadiços.[18] Como a Light, ao contrário dos usuários de seus bondes, obrigados a esperá-los longamente, nunca dormiu no ponto, tratou de assegurar-se o direito de desapropriar as áreas de várzea e ela própria revendê-las. Lembre-se que, já não bastasse a tradicional conivência com os mandachuvas do PRP, a maior parte das tratativas do Projeto da Serra se deu no mandato de seu antigo advogado e íntimo amigo Carlos de Campos no governo do estado. Nas áreas recuperadas ao Pinheiros, ao contrário das recuperadas ao Tietê, surgiriam bairros destinados a clientelas ricas, para maior glória do polvo canadense e bom reforço de seu caixa.[19]

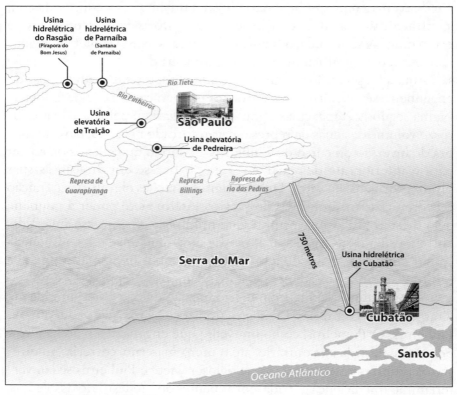

Esquema da usina de Cubatão — podendo correr ao contrário desde a usina do Rasgão, o Tietê engrossa o Pinheiros, que, também correndo ao contrário, alimenta a represa Bilings e a represa do rio das Pedras, daí fugindo por um sistema de canais até os grossos tubulões que fazem a água despencar serra abaixo.

* * *

Se em 1924-1925 São Paulo conheceu uma histórica estiagem, em 1929 foi a vez de uma histórica enchente. Bairros próximos às várzeas do Tietê ficaram inundados. *O Estado de S. Paulo* informava, no dia 19 de fevereiro, que 170 famílias haviam sido removidas do Bom Retiro nos dois dias anteriores. No Canindé batelões retiravam das casas os móveis dos moradores. Ao voltar para casa moradores da Freguesia do Ó e do bairro do Limão que porventura se encontrassem na margem oposta teriam de caminhar na água até um porto na Água Branca, onde tomariam barcos que demorariam uma hora para despejá-los perto de suas residências. Havia casas nas várzeas submersas até o telhado. Barcos da prefeitura prestavam socorro em diversos locais. Desabrigados eram encaminhados para a Hospedaria dos Imigrantes. "Quase toda essa gente, vítima das inundações, são pobres operários, de quem em tais ocasiões se avizinha a mais desoladora miséria", comentava o jornal. "Enquanto não vem o remédio definitivo, que seria a retificação do Tietê e a regularização dos cursos de seus afluentes no município, cabe ao governo da cidade, incontestavelmente, o dever de assistir aqueles cidadãos." Já a *Folha da Manhã* apontava o dedo acusador. A enchente teria sido precipitada "pelas catadupas das duas represas da Light".[20]

Juntavam-se para tal interpretação a fama da Light, o fato de durante a chuva a empresa canadense ter aberto as comportas das represas e o gosto pelas teorias conspiratórias. Ao ganhar o direito de desapropriação das "áreas alagadiças ou sujeitas a inundação" das margens do Pinheiros, a Light teria interesse em que tais áreas, difíceis de delinear, tivessem a maior extensão possível. Daí que, para alagar mais áreas ainda do que as que naturalmente seriam alagadas, teria aberto as comportas. A Light não escondeu que as comportas foram abertas, mas o objetivo, segundo argumentou, não era o de ampliar o efeito da enchente, mas, ao contrário, de diminuí-lo. Se não o tivesse feito, as represas transbordariam, e aí sim as águas correriam com potência muito mais devastadora sobre a cidade. *O Estado de S. Paulo* aceitou a tese da empresa. "Muito se tem falado, nestes dias de intempéries, na represa de Santo Amaro", comentou. "Sobre os perigos que apresenta aquela enorme massa de água represada e sobre os seus efeitos nas inundações surgiram boatos de toda a natureza e de todos os feitios. Quase nunca, porém, é certo o que se avança a tal respeito, havendo em tudo muito exagero." Segundo o jornal, as comportas foram abertas "para evitar algum extravasamento cujos efeitos seriam muito danosos".

Enchente de 1929; moradores são transportados de barco na região próxima do encontro do Tamanduateí com o Tietê | Reprodução de imagem: Felipe Rau | Agência Estado.

Quando da demarcação, já em 1937, das tais "áreas alagadiças ou sujeitas a inundação", decidiu-se que o limite seria "a linha da enchente máxima", e não a "linha média", como determinava o Código das Águas. A "enchente máxima" foi a de 1929. Conclusão: seja por pura obra da natureza, seja pela ajudinha que lhe teria proporcionado, a Light acabou ganhando com as ocorrências daquele ano.[21]

A estiagem de 1924-1925 pôs a nu as deficiências de dois outros serviços públicos. O primeiro foi o abastecimento de água. Ficou claro que o velho sistema de captação das águas da serra da Cantareira, mesmo reforçado desde a virada do século pelo aproveitamento de captações do riacho do Ipiranga, do Tamanduateí e mesmo do Tietê, não dava mais conta do recado. Em 1927 o governo estadual entrou em acordo com a Light e integrou ao sistema a represa de Guarapiranga. Ao final da década essa nova fonte já respondia por 37% do fornecimento.[22] O outro foi o transporte público, até então monopolizado pelos bondes da Light. A diminuição dos serviços, imposta pelo racionamento de energia, fez surgir na cidade algo até então desconhecido: o ônibus, ou "auto-ônibus", como se dizia, ou, mais de acordo com a realidade, arremedos de ônibus. O primeiro deles despontou em agosto de 1925.[23] O memorialista Jorge Americano conta que a iniciativa coube a motoristas de praça; sobre caminhonetes Ford e Chevrolet eles punham quatro bancos transversais, perfazendo cinco com o do motorista. Conseguiam assim alojar dezoito passageiros — dois ao lado do motorista e dezesseis nos outros bancos. "O molejo era duro, os motores ferviam, o barulho era intenso, mas ia-se para casa a 500 réis por passageiro nas linhas curtas e a 10 tostões nas extensas."[24] A Light, pela primeira vez, enfrentava concorrência, ainda que mambembe, e isso num momento que ao clamor público contra os seus serviços somavam-se as dúvidas da própria empresa quanto aos investimentos no setor do transporte coletivo. Se em 1900 o setor gerava 62,9% da receita da empresa, em 1925 já caíra para 47,6% e a tendência mantinha-se declinante.[25] Um dos motivos era o congelamento da passagem, desde sempre em duzentos réis. Outro era que o polvo canadense cada vez mais se especializava nos mais complexos e mais lucrativos setores da produção e da distribuição de energia.

A Light reagiu à crise com medidas tópicas. Uma foi entrar ela própria no negócio dos ônibus, para o que importou cinquenta deles da empresa americana Yellow Coach. Em contraste com os ônibus de improviso, eram modelos luxuosos, destinados à população de maior renda. Por isso mesmo fracassaram — sua suposta clientela o que queria, e crescentemente conseguia, era possuir o próprio automóvel. Cinco anos depois foram retirados das ruas. Outra medida foi lançar um novo modelo de bonde, fechado, importado dos Estados Unidos e apelidado de "camarão", pela cor vermelha, antes mesmo de entrar em serviço. Havia muito os bondes, conhecidos até então, abertos, com longos bancos transversais e estribos nos quais vinham perigosamente trepados os passageiros que não encontravam lugar para sentar, eram objetos de críticas. Ainda em 1917 um vereador elencara os seus inconvenientes: "A) não são os mais apropriados ao clima de São Paulo, úmido, frio e chuvoso em grande parte do ano; B) expõem demais os passageiros ao pó das ruas; C) pelas disposições de seus bancos, fazem com que uns passageiros incomodem os outros, quando tomam lugares; D) tornam demorados o embarque e o desembarque dos passageiros, porque precisam conservar-se parados, enquanto os lugares são escolhidos; E) não constituem um tipo de boa estética".[26]

A estreia dos camarões deu-se em maio de 1927. Um cronista anônimo de *A Gazeta* comentou: "A curiosidade basbaque dos paulistanos foi satisfeita afinal. Era de ver a rua aqui de casa por volta das sete horas, quando vimos passar os primeiros 'camarões'. O povo apinhava-se em torno das amostras do que vai ser o meio de transporte daqui em diante, admirando não só a elegância do elétrico, mas também a pose dos senhores motorneiros, que se pavoneavam inchados de orgulho por serem os primeiros a conduzir os tais...".[27] No essencial do serviço, no entanto, os novos modelos não trouxeram melhora. "Espera-se às vezes vinte minutos e mais de pé, no largo de São Francisco, sem que chegue um só 'camarão'", comentava em setembro O *Estado de S. Paulo*. "A multidão aumenta, aumenta, e quando, depois de tanto tempo, vem o desejado bonde, é uma barafunda dos diabos! O resultado é ficarem as senhoras à espera de outro carro, que talvez venha logo atrás, mas outra vez demora muito."[28]

Se era para continuar no negócio do transporte coletivo, a Light atirava mais alto, mais longe e com mais ambição. Em 1927 apresentou à prefeitura um "plano integrado para transportes" que vinha sendo gestado desde três anos antes. A ideia era introduzir uma rede integrada de bonde, metrô e ônibus. O sistema subterrâneo se subdividiria em linhas de baixa e de alta velocidade. Aos ônibus caberia o papel secundário de fazer a ligação entre as diversas linhas de bondes ou do metrô, ou de servir a zonas mais afastadas, de desenvolvimento que não justificasse o investimento nos trilhos. "Qualquer outro programa de menor vulto do que este constituirá apenas um paliativo, remediando somente por alguns anos o estado atual das coisas", dizia o memorial entregue pela empresa à prefeitura. A Light propunha que a prefeitura arcasse com "a abertura de túneis, a execução de viadutos, pontes etc.", encarregando-se ela do "assentamento de trilhos e da rede aérea, circulação de carros elétricos, edificação de estações etc.".[29] O memorial, acompanhado de mapa com as linhas do projetado metrô, rolou de mão em mão na prefeitura, de comissão em comissão, durante anos, até morrer de morte natural. Naquele mesmo ano de 1927 morreu, no exercício do cargo, o presidente estadual Carlos de Campos. A ausência desse grande aliado da empresa canadense foi considerada um dos motivos pelos quais o projeto não prosperou.

A crise energética de 1924-1925 acabou resultando em decisões que determinaram o futuro de São Paulo em duas áreas cruciais. Na questão do transporte, perdeu a opção pelos trilhos e pela tração elétrica, abrindo caminho para a vitória do ônibus e, principalmente, do carro particular e da gasolina. A manipulação dos rios para fins de produção de energia consagrou a escolha pelo uso estritamente utilitário dos cursos d'água, em prejuízo de uma visão que privilegiasse o meio ambiente, a fruição da natureza, os amplos horizontes e a beleza.

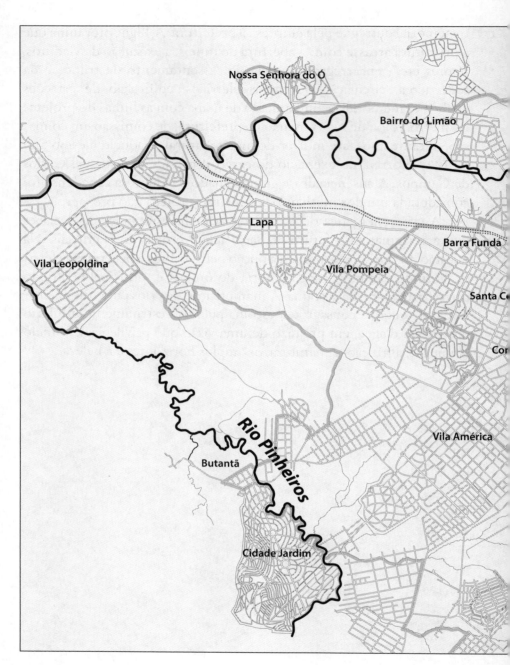

Num mapa de 1924, a cidade aparece quase

ida no abraço entre o Tietê e o Pinheiros.

XVI.
O SENHOR BAIXINHO E GORDUCHO CHEGA PARA FICAR

Aos 86 anos, e muitos capítulos depois, eis que reaparece nesta história a figura veneranda do conselheiro Antônio Prado. Estamos no dia 21 de março de 1926, um domingo. Precisamente às 14h27, ao despontar no salão da Associação das Classes Laboriosas, na rua do Carmo, Antônio Prado é ovacionado de pé pelos distintos senhores da plateia. Os aplausos o acompanham durante todo o percurso em que, a passos lentos, encaminha-se até a mesa de onde serão conduzidos os trabalhos. Minutos depois, ao lhe ser dada a palavra, começará dizendo: "Quando penetrei neste recinto, senti que meus 36 anos de afastamento da política não tinham arrefecido o ardor com que nos trinta anos anteriores eu havia pugnado na vida pública, em defesa sempre dos interesses da pátria". A plateia ouviu-o, segundo a *Folha da Manhã*, com "religiosa atenção".[1]

Note-se que, ao calcular em 36 anos o afastamento da política, ele não considerou a passagem pela prefeitura — a seu ver, uma atividade não política. O encontro no salão da rua do Carmo era a primeira reunião pública de um novo partido, criado para fazer frente ao "carcomido" (como diziam os adversários) Partido Republicano Paulista. A fundação do partido ocorrera um mês antes, durante reunião de 28 paulistas de fina extração, na própria Chácara do Carvalho de Antônio Prado. O conselheiro, tão vetusto que ainda era reverenciado pelo título recebido de d. Pedro II, e tão obsoleto que fora senhor de vastas escravarias, era o porto seguro, a âncora de prestígio e o sinal de seriedade a que acudiam os insatisfeitos para fincar em bases sólidas a iniciativa. Nessa primeira reunião escolheu-se o nome de Partido Democrático para a agremiação. Agora, na reunião da rua do Carmo, foi apresentado um "Manifesto à Nação" que alinhava seis "ideias básicas", entre as quais a defesa do voto secreto — o cavalo de batalha de todas as oposições, Brasil afora. Seiscentos e cinco signatários endossavam o documento, entre eles Reinaldo Porchat, Francisco Morato, Mário Pinto Serva, Cardoso de Melo Neto — as figuras de proa da agremiação — e procurando bem, lá na letra "M", um certo "Mário de Morais Andrade, professor no Conservatório" — ele mesmo, o autor de *Paulicéia desvairada*.[2]

O Partido Democrático estava longe de se constituir em desafio de fundo à ordem vigente. Não se dirigia às classes populares, não incorporava as elites imigrantes, e tampouco endossava o assalto violento ao poder pretendido pelos tenentes. Em sua linha de frente militavam advogados, professores da Faculdade de Direito, proprietários — sempre gente da velha cepa, o que lhe evidenciava a condição de não mais que um racha nas oligarquias. Mesmo assim, terá um papel no último capítulo da fase da história brasileira conhecida como República Velha. Ao contrário de dissidências anteriores, surgidas em vésperas de eleição e evaporadas em seguida, despontou com um vigor que lhe permitiu carrear vultosas adesões, em suas caravanas pelo interior, e empreender bem-sucedidas campanhas de arrecadação de fundos. O PRP assustou-se, e reagiu com tentativas de desmoralizar o opositor. "Há em São Paulo, meus senhores, um palácio, um palácio riquíssimo, com parques enormes e luxuosos, um palácio tão lindo, tão rico, tão real, que nele se hospedou, quando de sua honrosíssima visita a São Paulo, o rei Alberto da Bélgica", discursou o perrepista Marcondes Filho, numa conferência em Jaú. "É a Chácara do Carvalho", prosseguiu. "Foi num dos salões dourados desse palácio, onde não se sabe mais o que admirar, se as tapeçarias antigas, os quadros célebres, as riquíssimas baixelas de prata, das quais uma só faria a fortuna de muita gente — foi num dos salões desse palácio, foi nesse ambiente de aristocracia, que se fundou o Partido Democrático, para a felicidade do povo..."[3]

O ambiente nacional era sombrio. O presidente Artur Bernardes governava com recurso a um perene estado de sítio. Numerosos eram os presos políticos, a censura arrochava a imprensa e a liberdade de reunião era limitada. As dissensões internas tinham um contraponto armado na ameaça representada pela Coluna Prestes — a guerrilha em que se transfigurou o movimento tenentista depois da derrota da Revolução de 1924. Em novembro de 1926 o mineiro Bernardes entregou o poder ao "paulista de Macaé" Washington Luís e o país conheceu um intervalo de distensão. "Ao contrário do grave, formalístico e retraído sr. Artur Bernardes, o novo presidente mostrava-se frequentemente em público, cheio de saúde e força, de excelente aparência, esportivo e satisfeito, despertando, por isso mesmo, espontâneas e sinceras simpatias", escreveu um historiador.[4] Uma caravana de mil automóveis foi de São Paulo ao Rio de Janeiro para assistir à posse.[5] Era uma saudação dos automobilistas ao político que como presidente estadual, além de concluir o caminho do Mar, construíra as estradas até Campinas e, no trecho paulista, até o Rio. Nos primeiros meses do novo governo presos políticos foram libertados, exilados voltaram e o estado de sítio foi levantado. Em março de 1927 a Coluna Prestes internou-se na Bolívia, encerrando a fase de guerra de desgaste contra as força oficiais pelo interior do país. Dali para a frente seus integrantes se constituirão num grupo de exilados a orquestrar a ação possível a partir de suas bases no exterior, Buenos Aires principalmente. Os meses de distensão escoaram-se rapidamente, porém. Washington Luís cevava inimigos ao recusar-se a conceder anistia aos militares rebeldes de 1922, 1924 e da Coluna Prestes. Surgiam dissidências nas oligarquias estaduais. O governo reagiu com a retomada dos processos políticos, arrocho à imprensa e limitação às liberdades de reunião e associação.[6]

Em 1927 o Partido Democrático tinha 50 mil membros, dezessete diretórios na capital, setenta no interior, um jornal (o *Diário Nacional*) e elegeu três deputados federais.[7] Bem ou mal, conseguira dar uma primeira estocada contra o círculo de ferro do PRP. Em eleições estaduais e municipais do ano seguinte, no entanto, nada conseguiu. O círculo de ferro fechara-se. Na capital, os democráticos haviam lançado a candidatura a prefeito de Adriano Marrey Júnior. Foi derrotada pela de Pires do Rio, que assim se reelegeu. "Lama, sangue e vergonha recaem sobre a civilização de São Paulo", foi a manchete do *Diário Nacional*, denunciando fraude. No dia 3 de janeiro de 1928 Antônio Prado enviou telegrama a dona Leocádia Prestes, cumprimentando-a pelo trigésimo aniversário de seu "glorioso filho" Luís Carlos. O telegrama foi publicado no *Diário Nacional* do dia seguinte.[8] Nada mais estapafúrdio, considerando-se os perfis dos dois personagens e os lugares que a cada qual reservava a história do Brasil. Antônio Prado tinha origens na mansuetude reacionária do Partido Conservador do Império; Luís Carlos Prestes, embora ainda não houvesse sacramentado a opção pelo comunismo, não deixava dúvidas quanto à opção pela luta armada. E se havia algo que unisse perrepistas e democráticos, era o horror às revoluções, especialmente se a elas fosse convidado o povo. A exasperação com um adversário que nas urnas se revelava imbatível, mesmo porque era capaz de manipulá-las, alterá-las e, em último caso, sumir com elas, abria brechas nas convicções legalistas e propósitos pacíficos dos dissidentes. Outro expoente da elite, Júlio de Mesquita Filho, o diretor de *O Estado de S. Paulo*, cujo jornal simpatizava com os democráticos, daria a seu terceiro filho, nascido em 1929, o nome de Luís Carlos, em homenagem a Luís Carlos Prestes.[9] A bem-sucedida construção do mito em torno do "Cavaleiro da Esperança" angariava insuspeitados adeptos. O condutor da coluna rebelde era o herói a cuja sombra mesmo os dissidentes da oligarquia procuravam abrigo.

Mil novecentos e vinte e nove vai caracterizar-se por dois motivos de desassossego, no Brasil, com especiais reflexos em São Paulo: a sucessão presidencial e a quebra da bolsa de Nova York. As eleições para a presidência da República estavam marcadas para 1º de março de 1930. Como ocorria regularmente no país, e como continuaria ocorrendo depois, já mais de um ano antes iniciavam-se os conchavos, as articulações e os balões de ensaio. Rezava a regra que, não importasse quanto esperneassem os descontentes, acabaria vingando o candidato do situacionismo. Sinais de encrenca começaram a despontar quando se evidenciaram as divergências entre Washington Luís e o presidente de Minas Gerais, Antônio Carlos Ribeiro de Andrade. Julgando-se o candidato natural ao próximo quatriênio, no quadro da chamada "política do café com leite", Antônio Carlos sentia-se ferido pela preferência de Washington Luís pelo então presidente de São Paulo, Júlio Prestes. À insatisfação do mineiro somou-se o quase permanente estado de rebeldia do Rio Grande do Sul, e entre uns e outros chegou-se à conclusão de que, se Antônio Carlos não podia ser o próximo presidente, tudo se faria para que também Júlio Prestes não o fosse. A vez seria dos gaúchos, que nunca haviam ocupado a presidência da República nem, no Império, a do Conselho de Ministros. No dia 17 de julho Washington Luís recebeu carta em que o presidente do Rio Grande, um homem ainda pouco conhecido nacionalmente, com origens nas turbulentas regiões de fronteira, de nome Getúlio Dornelles Vargas, lhe dava conta da decisão de concorrer à presidência. "Não pode ser, não pode ser", indignou-se o presidente.[10] Vargas, seu fiel ex-ministro da Fazenda, lhe garantira, inclusive em carta com papel timbrado do governo gaúcho, que seria fiel ao seu comando nas articulações sucessórias. O país ainda não se familiarizara com uma matreirice dissimuladora que se tornaria lendária. Para apoiar Vargas foi criada uma "Aliança Liberal" na qual os situacionistas do Rio Grande aliavam-se aos de Minas. Em setembro o Partido Democrático de São Paulo veio reforçar a Aliança, declarando-se em favor da candidatura oposicionista.

O Júlio Prestes que Washington Luís tão intransigentemente defendia para seu sucessor era filho do "coronel" Fernando Prestes, lendário chefe político da região de Itapetininga e presidente do estado entre 1898 e 1900. Desde sempre, Washington Luís tivera-o como fiel parceiro. Deputado estadual, Júlio Prestes fora o líder do governo quando Washington Luís era presidente do estado. Deputado federal, fora igualmente líder do governo, quando o outro era presidente da República. Nesta qualidade coube-lhe capitanear a articulação para aprovação do Plano de Estabilização Econômica e Financeira que

Washington Luís tinha como peça central de sua presidência. Em abril de 1927, com apoio de Washington Luís, Júlio Prestes ascende à presidência do estado, em eleições antecipadas pela morte súbita de Carlos de Campos. Em sua gestão será criado o parque da Água Branca, no local onde, desde os tempos do prefeito Antônio Prado, funcionara a Escola Prática de Pomologia e Horticultura. À frente da empreitada esteve seu secretário da Agricultura, Fernando Costa, e para ali seriam transferidas as exposições de animais antes realizadas em dependências da secretaria na Mooca. De resto, Júlio Prestes mantinha amizade com os artistas e intelectuais e certa vez, em casa de Tarsila do Amaral e Oswald de Andrade, quando presidente estadual, destacou-se pela perícia com que soube acompanhar a cozinheira do casal numa dança de cateretê, embalados ambos os dançarinos ao ritmo do piano do sambista carioca Sinhô. Vai o episódio citado como reforço à tese, por nós perseguida com ânsia detetivesca, de que seria Júlio Prestes o estudante de Direito que no capítulo VII invadiu o palco do Politeama para formar par com a festejada Bugrinha.[11] Não há dúvidas de que gostava de dançar.

O *crash* da bolsa de Nova York, em outubro, veio atalhar em cheio a campanha presidencial, mas na verdade a crise no Brasil já se esboçara antes. O problema era o de sempre — a superprodução do café. As operações de "valorização" que, a começar da primeira, de 1906, jamais deixaram de renovar-se tinham por objetivo garantir o preço pago ao produtor, não importassem as oscilações do mercado internacional. Nos períodos de baixa o governo comprava a totalidade da safra e estocava o excedente, à espera de dias melhores. Ora, a garantia do preço estimulava o fazendeiro a produzir cada vez mais. Resultado: em vez de combater o pecado original da superprodução, o procedimento criava mais superprodução. Os pés de café, de 828 milhões, em 1918, passariam a 1,155 bilhão no estado de São Paulo em 1930.[12] O problema do financiamento à compra de safras cada vez maiores agravava-se de ano a ano. Veio a crise de Nova York e com ela uma dupla calamidade: a queda do preço do café, por um lado, e por outro o colapso do crédito. O preço do café mergulhou de 22,5 centavos de dólar por libra peso em setembro de 1929 a oito centavos em setembro de 1931.[13] A defesa do café não era mais administrada pelo governo federal, mas pelo governo paulista, por meio de um organismo criado em 1924, o Instituto do Café. Em 1929 secaram as fontes dos empréstimos internacionais a que o Instituto se acostumara a recorrer. O governo paulista pediu socorro ao governo federal, mas Júlio Prestes sabia de antemão que a resposta seria negativa. Igualmente carente de recursos e de créditos, Washington Luís só poderia socorrê-lo emitindo moeda. Seria a ruína de seu plano de estabilização.

Sem empréstimos externos nem apoio governamental, o resultado para os fazendeiros foram falências e perdas de propriedades. Para Washington Luís, cavava-se vulnerabilidade ainda maior. "Deu a broca na candidatura Júlio Prestes", escreveu o jornalista Assis Chateaubriand. Para ele, adepto da candidatura Vargas, "as tropas de assalto que deverão derrubar a prepotência do candidato oficial" seriam comandadas pelo "general café".[14] No penúltimo dia de 1929, já em campanha, Getúlio desembarcou no Rio. Foi recebido com multidões nas ruas, leu sua plataforma de governo em praça pública e, para surpresa geral, incluiu no programa uma visita de cortesia a Washington Luís. Segundo comentários na imprensa, Getúlio teria reiterado o compromisso secreto entre as duas campanhas de não visitar São Paulo, reduto de Júlio Prestes, em troca de Júlio Prestes não visitar o Rio Grande do Sul. Daí que Washington Luís tenha reagido com incredulidade igual à que o assaltou ao saber da candidatura de Getúlio quando o chefe de seu gabinete militar, Teixeira de Freitas, veio lhe informar que o candidato oposicionista, tendo encerrado sua agenda no Rio, estava partindo para São Paulo. "Não, ele não vai a São Paulo", disse. O trem já estacionara na plataforma, à espera da comitiva oposicionista. O general, em permanente contato telefônico com a estação, volta ao presidente para dizer que o destino era sim São Paulo. Washington Luís irrita-se. "Já lhe disse que ele não vai a São Paulo." Não demora e, enfim, o general tem o doloroso dever de informar que o trem, com destino certo, ineludível e irretratável da capital paulista, acabara de partir. O candidato havia cedido aos apelos do Partido Democrático, para o qual a vinda à cidade era "questão vital".[15]

* * *

Getúlio Vargas chegou a São Paulo às 19 horas do sábado, 4 de janeiro de 1930. Chovia, mas ainda assim era expressiva a massa que o aguardava na estação do Norte. Bandeiras do Partido Democrático, flâmulas e lanternas agitavam-se em meio à multidão. Gritava-se pelo voto secreto e pela anistia. Formou-se um cortejo de automóveis que, pela avenida Rangel Pestana, tomou o rumo do Centro, banda de música à frente. Um cordão de gente seguia os carros. Pessoas aplaudiam das janelas. O cortejo venceu a várzea do Carmo e enfim "entrou triunfalmente" na rua Quinze de Novembro, onde o aguardavam "velhos e moços, homens e mulheres", como reportou O *Estado de S. Paulo*. Na praça do Patriarca formou-se palanque no qual o candidato ouviria e faria discursos. A chuva já tinha virado um chuvisco. Getúlio caprichou em honrarias à terra. Falou dos bandeirantes, da independência proclamada no Ipiranga, do padre Feijó, dos presidentes paulistas Prudente de Morais, Campos Sales e Rodrigues Alves. A banda atacou o Hino Nacional e a multidão cantou em coro. Retomou-se o cortejo pela avenida São João até a praça da República, onde se deu nova parada, para novos discursos de saudação ao candidato e nova execução do Hino Nacional. Só à meia-noite enfim chegou à casa do empresário José Carlos de Macedo Soares, o articulador dos meios de subsistência da cidade durante a Revolução de 1924, na esquina das ruas Major Quedinho com Consolação, onde Getúlio pernoitaria.[16]

A cobertura da imprensa paulista refletiu uma luta política cada vez mais acirrada. O *Estado de S. Paulo*, favorável ao Partido Democrático e à Aliança Liberal, saiu no dia seguinte com o título "São Paulo assistiu ontem à maior manifestação de sua história" e calculou em 120 mil pessoas a multidão que recepcionou o candidato oposicionista, engrossada pela "contribuição larguíssima de todas as classes sociais, notadamente das mais humildes e sofredoras". Já o oficialista *Correio Paulistano* saiu com crítica à "getulice", um mal que definiu como "sinônimo confortável e lauto de falta de lógica, de tipo instável, de todas as coisas contraditórias, sem bases sólidas, sem limites fixos, sem pé nem cabeça, misturas que não se misturam".[17] Surpreendente era a posição agora esposada pelas duas *Folhas*, a *da Manhã* e a *da Noite*. Quando da formação do Partido Democrático, a *Folha da Manhã* exultara. "Pela regeneração da pátria", proclamara, em manchete na primeira página. Agora, ao dar conta da visita de Getúlio à cidade, o título foi: "A chegada do inimigo do café". Para o jornal, a recepção do candidato teria se caracterizado pela frieza e a escassa presença de povo. Dizia o texto, na verdade um longo editorial, cheio de ironias: "A imprensa democrática virá hoje furibunda contra o governo por ter permitido que chovesse. Às poucas gotas d'água que caíram atribuirão a frieza com que a nossa capital recebeu ontem o sr. Getúlio Vargas, candidato de quatro gatos pingados à presidência da República." Seguiam-se qualificações de Getúlio como "nota dissonante no concerto da lealdade nacional", como "candidato de mentalidade chula", como autor de uma plataforma que mais equivalia a uma "chataforma", como "ridículo" e até como "bochechudo". Quanto ao café, o candidato, "oco como uma bola de celuloide", não teria autoridade para falar, "pois, em matéria de produção, não logra transpor as fronteiras do mate e do churrasco". Getúlio tinha aventado a hipótese de baratear o preço, para recuperar o terreno perdido pelo produto no mercado. "Quer baratear a preços vis", apostrofava o jornal, "a preços que importariam a desmoralização do produto e a ruína da lavoura."[18]

As *Folhas* haviam mudado de lado em março de 1929, quando começaram as articulações para o lançamento de uma candidatura oposicionista, sem explicar os motivos da virada.[19] Imagina-se que tenham desempenhado um papel os interesses do café, dos quais os jornais eram permanentes defensores. Quanto ao balanço da recepção a Getúlio, a *Folha da Manhã* brigava com os fatos. As fotos do dia mostram muita gente nas ruas para saudar o candidato da Aliança Liberal. "Nós-queremos-Ge-túlio, Nós-queremos-Ge-túlio", entoava a multidão. Os paulistanos inauguravam dessa forma, naquela noite chuvosa, um grito tornado tão célebre que anos depois geraria o movimento chamado "queremismo". O 4 de janeiro de 1930 marcou o ponto inicial da tumultuada relação, caracterizada por picos e abismos gigantescos, entre São Paulo e aquele senhor baixinho, gorducho, ar mais próximo de pacato funcionário de repartição do que de caudilho da fronteira ou de um chefe revolucionário, e que no entanto chegava para ficar na história do Brasil.

A política apresentava-se em estado de rachar famílias naqueles anos. Até o sacrossanto salão de dona Olívia Guedes Penteado foi vitimado. Recordou Mário de Andrade, anos depois: "O salão da rua Duque de Caxias teve como elemento principal de dissolução a efervescência que estava preparando 1930. A fundação do Partido Democrático, o ânimo político eruptivo que se apoderara de muitos intelectuais, sacudindo-os para os extremismos de direita ou esquerda, baixara um mal-estar sobre as reuniões. Os democráticos foram se afastando. Por outro lado, o integralismo encontrava algumas simpatias entre as pessoas da roda [...]. Sem nenhuma publicidade, mas com firmeza, dona Olívia soube terminar aos poucos o seu salão modernista".[20]

O dissenso na família modernista repetia-se em outras. Na família Prado, o velho patriarca abalara-se a comandar um partido de oposição em 1926 enquanto seu filho Antônio Prado Jr. era nomeado prefeito do Rio de Janeiro por Washington Luís. Outra fissura abria-se nos laços que ligavam, no Rio Grande do Sul, as famílias Aranha e Freitas Valle. O jovem Osvaldo Aranha, revelação da política gaúcha que se tornara um dos principais articuladores da candidatura de Getúlio Vargas, era sobrinho, por parte de mãe, do senador estadual paulista e incurável perrepista José de Freitas Valle.[21] Dez dias depois de Getúlio declarar-se candidato, o senhor da Villa Kyrial escreve ao sobrinho: "Posso asseverar-te que o nosso amigo Washington não quer para o Rio Grande senão uma atitude digna do Rio Grande". E mais: "Não é por manobra eleitoral planejada pela ambição do presidente de Minas que tu, pelo Rio Grande, cortarás, certo, a amizade tradicional e a aliança lógica do Rio Grande e São Paulo: isso espero de ti, e a terra por isso te agradecerá". O tio convidava o sobrinho a empenhar-se pela conciliação entre as partes, e nesse sentido arranjou um encontro entre Osvaldo e Washington Luís. Um mês depois é o sobrinho quem escreve ao tio, dando conta do encontro com o presidente. "Esgotei, junto ao dr. Washington, todas as propostas de um acordo digno e patriótico, merecendo sempre uma repulsa injustificada", afirma. O presidente, segundo ele, exigia "a capitulação humilhante do Rio Grande", razão pela qual concluía, com dramaticidade de ópera e bravura de gaúcho: "É preferível a morte à vergonha".[22]

O diálogo entre tio e sobrinho, de resto travado com respeito e afeto, é revelador em dois sentidos. Da parte do tio trai o vezo, tão característico do período, de preferir só ir às eleições com os resultados decididos. Da parte do sobrinho mostra que o fronte gaúcho já preparava a alternativa do levante armado como opção a um resultado eleitoral mais do que previsível. "A eleição pura e simples, em moldes republicanos, é irrealizável neste país de governadores e donatários", escreveu Aranha. "A eleição brasileira, herança da escravidão, sem lei, sem liberdade, sem responsabilidade, sem fiscalização, mas com derrubadas, subornos, violências e fraude, não leva convicção nem ao vencido nem ao vencedor."[23]

O ambiente em que se realizaram as eleições de 1º de março causaram a indignação que era de esperar. Na cidade de São Paulo "campeou a fraude", noticiou O *Estado de S. Paulo*. "Em diversos colégios eleitorais desta capital registraram-se lamentáveis irregularidades [...]. Vimo-las de toda classe. Da sonegação de boletins de quase todas as seções em que a oposição tinha a maioria à exclusão das cédulas do candidato sr. Getúlio Vargas, como ocorreu no Bom Retiro; dos títulos em branco enchidos ao acaso dos votantes pescados na rua ao fenômeno do distrito de Santa Ifigênia, que, contando 11 015 eleitores pela lista oficial, deu ontem, segundo resultados também oficiais, nada menos de 11 700 votos ao sr. Júlio Prestes, além de muitos outros ao seu opositor."[24] Em todo o país, o resultado final foi de 1 091 709 (59,39%) para Júlio Prestes contra 742 794 (40,41%) de Getúlio Vargas. Era um tempo em que voto era artigo de luxo. Para uma população de 40 milhões de habitantes, apenas 3 milhões eram eleitores — daí a escassez dos totais de cada candidato. No estado de São Paulo, para uma população de 6,4 milhões, 500 mil eram eleitores.

Destes, compareceram 71%, e destinaram 327 mil votos a Júlio Prestes, contra 39 mil a Getúlio Vargas.[25]

Fim de um capítulo, começo de outro. Saem de cena as urnas, entra na mesa a carta da "revolução", apelido nobre que à época se dava ao assalto armado ao poder, já insinuada pela oposição mesmo antes do embate eleitoral. Se Luís Carlos Prestes, convertido ao comunismo, afastara-se da contenda, denunciando-a como "luta entre os interesses contrários de duas correntes oligárquicas", outras figuras expressivas do tenentismo estreitaram relações com os políticos de oposição e os insuflavam à insurreição. Em julho, o assassinato por motivos passionais de João Pessoa, presidente da Paraíba e candidato a vice na chapa de Getúlio, foi metamorfoseado pela oposição em crime do regime. Os nervos entraram em combustão, mas entre avanços e recuos, infindáveis articulações, firmes resoluções e temerosos vacilos, tanto se espichou o enredo revolucionário, abertamente exposto ao país, que a certa altura passou-se a acreditar que revolução mesmo, de verdade, jamais viria.[26]

Veio. No dia 3 de outubro de 1930, às 17h30, tropas da Brigada Militar Gaúcha (a polícia estadual), reforçadas por rebeldes do Exército e paramilitares a serviço de caudilhos, começaram o assalto a unidades federais sediadas em Porto Alegre. Em 48 horas o Rio Grande estava dominado e uma coluna partia em direção a Santa Catarina e ao Paraná. Os rebeldes igualmente se apoderaram rapidamente do que havia de tropa federal em Minas, enquanto no Nordeste, sob o comando do tenente Juarez Távora, o avanço ia provocando as fugas, um a um, dos presidentes estaduais.[27] "Movimento contra o crédito e a honra do Brasil", estampou em manchete o *Correio Paulistano*, ao início das hostilidades.[28] Nos dias seguintes esse seria sempre o título sob o qual o jornal reuniria as notícias da insurreição. Tirante as manchetes e as aflições dos políticos, no entanto, a cidade de São Paulo prosseguia em sua doce rotina. No dia seguinte à eclosão do movimento o escritor Medeiros e Albuquerque fez uma palestra no salão nobre do jornal *A Gazeta* sobre "aspectos humorísticos dos nossos grandes homens", enquanto no Theatro Municipal a cantora Vera Janacopulos apresentava-se em triunfante recital.[29]

O avanço da revolução se foi tornando irreversível. Na capital federal ganhava corpo uma articulação entre altos oficiais das Forças Armadas com vistas a um golpe que, antecipando-se aos rebeldes, depusesse o presidente da República. No dia 20, com a adesão da Marinha aos golpistas do Exército, selava-se a sorte do governo.[30] O *Correio Paulistano* não se dava por vencido e, no dia 24, em franca insurreição contra os fatos, anunciava: "A mazorca levada de vencida pelas armas nacionais triunfantes". Na mesma página, sob o título "O comunismo do sr. Getúlio Vargas", afirmava que o chefe da rebelião pretendia "repartir com os soldados do Rio Grande os bens e a riqueza dos paulistas".[31] Naquele mesmo dia 24, um sábado, com o Palácio do Catete cercado por tropas, o orgulhoso, altivo e até ali politicamente invicto Washington Luís, que durante todo o período de turbulência emparedara a si próprio entre a teimosia e a autoilusão, entregou o cargo aos militares, sendo em seguida recolhido à prisão no forte de Copacabana. A exemplo do Rio e de outras cidades, uma explosão de júbilo tomou conta de São Paulo. Manifestações com vivas a Getúlio e à revolução sucediam-se nas praças do Patriarca e Antônio Prado. Seguiu-se um dos esportes prediletos, à época: o empastelamento dos jornais adversários. A primeira vítima foi *A Gazeta*, na rua Líbero Badaró. Máquinas de escrever, mesas, cadeiras, estantes e armários foram destruídos e jogados à rua. Nas oficinas, impressoras e linotipos foram danificados. A segunda foi, claro, o *Correio Paulistano*, na praça Antônio Prado, que teve móveis, máquinas e até um piano atirados pela janela.[32] Enfim, já altas horas, deu-se no largo de São Francisco algo provavelmente inédito na história mundial das revoluções: o assalto a uma casa funerária. Segundo os assaltantes, o estabelecimento seria notório na prática de fornecer listas de mortos para engrossar o eleitorado do PRP. Caixões foram levados, alguns queimados na via pública, outros usados para o enterro simbólico de derrotados.[33]

No dia 29 a caravana de Getúlio, varando o Brasil desde o sul no chamado "Trem da Vitória", passou por São Paulo, e a recepção ao vitorioso foi ainda maior e mais entusiasmada do que na visita de janeiro. O automóvel que o levou da estação da Sorocabana, onde chegou às dez da noite, ao Palácio dos Campos Elíseos, demorou mais de duas horas para percorrer o curto trajeto. As luzes acesas nas janelas dos edifícios, apinhadas de gente, duplicavam a generosa iluminação produzida pelos postes recentemente instalados na avenida São João e vias próximas, em substituição aos últimos lampiões a gás na área central. Segundo O *Estado de S. Paulo*, dois terços da população da cidade pareciam estar nas ruas, empunhando bandeiras, acenando com lenços vermelhos, jogando flores e gritando "Nós queremos Getúlio". "Tinha-se a impressão de que os bairros tinham sido abandonados e que toda a gente ali estava reunida, acompanhando o automóvel do dr. Getúlio Vargas", afirmou o jornal.[34] São Paulo exauria-se de entusiasmo pelo novo salvador da pátria. Quem diria que, menos de dois anos depois...

Mário de Andrade detetou mudanças, em mais de um sentido, naquele mais turbulento dos anos: "1930... Tudo estourava, políticas, famílias, casais de artistas, amizades profundas. O sentido destrutivo e festeiro do movimento modernista já não tinha mais razão de ser, cumprido o seu destino legítimo. Na rua, o povo amotinado gritava: Getúlio!, Getúlio!... Na sombra, Plínio Salgado pintava de verde a sua megalomania de Esperado".[35]

O casal que estourava era o Tarsiwald. Oswald de Andrade, apaixonado por uma moça de dezenove anos, de nome Patrícia Galvão e apelido Pagu, deixou registrada a razão do rompimento ao rabiscar num guardanapo: "Se o lar de Tarsila vacila/é pelo angu da Pagu". A amizade que tinha igual destino era entre o próprio Mário e Oswald. Certas gracinhas da *Revista de Antropofagia*, dirigida por Oswald, sobre a sexualidade de Mário, chamando-o de "miss São Paulo traduzido em masculino" e "miss Macunaíma", tinham definitivamente entornado o caldo.[36] "Esse ser não existe para mim", escreveu em carta ao amigo Manuel Bandeira, referindo-se a Oswald.[37] Plínio Salgado, figura de segundo time do modernismo, afiava as garras, "na sombra", para assumir o primeiríssimo lugar no time do fascismo brasileiro. Ia por fim de cambulhada, segundo Mário, a própria alma do movimento modernista, engolida por forças sociais mais destruidoras e menos festivas.

O conselheiro Antônio Prado não viveu para assistir à vitória do movimento que o Partido Democrático apoiara, embora com relutância na fase armada. Alquebrado pela idade, vitimado por "forte arterioesclerose" e desinteressado na política, morreu em abril de 1929.[38] Seu filho Antônio Prado Jr., destituído da prefeitura do Rio, seguiu para o exílio com o amigo Washington Luís. Um cético e curtido historiador, que além do mais conhecia a política com a intimidade de quem nela militou, assim faria o balanço das semanas que se seguiram à vitória da revolução: "Lenços vermelhos, negros boatos, tropelias, prisões, alguns incêndios, cassação de direitos políticos, exílios, demissões arbitrárias, desesperada caça aos empregos, cartórios e outras situações rendosas, terríveis ameaças não executadas, mirabolantes promessas, em suma, o espetáculo costumado, sem os antigos fuzilamentos, das revoluções vitoriosas do continente".[39]

XVII.
PLÃOQUE-PLÃOQUE, PLÃOQUE-PLÃQUE

Na segunda quinzena de maio de 1932 a espécie de febre em que São Paulo vivia desde o ano anterior atingiu o paroxismo. No dia 22 daquele mês, um domingo, chegou à cidade, dirigindo-se ao famoso casarão do tio Freitas Valle na Vila Mariana, o agora ministro da Fazenda Osvaldo Aranha. Vinha na qualidade de segundo homem do regime, de mais próximo amigo e de negociador preferido do presidente Getúlio Vargas, com a missão de procurar um entendimento quanto à questão que naquele momento incendiava os ânimos — a formação do novo secretariado estadual. Aranha encontrava-se atacado por forte gripe. Em parte por isso, em parte porque pretendia manter a passagem por São Paulo no nível mais discreto possível, preferiu hospedar-se na Villa Kyrial. Ali estaria longe do Centro, ao resguardo de um ambiente privado e sob a proteção de um tio com quem, apesar das diferenças políticas, mantinha afetuosas relações. Impossível no entanto, dado o clima reinante, que àquela altura um condestável do regime passasse despercebido pela cidade. Horas antes de sua chegada já circulavam na cidade panfletos que diziam: "Paulistas! Mais uma vez o ministro Osvaldo Aranha, como enviado especial do ditador, vem a São Paulo, com o intuito de arrebatar do povo paulista o sagrado direito de escolher os seus governantes". Distribuídos por estudantes nas esquinas e também nos cinemas, antes das frequentadas sessões dominicais, os panfletos asseguravam que "o povo paulista, cuja paciência não é ilimitada, não mais suportará tamanha afronta e humilhação", e terminavam por convocar uma manifestação para as 15 horas, na praça do Patriarca.[1]

Dada a consagradora recepção ao chefe da Revolução de 1930, só pouco mais de um ano e meio atrás, quem poderia imaginar? Eis as multidões agora viradas do avesso. São Paulo, nos anos 1930, será a capital da vertigem também por isso: o ambiente político atormentado, radical, violento, pontilhado por bruscas idas e vindas, propenso por quase nada a explodir nas ruas. A relação dos políticos paulistas com os novos donos do poder federal, se já era nula com a porção abrigada no destronado Partido Republicano Paulista, deteriorava-se também com o núcleo abrigado no Partido Democrático desde que Vargas nomeara o pernambucano João Alberto, destacado representante do movimento tenentista, para interventor no estado. Naquele 29 de outubro de 1930 da entrada triunfal de Getúlio Vargas em São Paulo, João Alberto acompanhara o chefe na visita ao Palácio dos Campos Elíseos — e mais ou menos já dissera a que vinha ao comentar: "Muito rico e muito bonito, mas precisamos transformar tudo isto, todos estes palácios paulistas, em quartéis".[2]

João Alberto Lins de Barros, ex-integrante da Coluna Prestes e de outras aventuras tenentistas, entrou para a história oficial de São Paulo como agente do mal. Sua ideologia, como a do tenentismo em geral, é difícil de definir. Enquanto um manifesto do Partido Democrático o tinha como responsável pela "expansão das ideias comunistas", o embaixador italiano consideraria suas opiniões, manifestadas em encontro privado, "de estilo absolutamente fascista".[3] Resta para além de sua pessoa que, como sinalizava a própria denominação de "interventor", ele estava ali em nome de um regime que ostentava como marcas básicas: (1) o centralismo, dando por encerrada a fase de autonomia estadual propiciada pela Constituição de 1891; e (2) a tendência à ditadura. Não bastasse, acumulava o defeito de não ser paulista. Fechava-se o rol de razões suficientes para que fosse odiado.

Na implantação da nova ordem, na qual o governo federal agigantava sua sombra sobre o governo estadual, o aparelho do Estado (e com ele os empregos e as benesses) era subtraído das mãos dos políticos tradicionais, e promovia-se a agitação junto às classes populares com o intuito de erigi-las a lastro do regime. João Alberto tinha um parceiro com igual ou até maior potencial de irritar as elites em Miguel Costa — o oficial da Força Pública que se destacara na Revolução de 1924 e em seguida dividira com Luís Carlos Prestes o comando da famosa coluna rebelde. Agora cumulado de honrarias e de poderes, depois de três anos e meio de exílio, Miguel Costa comandava a Secretaria de Segurança, e nessa qualidade tinha sob controle a Força Pública. Não satisfeito, fundou a entidade a que deu o nome de Legião Revolucionária, destinada a constituir-se no "braço civil da Revolução". A Legião promovia comícios e marchas e percorria os bairros em busca de adesões.[4] Em 31 de janeiro de 1931 alardeava possuir 17 mil filiados no estado.[5]

Miguel Costa não poupava os antigos aliados do Partido Democrático. Chegou a prender um de seus líderes, o advogado Vicente Rao, e a suspender o jornal do partido, o *Diário Nacional*.[6] Em abril os democráticos romperam formalmente com o governo de João Alberto. Passeatas de estudantes de Direito e agitações operárias refletiam nas ruas o clima de exasperada radicalização. Os estudantes faziam-se de tropa de choque da oposição ao interventor. Os comunistas, agora preponderantes nos meios operários, aproveitavam-se para tentar expandir seus espaços. Oswald de Andrade, à frente do jornal *O Homem do Povo*, que dirigia com a mulher, Patrícia Galvão, criticava com violência o Partido Democrático e a Faculdade de Direito, a quem chamava de "cancros" de São Paulo. Em represália os estudantes invadiram o jornal, na praça da Sé, empastelaram suas instalações e trocaram socos com o casal.[7] Oswald, que até o ano anterior ainda estava do lado dos amigos Júlio Prestes e Washington Luís, agora era comunista. Como se dera a conversão? Ele explicaria anos depois, ao seu característico modo pândego, que a iniciativa fora de Pagu, ao voltar de uma viagem a Buenos Aires. "Oswald, tem o comunismo...", dissera ela. "Conheci um camarada chamado Prestes. Ele é comunista e nós também vamos ficar. Você fica?" Ele respondera: "Fico".[8]

O comunismo, real ou imaginário, alimentava a fogueira de ressentimentos contra o regime. Segundo o arcebispo d. Duarte Leopoldo e

Silva, o comunismo entrara em São Paulo "na mochila dos soldados".[9] Em julho, numa tentativa de apaziguar os ânimos, o governo federal destitui João Alberto da interventoria. Virão a substituí-lo, em efêmeros mandatos, o desembargador aposentado Laudo Camargo (hostilizado pelos tenentes) e o coronel Manuel Rabelo (homem dos tenentes). Não deixaram rastro, a não ser, no caso de Manuel Rabelo, o de medidas folclóricas como legalizar a mendicância e tentar obrigar os prefeitos a comparecer ao enterro dos mendigos de suas cidades.[10] Rabelo morava nas Perdizes, por considerar que faria mau uso do dinheiro público caso se instalasse nos Campos Elíseos. Para chateá-lo os opositores tocaram hordas de mendigos para o quarteirão do bairro onde ficava sua casa.[11]

O ano de 1932 começou ainda mais efervescente. Em janeiro o Partido Democrático, já rompido com o governo estadual, proclamou-se rompido também com o federal. No dia 25 desse mês, aniversário da cidade, realizou-se o primeiro grande comício do ano, debaixo de chuva, na praça da Sé. A *Folha da Manhã* estampou na primeira página: "Uma multidão calculada em 50 mil pessoas clama pelo retorno do país ao regime constitucional".[12] Tinha-se encontrado uma bandeira para o movimento: a volta aos quadros constitucionais, rompidos pela revolução. A multidão dirigiu-se em seguida à rua Boa Vista, sede do jornal O *Estado de S. Paulo*, para ouvir o diretor do matutino, Júlio de Mesquita Filho, um dos líderes civis do movimento, e ainda teve ânimo de rumar à rua Líbero Badaró, onde ficava o QG da II Região Militar, para saudar o general Isidoro Dias Lopes — o líder da Revolução de 1924, agora convertido à causa paulista. No dia 17 de fevereiro o Partido Democrático e o Partido Republicano Paulista anunciaram sua união numa Frente Única Paulista. O manifesto então divulgado comunicava que os dois antigos rivais batalhariam em comum pela "pronta reconstitucionalização do país e a restituição a São Paulo da autonomia de que há dezesseis meses se acha esbulhado".[13] "Reconstitucionalização" e "autonomia" no fundo apontavam para a mesma e idêntica causa: a volta ao regime de autonomia das unidades federativas inscrito na Constituição de 1891. No dia 24, data do aniversário da Constituição derrogada, realizou-se outro comício, na mesma praça da Sé, e Mário de Andrade aderiu ao plãoque-plãoque. A expressão é do próprio autor de *Macunaíma*, ao descrever numa crônica a avalanche humana em que se viu engolfado ao entrar na rua Direita, depois de ter descido do ônibus na praça do Patriarca:

"Tudo se organizava e unificava num poderoso, num voluntarioso ritmo de marcha de formidável caráter. Toda a gente da rua se dirigia pro comício e não se via uma cara só. O que se via era aquele ruminante ondular de ombros, e os passos batebatendo plãoque-plãoque plãoque-plãoque no revestimento caro da rua plãoque-plãoque plãoque-plãoque. Os poucos homens que vinham em sentido contrário estavam miseráveis, com vergonha de si mesmos, quem sabe? uma doença em casa, algum negócio imprescindível. [...] Livre de todas as inutilidades que se aparasitam, sobre o corpo cotidiano da vida civil, aquela multidão ia pra um comício. Ia pedir a volta do regime constitucional, ia pedir vida civil. Desiludida pela fina flor do heroísmo brasileiro que lhe prometera mundos e fundos e apenas lhe dava o exemplo mais rumoroso de incapacidade, aquela multidão ia gritar pela volta ao regime constitucional."[14]

No dia 1º de março Getúlio muda o interventor pela terceira vez. O nomeado era agora o embaixador Pedro de Toledo, um "civil e paulista", como pedia o movimento — se bem que um paulista havia muito residente fora do estado, e alheio às artes e às manhas da política estadual. Seguiram-se as tratativas para a formação do secretariado. Cabia ao novo interventor a missão de chegar a um entendimento entre os políticos da Frente Única e os tenentes, representados desde sempre por João Alberto, que mesmo apeado da interventoria não deixara de exercer influência, e Miguel Costa, ainda no comando da Força Pública. A impossível tarefa equivalia a conciliar o inconciliável. Nem se fosse mágico, e isso Toledo não era nem um pouco, arrancado cruelmente que fora da aposentadoria, aos 72 anos. Em 14 de maio, numa suprema concessão aos paulistas, Getúlio marcou para 3 de maio de 1933 eleições para uma assembleia constituinte. Enquanto isso, as negociações para formação do secretariado arrastavam-se. Foi quando Osvaldo Aranha recebeu a incumbência de vir a São Paulo negociar uma saída para o impasse.

Entre um encontro e outro com políticos paulistas, sempre na Villa Kyrial, com exceção de uma ida aos Campos Elíseos na segurança das altas horas da noite do dia 22 de maio, Aranha telegrafou a Getúlio: "Comércio, academias, colégios aderiram movimento exaltação popular violento e hostil a mim e ao governo federal".[15] Sua partida de volta ao Rio foi tão discreta quanto a chegada. Como resultado da missão ficava o equivalente a uma rendição: o secretariado seria formado exclusivamente por integrantes da Frente Única Paulista. Até mesmo a Força Pública os tenentes perdiam, com a destituição de Miguel Costa. Na manhã do dia 23 de maio o novo secretariado, constituído pelos mais destacados quadros do Partido Democrático e do Partido Republicano Paulista, foi anunciado por Pedro de Toledo, da sacada do Palácio dos Campos Elíseos, perante uma multidão reunida nos jardins. Seguiu-se nas ruas uma explosão de regozijo misturado de hostilidade ao que havia de presença do governo federal na cidade. Uma turba assaltou uma loja de armas e munições da rua Líbero Badaró e, armada de revólveres e espingardas, afluiu à sede da Legião Revolucionária, na rua Barão de Itapetininga. Começava naquele momento o mais dramático episódio produzido pela crise até então. A turba disparou contra a sede do órgão tenentista que, de dentro, atirou de volta com tiros de fuzil e metralhadora.[16] O tiroteio invadiu a madrugada, produzindo mortos e feridos. Entre os mortos, quatro jovens — Euclides Miragaia, Mário Martins, Dráusio Marcondes e Antônio Camargo — seriam erigidos a mártires do movimento. Com as iniciais de seus nomes, armou-se a sigla pela qual seria conhecido o movimento de recrutamento de civis para a guerra — MMDC.

* * *

Guerra? Por que guerra? Uma a uma, as reivindicações paulistas haviam sido atendidas. O interventor era um civil e paulista, o secretariado constituía-se de políticos locais, a Força Pública voltava a mãos confiáveis e o governo anunciara a convocação de uma assembleia constituinte. Em tese poderiam ir todos para casa e dormir sossegados. Havia dois problemas, porém: primeiro, não se confiava na sinceridade do governo em promover eleições; segundo, e mais importante, o trem da insurreição já atingira tal velocidade que nada naquele momento, excetuada a pura e simples deposição do governo federal, conseguiria freá-lo. Para a exaltação dos ânimos concorria um instrumento poderoso, que pela primeira vez seria utilizado no Brasil de forma intensa, insistente, exaustiva, em favor de uma causa política: o rádio. À pioneira Rádio Educadora Paulista se haviam juntado a Sociedade Rádio Cruzeiro do Sul (1927) e a Sociedade Rádio Record (1929). Naquele dia 23 de maio de tanta violência e tanta balbúrdia, esta última teve seu estúdio, localizado na praça da República, invadido por um grupo de estudantes de Direito que se apossara dos microfones e concitara a população a aderir ao movimento. Foi o início (forçado) do casamento entre a causa e um meio de comunicação cujas potencialidades ainda não haviam conhecido igual oportunidade de ser testadas. Daí para a frente, o rádio, e a Record em primeiro lugar, desempenhariam (não mais forçadas) um papel sem o qual não se compreendem o alcance e a comoção com que foram arrebatadas amplas camadas da população.

O começo do rádio fora tímido e cauteloso. Nos primeiros anos, a Educadora só tinha transmissões por algumas horas, e em alguns dias da semana. Tocava música clássica, e para ouvi-la, à falta de aparelhos nas casas, os aficionados reuniam-se em determinados locais.[17] A Record fora fundada pelo empresário Álvaro Liberato de Macedo, que já possuía uma loja de discos e de partituras com o mesmo nome, e logo vendida a uma sociedade na qual figurava aquele que, no momento seguinte, seria seu único dono, Paulo Machado de Carvalho. Os primeiros aparelhos a surgir no mercado eram oferecidos a preços proibitivos até para a classe média, mas, em 1932, mesmo uma família operária, com algum esforço, poderia adquirir o seu. No ano anterior fora liberada a veiculação de anúncios, o que emprestava considerável impulso financeiro ao novo meio de comunicação.[18] A Record fora a primeira a incluir em sua programação boletins noticiosos regulares.

Daquele maio em diante, passou a transmitir comunicados da Frente Única Paulista e entrevistas com seus líderes. O rádio começava a deixar para trás os tempos em que, para ter acesso instantâneo às notícias, só correndo à porta dos jornais, para ler os placares em que eram estampadas.

Em paralelo às manifestações públicas, e mais importante do que elas, sob o ponto de vista da desestabilização do regime, corria a conspiração contra o governo federal. As articulações subterrâneas tinham duas faces, uma civil, outra militar. A mais importante atividade, na face civil, era a negociação entre os líderes da Frente Única — Francisco Morato, Altino Arantes, Valdemar Ferreira e Júlio de Mesquita Filho, entre outros — e descontentes de outros estados, em especial Minas Gerais e Rio Grande do Sul. Em Minas Gerais o ex-presidente Artur Bernardes irmanava-se com os paulistas. No Rio Grande do Sul o mesmo papel era encarnado pelo velho caudilho Borges de Medeiros, que comandara o governo do estado por 25 anos. Se os três estados se levantassem, seria o xeque-mate no regime. Na face militar, não eram poucos os oficiais que se opunham à influência dos tenentes, a seu radicalismo e ao desafio à hierarquia que representavam. Em tese formavam um contingente mais do que suficiente para sustentar a briga. Envolvidos na conspiração já estavam o general Bertoldo Klinger, comandante das tropas em Mato Grosso, e o coronel Euclides Figueiredo. Entre os oficiais considerados simpatizantes figuravam detentores de importantes postos na capital federal, inclusive o chefe do Estado-Maior, Tasso Fragoso.[19]

Para entender as fissuras existentes no próprio aparelho do Estado é preciso ter em conta o que era o "governo provisório", como se intitulava a primeira fase do que viria a ser a longa era Vargas. A insurreição paulista o qualificava de "ditadura". Longe de se ofender com isso, alguns de seus próprios expoentes admitiam a qualificação. "A ditadura atual é um laboratório, cujas experiências poderão depois ser julgadas e aproveitadas na organização definitiva do país", disse o líder tenentista Juarez Távora.[20] O nome ditadura cabe bem ao regime quando se tem em conta sua origem de fato, sem a legitimidade das urnas, e seu desenvolvimento sem Congresso e sem o enquadramento numa moldura constitucional. Mas não lhe cabe quando se identifica o conceito de ditadura ao de coesão interna, claras e respeitadas instâncias hierárquicas, azeitadas linhas de comando e, como resultado, o exercício de um poder incontrastável. Antes, o regime caracterizava-se pela bagunça. Sucediam-se, de par com as manifestações e as agitações de rua, as insubordinações e os desafios à sua autoridade. Reinava a insegurança nos rumos da economia. A agitação nos quartéis, um crônico mal brasileiro durante a maior parte do século XX, era permanente.

Um dizia: "Sergipe"; o outro respondia: "37". Na rua Sergipe, número 37, bairro de Higienópolis, ficava a casa em que os conspiradores montaram seu quartel-general, naquele nervoso sábado, dia 9 de julho de 1932. O endereço foi transformado em senha e contrassenha para suas comunicações.[21] Mensageiros entravam e saíam do local. A ordem era assegurar o controle das forças militares e policiais em São Paulo, bem como dos Correios, da Telefônica e de outros serviços. A hostilidade que crescera e engordara ao longo dos meses enfim tomava a forma de levante armado. Tudo correu bem, naquelas primeiras horas. Os revoltosos ocuparam sem resistência as guarnições do Exército em São Paulo. Os comandantes que ainda não haviam aderido o fizeram ao primeiro convite. A Força Pública mantinha-se sob firme controle, e a cidade recebeu a notícia do início da revolução, no dia seguinte, em clima de festa. "A população da Pauliceia, na alvorada radiosa desse domingo, um dos mais belos da estiagem paulista, despertara como se vivesse um conto de fadas", escreveu Menotti del Picchia.[22] Uma declaração de guerra recebida como um conto de fadas! Parece insano, mas em larga medida era mesmo o que ocorria. O mesmo autor, dos mais entusiastas da causa, prossegue: "As ruas suburbanas tinham na manhã fria e clara um movimento normal. Ao alcançar as cercanias do largo de São

Francisco, grupos nervosos coagulados pelas esquinas prenunciavam a tormenta. Renteando os muros da velha Faculdade de Direito, rapazes estremunhados, de cobertores escarlates ao ombro, à guisa de pala, com a arrogância e o júbilo dos guerreiros improvisados, montavam guarda, sobraçando carabinas. Na fachada da Escola de Comércio Álvares Penteado flutuavam flanco a flanco as bandeiras brasileira e paulista".[23]

Explica-se o clima festivo pela convicção da nobreza da causa, pela sede de heroísmo e, sobretudo, pela certeza da vitória. Os postos instalados pelo movimento MMDC pela cidade — na Faculdade de Direito, na Escola de Comércio Álvares Penteado, em repartições públicas — eram poucos para atender a enxurrada de voluntários querendo alistar-se. Dez mil inscreveram-se nas primeiras 72 horas.[24] Nas semanas seguintes mulheres se engajariam na produção de roupas para os soldados, a indústria se converteria com rapidez recorde para a produção de armas e munições e a Associação Comercial lançaria com estrondoso êxito a campanha "Dê ouro para o bem de São Paulo". Os donativos eram recolhidos nos guichês dos bancos, e certos doadores mais generosos, como "a distinta dama paulista d. Olívia Guedes Penteado", que teria doado "todas as suas joias", tinham seu gesto registrado nos jornais.[25] Outra campanha recolhia cigarros para os soldados e outra ainda, ao pedir chinelos, "tendo em conta que temos na nossa linha de frente a fina flor de nossa juventude, rapazes habituados a bons calçados e a uma vida repousada, sem caminhadas", contribuiu para o folclore de que as linhas revolucionárias eram ocupadas por mimados filhinhos de papai.[26] As mulheres desempenhavam papel de destaque em atiçar os homens à luta. Um homem de boa saúde, em idade de combater, que em vez disso era visto ainda a flanar pelas ruas da cidade, só podia ser mariquinhas, segundo a moral da história captada por Mário de Andrade:

"A moça, na rua Direita, bem vestidinha, bonita como um presente, se aproxima do rapaz e oferece um envelope fechado:

"— Quer ficar com um?

"— Pois não, senhorita!

"— Não, não tem que pagar nada, é grátis!

"E segue, distribuindo mais envelopes idênticos pra quantos rapazes encontra, bem vestidinha, bonita como um presente.

"O rapaz, abrindo o envelope, tirou o papel dobrado cuidadosamente em oito, em que vem impresso: 'VISTA SAIA.'"[27]

Uma semana depois de deflagrada a luta, O *Estado de S. Paulo*, por sua vez, registrava assim o clima na cidade: "São Paulo vive dias gloriosos. Numa unanimidade edificante, que por si só já conforta e entusiasma, a cidade não tem outro pensamento e outra preocupação senão a causa que os paulistas abraçaram para a felicidade do Brasil. [...] Anteontem à noite, na praça da República, os que tiveram a fortuna de assistir à bênção da bandeira entregue ao 3º Batalhão de Voluntários do MMDC devem ter tido os olhos rasos de lágrimas diante daquele entusiasmo da multidão, em clamores tão vibrantes e tão sinceros, que equivaliam a um verdadeiro juramento pela salvação da pátria".[28]

Os jornais excediam-se em ufanismo e triunfalismo. Manchete do *Diário Nacional*, no dia 21 de julho: "De vitória em vitória, as Forças Constitucionalistas aproximam-se do Rio".[29] Do *Estado de São Paulo*, no dia 22: "As novas vitórias do Exército da Lei na Frente Norte". Da *Folha da Manhã*, no dia 23: "Vencer pelo Brasil, pela liberdade, pela lei e pela civilização". Sobretudo, era a Record que intoxicava os ares da cidade com entusiasmo pela luta. A emissora fizera da marcha *Paris-Belfort*, que desde os tempos da missão militar francesa se tornara o hino da Força Pública, um estandarte musical para a luta. E era pan-pan-pan-pan-pan o dia inteiro, a abrir os noticiários, as entrevistas com líderes partidários e os textos do poeta Guilherme de Almeida ou do contista António de Alcântara Machado. A trinca de locutores formada por César Ladeira, Nicolau Tuma e Renato Macedo revezava-se ao microfone. César Ladeira, em especial, tornou-se a voz da revolução. A programação da emissora, antes dominada pela música, agora se apresentava assim:

8h30-10h — Jornal da Manhã/Boletim nº 1

12h-14h — Boletim nº 2

16h-18h — Boletim nº 3
19h-24h — A serviço das autoridades e da causa de São Paulo e do Brasil
24h-4h — Boletim retrospectivo da situação de São Paulo e do Brasil.[30]

Às manchetes dos jornais, ao *Paris-Belfort*, aos desfiles de voluntários e às cerimônias de bênção das bandeiras acrescentava-se a produção de cartazes, de medalhas e de outras bugigangas que incitavam à luta. Nunca se vira algo parecido, não só em São Paulo, mas no Brasil. E no entanto...

* * *

No entanto, São Paulo já perdera a guerra nas primeiras 24 horas. Perdeu, em primeiro lugar, por não ter conquistado o apoio de outros estados, ficando sozinho na luta. Em segundo, pelas trapalhadas, incompetência e falta de audácia dos comandantes militares. Em terceiro, pelo amadorismo e a inconsequência das tropas de voluntários, especialistas em fugir ou render-se ao inimigo à primeira carga. Em quarto, pelo défice de armas e munições, apesar do esforço da indústria. Em quinto, finalmente, porque a causa, que ao fim e ao cabo era a devolução do poder à velha oligarquia cafeeira, já se encontrava arquivada pelos ventos da história. Mesmo que não fosse derrotada naquele momento, não escaparia de sê-lo em algum momento seguinte. O país já era economicamente mais diferenciado e socialmente mais complexo; não cabia mais na moldura política da República Velha.

No capítulo das trapalhadas, o papel de desastrado-mor coube a quem menos deveria tê-lo exercido — o general Bertoldo Klinger, comandante das tropas em Mato Grosso, escolhido, por sua patente, para chefiar as tropas revoltosas. Em fins de junho, Klinger, um gaúcho já com extenso passado de lutas, a favor e contra diferentes governos, estava à procura de um pretexto para declarar-se abertamente contra o governo. Dizia aos interlocutores paulistas que com isso precipitaria o levante e levaria consigo 5 mil homens da guarnição mato-grossense. No dia 28 de junho, na tentativa de aplacar as querelas sem fim do meio militar, Getúlio nomeou um novo ministro da Guerra. O escolhido foi o general Joaquim Inácio Espírito Santo Cardoso, oficial já reformado, sem grande projeção no Exército. Klinger encontrou aí o pretexto que procurava. Redigiu no dia 1º de julho uma carta ao novo ministro em que ao protesto adicionava o insulto. "O Exército quer saber se o ministro resistiria a uma inspeção de saúde, dado o alquebramento fatal que os anos produzem", escreveu, sobre suposta fragilidade física e mental do sexagenário Cardoso. Acrescentou, sobre as qualidades profissionais do novo ministro, que se tratava de "um militar que de militar só tem a lembrança e a pensão".[31] A manifestação de Klinger era precipitada. Faltavam importantes acertos entre os conspiradores, especialmente com os simpatizantes gaúchos, que pediam mais tempo para atrair à causa o interventor Flores da Cunha. Conseguiu-se convencer o general a segurar a carta por alguns dias, mas não muitos; no dia 8, a carta foi entregue ao ministro. No mesmo dia Klinger foi destituído do comando das tropas de Mato Grosso. Os conspiradores paulistas não viram saída senão marcar para o dia 9 a deflagração do movimento.

Cabia a Klinger agora vir a São Paulo e assumir o comando das forças revolucionárias — e ele atrasou. Só saiu de Mato Grosso no dia 10 e chegou à capital paulista no dia 12. Um cortejo conduziu-o até o Palácio Campos Elíseos. Foi aclamado por onde passava. Baixinho, miúdo, careca, oclinhos redondos sobre os olhinhos míopes e bigodão, ele era mais uma caricatura ambulante do que o tipo que no cinema seria escolhido para a vaga de herói, mas estava gostando do papel. A certa altura desceu do automóvel e aboletou-se sobre o cavalo de um dos soldados da escolta. Não bastassem o atraso e o fiasco de ter precipitado o levante, ainda vinha sem os 5 mil homens que prometera trazer do Mato Grosso. Mas isso àquela altura não parecia importante. Dava-se por certo que a "guerra" consistiria num simples passeio até o Rio de Janeiro. Tão logo tivessem notícia do levante, os recalcitrantes mineiros e gaúchos aderiram, e arrastariam o resto do Brasil.

O encarregado de puxar o "passeio", na qualidade de comandante das forças no vale do Paraíba — a principal frente de combate —, era o coronel Euclides Figueiredo. Vindo do Rio, onde deixara a família, inclusive o adolescente João Baptista, que um dia seria presidente da República, a missão de Figueiredo o qualificava como o segundo oficial rebelde em importância. Ele comandou o avanço pelo vale do Paraíba, mas não ousou transpor a divisa com o estado do Rio de Janeiro. Preferiu fortificar-se dentro dos limites paulistas. Imaginou que era o suficiente para atiçar à rebeldia as guarnições do Rio e de outras partes do país. Foi um erro fatal. Com isso inverteu a lógica das rebeliões, segundo a qual a iniciativa cabe aos rebeldes, e abriu mão do elemento surpresa. Em carta a Getúlio a 18 de julho o general Góis Monteiro, comandante das forças federais no vale do Paraíba e, nessa qualidade, o jogador que enfrentava Figueiredo do outro lado do tabuleiro, apontou o erro do adversário: "O meio mais racional de o inimigo liquidar a questão seria tomar resolutamente a ofensiva, no prazo mais curto".[32] Em depoimento posterior, o mesmo Góis Monteiro, já na condição de um dos principais chefes militares da era Vargas, diria que se as forças rebeldes tivessem avançado no rumo do Rio de Janeiro poderiam "atingir pelo menos a Vila Militar, em Deodoro, o que seria um passo decisivo para ganhar a partida, não só porque essa investida iria causar pânico e confusão, naquele instante crítico, mas ainda porque poderiam contar com a adesão de muitos elementos tacitamente comprometidos e, sobretudo, com a simpatia do povo".[33] A avaliação é menos importante sob o ponto de vista de estratégia militar do que como reveladora da situação do país. Góis Monteiro deixa entrever um regime atravessando àquela altura uma fase cai-não-cai. Em sua visão, uma ação vigorosa, que chegasse ao subúrbio do Rio, teria provocado uma onda de adesões. (Segundo alguns indícios, o próprio Góis contava-se entre os que adeririam, nessas condições.)[34]

A guerra se desenvolveu em três frentes principais e uma secundária. As principais foram a do vale do Paraíba, junto à divisa com o Rio de Janeiro, a da Mantiqueira, junto à divisa com Minas, e a do Sul, junto à divisa com o Paraná. Tal qual no vale do Paraíba, os paulistas jogaram na retranca também nas outras duas, sem avançar no território adversário. A secundária transcorreu junto à divisa com o Mato Grosso, e tinha o objetivo de, via Paraguai e rio da Prata, tentar contato com o mundo exterior, em busca de reforços em armas e munições, já que os portos paulistas foram desde cedo bloqueados pela Marinha. O cálculo de homens em armas varia conforme a fonte, mas não a desproporção entre um lado e outro. O brasilianista Stanley Hilton chega a 20 mil do lado paulista contra 52 mil entre os federais.[35] É até surpreendente, dada a disparidade de forças, que a guerra tenha durado os 84 dias que durou. No dia 2 de outubro, o comandante da Força Pública Paulista, Herculano de Carvalho e Silva, assinou o armistício, em nome dos insurretos. Klinger, Figueiredo e os líderes civis não queriam fazê-lo, e consideraram Herculano um traidor. Foi na verdade um realista. Também não existe cálculo confiável de mortos no conflito. Entre os paulistas, seriam de seiscentos a oitocentos.[36]

Para Stanley Hilton, nas primeiras 24 horas "todas as esperanças paulistas foram por água abaixo". Já no dia 10 de julho o cerco federal se fechara, e São Paulo não tinha condições de suportar uma guerra de desgaste.[37] No final de setembro o colapso militar era iminente, mas a onda triunfalista continuava. A manchete do *Estado de S. Paulo*, no dia 29, foi: "O Exército da Lei mantém valentemente as suas posições". A da *Folha da Manhã*: "Acentuam-se as vantagens das tropas da lei no setor de Amparo". No dia seguinte a do *Estado* mudava abruptamente para: "Armistício entre as forças combatentes", anunciando com um eufemismo a rendição a ser assinada no dia seguinte. A da *Folha da Manhã*: "Um armistício para assentar-se a cessação da luta armada". Em seu romance *A revolução melancólica*, primeiro dos dois tomos da série Marco Zero, Oswald de Andrade descreveu o que veio a seguir:

"Um abalo sacudia a sociedade paulista que até a véspera fora mantida na tensão da vitória. Um mundo de gente nervosa, assustada, correndo de casa em casa. Às vezes um batalhão completo desembarcava com comando e com ordem. Os soldados do interior perdiam-se pelas ruas desconhecidas da capital, procurando abrigo, comida e banho. Os primeiros oficiais da Ditadura atingiam a cidadela vencida, altivos e distantes. E a soldadesca inimiga ocupou com armas e cavalos os quartéis vazios. Promoviam-se desordens nas ruas cheias. Nas salas de comando e de governo ditavam-se ofícios e preparava-se o exílio dos responsáveis pelo movimento. Presos abarrotavam os presídios e as delegacias transformadas. Mas às vezes a uma esquina agitada de rua a mulher paulista juntava-se hiante e resoluta: — Viva São Paulo!"[38]

Ao apoderar-se do estúdio da Record, os vitoriosos encontraram César Ladeira ao microfone. Ele foi detido e enviado ao presídio do Paraíso, onde passou dezesseis dias. No ano seguinte mudou-se para o Rio, onde marcaria época nas rádios Mayrink Veiga e Nacional.[39]

A Revolução de 1930 deixou dois rastros em logradouros paulistanos. Em novembro daquele ano, no entusiasmo da vitória do movimento liderado por Getúlio Vargas, o largo do Palácio foi rebatizado de praça João Pessoa, em honra ao candidato a vice assassinado. Em janeiro de 1931, o parque da avenida Paulista, até então conhecido simplesmente como "parque da Avenida", ou "parque do Trianon", passou a se chamar "parque Siqueira Campos", em homenagem a um dos principais líderes tenentistas, morto num desastre de avião quando voltava de Buenos Aires, ainda na fase de articulação do movimento. O parque continuou a se chamar "Siqueira Campos", o nome oficial, em concorrência com o apelido de "Trianon". Já a "praça João Pessoa" não sobreviveu à radical reviravolta de ânimos. Nos tumultos do 23 de maio de 1932 as placas com o nome do homenageado foram arrancadas pelas hordas enfurecidas[40] — e assim cumpriu-se um dos destinos das revoluções, que é pôr e tirar placas com os nomes das ruas. Em 1936, o local recebeu de volta a denominação dos tempos coloniais de pátio do Colégio. Coisa rara em São Paulo, em matéria de denominação de logradouros, venceu o bom senso. Aquele não era lugar de receber nome de gente, fosse quem fosse o homenageado.

Capa da revista A Cigarra *alude à campanha "Dê ouro para o bem de São Paulo"* | Hemeroteca do Arquivo Público do Estado de São Paulo.

XVIII.
Uma cidade para francês ver

Armando de Sales Oliveira era paulista quase para não se pôr defeito. "Quase" porque, filho de abastado pai português, não poderia dizer-se de quatrocentos anos. Mas poderia retrucar que os tais quatrocentos eram até pouco consideradas as credenciais de ter nascido na capital, ter estudado nas escolas da elite, ter-se formado engenheiro na Escola Politécnica (com cursos de aperfeiçoamento em Paris), ter-se destacado como empresário e por fim, mas nem de longe menos importante, ter-se casado com a filha do diretor-proprietário do jornal O *Estado de S. Paulo*, Júlio Mesquita. Com a morte de Mesquita, em 1927, enquanto Júlio de Mesquita Filho assumia a direção da redação, Armando de Sales passava à presidência da sociedade anônima proprietária do jornal. Em agosto de 1933, num gesto de reconciliação com São Paulo, o presidente Getúlio Vargas nomeou-o interventor federal no estado.[1]

O Pós-Revolução de 1932 tinha sido até ali de mais humilhação para os paulistas. Ocupara a interventoria o general Valdomiro de Lima, não só um dos vitoriosos no campo de batalha — ele comandara a frente sul, na divisa com o Paraná —, mas até aparentado com Vargas, de quem era tio por afinidade.[2] A passagem do turbulento Lima pelo governo caracterizou-se por permanente conflito com o setor cafeeiro e um sem-fim de boatos, ora de ressurgência de uma revolta paulista, ora de golpe planejado pelo interventor. Agora, com a escolha do "civil e paulista" Armando de Sales, Vargas estendia a mão esperando que, da sua parte, Sales estendesse a dele. Cabia-lhe, a ele que durante a Revolução participara do esforço de guerra, integrando a comissão encarregada do abastecimento da cidade, a delicada missão de pacificar e unir a elite paulista, ao mesmo tempo que prestava obediência ao governo federal.

Getúlio e Armando de Sales Oliveira na sugestiva primeira página da Gazeta | Hemeroteca do Arquivo Público do Estado de São Paulo.

Seus primeiros meses foram abalados por insurgências da parte de militares insatisfeitos com a solução encontrada para o estado. Entre outros incidentes, um de maior monta ocorreu no réveillon de 1933-1934 no Cine Odeon, o preferido da elite, em cujo salão da rua da Consolação se festejava a data. Às duas da madrugada, quando ia no auge a animação de um público calculado em 2 mil pessoas, estourou uma briga entre dois oficiais do Exército vestidos à paisana e um grupo de rapazes. Interveio o delegado de serviço e expulsou do recinto um dos oficiais. O brigão foi embora, mas prometeu voltar — e realmente voltou, agora acompanhado de dois caminhões que estacionaram na rua São Luís, e dos quais desceram algumas dezenas de soldados, armados de fuzis. A tropa entrou no salão como numa praça de guerra, dando tiros e quebrando o que se interpunha à sua frente. Houve pânico, correria, muita gente ferida e a paz só voltou com a chegada do próprio comandante da II Região Militar, general Daltro Filho, que deu ordem de prisão aos oficiais baderneiros e mandou recolher os soldados aos quartéis.[3] Naquele mesmo ano de 1934 iniciado com tão mau augúrio iria no entanto ter lugar a providência que, acima de qualquer outra, distinguiria a administração de Armando de Sales — a fundação da Universidade de São Paulo, empreendimento em que fez dobradinha com o cunhado Júlio de Mesquita Filho.

A USP já vinha sendo gestada, na redação de O Estado de S. Paulo, havia tempo. Em 1925, o jornal organizara um "inquérito sobre a instrução pública em São Paulo", conduzido pelo professor, educador e crítico literário Fernando de Azevedo. Ouvidos, ao longo de quatro meses, professores secundários e das faculdades de Direito, Medicina e Engenharia, concluiu-se por um diagnóstico em que avultava um estado de coisas deplorável, em boa parte resultante da falta de uma "elite orientadora". Ora, tal "elite", concluiu-se, só poderia surgir de uma universidade que formasse quadros para o magistério.[4] As revoluções de 1930 e 1932 vieram a atrasar o projeto. Ao fim da de 1932 Júlio de Mesquita Filho esteve entre o punhado de cabeças do movimento forçado a exilar-se. Em novembro de 1933 o governo concedeu anistia aos insurretos e Mesquita voltou ao país. O cunhado fora nomeado interventor três meses antes, e Fernando de Azevedo era o diretor-geral de Instrução Pública. Com condições de tal forma propícias para levar a ideia avante, tudo caminhou rápido. Fernando Azevedo, a pedido de Mesquita, redigiu o projeto de criação da universidade em apenas quatro dias. Em 25 de janeiro de 1934, dia em que a cidade de São Paulo completava 380 anos, Armando de Sales assinou o decreto nº 6283, o qual, considerando que "a cultura filosófica, científica, literária e artística" constituem as bases da "liberdade e da grandeza de um povo"; considerando que "somente por seus institutos de investigação científica de altos estudos, de cultura livre, desinteressada, pode uma nação moderna adquirir a consciência de si mesma"; "considerando que a formação de classes dirigentes" é imprescindível "à organização de um aparelho cultural e universitário que ofereça oportunidade a todos e processe a seleção dos mais capazes"; e considerando que "em face da cultura já atingida pelo estado de São Paulo [...] é necessário e oportuno elevar a um nível universitário a preparação do homem, do profissional e do cidadão", criava a Universidade de São Paulo.[5]

Não era a primeira universidade brasileira. A primeira, de 1920, fora a Universidade do Brasil, com sede no Rio de Janeiro, à qual se seguira em 1927 a Universidade de Minas Gerais.[6] Mas era a primeira a ser concebida não como reunião de instituições já existentes, mas como um todo orgânico, centralizado numa faculdade de Filosofia, Ciências e Letras. A esta, destinada à pesquisa pura e à formação de professores, se somariam as instituições já existentes — faculdades de Direito, de Engenharia, de Medicina, de Farmácia e Odontologia, todas com sede em São Paulo, e a Escola de Agricultura Luís de Queirós, em Piracicaba. Desde logo determinou-se que as diversas instituições sediadas em São Paulo haveriam de ocupar um campus único. Uma comissão foi encarregada de escolher o local e optou pela antiga fazenda Butantã, com generosos 5 milhões de metros quadrados, pertencente ao governo do estado, em uma de cujas glebas já se instalara o Instituto Butantã.[7] Para início de suas atividades a Faculdade de Filosofia, Ciências e Letras ocuparia dependências da Escola Normal, na praça da República, e outras instalações improvisadas. Das demais faculdades, as de ciências médicas já haviam criado raízes nos altos do Araçá, e a de Direito, com endereço desde sempre no largo de São Francisco, avisou, do alto de uma tradição transfigurada em soberba, que não sairia de onde estava. A Faculdade de Direito ganhou um novo prédio, naqueles mesmos anos 1930, sem sair do lugar: o velho convento colonial do largo de São Francisco foi demolido e substituído por um edifício que, em honra ao passado, conservou a forma conventual.

Por proposta de Júlio de Mesquita Filho, a voz mais influente na formação da universidade, ficou estabelecido que professores estrangeiros seriam contratados para dar-lhe início. Isso valia principalmente para a Faculdade de Filosofia, Ciências e Letras, mas pensou-se em revigorar as instituições já existentes enxertando-se também nelas profissionais de fora. Houve resistência da parte dessas faculdades, onde os poderes, as reputações e os interesses já se encontravam havia tempos constituídos, e assim só a de Filosofia, Ciências e Letras, que partia do zero e portanto não tinha poderes, reputações nem interesses a preservar, foi beneficiada por tal política.[8] Para a caça aos professores estrangeiros Mesquita acionou um antigo conhecido, Georges Dumas, professor de psicologia na Universidade de Paris que conhecia o Brasil já desde a primeira década do século e que criara centros de estudos franco-brasileiros no Rio de Janeiro e em São Paulo.[9] Dumas trabalhou bem. Atraiu uma plêiade de jovens que, à época apenas professores de liceu, com gosto pela aventura de buscar nos trópicos experiência de vida e maturidade intelectual, se converteriam, vários deles, em renomados filósofos, historiadores e sociólogos.

Um dos jovens capturados na rede de Dumas foi o belga naturalizado francês Claude Lévi-Strauss. Aos 27 anos, ele vinha para dar aulas de Sociologia mas fora mais atraído pela oportunidade de, sempre que pudesse, visitar as aldeias indígenas em busca de chaves para entender a natureza do complexo e intrigante bicho chamado homem. Lévi-Strauss deixaria a lembrança de seus três anos em São Paulo registrada num clássico em que ao antropólogo se soma o memorialista — o livro *Tristes trópicos* —, em outros escritos e em fotografias que tirou da cidade. De saída, o jovem intelectual surpreendeu-se com os luxos que aqui o esperavam. Em vez dos modestos alojamentos que ocupava na França, podia agora alugar uma casa com jardim e manter uma empregada doméstica. A casa ficava na rua Cincinato Braga, quase esquina de Carlos Sampaio. Para ir ao centro da cidade ele descia a pé a avenida Brigadeiro Luís Antônio, "de aspecto suburbano, geralmente atravancada de transeuntes e de bondes". Um luxo que o extasiou foi o alfaiate que vinha tomar as medidas e fazer as provas em domicílio. O baixo preço dos serviços e dos alimentos lhe dava a sensação de ter "escalado vários degraus na escala social", e o fato de se ter transmudado de professor secundário em professor universitário condecorava-o com uma ascensão também na escala profissional. O prédio Martinelli, "que em 1935 era ao mesmo tempo um referencial e um símbolo", é uma constante em suas fotos. "Único arranha-céu de toda a cidade, aos olhos dos paulistanos simbolizava a ambição de que esta se tornasse a Chicago do hemisfério Sul", escreveu. O prédio era visto de toda parte, "mesmo dos barrancos encarpados que desciam das elevações onde corria a avenida Paulista". Tais barrancos — o vale do Itororó, onde um dia seria construída a avenida Vinte e Três de Maio — "abrigavam as habitações mais pobres, com os riachos, à guisa de esgotos, transformados em torrentes quando chovia". O Martinelli impunha sua "presença majestosa" sobretudo na avenida São João. "Descendo a pé em direção ao oeste, ficava-se obsedado por sua massa rosada que se percebia toda vez que se olhava para trás."[10]

As observações acima, temperadas por suave nostalgia, foram escritas para um livro publicado em 1996, *Saudade de São Paulo*, sessenta anos depois do período brasileiro do autor. Em *Tristes trópicos*, publicado em 1955, o que sobressai é o senso crítico. "Descrevia-se então São Paulo como uma cidade feia", escreveu. Em princípio ele concordava. As improvisações, cores falsas e sombras de tal conjunto arquitetônico lhe causavam um sentimento de irrealidade, "como se tudo isso não fosse uma cidade, mas um simulacro de construções apressadamente edificadas para as necessidades de uma 'tomada' cinematográfica ou de uma representação teatral". No "famoso Triângulo", do qual "São Paulo era tão vaidosa quanto Chicago de seu Loop", Lévi--Strauss observava "vias congestionadas de placas em que se espremia uma multidão de comerciantes e de empregados proclamando, nas suas roupas escuras, a fidelidade aos valores europeus ou norte-americanos e, ao mesmo tempo, seu orgulho dos oitocentos metros de altitude que os libertava dos langores do trópico". Os bairros populares do Brás e da Penha caracterizavam-se pelas ruelas, os largos e as "praças quadradas e ervosas, rodeadas de casas baixas, com teto de telhas e pequenas janelas gradeadas, pintadas a cal". A rua Florêncio de Abreu abrigava "tranquilas oficinas de seleiros e tapeceiros onde se continuava — mas por quanto tempo? — a fabricação de bonitas selas de couro trabalhado, de cochonilhos para cavalos em grossos tecidos de algodão, de arreios decorados de prata lavrada". A avenida Paulista apresentava edificações "num estilo de cassino e de estação de águas", construídas para milionários que no entanto já a abandonavam para refugiar-se "para o sul da colina, na direção dos tranquilos bairros de ruas sinuosas". Enfim, ao descrever as construções do viaduto do Chá e do vale do Anhangabaú — o Theatro Municipal, o hotel Esplanada, os palacetes do conde Prates, e a nova sede que a Light erguera numa das pontas do viaduto —, o professor expõe seus recursos de grande escritor: "Esses edifícios em batalha evocam grandes rebanhos de mamíferos reunidos à tarde em torno de um ponto de água, por alguns instantes hesitantes e imóveis, condenados, por uma necessidade mais urgente do que o medo, a misturar temporariamente suas espécies antagônicas".[11]

A cidade que o intelectual francês conheceu apresentava obras públicas novinhas em folha, como o viaduto Boa Vista, com projeto do jovem arquiteto Oswaldo Bratke, inaugurado em 1932. Prolongamento da rua Boa Vista, ele ultrapassava a fenda na colina histórica por onde passa a rua General Carneiro, ligando em nível a Boa Vista com o pátio do Colégio. Em 25 de janeiro de 1933 fez parte das comemorações do aniversário da cidade a inauguração do novo Mercado Municipal, construído pelo escritório técnico Ramos de Azevedo, com projeto do arquiteto Felisberto Ranzini. O interior distinguia-se por grande vão e vitrais de Conrado Sorgenicht Filho, de uma família cujos trabalhos em vidro ornamentavam várias outras construções da cidade. O mercado era para ter sido inaugurado antes. Mas veio a Revolução de 1932 e, em vez de ponto de venda de frutas e legumes, foi improvisado em abrigo de soldados.[12] Com a abertura do mercado novo foi demolido o antigo, situado na rua Vinte e Cinco de Março, à direita de quem descia a General Carneiro.[13]

Outra novidade do período foi a organização do serviço de ônibus de forma a capacitá-lo a funcionar como real complemento — ou alternativa — à rede servida pelos bondes. Na década anterior, como vimos, uma invasão selvagem de precários modelos havia surgido na cidade, em decorrência da crise de energia elétrica que levou quase à paralisia dos bondes. Os ônibus não eram então bem-vistos, e um consultor americano contratado pela prefeitura para estudar a questão do transporte coletivo escreveu: "Estabeleçamos como ponto de partida que São Paulo não é cidade para auto-ônibus. [...] Se o auto-ônibus vier porventura a poder fazê-lo, não será senão daqui a muitos anos".[14] Nem por isso as linhas deixaram de continuar a brotar, por iniciativa de pequenas empresas, possuidoras muitas vezes de apenas um veículo. Em 1934 a prefeitura baixou ato organizando os serviços. No artigo primeiro exigia que as empresas possuíssem pelo menos quatro carros. Sobreviveram só as mais fortes.[15] O ato da prefeitura resultou na definitiva ruptura do monopólio da Light sobre o transporte coletivo. Em 1937 os bondes foram retirados de circulação do centro histórico. Já não era sem tempo; naquela área, eles tanto atravancavam as ruas estreitas que os pedestres eram forçados a espremer-se junto às calçadas. Com isso, a alternativa do ônibus ganhou impulso. Em 1939, havia 704 ônibus contra 570 bondes na cidade, e os ônibus transportaram 154 mil passageiros — metade do que transportaram os bondes.[16]

Em 3 de maio de 1933, conforme prometera, o "governo provisório" de Getúlio Vargas fez realizarem-se em todo o país eleições para a escolha de uma assembleia constituinte. Em São Paulo os derrotados de 1932 proclamaram vitória; adotaram a versão de que, não fosse a insurgência, o regime não se incomodaria em voltar à via constitucional. A campanha realizou-se sem comícios, sem anistia aos revoltosos e com a imprensa censurada. Mas, graças a inovações introduzidas pelo novo Código Eleitoral, baixado em 1932, o dia do pleito marcou a estreia de uma das promessas centrais da Revolução de 1930: o voto secreto. Os eleitores votaram em cubículos, escondidos por cortinas. Outra novidade introduzida pelo Código Eleitoral foi o voto feminino, ainda que com restrições: podiam votar as solteiras economicamente independentes; as viúvas; as casadas que trabalhassem fora (desde que autorizadas pelo marido); as casadas que chefiassem a família em consequência da ausência do marido; as desquitadas; e as abandonadas pelo cônjuge há mais de dois anos. As mulheres podiam também ser eleitas, e foi assim que a médica paulista Carlota Pereira de Queirós, única candidata no estado, e única vitoriosa em todo o país, tornou-se a primeira deputada basileira.* Carlota Pereira de Queirós tivera atuação destacada na organização da assistência aos feridos em 1932, e para a candidatura no ano seguinte teve no apoio de dona Olívia Guedes Penteado um forte trunfo.[17] Na grande maioria dos estados venceram os candidatos situacionistas. Exceções foram o Rio Grande do Norte, o Ceará e, principalmente, São Paulo, onde a "Chapa Única por São Paulo Unido", um desdobramento da "Frente Única de 1932", elegeu dezessete, entre os 22 deputados da bancada.[18]

A Assembleia Nacional Constituinte foi inaugurada em 15 de novembro de 1933. Depois de oito meses de controvérsias entre autoritários e liberais, de agudas disputas entre estados, de politicagem, de conspiratas e de não poucas ameaças de dissolução, vindas de meios militares, a nova Constituição foi promulgada em julho de 1934. O texto refletia os ventos autoritários, nacionalistas e racistas que sopravam desde a Europa de Mussolini e de Hitler. A "segurança nacional", conceito que fez então sua estreia em textos legais, mereceu capítulo com oito artigos. No capítulo sobre a ordem econômica e social, determinava-se que bancos, companhias de seguro, minas, jazidas

---

* No Rio, a candidata Bertha Lutz, filha de Adolfo Lutz e pioneira da causa feminista no Brasil, não conseguiu senão uma suplência na eleição, mas assumiu em 1936, na vaga de um deputado falecido, formando daí em diante com Carlota Pereira de Queirós uma bancada de duas representantes do sexo feminino.

minerais, quedas-d'água e outras fontes de energia hidráulica seriam submetidas a uma "nacionalização progressiva" e que "a entrada de imigrantes no território nacional sofrerá as restrições necessárias à garantia da integração étnica e capacidade física e civil do imigrante".[19] As eleições para presidente da República seriam diretas, mas fazia-se uma providencial exceção quanto à primeira delas — e foi assim que no dia 17 de julho, três dias depois da promulgação da Constituição, Getúlio Vargas foi eleito presidente, pela grande maioria dos constituintes. Bem ou mal ele era agora um presidente constitucional.[20] Por determinação da nova Constituição Federal, seguiu-se a convocação de assembleias constituintes estaduais ao fim das quais os deputados elegeriam os governadores. Em abril de 1935, os deputados paulistas elegeram Armando de Sales Oliveira. De interventor, ele passava a governador.

Dois meses antes, ainda como interventor, Armando de Sales concedera, de uma penada — era assim que se resolviam as coisas —, um considerável aumento territorial ao município de São Paulo, ao incorporar-lhe o vizinho município de Santo Amaro. Lévi-Strauss conheceu Santo Amaro, um dos arrabaldes de São Paulo onde praticava sua "etnografia de domingo", e o descreveu como "uma vila primitiva, cuja população vestida de trapos traía, por seus cabelos loiros e olhos azuis, uma origem germânica recente, já que por volta de 1820 grupos de colonos alemães vieram instalar-se em regiões menos tropicais".[21] O território agora incorporado ao da capital compreendia toda a área ao sul do córrego da Traição (sobre o qual um dia seria rasgada a avenida dos Bandeirantes), avançando até Parelheiros e além, e só fazendo limite, já nas bordas da Serra do Mar, com o município de Itanhaém. O que teria motivado tal ato? O primeiro dos "considerandos" do decreto de Armando de Sales destaca que "dentro do plano geral de urbanismo da cidade de São Paulo, o município de Santo Amaro está destinado a construir um dos seus mais atraentes centros de recreio". Assim sendo — expunham os considerandos seguintes —, o estado propunha-se a assumir as responsabilidades financeiras da agora extinta prefeitura e a "incrementar em Santo Amaro a construção de hotéis e estabelecimentos balneários que permitam o funcionamento de cassinos", além de investir em estradas de rodagem que servem a região.[22] O que se tinha em vista era o potencial turístico representado pelas represas cujas margens tocavam o até agora pobre e enjeitado município. Por que, para explorá-lo, o município tinha de ser anexado ao de São Paulo, o decreto não esclarece.

Chama a atenção o fato de a decisão governamental coincidir com um ambicioso projeto tocado por uma empresa privada — a Autoestradas Sociedade Anônima. Fundada em 1927 por Louis Romero Sanson, de nacionalidade inglesa, a Autoestradas exibia em sua diretoria nomes da elite empresarial paulista. Entre 1928 e 1930 tivera a seu cargo a construção da autoestrada de Santo Amaro (futura avenida Washington Luís), notabilizada na crônica da engenharia paulistana como a primeira a receber pavimentação em concreto. Agora a empresa preparava-se para os passos seguintes — a construção de balneário, hotel, autódromo e loteamento, na zona das represas, além de um aeroporto, mais perto do centro da cidade, mas também no antigo município de Santo Amaro. O aeroporto veio primeiro. A área escolhida foi a Vila Congonhas, comprada aos herdeiros de Lucas Antônio Monteiro de Barros, o visconde de Congonhas, primeiro presidente da província de São Paulo depois da Independência. Era um tempo em que começavam a surgir no país as linhas aéreas regulares. No Rio Grande do Sul a pioneira Viação Aérea Riograndense (Varig), fundada em 1927, ligava Porto Alegre a outras cidades gaúchas. Seguiu-se em 1933 a fundação, por um grupo de empresários paulistas, da Viação Aérea São Paulo (Vasp), que, tendo iniciado sua atuação com voos a cidades do interior e sul de Minas, inauguraria em 1936 o trajeto São Paulo-Rio. Lévi-Strauss recorda que enquanto viveu em São Paulo linhas aéreas transoceânicas não existiam — ele ia muito a Santos, para receber ou despedir-se no porto dos amigos que iam ou vinham da Europa —, mas que uma linha para o Rio começava a funcionar.[23]

Anúncio da viagem inaugural Rio-São Paulo publicado no Estado de S. Paulo *de 4 de agosto de 1936* | Agência Estado.

O campo de Marte, com seus constantes alagamentos, provava-se inadequado para um movimento que prometia crescer. A Autoestradas S. A. elaborou um projeto de aeroporto na Vila Congonhas e submeteu-o ao governo do estado. Antes de receber resposta construiu uma pista experimental e, em anúncios nos jornais, convidou o público a comparecer ao local, no dia 12 de abril de 1936, um domingo, para assistir a "uma tarde de aviação". O programa consistiria num espetáculo a ser "abrilhantado por alguns dos nosso mais hábeis pilotos civis e militares, que gentilmente prestarão o seu concurso". Além disso, haveria pilotos dispostos a receber passageiros para voos de dez minutos, ao custo de 50 mil réis.[24] Não havia pista adequada, muito menos terminal de passageiros — só um terrenão no meio do nada —, mas o evento entrou para a história como o da inauguração do aeroporto de Congonhas. Naquele mesmo ano o governo estadual comprou a área e encampou o projeto da Autoestradas S.A., incumbindo-a de realizá-lo.

Se no projeto do aeroporto a intenção da Autoestradas era vendê-lo ao governo, no seguinte a intenção era explorá-lo ela mesma. "Interlagos, cidade-satélite da capital" era o nome do empreendimento. Tratava-se de um loteamento destinado a "residências de escol, com amplas avenidas, bosques, praias e diversões". O anúncio de lançamento, em agosto de 1938, ocupando toda a primeira página de O *Estado de S. Paulo*, reproduzia uma planta com ruas curvas e praças arborizadas, ao modo do Jardim Europa, tendo a represa de Guarapiranga em uma de suas bordas.[25] Observe-se que de saída já se avançava para o bairro o nome de "Interlagos" com que seria consagrado, e a ele se aplicava o conceito de "cidade-satélite" que só entraria realmente em circulação com a construção de Brasília. O mesmo anúncio trazia a notícia de outra obra em andamento — o Autódromo Interlagos, "com 8 quilômetros de pista pavimentada, com visibilidade completa e segurança absoluta para o público, estudado de colaboração com o Automóvel Clube de São Paulo". O autódromo seria inaugurado em 1940. À beira da represa de Guarapiranga a empresa acomodou uma praia, com areia trazida de Santos em dezenas de caminhões. Para maior identificação da área com o turismo e a diversão, começou em seguida a construir um hotel — e encontrou aí sua perdição. Endividou-se, foi à bancarrota, e viu frustrado o maior de seus interesses, que era vender os terrenos. Abandonado o empreendimento, Interlagos cresceria sem o desenho originalmente proposto.[26]

Entre 1930 e 1934 São Paulo teve dez prefeitos, nomeados todos ao sabor das revoluções e das diferentes interventorias. Em 1934 Armando de Sales Oliveira escolheu um nome destinado a ter mandato mais longevo — Fábio da Silva Prado. Eis que pela segunda vez um Prado assumia o comando da cidade. Engenheiro formado na

Bélgica, Fábio era o diretor-financeiro da empresa do sogro, o Cotonifício Crespi, e tinha o jornalista Paulo Duarte como constante companheiro de mesa no restaurante do Automóvel Clube. Um dia, viajando os dois de trem para Campinas, confidenciou ao amigo, enquanto partilhavam um Beaujolais no vagão-restaurante, que Armando de Sales o convidara para assumir a prefeitura e que para aceitar só impusera uma condição. "Qual?", perguntou Duarte. "A de você ser meu chefe de gabinete." Paulo Duarte impôs que em vez de chefe de gabinete fosse nomeado como "consultor jurídico" (era também advogado), mas aceitou desempenhar as funções que Prado tinha em mente — as de um número 2 da administração, com presença numa ampla gama de atividades.[27] A colaboração de Paulo Duarte, abundante de ideias e elétrica na ação, como era de seu feitio, ficaria marcada sobretudo por dois fatores: (1) ter concebido um pioneiro Departamento de Cultura, tão celebrado que viraria mítico, na história da administração municipal, e (2) ter chamado Mário de Andrade para dirigi-lo. O Departamento de Cultura tem sua origem remota em reuniões de intelectuais no apartamento da avenida São João em que na época — década de 1920 — morava Paulo Duarte. Do grupo faziam parte, entre outros, António de Alcântara Machado, Sérgio Milliet, Rubens Borba de Moraes e Mário de Andrade.[28] Passavam-se os anos e a ideia ia sendo aprimorada — mas como pô-la em prática? Faltava poder, faltava dinheiro, faltavam mecenas.

Fábio Prado e Paulo Duarte entraram juntos no casarão do Anhangabaú, para tomar posse na prefeitura. Menos de uma semana depois, quando os dois jantavam na casa de Fábio Prado e saboreavam um "maravilhoso vinho Montrachet" (as memórias de Paulo Duarte são sempre pontuadas pelo vinho da ocasião), o "consultor jurídico" expôs o plano ao prefeito. Fábio Prado encarregou-o de escrever um anteprojeto. "Isso é felicidade demais", entusiasmou-se Mário de Andrade, ao tomar conhecimento do que se tramava. O passo seguinte seria implementar a ideia que desde o princípio formigava na cabeça de Duarte — entregar a Mário o comando do Departamento. Aí a felicidade já não era tanta. "Você quer acabar com o meu sossego, m'ermão", disse-lhe o poeta. Aos poucos Mário iria ceder.[29] Já Fábio Prado recebeu a indicação com reservas. Para ele, Mário de Andrade era um "futurista amalucado", o atrevido de quem O *Estado de S. Paulo* recusava os textos por causa dos abrasileiramentos com que se permitia atropelar a sacrossanta língua portuguesa. O prefeito queria primeiro conhecer o tal maluco, e sugeriu que Paulo Duarte o levasse à sua casa para o almoço do sábado seguinte. O poeta não fez lá grande sucesso. Alguns dos grã-finos presentes, recorda Paulo Duarte, não foram com a sua cara. Mas Fábio e a mulher, Renata Crespi, o aprovaram. Faltava receber o aval de quem mandava mais ainda, Armando de Sales. Ajudou que Armandinho, filho de Armando, era poeta e admirador do autor de *Pauliceia desvairada*. Foi aprovado. Mário de Andrade estava pronto para inaugurar o importante capítulo de sua vida que foi a direção do Departamento de Cultura.[30]

Mário de Andrade no parque infantil D. Pedro II, 1937 | *Foto de Benedito Junqueira Duarte (BJ Duarte)* | Acervo Fotográfico do Museu da Cidade de São Paulo.

* * *

"Departamento" era na época o que depois seria chamado de "secretaria". Haver um dedicado à cultura já era um luxo. Luxo maior ainda era este Departamento de Cultura, pelo alcance e ambição com que fora concebido, e pelos expoentes que Mário aglutinaria em torno de si. Para citar apenas algumas entre suas múltiplas atividades, organizaram-se ou reorganizaram-se, na área da música, a Orquestra Sinfônica Municipal, o Coral Paulistano e conjuntos de câmara. Na área de Bibliotecas, dirigida por Rubens Borba de Moraes, que estudara biblioteconomia na Europa e ganharia fama como bibliotecônomo e como bibliófilo, a primeira providência foi unificar as duas então existentes, ambas modestas e carentes de recursos — a Estadual, na praça João Mendes, e a Municipal, na rua Sete de Abril. Outra iniciativa foi a criação da Biblioteca Infantil, primeiro instalada na rua Major Sertório, depois na General Jardim. Também havia uma Divisão de Educação, Esportes e Recreio, incumbida de criar, de um lado, campos de atletismo e piscinas públicas e, de outro, parques infantis. Nos parques infantis, a ser instalados nos bairros populares, as crianças seriam submetidas a cuidados de médicos e nutricionistas, e se engajariam na prática de esportes e em atividades culturais. A Divisão de Documentação Histórica e Social, sob a direção de Sérgio Milliet, se ocuparia da preservação de documentos e de sítios históricos, bem como do levantamento das condições econômicas e sociais da população.[31]

Paulo Duarte, que depositava num socialismo democrático sua esperança e sua utopia, escreveu que o Departamento de Cultura "haveria de instilar, em doses homeopáticas, um pouco de socialismo no Brasil".[32] Na verdade alguns dos projetos não saíram do papel e outros ficaram pela metade, como o dos parques infantis. Mas houve também os que tiveram vida longa, como o da Discoteca Pública, dirigido por uma discípula de Mário de Andrade, Oneyda Alvarenga. Enfim, houve os que, graças ao firme respaldo de Fábio Prado, resultariam em monumentos da cidade. Foram os casos da nova sede da Biblioteca Municipal e do estádio do Pacaembu. A Biblioteca tinha agora até verbas para comprar livro, o que desde sempre lhe faltara. As instalações da rua Sete de Abril, que ocupava desde sua criação, em

1925, na administração Firmiano Pinto, eram incompatíveis com as novas ambições. Para o novo edifício reservou-se vasto terreno, antes ocupado pela sede do Arcebispado, na confluência das ruas da Consolação e São Luís. O projeto foi encomendado ao arquiteto francês, radicado no Brasil, Jacques Pilon. Com indicações de Rubens Borba de Moraes inspiradas na Biblioteca de Berna, na Suíça, a obra teve início em 1938 e a inauguração ocorreu quatro anos depois.[33]

A ideia de construção de um estádio para a cidade vinha de longe. Para sua localização, entre outras alternativas, cogitou-se do Ibirapuera, no parque que se planejava para a região, e da Mooca, no terreno ganho com a programada mudança do Jóquei Clube. Nenhum dos dois pareceu satisfatório. Conta Paulo Duarte que um dia, ao fazer retirar um velho e agora inútil armário de seu gabinete na prefeitura, caiu do móvel uma empoeirada pasta de documentos, contendo textos, plantas e planilhas de custos. Surpresa! Continha uma velha proposta da Companhia City, de doação de um terreno no loteamento do Pacaembu. De topografia ingrata para acolher residências, a área em questão seria talvez ideal para abrigar um estádio. Questão resolvida. Em menos de um ano iniciavam-se as obras.[34] O projeto, do escritório Severo & Villares, sucessor do escritório Ramos de Azevedo, encaixava o estádio magnificamente no ponto mais estreito do vale do riacho Pacaembu, entre duas encostas cuja declividade seria aproveitada para assentar as arquibancadas. Uma concha acústica, para espetáculos de música e dança, e, nos fundos, um ginásio e piscina, completariam o conjunto. Na frente do estádio seria aberta uma ampla praça. A Companhia City, que via longe, não perdeu nada, pelo contrário ganhou muito, com a doação. A implantação do estádio provocou um salto no prestígio de um bairro que, apesar da localização privilegiada e do caprichado planejamento, com ruas de traçado sinuoso para suavizar as subidas, bem ao contrário das íngremes ladeiras do vizinho bairro das Perdizes, andava com as vendas empacadas.[35]

Lévi-Strauss foi beneficiário do Departamento, que lhe subvencionou parcialmente uma viagem a Mato Grosso, para pesquisas entre os índios. Escreveu ele que, como outros professores, sentia-se "infinitamente mais à vontade" com o pessoal do Departamento de

Cultura do que com "o meio um tanto pretensioso de O *Estado de S. Paulo*". Acrescentou: "Em torno de Mário de Andrade, grande poeta e espírito profundamente original, apaixonado pelo folclore e as tradições populares, agrupavam-se homens jovens e de grande cultura, historiadores, eruditos, ensaístas, como Sérgio Milliet, Rubens Borba de Moraes e sobretudo Paulo Duarte, pois nos unimos numa amizade fraterna que prosseguiu em Nova York".[36] Na verdade os grupos em torno do *Estado de S. Paulo* e do Departamento de Cultura em boa parte se confundiam. Paulo Duarte e Sérgio Milliet, por exemplo, pertenciam aos dois. Lévi-Strauss teve problemas com Júlio de Mesquita Filho, que exercia uma espécie de tutelagem sobre a USP e a quem atribui o fato de não ter sido renovado seu contrato com a universidade — seja porque Mesquita reprovava suas constantes ausências para as pesquisas junto aos índios, como querem pessoas próximas ao diretor do *Estado de S. Paulo*, seja porque o supunha erroneamente um extremado esquerdista, segundo acreditava o próprio Lévi-Strauss.[37] O jovem professor francês foi embora em 1938 para tornar-se, nos anos seguintes, expoente maior da etnografia e um dos sábios do século XX. Pode-se ter certeza de que, tal qual quando descia a avenida São João e olhava para trás, a massa rosada do edifício Martinelli nunca lhe saiu da cabeça.

Nesse entretempo Victor Brecheret trocara a condição de solitário do Palácio das Indústrias, tal como o deixamos no capítulo II, para a de solitário de Montparnasse. Uma bolsa do Pensionato Artístico do Estado, ainda no tempo em que Freitas Valle comandava essa instituição, lhe permitira instalar-se em Paris, logo após ver gorado o projeto do Monumento às Bandeiras. Até 1936 viveria em idas e vindas entre a França e o Brasil. A reclusão num apartamento junto ao cemitério de Montparnasse não o impediu de manter contato com Brancusi, Maillol, e outros grandes da escola parisiense de escultura. Em princípio deveria continuar dividido, com períodos mais longos na França do que no Brasil, se algo inesperado não o fizesse mudar de planos — a ressurreição do projeto das bandeiras. A presença de Armando de Sales no governo do estado convidava a uma retomada do orgulho paulista, machucado com a derrota de 1932. Acresce que eram assessores do governador Menotti del Picchia e outro poeta egresso do modernismo, Cassiano Ricardo. Os dois desencadearam articulação que resultou, no dia 9 de julho de 1936, quarto aniversário da Revolução Constitucionalista, numa mensagem à Assembleia Legislativa em que Armando de Sales comunicava a decisão de erguer o monumento. "Não há quem desconheça a concepção de Brecheret", argumentava Sales, no documento. "É uma arrancada de bandeirantes para a conquista da terra virgem." Isso desvendaria "o idealismo paulista em ação". E ainda havia mais: "Dois bandeirantes, os chefes, vão na frente: é o princípio da autoridade, o mais forte esteio da civilização, que o comunismo tenta destruir". O fato de as figuras enfileiradas em seguida irem diminuindo em estatura refletiria "a hierarquia, inseparável da disciplina e um dos mais belos princípios de organização social".[38]

Faz-se sentir em tal discurso o dedo da dupla Menotti-Cassiano Ricardo. Pertenciam ambos à ala intelectual do integralismo, a versão brasileira do fascismo. No início da década de 1920 o trabalho de Brecheret celebrava o papel paulista na formação da nação, que comemorava o centenário da Independência. Na releitura dos anos 1930 faziam-se presente os ecos dos governos fortes que triunfavam na Alemanha, na Itália e em Portugal. Armando de Sales não só retomou o projeto do monumento como indicou-lhe o local: uma praça circular a ser desenhada na "avenida Brasil, à entrada do parque Ibirapuera, na interseção da rua Manuel da Nóbrega".[39] Transformar em parque a região alagadiça conhecida como Ibirapuera era ideia que vinha dos tempos do prefeito Pires do Rio. Num relatório de 1927, ele defendia que aquelas terras prestavam-se "admiravelmente à construção de um imenso jardim, ou parque, com área igual à do Hyde Park de Londres, igual à metade do Bois de Boulogne de Paris".[40] De prático o que se fez então foi transferir da Água Branca para lá o viveiro em que a prefeitura criava árvores e plantas para enfeitar a cidade, dirigido pelo entomologista de formação, mas botânico por paixão, Manoel Lopes de Oliveira Filho, o Manequinho Lopes. Além de laboriosa e carinhosamente tratar de suas mudas, Lopes plantou eucaliptos na área, para ajudar na drenagem. Seguiram-se os projetos, alguns prevendo a mudança do hipódromo da Mooca para o local, outros a instalação de um cassino, sem se chegar a uma conclusão sobre a configuração do futuro parque.[41] Agora Armando de Sales dava vida pelo menos à praça circular da entrada, e já decidia o que implantar no meio dela.

Animado com as novas possibilidades para aquele que encarava como seu projeto de vida, Brecheret decidiu ficar no Brasil. Em dezembro de 1936 assinou contrato com o estado. Previa-se um gasto total de 2900 contos de réis para a obra, 20% dos quais seriam os honorários do escultor. A entrega seria em julho de 1938.[42] Cercou-se de tapumes o local da futura praça e ergueram-se barracões de apoio aos trabalhos. A essa altura Brecheret já tinha alterado o projeto de 1920. Era mantida a ideia da procissão puxada por cavaleiros e da canoa que fechava o cortejo, mas abriria mão de várias alegorias antes imaginadas, como a de uma vitória alada no centro do monumento e a de uma ânfora contendo água do Tietê. O escultor apurara o estilo; traços lisos e angulosos substituíam os músculos marcados de antes. Se na maquete de 1920 a massa humana não se diferenciava, agora teria tipos de negros, índios e brancos.[43] Brecheret instala-se num dos barracões, que lhe serviria doravante de ateliê, e põe-se ao trabalho. O primeiro passo seria a transposição do modelo original de barro em gesso. Seguiu-se, com o apoio de auxiliares, a transposição dos modelos em gesso, da escala 1:10, para a escala 1:1, isto é, no gigantesco tamanho definitivo. Assim foi durante todo o ano de 1937 mas, a partir daí, com Armando de Sales já fora do governo e as verbas secando até se extinguirem, os trabalhos paralisaram.[44] Brecheret continuou em seu barracão, agora entremeando um ou outro avanço que pudesse imprimir sozinho ao monumento com o trabalho em outras encomendas. Não seria ainda desta vez que o projeto se concretizaria. Pelos próximos anos, de solitário de Montparnasse, seria o solitário do barracão do Ibirapuera.

XIX.
O SENHOR DO BURGO

Os anos 1930 foram aqueles em que, ao ritmo de precisos e metódicos passos, o mundo se foi encaminhando para a loucura. No Brasil, iniciativas que apontavam para a luz, como a USP e o Departamento de Cultura, tinham como contraponto um ambiente político que, não bastassem os dissídios e as revoluções internas, era agravado pelos ares emanados da Europa. Para o dia 7 de outubro de 1934, um domingo, a Ação Integralista Brasileira programou grande manifestação na praça da Sé. Mário de Andrade bem anotara, em seu balanço de 1930, que Plínio Salgado, na sombra, acalentava sua "megalomania de Esperado". Agora Salgado já se exibia em pleno sol. De "Esperado" (título de um de seus livros) já ascendera à condição de chefe supremo do movimento que emulava no Brasil o nazifascismo vitorioso na Itália, na Alemanha e em outros países. Em resposta à manifestação integralista, o Partido Comunista e associações operárias convocaram para o mesmo local manifestação de "repúdio ao fascismo". As colunas de camisas-verdes paulistanos — o uniforme dos integralistas —, engrossadas por reforços do interior e até do Rio de Janeiro, concentraram-se na rua Brigadeiro Luís Antônio, de onde partiram em marcha triunfal, precedidas por banda de música, em direção à praça da Sé. Ali, nas escadarias da catedral cujas obras prosseguiam aos arrancos, os aguardavam mulheres e crianças, igualmente de verde. O momento supremo seria o juramento de fidelidade que prestariam ao chefe e à bandeira do movimento.[1]

Às 15 horas a coluna desponta na praça. Os gritos de abaixo o fascismo e de vivas ao comunismo foram o de menos. Ouvem-se simultaneamente os primeiros tiros, logo respondidos por outros, e o local vira palco de uma desordenada e desesperada fuzilaria. Os primeiros tiros foram disparados pelos comunistas do alto dos edifícios e dos sobrados circunvizinhos. O esquema de segurança montado pelas autoridades, constituído pela Força Pública e a Guarda Civil, disparou em resposta, mesmo sem ter noção do preciso ponto de onde vinham os tiros. Instalou-se o pânico na praça lotada. Camisas-verdes dispersaram-se para todo canto, homens tombavam, mulheres e crianças corriam. Policiais da cavalaria abandonavam seus animais para fugir da linha de tiro e os cavalos, assustados, saíam em desorientadas disparadas. "O centro da cidade oferecia um aspecto deveras inquietador", noticiou o *Correio Paulistano*. "Corpos estendidos e ensanguentados. Enfermeiros e carros da Assistência cortavam céleres as ruas em busca de feridos. Soldados e guardas-civis empunhando fuzis davam buscas em diversos prédios, à procura de comunistas." A fuzilaria durou meia hora. O balanço do dia registrou cinco mortos e dezenas de feridos. *O Estado de S. Paulo* viu no episódio "processos frequentes em outros países, mas desconhecidos entre nós".[2]

Fascismo ou comunismo desenhavam-se no mundo como inevitáveis alternativas às democracias liberais, tidas por agonizantes. Em novembro de 1935 oficiais das guarnições do Rio de Janeiro, de Pernambuco e do Rio Grande do Norte ensaiaram o frustrado golpe que entrou para a história com o apelido derrisório de "Intentona Comunista". O fascismo de Benito Mussolini era abraçado com fervor pelos industriais de origem italiana, a começar pelos dois principais — Francisco Matarazzo e Rodolfo Crespi. "Sou um grande admirador de Mussolini", disse Matarazzo ao voltar de uma de suas frequentes visitas à Itália. "Estou convencido de que o animam um ardente patriotismo e uma robusta sinceridade." Em Roma, era recebido pelo próprio Duce. Ele e Crespi faziam doações ao regime italiano, que em retribuição os homenageava com condecorações. Certa vez, no Guarujá, durante recepção de gala da colônia italiana, com a presença inclusive de diplomatas de potências ocidentais que condenavam a Itália pela invasão da Etiópia, Matarazzo, até então silencioso em seu canto, levantou-se, foi até o diretor da orquestra e ordenou-lhe que executasse a *Giovinezza*, o hino do movimento de Mussolini. Em seguida gritou "Viva a Itália" e foi embora do salão fazendo a saudação fascista. Crespi, de seu lado, deixou consignado em testamento que queria ser enterrado com a camisa negra dos fascistas.[3]

Caminhava-se aos trancos e barrancos para a eleição presidencial que em janeiro de 1938 marcaria o fim do quadriênio constitucional de Getúlio Vargas. O paulista Armando de Sales Oliveira era um dos candidatos; o outro era o paraibano José Américo de Almeida, ministro da Viação de Vargas. Entre extremismos de direita e esquerda, insubordinações, pesado clima internacional e, para culminar, uma campanha eleitoral que suportava a contragosto, Getúlio enfim julga chegado o dia de mandar às favas a efêmera Constituição de 1934 e pôr no lugar sua própria versão de fascismo. O golpe chegou na quarta-feira 10 de novembro de 1937. O presidente dissolveu o Congresso e os legislativos estaduais e municipais e outorgou uma nova e dura Constituição. Caía de vez a máscara de um regime que desde 1930 namorava a ditadura sem abraçá-la por inteiro e às claras. A nova ordem copiou do regime português o nome de Estado Novo. Getúlio seria o chefe, respaldado pelos militares. O tempo naquele dia foi bom, em São Paulo, o Cine Rosário, no prédio Martinelli, apresentou o filme *O grande Malley*, com Pat O'Brien e Humphrey Bogart, e o Ufa Palácio, na avenida São João, *Café metrópole*, com Loretta Young e Tyrone Power. Procópio Ferreira apresentava-se no teatro Boa Vista, com a peça *Que santo homem!*. Nos esportes, reinava expectativa pelo jogo entre Palestra Itália e Corinthians, pelo segundo turno do campeonato da Liga Paulista, programado para domingo. A vida seguia. No ano seguinte, a cena se abriu para a entrada do burgomestre.

* * *

Francisco Prestes Maia nasceu em Amparo, a 130 quilômetros de São Paulo, em 1896. Formou-se engenheiro-arquiteto pela Escola Politécnica em 1917 e no ano seguinte ingressou no serviço do Departamento de Obras da Secretaria de Viação, Agricultura e Vias Públicas do estado. Nesse mesmo ano foi incumbido do planejamento da avenida da Independência (depois D. Pedro I) e outros trabalhos no bairro do Ipiranga, relativos às comemorações do centenário da Independência. Já despontava clara, no jovem de 24 anos, a vocação de urbanista. Em 1924 tornou-se professor de "desenho geométrico e à mão livre" da Escola Politécnica. Era um exímio desenhista e aquarelista. Entre esse mesmo ano e 1926 publicou no *Boletim do Instituto de Engenharia* uma série de artigos com propostas para a cidade, em parceria com João Florence de Ulhôa Cintra, outro engenheiro e professor da Politécnica, que já vimos como autor do plano de retificação do Tietê. Ia-se firmando a reputação de especialista versado nos autores internacionais e de dedicado observador da cidade. Ulhôa Cintra, escolhido em 1925 para dirigir uma divisão de Urbanismo criada na prefeitura, não lhe ficava atrás. Em 1927 a dupla foi convocada pelo prefeito Pires do Rio para elaborar um plano viário para a cidade. Era a época em que a crise do transporte coletivo levara a Light a propor o metrô como solução. Pires do Rio queria alternativas. Prestes Maia e Ulhôa Cintra debruçaram-se num trabalho que, publicado em 1930 sob o título "Estudo de um plano de avenidas para a cidade de São Paulo", tornou-se um clássico dos estudos urbanísticos paulistanos. Enfim, em abril de 1938, sob as bênçãos do Estado Novo, Prestes Maia foi nomeado prefeito. Abria-se a ele a oportunidade, rara, de executar o que teorizara durante longos anos. E ele a aproveitaria com afinco, com gosto e com pressa, ao longo de sete anos e meio, durante os quais se destacaria como o ocupante do cargo que, mais que todos, fez por merecer o título de burgomestre, na pura acepção alemã (língua que dominava, entre outras) de *burgermeister* — o mestre do burgo, ou o senhor do burgo.[4]

A ditadura do Estado Novo trouxe de volta a figura do interventor nos estados. O "governador" Armando de Sales Oliveira, que na frustrada campanha presidencial apresentara-se como oposição a Getúlio, rumou para o exílio. Em seu lugar ficou José Joaquim

Cardoso de Melo Neto, primeiro como escolhido pela Assembleia Legislativa para substituir Sales, quando este desincompatibilizou-se para concorrer à presidência, depois confirmado como interventor. Cardoso de Melo Neto foi solução de emergência. Era por demais ligado a Armando de Sales e sua corrente. Um dia de abril de 1938, em São Lourenço, no sul de Minas, onde passava um de seus costumeiros períodos de descanso em estações de água — e arrastava para o mesmo local metade dos poderosos ou candidatos a poderosos da República, por razões de serviço, de lobby ou de bajulação —, Getúlio pediu à filha Alzira que, com toda a discrição possível, trouxesse Adhemar de Barros à sua presença. Quem? Alzira empacou. Como quase todo mundo, mesmo em São Paulo, não sabia quem era. "É um homem alto, forte, meio narigudo, que está aí em companhia do Filinto", explicou o pai. E confiou-lhe um segredo: cogitava nomeá-lo interventor em São Paulo. Alzira cumpriu a tarefa com dificuldade, dada a escassa informação de que dispunha para localizar o desconhecido. Enfim, trouxe-o ao gabinete presidencial improvisado no Hotel Brasil e deixou-o a sós com o ditador. Quando Adhemar saiu, "vinha um pouco mais alto e muito menos humilde do que quando entrou", escreveu a filha de Getúlio, em suas memórias do período.[5]

Adhemar de Barros tinha então 37 anos e, na política, a experiência de escassos três anos como deputado estadual, no período constitucional entre 1934 e 1937. De uma família de ricos cafeicultores de São Manuel, no oeste paulista, teve uma educação privilegiada: formou-se médico no Rio de Janeiro e fez estudos de pós-graduação na Alemanha e na França. Na Revolução de 1932 serviu como médico no vale do Paraíba. Na Assembleia Legislativa se distinguiria pelos discursos de oposição tanto a Armando de Sales quanto a Getúlio. Já naqueles primeiros meses de Estado Novo a oposição ao segundo já havia afrouxado a ponto de ele se infiltrar na corte que cercava o soberano em São Lourenço. Adhemar teve dois padrinhos, ambos egressos do tenentismo, para ganhar o ditador — o primeiro Dulcídio do Espírito Santo Cardoso, que já exercia, e na sua gestão continuaria a exercer, o cargo de secretário de Segurança em São Paulo, e o outro aquele Filinto Müller com quem circulava em São Lourenço, e que vinha a ser o chefe de polícia do Distrito Federal.[6] Adhemar foi encarregado de, ele próprio, entregar a Cardoso de Melo Neto a carta em que Getúlio lhe comunicava a demissão. Cardoso leu a carta e não teve outra reação senão pedir uns dias para mudar de residência.[7] No dia 27 de abril, num fraque que até caía bem no corpo ainda esguio, sem a barriga que anos depois lhe dispararia na cintura, Adhemar tomou posse no Palácio dos Campos Elíseos. Cabia-lhe nomear os prefeitos de cada município paulista. Para a capital escolheu Prestes Maia, que tomaria posse quatro dias depois. Adhemar seria demitido da interventoria em 1941, por um Getúlio desconfiado do projeto político pessoal que pusera em andamento. Prestes Maia lhe sobreviveria na prefeitura até o fim do Estado Novo.

Prestes Maia expõe seu Plano de Avenidas ao presidente Getúlio Vargas | 1º e 2 de maio de 1944 | Fotógrafo não identificado | Arquivo Alexandre Marcondes Filho, CPDOC/FGV.

* * *

O Plano de Avenidas que Prestes Maia elaborara com Ulhôa Cintra tinha por objetivo escancarar a circulação numa cidade que, na marca do 1,4 milhão de habitantes, apresentava um Centro atravancado e comunicação difícil do Centro com os bairros e dos bairros entre si. Para torná-lo realidade o novo prefeito gozava da delícia de não ter Câmara Municipal nem Tribunal de Contas para chatear, além de imprensa e movimentos sociais garroteados. Sorte de São Paulo que era homem de proverbial honestidade e, ao contrário do interventor, sem um projeto político próprio. "Sou político, embora não político-partidário", dizia Prestes Maia. "Sou apartidário, mas não apolítico."[8] Para conforto maior ainda, teria o parceiro Ulhôa Cintra no mais do que nunca estratégico posto de diretor de Obras.

O plano dividia as avenidas em perimetrais (as que circundavam o Centro) e radiais (as que partiam do Centro para os bairros e vice-versa). O ponto de partida foi uma perimetral — o assim chamado "anel de irradiação", concebido, ainda antes do Plano de Avenidas, por Ulhôa Cintra. Engolfando o Centro, ele ao mesmo tempo o descongestionaria — impedindo que quem quisesse ir do norte ao sul, ou do leste a oeste da cidade, tivesse necessariamente de cruzá-lo — e distribuiria o fluxo entre as radiais. Já vimos no capítulo III que o plano de Victor da Silva Freire, implementado a partir da gestão de Raimundo Duprat, já previa um anel em torno do Centro, formado pelas ruas Líbero Badaró, Boa Vista e outras. Tal anel situava-se ainda dentro da colina histórica, percorrendo suas bordas. Agora ia-se traçar um círculo na maior parte exterior à colina, partindo da então rua Ipiranga, seguindo por São Luís, depois cruzando o vale do Anhangabaú por uma sequência de três viadutos até chegar à praça João Mendes, daí tangenciando a praça da Sé por uma nova praça, descendo pela ladeira do Carmo, contornando o parque D. Pedro e enfim galgando a rua Senador Queirós para de novo encontrar a rua Ipiranga.[9] Esta foi, depois de sucessivos ajustes, a concepção final do anel de irradiação. Sua implementação se estenderia pelos anos vindouros.

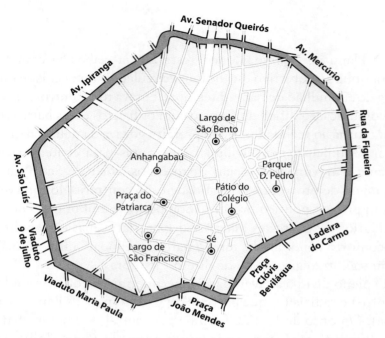

Com o "anel de irradiação" de Prestes Maia, largas avenidas traçariam um círculo em torno do centro histórico.

As obras da rua Ipiranga foram as primeiras a ser atacadas, e concluíram-se em 1941. A antiga rua era agora a avenida Ipiranga, com respeitáveis 37 metros de largura.[10] Na sequência a rua São Luís foi igualmente alargada e, em seu prolongamento, deram-se as obras mais difíceis, com a construção, em menos de um quilômetro, dos viadutos que levariam os nomes de Nove de Julho, Jacareí e Dona Paulina. Dos três viadutos o Jacareí foi concluído ainda no mandato de Prestes Maia, e os outros dois tiveram as obras iniciadas. Na praça João Mendes o trator passaria com gosto, levando de roldão os prédios do Congresso Estadual (agora ele era inútil, mesmo), da igreja dos Remédios e da extinta Biblioteca do Estado, para desatravancar a circulação.[11] Lindeira à praça da Sé, com igual fúria sobre o casario das estreitas ruas ali existentes, seria aberta a praça a que se daria o nome de Clóvis Beviláqua, diante da qual reinaria o novo Palácio da Justiça, e na sequência seriam alargadas a ladeira do Carmo (transformada no início da avenida Rangel Pestana) e as ruas Mercúrio e Senador Queirós, também transformadas em avenidas.

O anel foi chamado inicialmente de "avenida da Irradiação" e sua largura, considerável para a época, variava entre 33 e 44 metros.[12] Prestes Maia tinha a faca e o queijo na mão. Desapropriava, contratava, derrubava, reconstruía e pagava segundo seus próprios critérios e com a facilidade que o regime lhe propiciava. Foi "o fiscal de si mesmo", nas palavras de um contemporâneo.[13] A rua Duque de Caxias foi igualmente alargada. Cogitou-se começar dali um outro anel de irradiação, de diâmetro maior, mas a ideia foi abandonada. Mais afinco, e mais investimento, mereceu a segunda série de avenidas, as radiais, com destaque para o conjunto que Prestes Maia chamou de "Sistema Y". A perna do Y era a avenida Tiradentes, prolongada pela avenida Anhangabaú (depois chamada Prestes Maia) ao atravessar o centro da cidade. No largo do Piques, que seria remodelado e viraria a praça da Bandeira, se abririam as duas hastes do Y, cada uma tomando o rumo de um dos riachos formadores do Anhangabaú — o Saracura, sobre cujo vale se assentaria a avenida Nove de Julho, e o Itororó, destinado a receber em seu risco a avenida Vinte e Três de Maio.

O vale do riacho Itororó, onde se assentaria o leito da avenida Vinte e Três de Maio | Foto de Claude Lévi-Strauss | Acervo Instituto Moreira Salles.

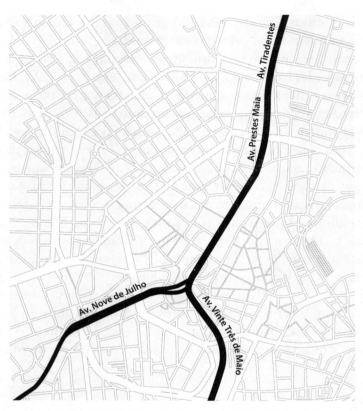

O "Sistema Y" de Prestes Maia rasgaria a cidade, do rio Tietê, ao norte, ao rio Pinheiros, ao sul.

Tal qual o anel de irradiação, o Sistema Y compunha-se de uma mistura de vias já existentes com outras por fazer e outras ainda remodeladas. A Tiradentes já existia. A avenida Anhangabaú, que já vinha dos tempos da urbanização do vale, foi alargada e prolongada para encontrar-se com a Tiradentes. A avenida Nove de Julho, uma antiga aspiração, tivera suas obras iniciadas ainda na administração Fábio Prado, e a Itororó continuou como projeto, com esse nome mesmo, para sair do papel só na década de 1960. O Sistema Y cortava a cidade de norte a sul, começando às margens do Tietê e terminando no vale do rio Pinheiros.[14] Já se percebe que as concepções de Prestes Maia — e as execuções que teve a oportunidade de realizar — efetuaram no corpo da cidade uma cirurgia profunda. Como resultado, proporcionou-lhe uma nova e definitiva estrutura — se é que se pode aplicar o qualificativo "definitivo" à estrutura, necessariamente viva e cambiante, de uma cidade. Prestes Maia e Ulhôa Cintra achavam que sim. Num de seus artigos, argumentaram que a integração do anel de irradiação com as avenidas radiais se converteria na "ossatura que lhe imprimirá de vez [à cidade] feição inconfundível e imutável".[15]

As avenidas acompanhando o traçado dos riachos Saracura e Itororó consolidavam uma opção urbanística que teria vida longa em São Paulo — as avenidas de fundo de vale. Antes, já houvera os casos das avenidas Anhangabaú e Pacaembu. Prestes Maia deixaria em projeto a avenida Sumaré. Opção óbvia e mais barata por operar em espaços vazios, seria mais tarde criticada pelos danos ambientais decorrentes da violência praticada contra os cursos d'água e suas margens.[16] Para o estabelecimento de outras radiais Prestes Maia alargou ou prolongou avenidas já existentes, algumas delas por sua vez com origem em antigos caminhos coloniais. A avenida São João foi retomada do ponto em que tinha parado, na esquina da rua Conselheiro Brotero, e esticada até o largo das Perdizes, de onde se entroncaria com a avenida Água Branca (depois Francisco Matarazzo). Um viaduto proporcionou-lhe a passagem sobre a avenida Pacaembu. A avenida Rebouças foi igualmente prolongada, chegando às margens do rio Pinheiros, e a rua da Liberdade alargada. As ruas que eram chamadas de Barão do Rio Branco e Visconde do Rio Branco, uma continuação da outra, deram origem, depois de alargadas, à avenida Rio Branco, destronados tanto o barão quanto o visconde.[17] O projeto que ao lado do Sistema Y era o mais ambicioso, no entanto, não saiu do papel — o da avenida Leste, que teria início num túnel sob o largo de São Bento, ligando o Anhangabaú ao parque D. Pedro, e se infiltraria pelo Brás e a Mooca, chegando até a Penha.[18] A ligação expressa construída anos depois, chamada Radial Leste, aproveitou em parte o projeto.

Nas administrações Adhemar de Barros-Prestes Maia teriam início as obras de retificação e canalização do Tietê, realizadas em colaboração entre o estado e o município, de acordo com o plano elaborado na gestão Firmiano Pinto. Ulhôa Cintra dirigiria a comissão encarregada de implementá-lo. Prestes Maia via com entusiasmo a construção de avenidas às margens do rio, prevista no plano. Atribuía-lhes a qualidade de um novo anel a abraçar a cidade, bem mais aberto que os anteriores, ao juntarem-se às avenidas previstas também para as margens do Pinheiros. Mas as avenidas que tinha em mente teriam conformação diferente da que vieram a tomar. Mais interessante que a cidade que Prestes Maia construiu foi a que não construiu. Em seus textos, e especialmente nas bonitas aquarelas com que os acompanhava, deixou registrada, em paralelo à cidade que realmente se tornaria realidade, uma elegante e nobre cidade de fantasia. As marginais do Tietê e do Pinheiros correriam em meio a parques, no modelo das *parkways* americanas. As linhas de trem que cortam a cidade seriam deslocadas para além Tietê, e com isso as áreas dos antigos trilhos seriam ganhas para novas avenidas. Na ponte Grande seria erguida uma grande e unificada estação ferroviária, sendo desativadas todas as demais. A aquarela com que Prestes Maia ilustra o projeto nos traz um majestoso panorama, com avenidas e jardins de um lado e outro do rio, a estação lá ao fundo, e no meio do rio uma ilha. Remanescente do projeto anterior de Saturnino de Brito, exposto no capítulo XV, a ilha abrigaria um monumento cuja base, um barco com a proa voltada a jusante, indicaria a direção em que as bandeiras investiram para desbravar os sertões. Desse manancial de sugestões sobrou apenas o nome "das Bandeiras" para uma ponte de modéstia franciscana, comparada à surgida da rica imaginação e do hábil pincel do prefeito.[19]

A cidade de papel estava a anos-luz da cidade que o burgomestre conseguiu efetivamente implantar, mas onde foi possível ele aplicou às obras cuidados estéticos. O canteiro central da nova avenida São Luís lhe conferiu elegância e altivez. A Biblioteca Municipal ganhou ao seu redor uma harmoniosa praça, chamada de D. José Gaspar quando da morte deste arcebispo, em 1942. No capítulo dos parques, Prestes

Maia incorporou à área do Museu do Ipiranga terrenos que aos fundos foram transformados num bosque, e adquiriu da família do médico Carlos de Arruda Botelho o Jardim da Aclimação, resgatando-o assim, segundo suas palavras, "à fúria comercial dos loteamentos".[20]

Sob Prestes Maia, enquanto multiplicavam-se as obras viárias, minguavam as verbas, as ambições e o prestígio do Departamento de Cultura. Paulo Duarte não estava mais lá para defendê-lo. Inimigo do Estado Novo, foi preso e perambulou por diversos presídios até seguir para o exílio. Mário de Andrade, demitido por Prestes Maia do cargo de diretor do Departamento, poderia em princípio continuar como diretor de uma de suas divisões, a de Expansão Cultural, mas aguentou pouco. Em junho de 1938, amargurado, seguiu para o Rio de Janeiro — sua própria versão de exílio, tão ou mais sofrida do que a dos que escaparam para o exterior. "Prestes Maia nunca compreendeu o Departamento de Cultura", escreveu Paulo Duarte. "Injetou curare nele. Catalepsou-o sem extirpar-lhe a faculdade de pensar. Tirou-lhe os movimentos sem tirar a sensibilidade para a dor. E ele ficou sofrendo dentro de nós, os sonhadores."[21]

No dia 14 de abril de 1939 o Mappin cruzou o viaduto. Era a loja mais famosa da cidade. Entre as características que a distinguiam estavam os desfiles de moda, as disputadas liquidações, os insistentes anúncios na imprensa e o chá das cinco que, fiel às origens inglesas, conseguira inscrever entre os hábitos dos elegantes — e principalmente das elegantes — da cidade. Desde a fundação, em 1913, como era de rigor para qualquer empreendimento comercial que aspirasse ao crescimento e ao prestígio, mantivera-se no Triângulo. Agora o deixava para instalar-se num prédio recém-inaugurado, em frente ao Theatro Municipal. O movimento era audacioso. Às dez horas da manhã daquele dia 14, a sra. Alfred Slim, esposa do principal acionista da empresa, girou a chave de ouro que ganhara dos funcionários e abriu a porta que dava acesso às novas instalações.[22] O gesto transcendia os interesses da loja, para inscrever-se na configuração da cidade.

Para entender a decisão do Mappin é preciso atentar para modificações que vinham ocorrendo em cadeia na área do viaduto do Chá. O primeiro ponto a observar é a praça do Patriarca. Lembremos que António de Alcântara Machado, em 1924, exasperava-se com a situação do local. Demolido o quarteirão que, em obediência ao plano Bouvard, daria lugar à praça, o local continuava um vazio à espera de solução urbanística. No final dos anos 1920 a praça já estava pronta, com o novo e majestoso edifício Lutetia ocupando o lado oposto ao da velha igreja de Santo Antônio e, no centro, um obelisco. O Mappin estava no local desde 1919, no prédio que, dominando toda a terceira face da praça, erguia-se no mesmo terreno da antiga moradia do primeiro Antônio Prado, o barão de Iguape, e ainda pertencia à família.[23] Instalou-se ali quando as demolições avançavam lentamente. A abertura da praça constituiu-se numa benesse para a loja. Caiu uma cortina à sua frente, e agora podia ser vista até do outro lado do Anhangabaú.*

Na administração Prestes Maia a praça teve o obelisco do centro substituído por um abrigo sob o qual uma passagem subterrânea conduzia ao Anhangabaú. Na mesma crônica de 1924 Alcântara Machado ridicularizava a ideia de construção de um túnel ligando a praça ao Anhangabaú, para levar e trazer automóveis estacionados lá embaixo. Não se tratava agora de túnel, mas de escadaria, nem de facilidade para automóveis, mas para pedestres; ainda assim era uma ligação entre a colina e o vale. Construída com engenho, no piso intermediário abrigava um salão para exposições de artes plásticas. O salão, chamado de Almeida Júnior, tornou-se tão requisitado que, segundo escreveu Prestes Maia, "as reservas têm-se de fazer, por vezes, com seis meses ou um ano de antecedência".[24] O conjunto receberia anos depois o nome de "galeria Prestes Maia".

A um ângulo da praça do Patriarca, junto à cabeceira do viaduto, transcorrera, ainda nos tempos da administração Fábio Prado, uma grande encrenca. Ficava ali, à esquerda de quem entra no viaduto, a

---

* No mesmo terreno foi edificado nos anos 1960 o edifício-sede do Unibanco em São Paulo. Com a fusão entre Unibanco e Itaú, o edifício passou a ostentar o letreiro Itaú na fachada.

sede dos jornais *Diário de S. Paulo* e *Diário da Noite*, num prédio levantado pelo conde Prates (não confundir com os dois palacetes debruçados sobre o Anhangabaú, do mesmo proprietário). O prédio acabara de ser vendido às indústrias Francisco Matarazzo. Os Matarazzo, pai e filho, pretendiam derrubá-lo e, naquele privilegiado local, edificar a nova sede de suas empresas. O terrível Assis Chateaubriand, proprietário dos Diários, que tinha nas escaramuças contra os ricaços um de seus esportes favoritos, viu aí uma oportunidade. Como seu contrato de aluguel tinha ainda três meses de duração, fincou pé em que só desocuparia o prédio mediante grossa indenização. Ele sabia que os Matarazzo tinham pressa. Já haviam até trazido a São Paulo o arquiteto italiano a quem pretendiam entregar o projeto, Marcello Piacentini, um dos preferidos de Mussolini. O clima azedou. Num encontro entre as partes, mediado pelo prefeito Fábio Prado, Francisco Matarazzo Júnior, o conde Chiquinho, ameaçou: "Se essa sujeira continuar, terei que usar métodos napolitanos". Chateaubriand contra-atacou: "Responderei com métodos paraibanos". Se um invocava a camorra, o outro arguia com a peixeira. Dias depois Chiquinho mandou avisar que começaria a demolir o prédio mesmo com os inquilinos dentro. Chateaubriand respondeu que então chamaria seus jagunços para iniciar o destelhamento da residência Matarazzo, na avenida Paulista. Afinal chegou-se a um acordo pelo qual os Matarazzo financiaram em parte a compra do terreno da rua Sete de Abril onde os Diários construiriam sede própria.[25] O prédio do viaduto foi demolido e em seu lugar levantado o sólido palácio de mármore travertino que, em acréscimo ao palacete da avenida Paulista, celebraria o poder e a glória dos Matarazzo.*

O segundo ponto a observar, antes de voltar à mudança do Mappin, é o próprio viaduto. Inaugurado em 1892, nos anos 1930 ele se mostrava obsoleto. Era estreito demais para suportar as exigências

---

* Desde 2004 o prédio abriga a sede da prefeitura de São Paulo.

de um tráfego cada vez mais pesado, e que cada vez mais fazia balançar sua estrutura metálica. Além disso a abertura da praça do Patriarca tornou-o capenga. Alinhado com a rua Direita, entrava de viés na praça, evidenciando um erro de alinhamento na região da cidade em que mais se caprichava nas perspectivas. No Plano de Avenidas Prestes Maia e Ulhôa Cintra preconizavam a substituição do viaduto antigo e propunham que a estrutura do novo deveria se constituir num "arco de cimento armado, matéria que permitirá uma silhueta monumental mas suficientemente esguia para não obstruir a vista".[26] Quando leu nos jornais que o prefeito Fábio Prado lançaria um concurso de projetos para o novo viaduto, até o escritor Monteiro Lobato se assanhou. Em carta ao amigo Paulo Duarte sugeriu que, à maneira

Dois viadutos do Chá: o velho, à dir., fotografado em seus últimos dias de existência, e o novo, à esq., já pronto, em 1938. Vê-se à dir. primeiro o edifício da Light, e em seguida, em construção, o edifício-sede das indústrias Matarazzo; ao fundo, a praça do Patriarca | Foto de Benedito Junqueira Duarte (BJ Duarte) | Acervo Fotográfico do Museu da Cidade de São Paulo.

da ponte Vecchio, de Florença, se construísse não propriamente um viaduto, mas um "ruaduto, ou coisa que o valha", com lojinhas de um lado e de outro.[27] O "ruaduto" de Lobato não vingou. Ganhou o concurso o arquiteto carioca Elisiário Bahiana, cujo mais destacado projeto até então fora, em parceria com o francês Joseph Gire, o do edifício do jornal carioca *A Noite* — arranha-céu que representou para o Rio de Janeiro o mesmo que o Martinelli para São Paulo. Em segundo lugar ficou o arquiteto Rino Levi.[28] O novo viaduto, em estilo art déco tal como eram em geral as obras de Elisiário Bahiana, foi inaugurado em 1938. Media 110 metros de comprimento por 25 de largura e assentava sobre um vão em arco (como pedira o Plano de Avenidas) de 66 metros.[29] Amplo era agora o horizonte, e esparramada a via que ligava a velha colina central com a elevação outrora chamada de morro do Chá.

O terceiro ponto a observar é a área em frente ao Theatro Municipal. Antes chamado de Esplanada do Municipal, o local tinha agora o nome de "praça Ramos de Azevedo". O engenheiro-arquiteto cujo escritório construiu o teatro passara a nomear o local em 1920, quando ainda vivia (viria a morrer em 1928), como era tantas vezes o caso no período. Na esquina do viaduto com a rua Xavier de Toledo, onde até 1923 existira outro teatro — o São José —, agora se erguia o novo edifício-sede da Light, projetado por arquitetos americanos e inaugurado em 1929. Este edifício, mais o do Hotel Esplanada, os palacetes Prates e o próprio Theatro Municipal, foram os que sugeriram a Lévi-Strauss a bela imagem do rebanho de gigantescos mamíferos de espécies diversas reunidos junto a um curso d'água. Bem em frente ao Theatro Municipal, enfim, foi levantado no fim dos anos 1930, com projeto do mesmo Elisiário Bahiana, em terreno antes pertencente ao Banco do Estado de São Paulo, um edifício com o qual a Santa Casa de Misericórdia, a nova proprietária, pretendia auferir rendas para ajudar a financiar suas atividades. O Banco do Estado a princípio cogitara construir ali sua sede central. Desistiu ao concluir que não era prudente distanciar-se do centro financeiro da cidade, agrupado junto às ruas Quinze de Novembro e Boa Vista. Voltou então sua atenção para um prédio da praça Antônio Prado que pertencera ao banqueiro italiano João Bricola e que este deixara em testamento à Santa Casa de Misericórdia. Banco e Santa Casa entraram em entendimento cujo resultado foi uma permuta — o banco ficou com o ponto da praça Antônio Prado e a Santa Casa com o da praça Ramos de Azevedo. Foi para este prédio, chamado de João Bricola em homenagem ao banqueiro benemérito, que o Mappin mudou, naquele abril de 1939.[30]

Um anúncio da mudança do Mappin publicado na ocasião mostrava o novo prédio voando sobre a cidade, enlaçado por um ímã. A mensagem era a de que a loja atrairia outras lojas, serviços e público para o lado em que se instalara. Foi o que ocorreu. Nos meses seguintes a Casa Los Angeles e a Joalheria Bento Loeb vieram para a rua Barão de Itapetininga, e a Casa Vogue para a rua Marconi.[31] Esta rua, que vinha da Barão de Itapetininga e morria na Sete de Abril, havia sido prolongada e agora chegava até a praça atrás da biblioteca. O que ocorria era um fenômeno de largo alcance: o centro de São Paulo ampliava-se. A região além do viaduto, que outrora abrigara plantações de chá, e que urbanizada, no século XIX, tivera as antigas chácaras loteadas, passava de área residencial a um centro de comércio e de serviços. O reinado do Triângulo se via ameaçado.

A região que ia do viaduto à praça da República, tendo por centro a rua Barão de Itapetininga e espraiando-se, aos lados, da avenida São João à avenida São Luís, constituía-se agora no "centro novo". Era principalmente a aura do comércio elegante, das melhores confeitarias e do mais promissor *footing* da cidade que o centro novo roubaria, nos anos seguintes, ao centro velho. A prefeitura determinou que nessa área os edifícios deveriam ter um mínimo de dez andares, com pé-direito de três metros cada um.[32] Esses edifícios se encheriam nos anos seguintes de escritórios e consultórios. Ocorria ao mesmo tempo uma deslocação muito maior do que de um lado para o outro do viaduto. A cidade deslocava-se igualmente da Europa para os Estados Unidos. A arquitetura de inspiração europeia do centro velho transmudava-se no centro novo em réplica de cidade americana.[33] No mesmo sentido, as ruas tortas do centro velho, traçadas ao acaso como no Centro das velhas cidades europeias, transmudavam-se no centro novo em ruas retas como as de Nova York. Do modelo europeu para o americano — eis uma travessia que sinalizava o futuro da cidade.

No dia 1º de setembro de 1939 a Alemanha, tomada pela doença do nazismo, invadiu a Polônia. A corrida dos anos 1930 rumo à loucura, em passos precisos e metódicos, atravessava a linha de chegada. Entre os brasileiros apanhados de surpresa pelo início do conflito estava Oswald de Andrade. Relembrou sua mulher de então, Julieta Bárbara:

"Ficamos na Inglaterra, quando já estavam distribuindo as máscaras contra gás. Daí passamos para a França. Fomos de avião para Paris. Em Paris já estavam evacuando as pessoas da cidade. A Europa estava enlouquecida. Ficamos uns dias num lugar perto de Paris, porque o Oswald conhecia gente da embaixada. Fomos para Biarritz. Fugimos numa ambulância. Não sei como ele arranjou uma ambulância. Os soldados todos já estavam se movimentando. A gente já andava no escuro. O Oswald suava. Para sair dali foi difícil. Só sei que ele arranjou um jeito e pegamos um trem, atravessamos a Espanha e fomos parar em Portugal. Voltamos num navio português. A bordo estava também o Vinicius de Moraes."[34]

XX.
PANORAMA 1940 (O ANO DO PACAEMBU)

Em 1º de setembro de 1940, data em que foi realizado o quinto recenseamento geral do Brasil, os habitantes de São Paulo eram 1326261. A marca do 1 milhão fora ultrapassada, segundo o Departamento Estadual de Estatística, em 1934, quando este órgão registrou população de 1074877. Pelo recenseamento de 1940, o primeiro desde 1920 (as turbulências revolucionárias de 1930 impediram que fosse realizado o previsto para aquele ano), o Brasil tinha 41236315 habitantes e o estado de São Paulo 7180316. São Paulo ultrapassava Minas Gerais (6736416 habitantes) como estado mais populoso, e a cidade de São Paulo já ameaçava a liderança do Rio de Janeiro (1764141) como a mais populosa do país. A capital detinha 18,5% do total da população do estado, seis pontos percentuais a mais do que os 12,5% de 1920.[1]

Na distribuição por idade, 1034596 habitantes da cidade concentravam-se na faixa de 0 a 39 anos. Representavam quase 80% do total e indicavam que envelhecer ainda era privilégio de poucos.[2] Os classificados como de cor branca constituíam esmagadora maioria — 1203111, ou mais de 90%, contra 63546 negros (ou "pretos", na designação do censo), 45136 pardos, 14074 amarelos e 394 de cor não especificada. E, de acordo com a nacionalidade, os brasileiros natos eram 1029047, ou 80%, contra 11176 naturalizados, 285469 estran-

Praça da Sé em 1940 | Foto de Hil.

...thal | Acervo Instituto Moreira Salles.

geiros e 569 de nacionalidade não especificada.[3] A diferença com relação ao censo de 1920, no qual os estrangeiros representavam 35% da população, é expressiva. A era da grande imigração já ficava distante. Mas a presença dos filhos dos imigrantes era maciça. Na pesquisa estadual de 1934, 55,33% da população eram filhos de pai e mãe estrangeiros, e outros 11,68% filhos de brasileiro com estrangeira, ou estrangeiro com brasileira. Filhos de pai e mãe brasileiros constituíam uma minoria de 32,99%.[4] A presença majoritária dos filhos de imigrantes explica a grande prevalência de brancos na população. De resto, a mãe paulistana continuava a revelar-se fértil. As 269 675 mulheres que, em 1940, já tinham tido filhos produziram um total de 1 105 326 rebentos — média de quatro por mãe.[5]

Entre os estrangeiros, os portugueses (78 949) haviam roubado a habitual liderança dos italianos (73 949), ficando os espanhóis em terceiro lugar (35 136).[6] Ao longo do ano de 1940, segundo os registros oficiais, apenas 16 003 imigrantes entraram no estado de São Paulo. Não bastasse a descontinuidade do apoio oficial à imigração, a guerra na Europa contribuía para levar o fluxo quase à paralisia. O contingente dos portugueses, não por acaso originários de um país a salvo das hostilidades, foi de longe o maior — 5056.[7] Se a entrada de estrangeiros minguava, ganhava impulso a dos brasileiros de outros estados. A Hospedaria dos Imigrantes recebeu, em 1939, 89 696 deles, figurando os baianos como a grande maioria (62 974) e ficando os mineiros em segundo lugar (19 595).[8] Leve-se em conta que aos registros oficiais escapavam os muitos que chegavam informalmente, em boa parte encarapitados nos paus de arara que começavam a construir sua fama. Ganhava momento um fenômeno que nas décadas seguintes iria promover radical transformação nos extratos que compunham a força de trabalho e a configuração da sociedade do estado e da cidade.

O censo apontou previsível hegemonia dos católicos na população da cidade — 1 177 327 (88,8%), seguidos pelos protestantes (52 516), os espíritas (44 644) e os israelitas (17 219).[9] No que se refere às profissões, os empregados na indústria eram 228 365 (77,2% homens, 22,8% mulheres), e os no comércio 85 122 (91% homens, 9%

mulheres), sendo significativos também os números dos que atuavam no setor dos transportes (31 032) e dos compreendidos na rubrica "administração pública/justiça/ensino" (31 499).[10] Quanto à instrução, 952 805 habitantes de cinco anos ou mais anos de idade sabiam ler e escrever (52,5% homens, 47,5% mulheres) e 236 198 não sabiam (36,5% homens, 63,5% mulheres), segundo o censo. Os analfabetos seriam 18% do total.[11] O Anuário Estatístico do Estado de São Paulo piora a situação. Suas pesquisas indicaram um total de 442 091 analfabetos, o que resultaria em percentual, porventura mais crível, de 33% do total.[12] No Brasil como um todo, considerada a população com cinco anos de idade ou acima, 60% eram analfabetos. No estado de São Paulo, 47%.[13]

O analfabetismo abre o capítulo sempre trágico, na história nacional, da educação. Segundo dados de 1938, se 164 644 crianças matricularam-se nas escolas primárias da cidade, escassas 17 888 concluíram, naquele mesmo ano, o ciclo de quatro anos em que se constituía o ensino elementar. Tomando-se em conta números apurados de 1934 a 1937, temos que, das 138 204 crianças matriculadas em 1934, só 18 024 concluíram o curso em 1937, ano em que se cumpriu o ciclo — não mais que 13%.[14] O mesmo dramático afunilamento tinha prosseguimento no ensino secundário e chegava ao ápice no ensino superior — apenas 315 formados em 1934, somados os diversos cursos, 484 em 1937 e 632 em 1938.[15] Os números relativos aos primeiros anos da Faculdade de Filosofia, Ciências e Letras confirmam o quadro de escassos alunos ao início dos cursos e mais escassos ainda no seu prosseguimento. Dos nove alunos matriculados em Letras Estrangeiras em 1934 — o ano inaugural da faculdade —, três persistiam em 1935. Dos cinco matriculados em Português e Letras Clássicas no mesmo 1934, sobravam três no ano seguinte. E dos 24 matriculados em Ciências Sociais restavam dois — dois! — em 1935.[16]

Ao voltar da Europa, o casal Oswald de Andrade-Julieta Bárbara foi morar numa casa da rua Martiniano de Carvalho, com fundos para o vale do Itororó. Era uma casa ampla, em que moravam também o filho mais velho e a nora do escritor. Oswald, tão inquieto, tão desabusado, tão provocador, mantinha em casa, segundo sua biógrafa, hábitos "pacatos e bonachões". Levantava cedo e, antes de descer para o escritório, na parte rebaixada da casa, tomava leite de cabra, vendido de porta em porta.[17] Eis São Paulo, 1940: uma metrópole, sim, mas com a roça ainda por perto. No romance *A estrela de absinto*, que ambientara em torno de 1920 e publicara em 1927, Oswald faz o personagem Jorge d'Alvelos ir procurar o leite de cabra recomendado à sua amada, internada sem remédio em casa de saúde da avenida Paulista, numa "aldeia de cabreiros" situada "nos fundos do hospital, em grotas intransitáveis".[18] Vinte anos depois, "aldeia de cabreiros" talvez não existisse mais na região da Paulista. Mas a cabra oferecendo leite de porta em porta seguia viva e forte.

No dia 27 de abril de 1940 foi inaugurado o Estádio Municipal do Pacaembu. A *Folha da Manhã* saiu naquele dia com uma primeira página toda tomada pela "homenagem da Companhia União dos Refinadores" a "essa gigantesca obra, destinada à preservação das

O estádio do Pacaembu ainda em construção, em 1939 | Foto de Benedito Junqueira Duarte (BJ Duarte) | Acervo Fotográfico do Museu da Cidade de São Paulo.

gerações futuras". No alto da página apareciam os retratos dos prefeitos Fábio Prado, o iniciador da obra, e Prestes Maia, o continuador, ambos enfeitados com uma folha de louro, como os campeões olímpicos. Na parte inferior, a majestosa fachada do estádio. O texto afirmava que, "sobre ser uma obra de extraordinária beleza, é o novo campo de esportes um elemento decisivo na preparação de uma raça forte".[19] Havia tantos anos esperada, a obra acabou vindo à luz quando o Estado Novo vivia o seu auge, e acabou aproveitada para propaganda e celebração do ideário do regime — a exaltação da "raça forte", da "preservação das gerações futuras", do cultivo do corpo, da força, do nacionalismo, do povo unido e coeso e outros valores em voga nas ditaduras do dia.

O ditador se fez presente à inauguração naquela tarde de sábado. Como poderia ele perder um evento que, ao celebrar seu ideário, celebrava o regime e, ao fim e ao cabo, a si mesmo? Com ele vieram os interventores do Rio de Janeiro, Ernâni do Amaral Peixoto, e de Minas Gerais, Benedito Valadares, e o prefeito do Rio, Henrique Dodsworth, acolhidos pelos anfitriões Adhemar de Barros e Prestes Maia. Ao despontar na avenida Pacaembu, a comitiva presidencial dividiu espaço com as delegações esportivas concentradas ali fora, à espera do início do desfile que abriria cerimônia. Desfile era atividade pela qual o regime tinha queda toda especial. E lá vieram os atletas, 10 mil deles, delegação por delegação despontando no estádio — inclusive delegações dos vizinhos Argentina, Peru e Uruguai. Estas foram as primeiras a desfilar; seguiram-se as das diversas entidades esportivas da cidade e depois as de municípios do interior. Era um simulacro de abertura de Olimpíadas, tal qual a realizada em Berlim havia quatro anos, para glória do nazismo. Cinquenta mil pessoas acompanhavam o espetáculo nas arquibancadas. Segundo a *Folha da Manhã*, as delegações mais aplaudidas foram as do clube Germânia, da Escola Superior de Educação Física e do Mackenzie College. Mas o jornal também destacou "o quanto é querido o São Paulo Futebol Clube, pois, ainda que apresentasse pequena turma, recebeu calorosas palmas, sendo seu nome ovacionado delirantemente".[20]

Desfiles no estádio no dia da inauguração | Foto de Hildegard Rosenthal | Acervo Instituto Moreira Salles.

O São Paulo era um neófito no panorama futebolístico da cidade. Fora fundado em 1935 por figuras do patriciado paulista inconformadas com a decisão do Paulistano em fechar seu departamento de futebol. Mas os aplausos não eram bem ao clube que se dirigiam. Antes, eram às cores vermelho, branco e preto com que se apresentava, as mesmas da bandeira paulista — e tiveram o significado de um fugaz toque de rebeldia, em meio a tão aparatosas manifestações de unidade. Aplaudiam-se as cores de uma bandeira proscrita; em seu furor centralista, a ditadura proibira as bandeiras estaduais. Nos discursos, mais autoexaltações ao regime e mais salamaleques à figura do ditador. Disse o prefeito Prestes Maia, dirigindo-se a Getúlio: "Este estádio, que se impõe pela grandeza e pela sobriedade, é um monumento oferecido à administração de vossa excelência, que erigiu a educação moral e física da sociedade em princípio constitucional". Getúlio respondeu, referindo-se ao estádio: "As linhas sóbrias e belas de sua imponente massa de cimento e ferro não valem apenas como expressão arquitetônica, valem como uma afirmação da nossa capacidade e do esforço criador do novo regime na execução de seu programa de realizações". A fala do ditador teve ainda a exaltação do "sadio patriotismo", da "precisão e disciplina" dos atletas, e da "mocidade forte e vibrante, índice eugênico da raça".[21] Se ao evento até ali houvesse faltado referir à eugenia que aprimora a raça, como então se fazia em Roma e Berlim, agora não faltava mais.

No dia seguinte, domingo, o Pacaembu seria inaugurado na função que o consagrou, a de templo do futebol paulista, com um programa duplo, constituído pelos confrontos entre Palestra Itália e Coritiba e Corinthians e Atlético Mineiro. Os times paulistas venceram, mas a honra de ter marcado o primeiro gol no estádio coube a Zequinha, ponta-direita do Coritiba.

No dia da inauguração do Pacaembu a temperatura máxima foi de 25,6°C e a mínima de 16,3°C.[22] A mínima na cidade em 1940 ocorreu no dia 4 de julho (2,4°C), e a máxima a 7 de dezembro (35,6°C).[23] Nasceram vivos ao longo do ano 33 503 bebês e mortos 1761. A taxa de natimortos para cada mil nascimentos foi de 49,93. Morreram durante o ano 17 116 pessoas, entre as quais 4154 bebês de até um ano.[24] A taxa de bebês de até um ano mortos foi de 123,98 por mil nascidos vivos, uma considerável melhora com relação aos 174,21 de 1920, mas ainda assim superior à que naquele mesmo já distante ano de 1920, como vimos no capítulo X, registravam o Uruguai (117,30) e a Argentina (119,39). Entre as causas da mortalidade até um ano despontava como a campeã, ano a ano, a rubrica "diarreia e enterite", denunciando as más condições sanitárias.[25] Os casamentos foram 8749 em 1940.[26] E com que idade casavam-se os paulistanos e paulistanas? Segundo dados de 1939, a maior concentração de uniões ocorreu naquele ano entre os vinte e os 29 anos — 68,52% dos homens e 60,33% das mulheres. Para os homens veio a seguir a faixa entre os 29 e os 39 anos — 20,58%, na qual as mulheres foram apenas 10,41%. Ao contrário, com idade menor que vinte anos foi expressivo o percentual de mulheres — 24,95% —, contra apenas 2,95% dos homens.[27] Os hábitos rurais-patriarcais de casamento precoce para as mulheres ainda mostravam força.

A São Paulo de 1940 contava 2469 logradouros públicos, entre os quais 2180 ruas, 140 largos e praças e 83 avenidas e alamedas. Do total, menos da metade — 1073 — era pavimentada, 583 arborizados e 38 ajardinados. Providos de iluminação pública (sempre elétrica — os lampiões de gás já haviam sido aposentados) eram 1480.[28] Os domicílios eram 224 837, e a rede de distribuição de água atingia 135 242 deles; a de esgotos, 106 485.[29] Os automóveis na cidade eram 22 739, sendo 22 137 particulares (de uso próprio ou para aluguel) e 602 oficiais. Os caminhões eram 8516 (sendo 691 oficiais), os ônibus 864, as ambulâncias 46 e as motocicletas 659.[30] Os carros a tração animal — carroças, charretes e similares — ainda tinham papel de protagonismo nas ruas — eram 7485, dos quais novecentos para transporte de passageiros, e o restante para o de mercadorias. A proporção era de um veículo a tração animal para cada 4,4 motorizados, o que quer dizer: (1) que ainda era familiar aos ouvidos dos paulistanos o *ploc-ploc, ploc-ploc* dos passos dos cavalos ou burros; (2) que lhes era familiar ao nariz o cheiro do estrume que os animais iam despejando; e (3) que a cabra de Oswald de Andrade não estava sozinha no mister de enviar à orgulhosa metrópole insistentes lembranças da roça. As bicicletas eram também numerosas — 19 095, só um pouco menos que os automóveis. E quer o leitor saber quantos eram os carrinhos puxados a mão? Exatos 1641. Nem eles escaparam dos rigores do Anuário Estatístico.[31]

Para viajar pelo estado os paulistas dispunham de 12 862 quilômetros de estrada de ferro. Os passageiros transportados ao longo do ano foram 42 milhões.[32] Já as viagens de avião eram irrisórias. Os jornais costumavam publicar o movimento diário no aeroporto de Congonhas. Tomando o dia 4 de janeiro de 1940, temos que houve quatro partidas — duas para o Rio de Janeiro e uma para Curitiba, sempre em aviões da Vasp, e uma para Buenos Aires, em voo da companhia alemã Condor. Os passageiros embarcados variaram de cinco a dezessete, não mais que isso, por voo. As chegadas foram também quatro, duas do Rio e uma de Curitiba — voos da Vasp — e uma do

Rio, da Condor. Os passageiros variaram de cinco a quinze por voo.[33] As linhas telefônicas instaladas na cidade eram 54 411.[34]

As bibliotecas, somada a Biblioteca Municipal com as de faculdades, colégios, instituições científicas, clubes, jornais e repartições públicas, eram 86. Em número de volumes, depois dos 104 519 da Biblioteca Municipal, despontavam as da Faculdade de Direito (53 395), do colégio São Luís, honrando a tradição intelectual dos jesuítas (30 mil), a da Escola Politécnica (24 211), a do Instituto de Higiene (23 606) e a do Museu Paulista (23 170).[35] Entre os museus, o que possuía maior número de peças era o Paulista, mais conhecido por Museu do Ipiranga, com 19 107. O Instituto Butantã tinha 10 300 e a Pinacoteca do Estado 966.[36] A cidade possuía setenta cinemas, quatro teatros (Municipal, Boa Vista, Santana e Cassino Antarctica) e um cineteatro (Colombo, no Brás).[37] Os jornais diários eram dezessete, distribuindo-se os demais entre semanários (treze), quinzenários (um) e mensários (seis).[38] O jornal de maior tiragem era *A Gazeta* (média de 75 mil exemplares por dia), seguida de *O Estado de S. Paulo* (65 mil), dos diários *de São Paulo* e *da Noite* (60 mil cada um) e do *Correio Paulistano* (55 mil).[39]

O Estado Novo ao mesmo tempo calou os jornais e propiciou notável impulso a suas estruturas empresariais. Na mesma medida em que se mostrassem na linha, as empresas jornalísticas eram agraciadas com verbas de propaganda, favores oficiais e até uma mesada do Departamento Estadual de Informações, filhote local do famoso Departamento de Informação e Propaganda (DIP), órgão de divulgação da ideologia do regime.[40] Foram os casos de *A Gazeta* e dos *Diários de São Paulo* e *da Noite*, graças às espertezas de seus respectivos proprietários, Cásper Líbero e Assis Chateaubriand. As tiragens também aumentaram, em grande parte pela avidez do público pelas notícias da guerra. Tanto Cásper Líbero quanto Chateaubriand haviam apoiado a causa paulista na Revolução de 1932. Cásper Líbero fora para o exílio e em 1933 seu jornal, ainda fiel aos ideais constitucionalistas, criara uma prova ciclística a que deu o nome de Nove de Julho. Em 1934, no entanto, aproximou-se das hostes getulistas e numa astuta manobra obteve do governo federal vultosa indenização por danos materiais sofridos durante a Revolução de 1930. O dinheiro propiciou-lhe a renovação do parque gráfico e a construção da nova sede da empresa, na rua da Conceição (depois avenida Cásper Líbero). Inaugurada em 1939 com o faustoso nome de Palácio da Imprensa, a sede da *Gazeta* foi a primeira edificação levantada em São Paulo com projeto concebido especialmente para abrigar um jornal.[41] Ainda antes da prova ciclística Nove de Julho a *Gazeta* havia concebido a Travessia a Nado do Tietê (1924) e a Corrida de São Silvestre (1925). A ênfase no esporte expressava-se no suplemento chamado A *Gazeta Esportiva*, responsável em grande parte pelo sucesso do jornal e que, com sucesso ainda maior, acabaria desgarrando da nave-mãe para virar órgão independente.

Chateaubriand, que durante a campanha eleitoral pusera todo o peso de seus jornais em favor da candidatura de Armando de Sales Oliveira à presidência da República, e até emprestara sua casa da avenida Atlântica, em Copacabana, para que o candidato ali tivesse seu pouso na capital federal, sofreu poucos dias depois do golpe um processo de miraculosa conversão. Ei-lo agora tão alinhado com o Estado Novo que em seus artigos chamava Getúlio de "Chefe". Num desses artigos deslumbrava-se com o fato de todos os regimes autoritários do período serem civis: "Mussolini é civil. Hitler é outro civil, assim como civil é Salazar. No Brasil, o golpe que nos arrebatou da desordem liberal democrática para a disciplina autoritária tem à frente um paisano, com todas as qualidades eminentes de um chefe".[42] O diabólico paraibano, depois do *Diário da Noite*, havia lançado em 1929 o *Diário de S. Paulo*, um "jornal sério", com que pretendia fazer face aos "sérios" matutinos O *Estado de S. Paulo* e *Correio Paulistano*, e prosseguira em sua escalada para se tornar o maior magnata da imprensa que o país já conhecera.[43] A revista O *Cruzeiro*, lançada em 1928, era um estrondoso sucesso nacional. A cadeia de jornais que espalhara pelo Brasil já atingira volume suficiente para merecer o nome coletivo de Diários Associados. E para culminar investira pesado neste cada vez mais influente e prestigioso meio de comunicação que era o rádio. Em São Paulo lançara em 1937 a rádio Tupi, que de saída autointitulou-se "a mais poderosa emissora paulista", slogan a que realmente fazia jus, com seus três estúdios, um grande auditório e estrutura técnica muito superior à das concorrentes. A cadeia de rádios, tão impressionante quanto a dos jornais, seria chamada oficialmente de Emissoras Associadas e extraoficialmente de "Taba Associada", tantos eram entre elas os nomes indígenas.[44] Os jornais, as rádios e a revista O Cruzeiro puseram-se a serviço do Estado Novo. A rádio Tupi de São Paulo e sua homônima do Rio de Janeiro mantinham programa semanal em que palestrantes escalados pelo governo cantavam as virtudes do regime.[45]

O rádio ingressava, na virada dos anos 1930 para os 1940, em sua época de ouro. São Paulo possuía em 1940 onze emissoras.[46] Entre outras, haviam despontado na década de 1930 a Difusora, a Cultura, a Cosmos (todas em 1934) e a Bandeirantes (1937). A Difusora, criada por um grupo de investidores, foi instalada nos altos do Sumaré, bom lugar para fincar uma antena, mas à época não mais que um matagal. A única construção na área era uma caixa-d'água da Companhia de Águas e Esgotos. A Difusora seria comprada em 1943 por Assis Chateaubriand e no Sumaré se instalaria o quartel-general das Emissoras Associadas em São Paulo. A rádio Cultura, de propriedade do empresário da indústria farmacêutica Cândido Fontoura, construiu em 1939 na avenida São João um auditório de quatrocentos lugares, com uma espetacular fachada que imitava o desenho de um alto-falante, ao qual deu o nome de Palácio do Rádio. A rádio Cosmos, mais tarde renomeada rádio América, tinha na praça Marechal Deodoro um "salão de chá" no qual promovia "saraus dançantes". No Carnaval de 1940 a Cosmos promoveu um "Carnaval do Povo", espalhando em vários pontos da cidade alto-falantes que animavam bailes e desfiles de rua.[47] Tanto quanto os jornais, as rádios eram mantidas de cabresto curto pela censura do regime. Entrou para o folclore dos estúdios o dia em que um locutor inexperiente da Tupi leu no ar o texto com as proibições de divulgação que acabara de lhe chegar às mãos. Minutos depois o locutor recebia a visita dos agentes da Delegacia de Ordem Política e Social e o convite para acompanhá-los.[48] O número de aparelhos de rádio na cidade, segundo registrou o Anuário Estatístico, era em 1940 de 62 mil.[49]

Se boa parte da imprensa aninhava-se de bom grado nos braços da ditadura, o mesmo não ocorria com o orgulhoso, teimosamente independente O *Estado de S. Paulo*. Durante o curto período constitucional de 1934 a 1937 o *Estado* tivera a gentileza de trocar o tratamento de Getúlio Vargas, de "ditador" para "presidente". Até apoiara atos de força como a promulgação da Lei de Segurança Nacional (1935) e a instalação do Tribunal de Segurança Nacional (1936). O alvo preferencial de tais medidas eram os comunistas e o *Estado* irmanava-se no temor da ameaça, real ou imaginária, a eles atribuída.[50] O golpe do Estado Novo viria no entanto a alvejar de morte uma candidatura presidencial "da casa" como era a de Armando de Sales. "Profundas alterações na ordem político-social do país" foi a manchete, algo perplexa, estampada na edição do dia 11 de novembro de 1937. O novo texto constitucional era publicado sem comentários. O noticiário era anódino. O efeito da censura, muito mais severa do que antes, já se fazia presente na edição.[51] Nenhum órgão de imprensa escapava; o noticiário político limitava-se agora à divulgação dos atos oficiais e poucas eram as chances de contrabandear para as páginas impressas alguma palavra divergente. O passado e a postura dos responsáveis pelo *Estado* recomendavam, porém, atenção redobrada. O diretor Júlio de Mesquita Filho teve a ousadia de colaborar com o jornal clandestino *Brasil*, lançado pelo amigo Paulo Duarte. Mesquita seria detido catorze vezes nos meses que se seguiram ao golpe. Da última, em outubro de 1938, só se livrou com a condição de que deixasse o país.[52] Pela segunda vez em seis anos, eis que partia para o exílio. Ficaram no comando do jornal seu irmão Francisco Mesquita e os jornalistas Léo Vaz e Plínio Barreto. Eram igualmente notórios inimigos da ditadura.

No dia 25 de março de 1940, uma segunda-feira em que circulou em mirradas quatro páginas a edição 21 649 do já quase septuagenário matutino, a polícia do interventor Adhemar de Barros invadiu o prédio da rua Boa Vista em que estava instalado. Ali permaneceu por 24 horas e em seguida, sem explicar nem a que veio nem por que ia, retirou-se. Voltou na noite seguinte e ao inspecionar o prédio — surpresa! — descobriu um par de metralhadoras embrulhadas em jornais e escondidas no forro do teto.[53] Escândalo! O *Estado* estava envolvido numa conspiração comunista. É o que se verifica pela anotação lançada pelo próprio Getúlio Vargas em seu diário naquele mesmo dia 25 de março: "Sou informado das medidas tomadas pelo chefe de polícia, no Rio, e o ministro da Guerra, em São Paulo, de acordo com minhas instruções. Intentona fracassada, vários presos e 45 metralhadoras apreendidas em São Paulo. Situação de tranquilidade. Esse movimento estava ligado ao trabalho comunista feito aqui, onde a polícia apreendeu duas tipografias, vários impressos e correspondência, e os chefes que orientavam a propaganda".[54]

Seria realmente um escândalo de vastas proporções, e uma virada mirabolante na linha editorial do matutino, se não tivesse sido o "flagrante" das armas óbvia e até displicentemente forjado pela polícia. Os jornais em que estavam embrulhadas tinham a data do próprio dia 25, aquele em que a polícia manteve o jornal sob ocupação, sem deixar ninguém da redação entrar. Acresce que no mesmo dia 25 — ou seja, no dia anterior à suposta apreensão das armas — o ditador já lançava em seu diário a notícia do desbaratamento da fracassada "intentona". Forjar flagrantes e documentos era especialidade do regime. Uma das justificativas para o golpe do Estado Novo fora a apreensão de um tenebroso Plano Cohen de dominação comunista (temperado por uma pitada de conveniente judaísmo), na verdade elaborado nas entranhas do governo. Agora fantasiava-se um movimento que, estendendo-se de São Paulo ao Rio, tinha um braço no O *Estado de S. Paulo* e em cuja repressão, segundo evidencia a anotação do ditador em seu diário, a polícia do interventor Adhemar de Barros apenas cumpriu ordens de cima. O DIP divulgou por sua vez comunicado em que pelo menos omitiu a aberrante acusação de conspirata comunista: "A polícia de São Paulo vinha, há algum tempo, observando a atividade de certos elementos pertencentes à antiga política dominante naquele estado, e após demoradas diligências apurou, com segurança, que tramavam uma ação revolucionária contra o regime e a ordem legal. Apurou mais que as reuniões eram realizadas não só nas residências dos conspiradores, como também na sede do jornal O *Estado de S. Paulo*, que assim se tornou o centro das atividades subversivas".[55]

O episódio não apenas silenciou o que ainda era preciso silenciar; mais significativamente apagou da paisagem O *Estado de S. Paulo*, tal qual era percebido e tal qual fazia valer sua presença na vida nacional. Presos e exilados seus principais responsáveis, o jornal foi posto sob intervenção e virou órgão de propaganda do regime. O interventor designado foi Abner Mourão, sacado do cargo de redator-chefe do *Correio Paulistano* para dirigir aquele que quase a vida toda fora seu arquirrival, nas bancas e nas lides políticas.

"Esta história toda com o *Estado de S. Paulo* me deixou numa bruta atrapalhação", escreveu Mário de Andrade, ainda sofrendo seu "exílio" no Rio, a Sérgio Milliet, duas semanas depois da ocupação do jornal dos Mesquita. A atrapalhação advinha de que os artigos que naquela época mandava ao jornal forneciam-lhe um dos precários esteios com que ia garantindo a subsistência. Superada a fase em que o *Estado* recusava-lhe a colaboração por suas liberdades com a língua portuguesa, ele havia sido acolhido por convite do próprio "Julinho", como dizia na carta. Agora, angustiado com a situação financeira, mas ao mesmo tempo cheio de escrúpulos, perguntava ao amigo o que fazer. Continuar ou interromper a colaboração?[56] Mário desfiava desgostos, nesse período. Incomodava-o o calor, agoniavam-no os hábitos cariocas, apertavam-no as saudades da rua Lopes Chaves. "A confusão do Rio deixava-o inquieto", escreveu Moacir Werneck de Castro, na época um dos jovens amigos com que contava na capital federal. Até deixara de usar o elegante chapéu de feltro Ramenzoni com que pagava tributo ao ritual dos homens decentes do período, contagiado, segundo explicava, pela "bagunça carioca". O "espírito carioca", segundo o mesmo amigo, "divertia e pasmava o paulistano", que "a tudo testemunhava meio horrorizado, ou pelo menos meio perplexo". Em carta ao parente Pio Lourenço, o papa do modernismo diria não aguentar "os costumes e maneiras morais desta gente de grande capital, com que não me acomodo, me assusta, me faz medo".[57] Nessa hora de amargura o autor de *Pauliceia desvairada* chegava à conclusão de que, em matéria de desvario, a Pauliceia era fichinha.

De resto, contribuía para o baixo astral o avanço da barbárie na guerra da Europa. Paris caíra em junho em poder dos alemães. No último dia de 1940 a *Folha da Noite* publicou em manchete: "A guerra continuará até o extermínio da democracia". Os subtítulos diziam: "Hitler fala aos nacional-socialistas — 'Passou o tempo, afirmou o führer, em que o ouro dominava o mundo'". Na página 3, informava-se que "mais de 10 mil bombas despejou sobre Londres a Luftwaffe".[58]

A cidade do 1,3 milhão aos 2,8 milhões de habitantes

XXI.
Guerra! (Tão longe, tão perto)

São Paulo já não era a mesma, em 1940, segundo o artista plástico japonês Tomoo Handa. Os homens não mais cediam lugar às mulheres nos bondes. Igualmente, segundo registrou Handa num livro em que mistura memórias pessoais com a história da imigração japonesa, não convidavam as mulheres a passar à frente na fila para comprar selos no Correio: "Sentia-se um clima de mudanças que em breve ocorreriam no mundo, e o Brasil também perdia a calma e as maneiras dos tempos idos".[1] Handa contava então 34 anos de idade e 23 de Brasil. Chegara ao país em 1917, apenas nove anos depois da pioneira viagem do *Kasatu Maru*, numa leva que, como era regra, destinou-se à lavoura de café. Quatro anos depois mudara para São Paulo, onde estudaria e encontraria ambiente propício ao desenvolvimento de sua vocação de artista. Na verdade a guerra, para a massa dos brasileiros, em 1940, era apenas uma notícia de jornal — ainda que alardeada com estridência nas manchetes. Não para um estrangeiro. O nacionalismo do regime inaugurado em 1930, amplificado em 1937 com o Estado Novo, encontrava ainda maior razão para reforçar-se com o conflito mundial. Talvez se devesse à sensibilidade defensiva de imigrante achar que por causa do panorama mundial não se cedesse mais lugar nos bondes. Mas, para alguém como Handa, estrangeiro e além do mais nacional de um país que na Ásia fazia o contraponto à guerra na

Europa, ocupando e tiranizando os países vizinhos, havia razões concretas para se preocupar.

A eclosão da guerra apanhou o governo brasileiro dividido. Os dois principais chefes militares, general Eurico Gaspar Dutra, ministro da Guerra, e general Góis Monteiro, chefe do Estado-Maior, simpatizavam com as ditaduras da Alemanha e da Itália. Entre os favoráveis às democracias ocidentais a figura de maior destaque era o ministro das Relações Exteriores, Osvaldo Aranha. Em 11 de junho de 1940, coincidindo com o avanço avassalador dos alemães na França, Getúlio Vargas fez o elogio dos regimes de força, num discurso a oficiais da Marinha, a bordo do encouraçado *Minas Gerais*: "[...] assistimos à exacerbação dos nacionalismos, as nações fortes impondo-se pela organização baseada no sentimento de pátria e sustentando-se pela convicção da própria superioridade. Passou a época dos liberalismos imprevidentes, das demagogias estéreis".[2] Dois dias depois, diante da repercussão negativa do discurso nos Estados Unidos, o ditador brasileiro apressou-se em explicar ao presidente Franklin Roosevelt, por meio do embaixador em Washington, Carlos Martins, que seu discurso fora "um aviso, um chamamento à realidade dirigido aos brasileiros"; de forma alguma deveria "causar estranheza a um espírito previdente como o de Roosevelt", o qual "está clamando com a voz de todo o continente sobre os perigos que ameaçam a América e sabe que o Brasil não lhe faltará com a sua lealdade".[3] Getúlio era um virtuose nas artes da desconversa e da ambiguidade.

O status do Brasil nesse período era de neutralidade, e assim permaneceria pelo ano e meio seguinte. Nesse meio-tempo, no rastro do que ocorria na Europa, o regime radicalizava o próprio nacionalismo. Não era — ainda — a guerra o que o motivava, nem a ação de algum inimigo externo. O perigo morava ao lado, nas comunidades de imigrantes vistas como resistentes à "assimilação" e tendentes a formar "enquistamentos étnicos". Lançando mão da arma mortífera, fácil e rápida do decreto-lei, o governo federal pôs-se a disparar medidas que mexiam com a vida dos estrangeiros. A primeira, em abril de 1938, vedava-lhes a atividade política; não podiam organizar "fundações, companhias, clubes e quaisquer estabelecimentos de caráter político", nem exibir "bandeiras, flâmulas e estandartes" de partidos políticos dos países de origem, ou realizar "passeatas, comícios e reuniões de qualquer natureza".[4] Se tais providências se justificavam, diante do envenenado ambiente internacional, um segundo decreto, em maio, escancarava a xenofobia tingida de racismo que vicejava nas entranhas do regime. Proibia-se agora a entrada no país de "aleijados ou mutilados, cegos, surdos-mudos", assim como "indigentes, vagabundos, ciganos e congêneres", e de quebra o governo "reservava-se o direito" de impedir a entrada "de determinadas raças e origens". O decreto ainda reiterava provisão da Constituição de 1934 segundo a qual o contingente de imigrantes de cada país não podia exceder, por ano, a 2% do total de imigrantes da mesma procedência entrados no país nos cinquenta anos precedentes.[5]

Esta última provisão era feita sob medida para a única imigração que nos anos 1930 continuava numerosa, a japonesa, e ecoava o debate racista ocorrido entre os constituintes, durante o qual o deputado paulista Teotônio Monteiro de Barros quis barrar a entrada de japoneses em nome do combate aos "quistos amarelos" e os deputados-médicos Miguel Couto, Arthur Neiva e Xavier de Oliveira estendiam a mesma providência ao conjunto de asiáticos e africanos, por sua "comprovada inferioridade racial".[6] As tentativas de proibição total fracassaram, mas como compensação aprovou-se a limitação dos 2%, e a imigração japonesa, que vinha a um ritmo de 20 mil por ano, baixou para 3 mil.[7] Tomoo Handa afirma que a percepção, entre os japoneses, de que não chegariam mais levas numerosas de compatriotas, os fez sentirem-se "como se tivessem sido expatriados para uma ilha estrangeira".[8] O decreto de maio de 1938 dedicou especial atenção às comunidades rurais de imigrantes. Estabeleceu entre outras restrições que em suas escolas as aulas deviam ser ministradas unicamente em português, que seus diretores deviam ser brasileiros natos, e que os alunos não podiam ter aulas de idiomas estrangeiros antes dos catorze anos de idade.[9] Se o foco eram localidades do interior, especialmente as de alemães, no Sul do país, e as de japoneses, em São Paulo, as medidas não deixavam de repercutir na cidade. Segundo Tomoo Handa, elas representaram um choque para os compatriotas.

*Criança na calçada no bairro da Liberdade, c. 1940 |
Foto de Hildegard Rosenthal | Acervo Instituto Moreira Salles.*

Temiam que seus filhos, sem aprender o idioma e submetidos a professores brasileiros, não absorveriam "o sentimento de fidelidade e lealdade que constitui a base do pensamento japonês".[10]

No dia 1º de setembro de 1939, o menino Boris Fausto, futuro historiador da Revolução de 1930, entre outros trabalhos seminais, jogava futebol de botão sozinho no andar superior de sua casa, na avenida Angélica, atacado de escarlatina, quando uma conversa entre o pai e um visitante, filtrada do andar de baixo, lhe trouxe a revelação de que algo grave ocorria no mundo. Os dois adultos comentavam a invasão da Polônia pela Alemanha, e previam um longo conflito, de desfecho incerto. Num livro de memórias, Boris Fausto afirma que até 1942, enquanto os italianos e os japoneses tendiam a apoiar os países de origem, entre os demais "as simpatias variavam", e a indiferença era "muito comum".[11] Não se suspeitava então que, já bem antes da guerra, funcionavam em São Paulo filiais dos partidos que iriam detonar o conflito europeu. Um "Fascio de São Paulo", à semelhança dos espalhados pelas cidades italianas, foi criado em 1923, mesmo ano da ascensão de Mussolini ao poder.[12] E um Partido Nazista, vinculado à matriz alemã, nascido em 1931 no Rio de Janeiro, desde 1934 transferira para São Paulo o centro de suas operações.[13] Ambos os partidos atuavam em estreita colaboração com as respectivas embaixadas e consulados, quando não sob suas ordens. Em 1925 o consulado italiano em São Paulo foi assumido por um fascista tão visceral que, veterano da Marcha de Roma, com a qual Mussolini abriu as portas para o poder, seguiu o chefe até o amargo fim, na malograda resistência da chamada República de Salò. Serafino Mazzolini, este o seu nome, comandou a irradiação do fascismo a diferentes instituições de imigrantes, inclusive o Circolo Italiano, que desde 1910 congregava os mais influentes membros da colônia. A partir de 1928 o Circolo passou a ceder sua sede da rua São Luís a reuniões do Fascio.[14] Na seção brasileira do Partido Nazista, o chefe era Hans Henning von Cossel, comerciante do qual se tem notícia no Brasil desde 1931, e que entre 1933-1934 estagiou na Alemanha, para treinamento na *Auslandsorganization*, o órgão do partido para o exterior.[15]

Com o decreto-lei que proscrevia associações estrangeiras de caráter político, tanto o Fascio de São Paulo (e os demais instalados no interior do estado e em outras cidades brasileiras) como o Partido Nazista deixaram de existir. Ou melhor: deixaram de existir com tais nomes. Mas seus agentes não desaceleraram as atividades, agora exercidas sob a capa de entidades beneficentes, esportivas ou culturais, nem abandonaram as instituições de imigrantes em que se haviam infiltrado. Um dos alvos preferenciais eram as escolas — setor em que tanto fascistas quanto nazistas obtiveram notáveis êxitos. O maior, da parte dos fascistas, foi a conquista do Instituto Medio Dante Alighieri, nome com que se apresentava o posteriormente chamado Colégio Dante Alighieri, prestigiosa instituição que, desde 1911, atraía os filhos da elite italiana. Seus diretores na década de 1930 vinham da Itália, em missões para as quais recebiam subsídios do governo de Roma.[16] Durante a guerra de conquista empreendida pela Itália contra a Etiópia, entre 1936 e 1938, boletins militares eram lidos aos alunos nas refeições. Um visitante italiano encantou-se com o que viu numa sala de aula: trinta crianças a entoar a *Giovinezza* e ao final "a erguer as mãozinhas, todas, em nossa linda saudação fascista".[17] Os alemães perpetraram proeza semelhante na Escola Alemã da Vila Mariana, que em 1936, aos 35 anos de existência, passou ao controle nazista por meio de característico golpe. Um grupo de quarenta membros do partido invadiu uma reunião da diretoria e impôs o nome de um deles, Eduardo Sack, para presidi-la. Dos 29 professores que no início da década de 1940 compunham o corpo docente, dez eram militantes do partido, alguns deles contratados na Alemanha e lotados na escola sob os auspícios do consulado. Entre as atividades incluíam-se festejar o aniversário de Hitler e ensinar as crianças a cantar hinos nazistas e a fazer a saudação ao Führer.[18]

Fascistas e nazistas obtiveram êxitos igualmente notáveis na imprensa voltada para os imigrantes. O *Fanfulla*, mais tradicional jornal da comunidade italiana, a princípio resistiu, mas aos poucos, nas palavras do historiador João Fábio Bergonho, "os elogios ao novo regime começaram a superar as críticas", redatores antifascistas foram afastados e afinal os fascistas assumiram o controle.[19] Os nazistas lançaram em 1932 o *Deutscher Morgan* (aurora alemã), jornal que se apresentava como "órgão semanal do Partido Nacional-Socialista no Brasil". Com a proibição das associações políticas, deixou de ser órgão oficial, mas não parou de veicular propaganda nazista. A maioria das matérias vinha da Alemanha, por meio da embaixada, e falava dos progressos econômicos e sociais obtidos sob Hitler.[20] Com tais cabeças de ponte os nazifascistas pretendiam induzir as comunidades de imigrantes no Brasil a cerrar fileiras, para o que desse e viesse, com os regimes de Berlim e Roma. O fato de o fazerem a partir de São Paulo explicava-se por se concentrarem no estado o poder econômico e os maiores contingentes de compatriotas. Dos 285 124 italianos no Brasil, segundo o censo de 1940, 213 091, ou 75%, viviam no estado de São Paulo.[21] Isso sem contar a legião de descendentes. Entre os alemães, do total de 89 038 residentes no Brasil, 33 397, ou quase 40%, viviam no estado.[22] Considerados os descendentes, os estados do Sul apresentariam contingente maior, mas ali as associações de imigrantes, já solidamente implantadas, impunham maior dificuldade à infiltração do partido.[23] Numerosas empresas alemãs e italianas, ou de propriedade de imigrantes alemães e italianos, tinham sede em São Paulo, e não foram poucas as que se puseram a serviço dos interesses do país de origem. O Banco Alemão Transatlântico, que operava na cidade desde 1910, tinha nos anos 1930 a diretoria controlada por membros do partido nazista e, trabalhando em estreita colaboração com o consulado, facilitava suspeitas operações de transferências de fundos de e para a Alemanha.[24] A contrapartida fascista no mesmo ramo era o Banco Francês e Italiano, que obrigava os funcionários, mesmo os não italianos, a inscrever-se no Fascio.[25] Mais importante ainda, o fascismo teve o apoio, como sabemos, de boa parte dos empresários de origem italiana, a começar dos dois maiores, Matarazzo e Crespi.

A polícia política do regime acompanhava as atividades dos nazifascistas no Brasil mas só vez ou outra um deles era chamado a depor ou, em caso mais extremo, preso ou expulso do país. Mesmo depois da eclosão da guerra, e apesar dos decretos que limitavam a atuação dos estrangeiros, suas atividades tinham curso. O regime brasileiro, feito do mesmo barro dos que vigiam em Roma e Berlim, mais se preocupava com os comunistas. No dia 23 de março de 1940 celebrou-se no Circolo Italiano comemoração pelo vigésimo primeiro aniversário do Fascio de Milão, o primeiro fundado por Mussolini. Compareceram 3 mil pessoas.[26] Uma sucessão de eventos, a partir do final de 1941, vai mudar tal estado de coisas. Em dezembro desse ano os japoneses atacam Pearl Harbor e provocam a entrada dos Estados Unidos na guerra. Intensificam-se os esforços do governo de Washington no sentido de garantir a segurança às suas costas. Para buscar uma unidade de posições entre os países do continente, os chanceleres americanos reúnem-se no Rio de Janeiro em janeiro de 1942. Alguns países, como a

Osvaldo Aranha discursa por ocasião do rompimento de relações do Brasil com o Eixo, 28 de janeiro de 1942 | Acervo Osvaldo Aranha, CPDOC/FGV.

Argentina, mostram-se recalcitrantes. O Brasil define seu apoio à causa aliada. Ao fazer o discurso de encerramento, no dia 28, o chanceler Osvaldo Aranha anuncia o rompimento das relações com os países do chamado Eixo — Alemanha, Itália e Japão. "Foi um momento inesquecível: todo o recinto se transformou numa extraordinária e grandiosa manifestação, consagratória do passo mais importante da vida brasileira nesta metade de século", comentou O *Estado de São Paulo*.[27]

Os diplomatas dos países alcançados pela decisão já no dia seguinte aprontavam suas retiradas. No consulado do Japão em São Paulo, com endereço na avenida Brigadeiro Luís Antônio, o pessoal fechou as portas e saiu gritando "Banzai!".[28] No da Itália, na rua General Jardim, a reportagem da *Folha da Manhã* flagrou movimento de funcionários que batiam nervosamente à máquina enquanto, nos fundos do prédio, "uma fumaça se desprendia e pedaços de folha de papel em cinza subiam para o ar".[29] O *Fanfulla*, por decisão de seus próprios diretores, deixou de circular. Dias depois uma determinação do Departamento de Imprensa e Propaganda, o DIP, veio dar cunho oficial à proscrição. No mesmo ato era atingido o tradicional *Deutsch Zeitung*, não lhe valendo que nos últimos meses tenha circulado com o nome traduzido para *Diário Alemão*.[30] O *Fanfulla* e o *Zeitung* voltariam a circular depois da guerra. O mesmo não ocorreu com o *Deutscher Morgen*, nazista puro-sangue, que morreu de vez, não obstante agora se chamar *Aurora Alemã*, ser publicado em português e estampar matérias como aquela em que, sob a foto de Getúlio, trazia o título "A majestosa visão do Estado Novo".[31]

Se antes as medidas do governo, pelo menos na letra da lei, tinham por alvo os estrangeiros em geral, agora se dirigiriam a uma entidade intitulada "súditos do Eixo", expressão destinada à assídua presença nos atos e comunicados oficiais. E se havia "súditos do Eixo" realmente implicados com as ações de seus respectivos países, todos, não importa quão pacíficos e desligados das intenções da mãe-pátria, sofreriam restrições de direitos e repressão. Por ordem do governo federal, ficavam obrigados a tirar salvos-condutos nas delegacias para viajar. O governo paulista, por sua vez, aplicava novo e violento aperto ao torniquete, proibindo-os não só de disseminarem "quaisquer escritos" em suas línguas, de cantarem ou tocarem hinos ou fazerem "saudações peculiares" aos países de origem, mas inclusive de se comunicarem no idioma de origem em lugares públicos. Além disso, deveriam em quinze dias informar o local de suas residências à polícia e não podiam mudar de casa sem prévio aviso. Bem à brasileira, tal aviso deveria ser formulado "em requerimento devidamente selado, firma reconhecida e pessoalmente entregue".[32]

Aos primeiros minutos da madrugada do dia 16 de fevereiro de 1942 o navio *Buarque*, do Lloyd Brasileiro, que viajava com destino a Nova York, foi afundado por um submarino alemão quando navegava ao largo do estado americano da Virgínia.[33] A Alemanha respondia ao rompimento de relações com um ato de guerra. Dois dias depois outro navio brasileiro era torpedeado no mesmo local, pelo mesmo submarino. Começava um festival de ataques que, até julho, iria causar a perda de treze navios brasileiros, sempre na área entre a América do Norte e o Caribe, com saldo de quase duzentos mortos.[34] À miniguerra no mar seguiu-se um reforço na vigilância — e na pressão — sobre os "súditos do Eixo". Em março patrulhas policiais percorriam as ruas e entravam nas casas do bairro da Liberdade, onde se concentrava a colônia japonesa. "Eles costumavam vir em grupos de quatro ou cinco e às vezes havia entre eles pessoas sem identificação", relata Tomoo Handa. "O objetivo da revista era verificar se havia armas clandestinas ou algum documento revelando que os moradores eram militares ou ocupavam cargos relacionados com o governo japonês. Dentre objetos valiosos levavam o rádio, vasculhando a casa toda, e se achassem dinheiro levavam-no também, o que causava pânico porque se reclamassem eram presos. Não havia a quem ou a que recorrer até o término da guerra."[35] No dia 23 de maio uma patrulha confiscou os livros e revistas da livraria japonesa Eto, na rua Conde de Sarzedas. "Aqueles conterrâneos que foram ver o que se passava testemunharam — com o rosto marcado pela melancolia — a cena em que todos os livros foram carregados em caminhões", escreveu Handa.[36]

No dia 15 de agosto o navio mercante *Baependi*, que deixara Salvador rumo a Maceió, foi atingido por dois balaços de um submarino alemão do tipo U-2. Primeiro houve uma explosão, depois incêndio, e a embarcação foi a pique. Pela primeira vez o ataque se dava em águas brasileiras e, mais chocante ainda, provocava uma carnificina — 270 mortos, entre 306 tripulantes e passageiros a bordo. Nas horas e dias seguintes, o submarino alemão prosseguiu em sua ronda assassina. Até o dia 17 afundou mais quatro navios na mesma área, aumentando o total para 607 brasileiros mortos em três dias. De distante notícia de jornal a guerra evoluía para uma realidade perigosamente próxima. No dia 18, a exemplo de outras capitais, sucederam-se em São Paulo manifestações de repúdio às potências do Eixo e apoio à causa dos Aliados. O "povo em massa, num espetáculo inédito para estes últimos tempos, tomou conta das ruas desde as primeiras horas da manhã", informou O *Estado de S. Paulo*.[37] Estudantes de Direito saíram em passeata pelas ruas centrais e convocaram comício para as seis da tarde na praça da Sé. "Vários milhares de pessoas", segundo o jornal, compareceram, ouviram discursos de estudantes e professores de Direito, e cantaram o Hino Nacional. Tomoo Handa andava pelo Centro nesse dia e registrou: "Os bondes retornavam a partir da praça João Mendes. À tardinha, já se ouviam as músicas da banda vinda da praça da Sé, e a multidão se mexia. Eu, que era de um país do Eixo, retornei para casa e limitei-me a imaginar o calor da manifestação através do rádio de meu vizinho brasileiro".[38] Fez bem em não chegar perto porque os alertas contra os "quinta-colunas" (expressão nova, surgida na Guerra Civil espanhola de 1935-1939) iam se tornando um obrigatório bordão nos discursos e panfletos daqueles dias. Um dos oradores da praça da Sé, o estudante Wilson Rahal, disse que a quinta coluna "se esconde em todos os lugares, nos recessos de todos os lares, mascarada com a desbotada camisa verde do integralismo".[39] Os traidores podiam ser simpatizantes brasileiros do Eixo, como os integralistas mencionados pelo orador, mas eram principalmente os estrangeiros que viriam a ser considerados suspeitos em potencial.

    No dia seguinte estudantes saíram pelas ruas empunhando bandeiras e cantando hinos. "No Triângulo e adjacências eram inúmeras as sacadas embandeiradas a meio pau, a demonstrar a solidariedade generalizada da população neste grave instante da nossa história", noticiou a *Folha da Manhã*. Uma "passeata do silêncio" reuniu estudantes de Medicina, do Mackenzie e do São Bento. Contritos como num enterro, dirigiram-se ao largo de São Francisco, onde foram recebidos pelos estudantes de Direito.[40] Manifestações semelhantes repetiam-se pelo Brasil afora. Expressavam repúdio ao Eixo, solidariedade ao governo, e pediam a entrada do Brasil na guerra. Foram atendidos. No dia 22 de agosto, um sábado, uma semana depois do primeiro ataque na costa do Nordeste, o Brasil declarou guerra à Alemanha e à Itália. À noite realizou-se um "comício monstro", como o qualificou O *Estado de S. Paulo*, no largo de São Francisco. O jovem locutor de rádio Blota Júnior comandou o desfile dos oradores, professores e estudantes na maioria, perante uma plateia que incluía integrantes do governo estadual.[41] Até o arcebispo de São Paulo, d. José Gaspar de Afonseca e Silva, dava sua bênção a uma ação armada. "A igreja de Cristo condena as guerras, as agressões, mas aconselha a reação aos que, sem Deus e nem lei, atacam os povos pacíficos, cristãos e hospitaleiros, como fazem os nazifascistas contra o nosso extremado Brasil", declarou à imprensa.[42]

Novas medidas haveriam de acabar de vez com o relativo sossego em que viviam os agentes do Eixo em São Paulo. Naquele mesmo mês de agosto, a Escola Alemã da Vila Mariana sofreu intervenção do governo estadual. No inquérito aberto sobre suas atividades, catorze pessoas, entre professores e funcionários, foram indiciadas como agentes do partido nazista. Um deles, Paul Herbert Wenzel, professor primário de 34 anos, indagado na polícia se aprovava o afundamento dos navios brasileiros, respondeu que "como alemão, estava de acordo com os atos do governo alemão".[43] A escola teve o nome mudado para Ginásio Benjamin Constant, e um interventor brasileiro foi nomeado para dirigi-la.[44] O Dante Alighieri igualmente sofreria intervenção, e por um breve período também mudou o nome — para Visconde de São Leopoldo.[45] Mudanças forçadas de nome atingiram outras entidades de imigrantes. O Hospital Alemão, instituição de 45 anos onde, segundo inquérito policial, nazistas agiam "à vontade", passou a chamar-se Hospital Osvaldo Cruz, e o hospital italiano Umberto I virou Hospital Nossa Senhora da Aparecida.[46] O clube Germânia rebatizou-se Esporte Clube Pinheiros; o Palestra, Palmeiras, e o Espéria, Associação Desportiva da Floresta, nome do local à margem do Tietê onde surgiu e onde continuava mantendo sua sede. O Banco Alemão Transatlântico sofreu intervenção federal e vários de seus funcionários foram presos, inclusive o diretor, Martin Spremberg.[47] Igual sorte apanhou o Francês e Italiano e o Banco Germânico para a América do Sul. As portas de tais estabelecimentos foram lacradas, diante deles se estabeleceu "rigoroso policiamento" e se afixou um aviso informando que as operações estavam encerradas "de ordem do sr. ministro da Fazenda".[48]

Se para os imigrantes, mesmo os que não tinham atividade política, a guerra significou constrangimento e repressão, para o restante da população traduziu-se, naquele ano de 1942, pela tríade composta por exercícios de blecaute, racionamento de gêneros e veículos movidos a gasogênio. O blecaute fez sua estreia na vida dos paulistanos no dia 18 de setembro, pouco menos de um mês depois da declaração de guerra. A área escolhida para esse primeiro teste incluía bairros das zonas leste e sul, onde os habitantes, segundo padrão imposto também a outras cidades brasileiras, deveriam, do pôr do sol às nove da noite, manter as janelas das casas fechadas e vedadas à passagem da luz, tampar com papel ou pano os faróis dos veículos e andar na rua com faixas brancas nos braços. "É possível que surjam entendidos para afirmar ser perfeitamente destituído de utilidade o treinamento da população civil", escreveu o jornalista Mario Guastini. "Alegarão alguns não se conhecer ainda o avião de combate ou de passeio com raio de ação que lhe permita lançar bombas incendiárias em São Paulo." No entanto, prosseguia, "também Goering [comandante da Força Aérea alemã] nunca admitiu a possiblidade de a RAF [Força Aérea britânica] poder um dia voar sobre cidades alemãs, como Hamburgo, causando-lhes estragos da extensão que causaram". (Naqueles dias, os britânicos começavam a contra-atacar pesadamente a Alemanha.) Concluía o articulista: "Não sorriamos quando se fala de exercícios de defesa aérea preventiva" — o que faz crer que muita gente sorria sim, encarando a providência como fútil brincadeira, tão longe se estava do teatro de guerra.[49]

O blecaute — na verdade ainda um escurecimento parcial — coincidiu com uma semana em que os efeitos da guerra se faziam sentir também, entre todos os setores possíveis, no futebol. Num ambiente de tensão, a diretoria do antigo Palestra Itália, depois de testar durante alguns meses o nome Palestra de São Paulo, enfim se rendeu às denúncias de que mesmo a palavra "Palestra" remetia à Itália, e decidiu adotar a denominação de Sociedade Esportiva Palmeiras.[50] No domingo seguinte, dia 20, a agremiação estrearia o novo nome num jogo contra o São Paulo Futebol Clube que poderia decidir o campeonato paulista. Os ânimos estavam à flor da pele. Ainda mais que os palestrinos/palmeirenses identificavam nos quatrocentões do São Paulo os destiladores dos maiores venenos contra suas origens italianas. Às vésperas do jogo o diretor de Esportes do governo estadual, capitão Sylvio de Magalhães Padilha, divulgou nota em que pedia paz e concórdia aos dois times e às respectivas torcidas. Vão defrontar-se, dizia a nota, dois grandes clubes, "um, continuador da obra iniciada pelo glorioso Clube Atlético Paulistano, e outro, embora brasileiro e perfeitamente legalizado nesta Diretoria, que teve seu passado ligado a uma colônia estrangeira, mas que no entanto, querendo dar maior prova dos sentimentos de brasilidade, numa ação de solidariedade às nossas convicções, baniu para sempre de seu nome uma palavra que o ligava ao passado e que pudesse trazer qualquer dúvida a seu respeito".[51] O fato de a nota precisar enfatizar tanto a "brasilidade" do clube agora alviverde (pelas mesma razões da mudança do nome, se desembaraçara também do vermelho que o fazia *tricolore*) é indicativo de quanto era acusado do contrário.

O exercício de blecaute terminou bem. No bairro do Cambuci, segundo anotou o repórter da *Folha da Manhã*, viam-se luzes nas ruas apenas de espaço a espaço, servindo de vagos pontos de orientação. Os bondes circulavam de faróis apagados, os ônibus com cortinas cerradas e os carros com faróis cobertos por panos. Guardas orientavam o trânsito e voluntários cuidavam de observar o bom cumprimento das normas nas casas. O repórter terminou com um conselho: nos próximos exercícios os passageiros de bonde deveriam embarcar com o dinheiro da passagem contado, pois na escuridão nem eles nem os condutores eram capazes de discernir os valores das moedas e notas.[52] Já o jogo, realizado com o estádio do Pacaembu lotado, terminou mal. Desde o início caracterizou-se pelas entradas violentas, e até trocas de soco entre os companheiros do palmeirense Oberdã e os do são-paulino Leônidas. O primeiro tempo terminou 2 a 1 para o Palmeiras. Aos catorze minutos do segundo tempo o Palmeiras fez 3 a 1, e três minutos depois o zagueiro Virgílio, do São Paulo, aplicou um feroz carrinho no palmeirense Og Moreira. Foi expulso pelo juiz, mas como convencê-lo a sair de campo? Estabeleceu-se o tumulto. Só sob escolta policial o jogador enfim retirou-se, mas a partir daí o São Paulo recusou-se a jogar. Seus jogadores ficaram parados em campo, de braços cruzados. O juiz, depois de alguns minutos, deu o jogo por encerrado. "Nada justifica a atitude do tricolor, ainda mais quando se levam em conta os acontecimentos anteriores", anotou um comentarista. Outro escreveu: "O São Paulo não só prejudicou a si mesmo, como, o que foi pior, ludibriou a boa-fé dos que foram assistir a um espetáculo de futebol".[53] A conquista do campeonato de 1942, em tais condições, antes e durante o jogo, é celebrada na história do Palmeiras/Palestra como "a arrancada heroica".

Os exercícios de blecaute repetiram-se nas semanas seguintes. A partir do segundo, seriam introduzidos, no decorrer do escurecimento parcial, cinco minutos de blecaute total, convocado de surpresa, por meio do apito de sirenes e do apagamento completo da iluminação pública. Nas casas, lojas, fábricas, bares e demais estabelecimentos a escuridão deveria ser total. Os veículos em circulação parariam onde estivessem; os passageiros desceriam e procurariam abrigo junto às marquises ou beiradas dos prédios. O mesmo deveriam fazer os pedestres. Caso a pessoa fosse surpreendida em campo aberto, a ordem era deitar-se no chão. E que ninguém mantivesse o cigarro aceso, falha que ocorreu por toda parte no primeiro exercício.[54]

Houve depois blecautes pontuados pelo sobrevoo de aviões da FAB, para maior realismo da operação. Do 22º andar do edifício Martinelli os responsáveis pela Defesa Aérea Passiva, entidade subordinada ao Exército, observavam o andamento do exercício. Era tudo muito sério; viessem os alemães ou viessem os japoneses, estariam todos preparados — mas para as crianças era "um momento festivo", escreveu Boris Fausto. "Apagavam-se as luzes das ruas, apagávamos as luzes de casa e, grandes e pequenos, ficávamos sentados diante do velho rádio Pilot para ouvir as notícias. Quando o locutor discursava, cantando loas às virtudes do povo paulista que respondera aos apelos e lançara a cidade na mais completa escuridão, nos enchíamos de orgulho. Éramos parte integrante do povo paulista e contribuintes, embora em mínima escala, para o esforço de guerra." Em outras ocasiões, mal se apagavam as luzes, os meninos "corriam pelos corredores e pelo grande quintal da casa que, às escuras, ganhava maiores e misteriosas dimensões", e ali iniciavam trocas de tiros com revólveres de espoleta.[55] O inimigo não enxergava nada, mas, se apurasse os ouvidos, talvez fosse capaz de localizar, na avenida Angélica, a ameaça representada pelas espoletas do futuro historiador, seus irmãos e primos.

O racionamento de gêneros alimentícios e de petróleo alteraria de modo mais profundo o cotidiano da população. Entre os gêneros alimentícios, o sal, o açúcar e, sobretudo, o pão foram os mais atingidos. Em razão das dificuldades impostas ao comércio internacional, faltou trigo, quase todo importado no Brasil. O governo impôs uma moagem que, em vez dos habituais 70%, aproveitava até 85% do produto, ao não descartar os envoltórios da semente e do germe.[56] Daí resultava um pão escuro que mais tarde seria chamado de pão integral e teria prestígio em certas classes de consumidores, mas que naquele momento era vendido como "pão de guerra" e, em matéria de prestígio, situava-se próximo do zero. Outro "pão de guerra" estimulado pelo governo misturava a farinha de raspa de mandioca à farinha de trigo.[57] E uma terceira modalidade, de fabricação doméstica, consistia no desmanche na panela do macarrão de pacote, para reaproveitamento do trigo.[58] Nenhuma, segundo reclamavam os consumidores, chegava perto do produto original. "O pão endureceu e adquiriu um gosto de milho misturado com areia", escreveu Jorge Americano. "'Padeiros tubarões' foram acusados de fabricar clandestinamente pão puro para vender aos ricos."[59]

O petróleo começou a faltar como consequência direta da entrada dos Estados Unidos na guerra. Era desse país que o Brasil importava o produto; se o esforço de guerra impôs o racionamento entre os próprios consumidores americanos, não haveria de poupar as vendas para o exterior. Uma série de medidas de emergência seriam tomadas, ao longo do ano de 1942, para conter o consumo. Em maio a Diretoria do Serviço de Trânsito proibiu o corso dominical na avenida Brasil, um programa que já se havia tornado tradição. O mesmo órgão fez apelo para que nos acompanhamentos de enterros ou de casamentos não se usassem mais de dois ou três carros, "tão somente para a condução das respectivas famílias dos mortos e dos nubentes".[60] Medidas mais fortes se seguiram. Naquele mesmo mês de maio o governo estadual determinou que os postos só poderiam vender vinte litros por dia aos caminhões, quinze aos "carros de aluguel" e cinco aos carros particulares.[61] Uma semana depois instituiu os cartões de racionamento, sem os quais não se adquiriria o combustível. O comércio cortava serviços, conforme se lia nos anúncios da imprensa: "Túlio de Paula avisa a todos os seus amigos e fregueses que em virtude da grande falta de gasolina a seção de rádio conserto a domicílio deixará de atender os pedidos para consertos fora do perímetro urbano".[62] Em agosto o prefeito Prestes Maia suprimiu mais de uma dezena de linhas de ônibus e em setembro determinou às residências, indústria e comércio um corte de 20% no consumo de gás. Os consumidores deveriam eles próprios controlar o dispêndio, e seriam penalizados com aumentos nas contas caso não cumprissem as metas.[63]

Que fazer, diante de tanta carência? O gasogênio, também chamado de "gás pobre" — gás produzido com base no carvão vegetal —, era enaltecido como possível solução. O agora interventor Fernando Costa, no cargo desde junho de 1941, quando assumiu no lugar de

Adhemar de Barros, destacava-se entre os seus maiores defensores. Engenheiro agrônomo formado na Escola Luís de Queirós, fazendeiro e dono de indústria têxtil em Pirassununga, ocupara antes o cargo de ministro da Agricultura (1937-1941), e nessa condição criara, em 1938, a Comissão Nacional do Gasogênio.[64] Via nesse tipo de combustível, já desenvolvido em outros países, não só um recurso para a emergência da guerra; achava que, bem produzido e bem administrado, teria permanente papel na luta para livrar o Brasil da dependência do petróleo. O interventor, para dar o exemplo, circulava num carro a gasogênio — mas era ainda dos poucos gatos-pingados a fazê-lo. O programa pouco andara. Seria preciso conceber o melhor tipo de recipiente para o novo combustível, adaptar os veículos para seu uso, armar uma rede de oficinas capazes de executar o serviço, formar técnicos, instruir motoristas. Tudo o que dormitara durante quatro anos agora se tornava imperiosa necessidade — e, não bastasse, era preciso vencer a incredulidade reinante. "Geralmente, não se acredita que o gasogênio possa vir a substituir a gasolina", comentava a *Folha da Manhã* em artigo de fundo. "Embora comprovadamente mais barato, é mais incômodo e, especialmente, duvida-se de sua força de tração." O jornal acreditava no entanto que, assim como os "sábios" e os "laboratórios", estudando o petróleo, conseguiram aperfeiçoá-lo, assim também conseguiriam fazer com o gasogênio.

    O trabalho então desencadeado deu resultado. Indústrias metalúrgicas e oficinas de conserto de automóveis, com a assistência de engenheiros designados pelo governo estadual e o apoio de empréstimos e subsídios governamentais, encetaram esforço conjunto graças ao qual, em 1943, já se contavam 10 864 veículos movidos a gasogênio no estado, 7352 dos quais na capital.[65] O produto não era dos mais elegantes — um objeto semelhante a um bujão de gás, pespegado à traseira do veículo — nem dos mais eficientes — os carros penavam nas subidas —, mas era o que se tinha, e constituiu-se numa das marcas do período. Escreve Jorge Americano: "Vieram os 'gasogênios' e os postos de gasolina passaram a vender carvão. Adaptaram-se os carros, com tubos estranhos atrás ou por cima da capota. Acendia-se o carvão com papel, ligava-se o ventilador movido a gasolina (cinco litros por semana num pequeno tanque sobressalente) e o motor pegava ao cabo de dez minutos de fumaça preta passada pelo coador. A atmosfera era escura de fumaça e as ruas eram pretas de resíduos de carvão".[66] Para escapar de tais transtornos, havia motoristas que conseguiam gasolina no mercado negro, uma florescente instituição à época. Circulavam sob o disfarce dos tubos de gasogênio mas, segundo Boris Fausto, era fácil identificá-los: "subiam ladeiras sem solavancos, com uma velocidade denunciadora".[67]

XXII.
O MUNDO DE JERRY

Dura é a vida de um colunista social. Tome-se o que escreveu um astro do ofício: "Uma crônica social, por mais insignificante que pareça, leva sempre algum tempo para ser feita. É preciso que o cronista esteja mais ou menos descansado, com o espírito calmo e despreocupado, para que não haja perigo de certas omissões, de imperdoáveis esquecimentos e de gafes cabeludas, dessas que acarretam sempre consequências imprevistas e desastrosas". O comentário vinha a propósito de um torturante dilema. O cronista gostaria de escrever "páginas e páginas sobre o lindo jantar que o Jóquei Clube ofereceu em seus salões do novo hipódromo", mas não lhe foi possível. Fez um rápido registro da decoração do ambiente, com orquídeas roxas e amarelas, alinhou alguns presentes e... "Chega. Não posso mais continuar. O tempo voa e com ele aproxima-se a hora do casamento. Na igreja do Carmo já estão os convidados, impacientes e elegantíssimos, à espera da noiva. A marcha nupcial anuncia-a. Todos se levantam..."

Pobre colunista. Dá para imaginá-lo exangue, esbaforido, insone, correndo de um jantar que foi até altas horas para um casamento matinal. Mas não se imagine que faltou a seus deveres. Se a crônica desse dia terminou em reticências, quando a noiva ainda nem fizera sua entrada, a seguinte deu-lhe perfeita continuidade: "Dois sinos plangentes bateram onze. Um órgão invisível murmurava baixinho a melodia suave da Ave Maria. Exatamente nessa hora, entre alas vaporosas de pétalas brancas, serena e lindíssima, entrou na igreja do Carmo a silhueta impecável de Marina Crespi. Com a elegância peculiar, que tanto a caracteriza, em linhas sóbrias e simplicíssimas, Paulette France vestiu a noiva, em cetins brancos e rendas verdadeiras". Mais tarde, "no coração sombreado do Jardim América", os pais da noiva — "os condes Adriano Crespi" — abriram as portas de sua residência para a recepção. Como descrever toda a sua magnificência? O cronista, de novo embaraçado, confessa-se incapaz de fazê-lo. Só arrisca umas pinceladas: "Pelos salões, palidamente decorados de ouro, onde orquídeas raríssimas e extravagantes punham tons exóticos e tropicais, o champanhe borbulhante de gelado, em taças de cristal, perdia-se desapercebidamente por entre as elegâncias impecáveis das luvas compridas, das 'capelines' imensas, dos vestidos de grande linha e dos reflexos luminosos das joias custosas e ofuscantes de Cartier, de Van Cleef, de Mauboussin, de Bucheron".[1]

Haja fôlego, haja deslumbramento, haja empolgação. Bem-vindo o leitor ao mundo de Jerry. Sob o pseudônimo modesto, que o faria xará de um ratinho tornado célebre nos anos seguintes, escondia-se um paulista de família tradicional, chamado Cornélio Procópio. Jerry/Cornélio era o cronista social da *Folha da Manhã*. Seus textos, descrevendo as festas da cidade com fartura de adjetivos, frases que sugestivamente terminam em reticências e arroubos poéticos, nos dão conta de uma outra São Paulo dentro de São Paulo. Estamos em 1942/1943. A guerra prossegue na Europa e no Pacífico. O Brasil vive a emergência dos racionamentos e dos blecautes. No mundo paralelo de Jerry, porém, as carências podem se metamorfosear em alegria: "Acabou-se a gasolina. Acabaram-se os automóveis. No Rio, fala-se em charretes, em tílburis, em trolis. Em São Paulo, o regime é outro. As motocicletas e as bicicletas estão já em franca atividade. De manhã, de tarde, à noite. Para as compras, para os passeios, para as festas..." Ele conta então que numa noite de segunda-feira, no Jardim América, deu-se uma celebração do gênero. "Os convidados, vestidos a caráter, compareceram todos em seus respectivos novos meios de locomoção: barulhentíssimas motocicletas, elegantíssimas bicicletas." Reuniram-se à porta da residência do anfitrião, cujo nome não revela, e iniciaram o passeio. "Rua Estados Unidos... avenida Brasil... Rebouças... Nove de Julho... Encontros alegres com conhecidos. Adeuses, risos, barulhos." De volta ao ponto inicial, ciclistas e motociclistas deram início à segunda parte do programa — a festa "num pátio acolhedor e arborizado, ao som leve de uma panatrope" (gramofone maior e mais potente), e ao sabor de "um delicioso churrasco, que era feito ali mesmo, num fogão de tijolos vermelhos".[2]

Jerry fala de um povo ao qual se refere como "alta sociedade", "nossa melhor sociedade", "a sociedade conhecida", "*grand-monde*", "*haute gomme*" (o francês perde por pouco do português em suas colunas) ou simplesmente, sem nenhum acanhamento, "a sociedade". A "sociedade", tal qual a apresenta (e talvez tivesse razão), era uma entidade que se movia em bloco, ao impulso de uma vontade única e tomada por comum emoção. Exemplo: "A sociedade divertiu-se. '*Et comment...*' Nove meses! Nove divertidos meses! Todos eles movimentados, todos eles alegríssimos". O trecho é do final de junho de 1942. Nunca antes, segundo informava, com conhecimento de causa, uma temporada havia sido tão rica de eventos. Agora, no limiar do mês de julho, as coisas mudaram: "A sociedade partiu. As fazendas se encheram; as praias e as montanhas também". A entidade "sociedade" entrava em férias. Obrigatória, em cada coluna, era a relação de presentes aos eventos. A "sociedade" era então individualizada nas partículas que a compunham. Mas nem tanto, porque entrava em cena outra característica entidade, ou subentidade: o "casal". A típica enumeração era aquela com a qual diria que estiveram presentes "os casais Roberto Alves de Almeida, Luiz Street, Paulo de Assumpção, Lauro Cardoso de Almeida, Armando Penteado, Raul Cunha Bueno, Paulo Cardoso, Sylvio Penteado, Eurico Sodré, Alcyr Porchat, Roberto Alves de Lima, Mariano Procópio, Olindo Chiafarelli, Ruy Prado de Mendonça...".[3] A entidade "casal", com a mulher escondida nas dobras do marido, serve para anunciar que "em sua residência de Higienópolis o casal Luciano Gualberto recebeu os amigos para uma grande recepção", ou que "o casal Joaquim Bento Alves de Lima ofereceu à nossa melhor sociedade um animadíssimo '*cocktail party*'".[4]

* * *

As crônicas de Jerry permitem uma arqueologia da São Paulo--dentro-de São Paulo do período. Outras entidades de sua sociologia/antropologia que merecem menção, de tão reiterada presença nos textos, são "o paulista" e "São Paulo". "O paulista tem, positivamente, temperamento artístico, e jamais perderia tão interessante oportunidade", escreveu, sobre a noite em que o *"Ballet Russe"* se apresentava no Municipal. Em outro texto, ao espantar-se com a animação da *"saison"*, elocubra: "O que será? O paulista virou 'do barulho'?". E em outro ainda, ao relatar que toda semana acaba, "fatalmente", em dança, seja no Jequiti-Bar, seja no Roof de *A Gazeta* — os mais requisitados bares/boates da cidade —, acrescenta: "O paulista é assim. Apesar de *'farouche'*, gosta sempre de se expandir. Como nesta terra tudo é comedido, convencional e pesado, qualquer cousa de diferente é logo catalogada no rol do duvidoso, das 'faltas de critério'. Eis por que só aos sábados e só aos domingos é que essa boa gente desta boa cidade de Piratininga procura divertir-se".[5] A entidade chamada São Paulo merece a definição seguinte: "São Paulo sempre foi assim: uma cidade pouco homogênea que nunca manteve firme um mesmo nível de alegria social. É uma gangorra, com altos e baixos. Em geral, nunca há nada. De repente, começa a animação. Um punhado de coisas juntas, no mesmo dia, em horas seguidas".[6] Sua São Paulo, nos melhores momentos, transforma-se, transporta-se, transcende-se e transfigura-se em Paris. Na noite do *"Ballet Russe"* no Municipal, ele encontra a senhora Armando Penteado, "com seu riquíssimo *'manteau'* de chinchila e suas pulseiras de rubi", que lhe diz: "Tenho a impressão exata de estar na Ópera, em dias cheios de grande gala".[7] Em outra ocasião, ele olha pela janela do restaurante em que se dava uma recepção e... "As luzes da Barão de Itapetininga, refletindo-se pelo espelho liso do asfalto, jorrando suave pelos cristais transparentes das vitrinas acesas, tinham qualquer coisa da rue Castiglione, da rue Royale, da rue de la Paix..."[8]

A pena de Jerry também nos faz passear pela geografia elegante da cidade e tomar conhecimento das mudanças de hábito entre seus moradores. Os salões do Jóquei Clube dos quais o cronista tivera de sair em disparada para não perder o compromisso seguinte tiniam de novo. O novo hipódromo havia sido inaugurado havia apenas um ano, a 25 de janeiro de 1941, em terreno cedido pela Companhia City no novo bairro de Cidade Jardim. A igreja do Carmo, para a qual correra em seguida, era também uma relativa novidade, em seu endereço da rua Martiniano de Carvalho. Fora inaugurada em 1934, em substituição ao edifício que desde as origens da cidade os carmelitas ocuparam na então chamada esplanada do Carmo, numa das beiradas do centro histórico. Era agora a preferida para os casamentos chiques, seguida pelas de São Bento e de Santa Cecília.[9] Se o Jequiti-Bar, na rua 24 de Maio, e o Roof da *Gazeta*, no oitavo e último andar da nova sede desse jornal, eram os prediletos da "sociedade" para esticar as noitadas, os salões do Hotel Esplanada, às costas do Theatro Municipal, abrigavam os grandes eventos. Foi lá que se deu certa vez um grande baile, "com decotes e casacas, luvas altas e 'champagne'" para homenagear o embaixador do Chile. Às três da madrugada a festa continuava, e o som da orquestra "despertava o sono tranquilo de todos os pequeninos pardais que cochilavam sossegadamente nas folhas verdes das palmeiras esguias daquele poético vale do Anhangabaú".[10]

A Barão de Itapetininga era a suprema referência como rua das lojas chiques, das confeitarias, dos restaurantes e dos passeios para olhar as vitrines. Tudo acontecia lá. Numa crônica, ele repreendeu uma amiga, cujo nome escondeu, por ter tido "a coragem, para não dizer o topete, de sair à rua, em plena Barão de Itapetininga, às seis horas da tarde, com esse frio de rachar, em sandálias brancas de praia, sem meia, com um 'vestideco' de xadrez azul".[11] Numa outra, a Barão de Itapetininga lhe serve de palco para a comparação entre duas personagens do samba do momento, o *Amélia* de Ataulfo Alves e Mário Lago. "Só se fala na Amélia, só se canta a Amélia, só se compara com a Amélia", começou. E no entanto, confessa, "quando penso na Amélia, tenho arrepios de horror". Jerry compara a Amélia com a outra — aquela a quem o autor da letra recrimina por não ser modesta e dócil como a antecessora — e toma o partido da outra. A Amélia, segundo a concebe, vive "largada e suja a um canto da casa, lavando pratos, varrendo o chão". Ele a imagina "vulgar, 'desmantelada', comum, fazendo compras, ao meio-dia, em plena Barão de Itapetininga, toda rodada (vestida?) de veludos negros, com sapatos rendados de cetins roxos e uma 'placa' enorme de brilhantes... falsos". Já a outra "iria também ao meio-dia fazer compras na Barão de Itapetininga, mas num *tailleur* de '*tweed beige*', perfumada a '*lavande*', óculos escuros, acessórios claros da Hermès". Conclusão inescapável: "Agora digam sinceramente, qual é a mulher de verdade? A 'Amélia' ou a 'outra'? A 'outra', por certo, concordarão comigo, de mais a mais, é tão raro encontrarmos essas 'outras' e tão comuns as 'Amélias'...".[12]

Uma importante mudança de hábito foi detectada pelo cronista quando, certa vez, se viu surpreendido por um "aniversário diferente". Qual era a diferença? Era que o aniversariante, Cyro Marx, não quis comemorar os anos "cá embaixo, na cidade, fez questão de festejá-los lá em cima, mais rente às nuvens, no sétimo andar de um altíssimo arranha-céu".[13] Um sétimo andar já ser considerado rente às nuvens revela a que altura média andavam os prédios. Mais importante, a passagem evidencia que, se o costume de morar em apartamento mal dava seus primeiros passos, mais estranho ainda era dar festa neles — festa sem ver os carros chegando ao portão, sem jardim, sem pátio ou piscina ao fundo da residência. Infelizmente ele não revela qual o prédio da festa em questão. Mas há outra ocasião de festa em apartamento, e desta vez sim ele especifica onde foi: no edifício Esther, na praça da República — um marco arquitetônico de São Paulo. Inaugurado em 1936, segundo projeto dos arquitetos Vital Brazil e Adhemar Marinho, é considerado o primeiro prédio moderno da cidade, todo em linhas retas, "racionalista", sem ornamentos, fachada envidraçada.[14] Quem dava a recepção eram Di Cavalcanti e a mulher, Noêmia Mourão, um casal que apesar de carioca — ele — e artistas — os dois — participava do mundo de Jerry. Di e Noêmia moravam no nono andar, "pertinho das nuvens e longe do movimento", num apartamento arranjado "com gosto e personalidade, deixando transparecer, naquelas telas bonitas que enfeitam paredes claras, toda a suavidade de Noêmia e toda a expressão forte e característica de Di".[15]

Enquanto despontavam novas maneiras de morar, outras iam embora. "Quem não se lembra, com saudades, da personalidade cativante de d. Olívia Guedes Penteado?", começou Jerry, em outra crônica, derramando-se em suspiros pelo "porte suave da grande dama, que reunia beleza, inteligência e grande cultura". Dona Olívia morrera em 1934. Pois agora sua filha Maria abria o casarão da esquina de Duque de Caxias com Conselheiro Nébias, ao fundo do qual a mãe erguera seu famoso salão modernista, para festejar o casamento da própria filha, Zita.[16] A celebração marcava também uma despedida, pois, como acrescentou o colunista, em breve "o traçado moderno de uma grande avenida" não pouparia a histórica casa. Em seu furor avenideiro, o prefeito Prestes Maia a levaria de roldão, para alargar a Duque de Caxias. A essa altura todo o bairro do Campos Elíseos experimentava a decrepitude que aceleradamente o igualava à vizinha Barra Funda.

Tudo era alegria e elegância, mas houve uma vez em que o colunista titubeou. "A ocasião não é oportuna para uma crônica social", escreveu. "Não é oportuna porque a hora que atravessamos é demasiadamente séria para qualquer comentário brejeiro e divertido." A coisa séria que ocorrera era a declaração de guerra ao Eixo, em agosto de 1942. O colunista pregava que ao lado da pátria "de luto" devem "estar concentrados todos os nossos pensamentos e devem pulsar todos os nossos corações".[17] O luto não durou muito, porém. "Dezembro foi divertido e elegante", informou, na primeira crônica de 1943. "Festas bonitas, de gente bonita, com vestidos bonitos em ambientes finos e escolhidíssimos." O fecho foi o réveillon no Roof de *A Gazeta*. "Um baile bonito, elegante, simpático", que varou a madrugada. "Não é assim que se começa bem um ano novo? Com o pé direito? Dançando? Com uma taça borbulhante de 'champagne'? Com o melhor dos nossos sorrisos? Com os corações repletos de esperanças?" Ao final, o cronista indagava: "E 1943? Como será 1943?".[18] Para 1943, lá pelo fim do ano, estava reservado um abalo sísmico no mundo de Jerry.

Joel Silveira tinha 25 anos em 1943. Nascido em Sergipe, havia cinco anos que morava no Rio de Janeiro, onde apurava o faro de repórter e as habilidades de escritor. Trabalhava numa revista de crescente prestígio, *Diretrizes*, criada e dirigida por um jovem que igualmente faria história no jornalismo brasileiro, Samuel Wainer. *Diretrizes* especializara-se em grandes reportagens — um gênero que, segundo Joel Silveira teorizaria mais tarde, foi uma consequência da censura do Estado Novo. Impedidos de se ocupar da política, os melhores talentos do jornalismo iam fundo em temas mais inocentes, e neles afiavam suas armas.[19] Em 1943 Joel Silveira foi enviado a São Paulo para uma reportagem sobre a "alta sociedade" paulistana. Publicado no número 178 de *Diretrizes*, de novembro daquele ano, o texto "1943: eram assim os grã-finos de São Paulo" projetou o nome de Joel e proporcionou-lhe o apelido de "Víbora". O repórter passou uma semana em São Paulo, e assim fez o balanço do período: "Haviam me levado para algumas festas; primeiro, um aperitivo, colorido e com pedaços de fruta dentro, depois uma carreira rápida de automóvel. Estive em jantares fascinantes. As mulheres, muito belas e perfumadas. Particularmente aquelas que puxam os cabelos para cima, num jeito que abandona aos nossos olhos as lindas nucas nuas". Joel conheceu rapazes que passavam o dia telefonando ou recebendo telefonemas de mulheres que se chamavam Fifi, Lili ou Lelé. São Paulo, argumenta o repórter, sempre teve o seu mundo de luxo, oriundo da riqueza, que por sua vez é oriunda das fábricas. O que singularizaria o momento era a boa fase vivida pela indústria. "Agora as fábricas estão trabalhando ainda mais, porque a guerra é exigente", escreveu. "Dia e noite, os motores não param. Há uma turma de operários que passa o dia inteiro diante dos motores. Quando chega a noite, a turma vai embora, muito cansada, e chega outra que se cansará até de madrugada."[20]

Joel ironiza a mania de grandeza da cidade. A tentativa de suicídio de um homem que ameaçava saltar do alto do edifício Martinelli seria a mais sensacional da América do Sul, já que o Martinelli era o maior prédio da América do Sul. Mas, pobre Martinelli, logo ia perder sua primazia, pois bem ao seu lado outro prédio haveria de ser ainda mais alto. O prédio em questão era o projetado para sede do Banco do Estado de São Paulo, cuja construção se iniciara em 1939. Grandes eram também as fortunas, com as quais as mulheres "compram as peles, compram os brilhantes", e os homens "jogam na Bolsa, jogam no

Automóvel Clube". Numa noitada no Jequiti-Bar, Joel conheceu alguns dos milionários paulistas: "o milionário Lafer, o milionário Pignatari, o milionário Matarazzo, o milionário Crespi". "Era um grupo terrível, avassalador. Com um gesto de mão, qualquer um deles poderia me aniquilar, me tanger longe, lá na rua. Mas os milionários apenas sorriam. Sorriam e bailavam com as mulheres, todas muito belas." Durante o dia, alguns desses homens, segundo o repórter, apenas assinaram papéis. Outros "estiveram nas fábricas, conversaram com o gerente, telefonaram para o Rio". Outros ainda passaram pelo Automóvel Clube (num dos palacetes do conde Prates, no Anhangabaú), "um lugar triste como um cemitério".

Jerry é personagem central na reportagem de Joel Silveira. Ele e "Bilm" — Jerry colunista da *Folha da Manhã* e Bilm, pseudônimo de Stela Alves de Lima, da *Folha da Noite*. Se uma festa pretende ter sucesso, diz o repórter, é obrigatório convidar os dois. Mas entre um e outro, a julgar pelo espaço que ocupam na reportagem, Jerry vale mais do que Bilm. Jerry é "um rapazinho risonho, larga fronte brilhante, com um bigode reto e fino". Joel cita, na íntegra, um texto em que o colunista da *Folha da Manhã* descreve um fim de semana no Guarujá, onde "a praia encheu, o cassino ferveu" e, "na superfície azulada de um mar muito calmo e muito manso", deslizava "a silhueta alvíssima do *Albacoara*, o iate bonito do casal Jorge da Silva Prado, que carregava amigos para as delícias calmas de longo cruzeiro". A literatura de Jerry, segundo Joel, é "cor-de-rosa", urdida "numa linguagem sempre amena, porque um grã-fino nunca se compromete". Nem por isso deixa de ser poderosa: ele é o "oráculo da elegância paulista", e sua coluna "consagra ou põe abaixo qualquer pretensão grã-fina". Um dos pontos altos da reportagem é a hierarquia do grã-finismo paulistano que Joel Silveira elabora com base nos sobrenomes. Em primeiro lugar vêm os quatrocentões; da ala feminina desse grupo, cita ele, fazem parte Fifi Assunção, Yolanda Penteado, Carminha da Silva Teles, Marjorie da Silva Prado, Belinha Sodré, Alice Mendonça e "quatro portentos da esquadra Alves de Lima" (Nélia, Bebé, Vera e Stela). "Em qualquer festa de importância, podemos encontrar todas elas, um grupo à parte, impermeáveis como se estivessem enroladas em papel celofane." O segundo grupo é o dos italianos de origem, em que reluzem Odette Matarazzo, Rose Frontini, Irene Crespi, Mimosa Pignatari e Helena Noquosi. Para Joel, ser paulista de quatrocentos anos é mais importante do que ter estátua em praça pública. "O poeta Olegário Mariano tem estátua em praça pública e passa despercebido na rua do Ouvidor. Um paulista de quatrocentos anos jamais será confundido na multidão da rua Direita." Ocorre que o dinheiro migrou para o segundo grupo, "e o dinheiro tem voz eloquente e poderosa".

As crônicas de Jerry confirmam a presença muito mais forte dos sobrenomes quatrocentões do que dos estrangeiros, nos eventos da "sociedade". Mas Jerry jamais deixaria ao desamparo de sua pena um sobrenome como Crespi, ou Matarazzo. Naquele mesmo mês de novembro em que saiu a reportagem de *Diretrizes*, ele deu notícia de uma recepção de d. Odette Matarazzo, destinada a que visitantes cariocas conhecessem a "fina gente paulista".[21] Acresce que Yolanda Penteado, citada por Joel no time das quatrocentonas, era casada com Francisco Matarazzo Sobrinho, o Ciccillo, num sinal de entrelaçamento dos dois grupos que escapou ao repórter, e que o próprio texto sobre a reunião no Guarujá citava um Alberto Bianchi, um Remo Prada, um Raul Crespi e mesmo uma "senhora Horácio Lafer" — consorte do empresário com origem na comunidade judaica da Lituânia. Por fim haveria, na hierarquia exposta por Joel, um terceiro grupo, "lamentável e melancólico", conhecido como a turma "do estribo", ou "do penacho". Do estribo porque "se dependuram na vida mundana de São Paulo como se estivessem num bonde cheio"; e "do penacho" porque as mulheres costumam enfeitar a cabeça com terríveis adornos. É uma gente "que nasceu por aí, de família recente, de médicos de Barretos ou comerciantes de Bauru". Essa turma é esperta, porém, e sempre chega primeiro para reservar os lugares de frente da pista no Jequiti ou no Roof. Daí decorre uma situação que pode levar a erro, conforme alerta o repórter: "[...] se você quer conhecer a grã--finagem paulista e for uma noite ao Jequiti ou ao Roof, não se deixe levar pelos arrogantes e coloridos penachos, nem pelos envernizados cavalheiros das primeiras mesas. Eles não são os tais. Os tais estão atrás, possivelmente nos piores lugares".

Os artistas e intelectuais imersos na grã-finagem oferecem outro prato cheio para Joel Silveira. Um deles era René Thiollier, então "já um cidadão bastante velho", mas que "continua rico e famoso". Joel lembra que Thiollier vive na "Vila Fortunata", sua mansão na avenida Paulista, esquina de Ministro Rocha Azevedo.* Ali, no alto de "uma torre fina como um minarete", ele produz "uma mistura de versos acomodados e ensaios históricos". Outro é Roberto Moreira, autor, havia vinte anos, de uma conferência sobre Bilac que, "em centenas de oportunidades mundanas", vem repetindo "para algumas gerações de grã-finas de São Paulo". Roberto Moreira era sócio de Alfredo Mesquita, dos Mesquita de O Estado de S. Paulo, na livraria Jaraguá, cujos fundos abrigavam um salão de chá frequentado pelas senhoras da "sociedade". E outro ainda era Guilherme de Almeida, que se veste "como um grã-fino do tempo em que Oswald de Andrade era grã-fino: polainas, pó de arroz no rosto e um olhar vago". Oswald, segundo Joel, deixou de ser aceito entre os grã-finos quando perdeu sua primeira fortuna. O grã-finismo, escreveu, "não pode receber em seu seio um cavalheiro que vive assim em altos e baixos econômicos". Guilherme de Almeida é assíduo figurante das crônicas de Jerry. Numa delas, aparece como anfitrião, recebendo em seu aniversário. À saída, com "o último *shake-hands*", pede a Jerry, com o indicador sobre os lábios — ou melhor, "*un doigt sur la bouche*" —, que silencie sobre o evento. Um dedo seria porém, segundo Jerry, "tranca bem frágil na boca indiscreta de um colunista social". E lá vai ele: "Como silenciar sobre aquela recepção bonita a que a sociedade toda compareceu para, naquela casa acolhedora e amável, cumprimentar o grande poeta, que festejava seu aniversário? Como não mencionar que d. Baby de Almeida, elegantíssima num '*tailleur*' de linhas sóbrias, distribuía sorrisos e gentilezas, iluminando ainda mais aquele ambiente império, mergulhado em alegria e em reflexos calmos de luzes indiretas?".[22] Guilherme de Almeida, segundo Joel, "entrou na revolução modernista pensando que se tratava de um outro chá das cinco". Agora "publi-

---

* Em seguida à demolição da casa, em 1972, o terreno permaneceu baldio até que, em 2010, a prefeitura transformou-o no "parque Mário Covas".

ca" crônicas que "não são piores nem melhores do que as de Jerry. Às vezes são piores".

Há mais. Roberto Simonsen, nesse tempo presidente da Federação das Indústrias e o mais influente industrial paulista, teria, em seus livros sobre história econômica, em seus artigos e discursos, a ajuda de "um gramático especial e particular, o sr. Marques da Cruz, que recebe mensalmente um ordenado convidativo apenas para pôr em alto estilo as considerações de seu patrão". A maldade da Víbora estende-se a Belmonte, autor de "charges bem comportadas e geralmente a favor dos mais fortes", que conseguiu "introduzir algumas cunhas na *finesse*". Belmonte, pseudônimo de Benedito Carneiro Bastos Barreto, era à época o caricaturista mais popular de São Paulo. A presença de seu personagem Juca Pato nas páginas da *Folha da Noite* fornecia uma marca ao jornal e lhe impulsionava as vendas. "Creio que Belmonte é o único caricaturista do Brasil que conseguiu juntar dinheiro com sua arte", escreveu Joel. Já ao falar do casal Noêmia Brandão-Di Cavalcanti a Víbora adoça a língua. "Todo grã-fino e grã-fina paulistas anseiam ser pintados por Noêmia", afirma. "É uma coqueluche, como eles dizem." No entanto, Joel a perdoa — "é uma das pessoas mais vivas que eu conheço". Quanto a Di, "é quem mais se diverte com aquilo tudo e de vez em quando consegue vender uma tela sua a algum grã-fino". Ele não estaria naquele ambiente como "um diletante".

Passaram-se as semanas, e Jerry nada. Suas colunas jamais se referiram à reportagem de *Diretrizes*. O "rapazinho risonho, larga fronte brilhante" não passou recibo. Belmonte sim, reagiu, e o fez com graça e ironia. "Aquela gozadíssima reportagem do Joel está começando a produzir os seus efeitos", escreveu. "Tendo-me incluído no fechadíssimo círculo do grã-finismo de São Paulo, como um elegante que recebe convite para chás e coquetéis na residência do conde X ou na mansão da baronesa Y; fazendo-me '*habitué*' do Jequiti, onde me delicio com 'whiskies' escoceses e comedorias de alta culinária; apresentando-me aos povos boquiabertos como o único desenhista do Brasil que conseguiu ficar rico à custa de sua arte mediana e bem comportada, Joel aumentou consideravelmente meu cartaz, mas me arrumou um trabalho com o qual eu não contava. Se, por um lado, os meus impacientes e numerosos credores se acharam, por essas miríficas razões, no direito de exigirem o pagamento integral e imediato de minhas não poucas dívidas, por outro lado cavalheiros graves têm me procurado para me proporem negócios consideráveis ou para me oferecerem créditos tentadores." E por aí ia, informando que à porta de sua casa acumulava-se fila maior que a do açúcar então em falta, "de sujeitos que vêm propor-me a venda de cavalos de raça e de malandros que insistem em vender-me os bondes de Santo Amaro; de filantropos que exigem meu dinheiro para a fundação de asilos e de negocistas que querem com 'meus cobres' construir cinemas". Toda essa multidão, "com o artigalhão do Joel debaixo do braço", concluiu, pretende "compartilhar do meu ouro e do meu prestígio".[23]

O ano de 1942 trouxe duas reformas que mudaram a vida dos brasileiros. Uma foi a reforma ortográfica. Adeus phs, adeus consoantes dobradas, adeus ípsilon. Foi uma vitória da simplificação, embora no início tivesse causado indecisões que faziam dança ser *dansa*, açúcar virar *assúcar*, a cidade de Kiev, capital da Ucrânia, muito citada a certa altura da guerra, tornar-se irreconhecível sob a grafia *Quiev* e — sacrilégio — tratar a Bahia de *Baía*. A outra reforma, também vitória da simplificação, foi a introdução do cruzeiro em substituição ao mil-réis. O governo explicava que agora Rs. 1.000$000, estranhíssima maneira de escrever um conto de réis, passava a escrever-se Cr$ 1000,00 (mil cruzeiros); Rs. 500$000 (500 mil réis) viravam Cr$ 500,00 (quinhentos cruzeiros); e a cotação do dólar, a Rs. 19$600 (19 600 réis), agora seria traduzida por Cr$ 19,60 (dezenove cruzeiros e sessenta centavos).

Cruzeiros, muitos cruzeiros, era o que, segundo Joel Silveira, explicava a animada vida social de São Paulo, naqueles anos. "É que os motores das fábricas estão trabalhando muito. Já não há horas vagas nos domínios dos Matarazzo e dos Crespi." Os lucros das indústrias Matarazzo em 1942, segundo o repórter, foram de 700 milhões de cruzeiros. O do Cotonifício Crespi, de mais de 56% sobre o capital. E desempenho equivalente tiveram a Nitroquímica, a Tecelagem Jafet, os bancos. "Sobre números assim, tão eloquentes, é que repousa o esplendor da *haute gomme* paulista. O Brasil está vivendo uma era de fartura. Uma fartura que, na verdade, não chega para todos. Mas chega para Fifi, para Lelé e para Mimi, orquídeas raras. De noite, quando se acendem as luzes de São Paulo, a cidade fica mais imponente. Os anúncios luminosos rasgam o céu: são anúncios das melhores e mais poderosas coisas da América do Sul."

Teria a guerra tido efeito tão favorável ao Brasil e, em especial, a São Paulo? Alguns números validam as conclusões de Joel. A Federação das Indústrias (Fiesp) passou de 1465 associados, em 1938, a mais de 5 mil em 1944.[24] A política de substituição de importações, imposta pelo Estado Novo e reforçada nos anos de guerra, propiciou o surgimento de uma miríade de novos empreendimentos. As quebras na produção dos países em guerra abriu por outro lado oportunidades inéditas de exportação. Os Estados Unidos eram vorazes compradores de matérias-primas brasileiras. Cresceu substancialmente em São Paulo a produção de açúcar, algodão, óleos vegetais, lã e carne.[25] A indústria têxtil ganhou mercados como os da Argentina e do Uruguai, desprovidos pelo conflito dos fornecedores europeus habituais. Em meados de 1942, os têxteis só perdiam do café, entre as exportações brasileiras, vindo as carnes enlatadas e congeladas em terceiro lugar.[26] O governo ajudava, entre outras formas, transformando os operários em "tão bons soldados como os que integram os corpos de vanguarda".[27] Na prática isso significava arrochar o regime trabalhista, dando volta atrás às leis que o governo Vargas cantava como suprema conquista dos trabalhadores. No mesmo dia da declaração de guerra aos países do Eixo um decreto-lei determinou o aumento da jornada de trabalho para dez horas, sendo que, em caso de "necessidade imperiosa", poderia ser estendida sem limite prefixado. Outro decreto, dois meses depois, autorizou o adiamento das férias ou seu pagamento em dinheiro, nas atividades consideradas essenciais à segurança nacional — o que na época eram quase todas.[28] Não espanta que, como escreveu Joel Silveira, "os enormes portões da Mooca" não se fechassem.

O Estado Novo como um todo foi um período favorável à indústria paulista. A pregação de Roberto Simonsen em favor do engajamento do governo na promoção da indústria encontrou eco num regime que tinha o nacionalismo na essência e o desenvolvimentismo como projeto. Na época nascia o confronto, que se revelaria duradouro, no pensamento econômico, entre os defensores da intervenção do Estado na economia e os da primazia das leis do mercado. Os primeiros confundiam-se com os advogados da indústria enquanto os segundos consideravam que o Brasil, "país essencialmente agrícola", devia era aprofundar essa sua vocação, aproveitando-se das vantagens do clima e das extensas terras. Roberto Simonsen era o campeão do primeiro grupo, e haveria de travar, em 1944-1945, memorável polêmica com o campeão do segundo, o carioca Eugênio Gudin. Em setembro de 1942 o governo federal decretou a "mobilização econômica", para enfrentar os tempos de guerra. "Ficam mobilizados, a serviço do Brasil, todas as utilidades e recursos econômicos existentes no território nacional, seja qual for sua origem, caráter, propriedade ou vínculo de subordinação", afirmava o artigo 1º do texto legal. O mesmo documento criava uma Comissão de Mobilização Econômica, com poderes, entre outros, de "orientar a mineração, a agricultura, a pecuária e a indústria", "controlar as importações e exportações", "coordenar os transportes", "planejar, dirigir e fiscalizar o racionamento de combustíveis", "fixar preços" e "intervir no mercado de trabalho".[29] Para chefiá-la, com status de ministro, foi designado João Alberto Lins de Barros — o João Alberto das hostes tenentistas que, nomeado interventor em São Paulo, desencadeara a fúria da qual resultaria a Revolução de 1932. Pois agora, na semana seguinte à posse no novo cargo, João Alberto visitou São Paulo e foi recebido com todas as honras. Roberto Simonsen homenageou-o com almoço em sua casa, em Higienópolis, ao qual compareceu a nata do empresariado paulista.[30] E ao jantar foi recebido no mesmo Palácio dos Campos Elíseos em que ao pôr os pés pela primeira vez, doze anos antes, comentou que devia ser transformado em quartel, assim como "todos esses palácios paulistas". Mudaram os dois. Mudou João Alberto e mudou, principalmente, a classe dirigente paulista. A ditadura não a incomodava mais, ainda que agora fosse ditadura de verdade, não o projeto de ditadura de 1930.

A guerra era longe, não se concretizaram os ataques aéreos para os quais a população tanto se preparou com os exercícios de blecaute — mas extensos e estratégicos trechos da cidade davam a impressão de dia seguinte a um bombardeio, nesses primeiros anos da década de 1940. A praça João Mendes, por exemplo, alargada pelo arrasamento de dois quarteirões da rua Irmã Simpliciana, era um descampado em que apenas ainda restava de pé, em meados de 1942, a veneranda igreja dos Remédios. Breve também iria ao chão, faltando a conclusão de entendimentos nesse sentido com a arquidiocese. Na rua Anhangabaú, a futura Prestes Maia, o mesmo cenário; destinada a tornar-se a avenida de ligação entre as avenidas Tiradentes e a Nove de Julho, seus prédios desabavam quase como num quarteirão de Londres.[31] O panorama que assim se delineava era resultado do bota-abaixo do prefeito Prestes Maia para a execução de seus planos. A área em frente ao estádio do Pacaembu, onde seria aberta uma ampla praça, era igualmente um canteiro de obras. E também prosseguia lentamente a canalização do Tietê, evocando em certos momentos o Tâmisa atingido pelas bombas alemãs. No final de 1942 estavam prontos os dois primeiros trechos, junto a Osasco, e estavam em curso as obras do terceiro, entre as pontes do Limão e das Bandeiras, que haveria de formar uma reta de mais de dois quilômetros.[32]

No final da avenida Brasil nosso conhecido cenário dos tapumes e barracões que escondiam o trabalho de Victor Brecheret podia ser tomado como acampamentos de guerra. Em 1942 chegou de visita ao local o jornalista Armando Pacheco, baiano radicado no Rio de Janeiro e colaborador da prestigiosa revista *Dom Casmurro*. Acompanhava-o o caricaturista Belmonte. Ao chegarem depararam com "um portão grosseiro, de tábuas rústicas", relatou Pacheco. "Belmonte foi até a porteira, enfiou o braço por um buraco, puxou um arame e tocou um sino. Um cachorrinho tuberculoso fez esforços para ladrar e dois garotos vieram saber o que queríamos. Nesse momento, um homenzinho calvo, em mangas de camisa, corado e sorridente, veio ao nosso encontro. Era Brecheret."[33] Àquela altura o escultor se esparramava, ele e suas obras, por vários barracões. Um funcionava como misto de escritório e ateliê. Outro, de sessenta metros de comprimento, guardava os modelos em gesso do Monumento às Bandeiras. E um terceiro abrigava o início do trabalho em outro grande projeto — um monumento ao Duque de Caxias, para cuja edificação Brecheret ganhara concurso aberto em 1941. A iniciativa de erguer em São Paulo um monumento a Caxias partira do general Maurício Cardoso, comandante da II Região Militar, sediada na cidade. "São Paulo inteiro vai vibrar de ardor patriótico", dissera o general, ao lançar campanha de arrecadação de fundos para viabilizá-la.[34] O governo de Getúlio Vargas encampou o projeto e à concorrência então aberta inscreveram-se sessenta artistas, entre brasileiros e estrangeiros. Vinte deles realizaram seus projetos no prazo, e as respectivas maquetes estiveram expostas num salão da praça Ramos de Azevedo, com grande afluência de público.[35*]

Não surpreende que o Monumento às Bandeiras se mantivesse estancado enquanto o de Caxias decolava. A glorificação do Exército era tão cara ao Estado Novo quanto era avessa a seu espírito nacional e centralizador a sacralização de um episódio regional. O interventor Adhemar de Barros, ecoando os eflúvios e a ideologia que vinham do Rio de Janeiro, não mostrou interesse pelos gigantes de gesso escondidos no Ibirapuera. Já o jornalista Armando Pacheco, quando entrou no barracão dos bandeirantes, afirmou-se "maravilhado". Brecheret explicou-lhe que o monumento seria em granito, com cinquenta metros de comprimento por quinze de largura e dez de altura, e mostrou-se "profundamente emocionado", relatou o jornalista, ao dizer que a verba secara, e a obra estava paralisada. "Se eu tivesse dinheiro, faria por minha conta", acrescentou. Segundo Armando

---

* O Monumento a Caxias, afinal também afligido por numerosos percalços, só seria inaugurado em 1960, cinco anos depois da morte do autor, na praça Princesa Isabel.

Pacheco, Brecheret naqueles dias não se limitava a correr de barracão em barracão. Até passara a morar num deles. O solitário do Ibirapuera parecia mais solitário do que nunca. Trocara o "conforto do lar" pelo barracão no qual permanecia "velando carinhosamente pela sua obra, como se tratasse de um filho enfermo".[36]

XXIII.
FAZIA FRIO EM SÃO PAULO

O que deu na estudantada? Um ano antes, fazia manifestações em que se indignava contra o afundamento dos navios brasileiros, clamava pela entrada do Brasil na guerra — e dizia-se irmanada com o governo e com o presidente Getúlio Vargas. O Palácio do Catete desfrutava desse supremo momento de deleite, para os governantes, que é o protesto a favor. Agora, julho de 1943, o professor Miguel Reale, que fora um dos principais líderes do movimento integralista, não conseguia, de volta à cátedra na Faculdade de Direito, ministrar sua aula inaugural. Recebido com vaias, viu o ambiente transformar-se em comício em favor da democracia.[1] Se a faculdade do largo de São Francisco liderara o movimento "a favor" do ano anterior, agora berçava o movimento no sentido contrário. Em agosto os estudantes mais ativos fundaram uma Frente Acadêmica pela Democracia; entre eles incluíam-se nomes que no futuro teriam projeção na política paulista, como Roberto de Abreu Sodré, Luís Arrobas Martins, José Bonifácio Coutinho Nogueira, Severo Gomes e Germinal Feijó. Na noite de 30 para 31 de outubro, durante um baile de estudantes no Hotel Esplanada, um deles pediu à orquestra um rufar de tambores como fundo e recitou, invocando a decisão brasileira de enviar soldados à Europa para lutar ao lado dos Aliados:

> *Oh valente legionário*
> *do Corpo Expedicionário,*
> *por que vais lutar a esmo*
> *se a luta cruenta e fria*
> *é pela democracia?*
> *Vamos lutar aqui mesmo.*[2]

O baile descambou para gritos de "Abaixo a ditadura" e "Morra Getúlio". No dia seguinte, denunciados por um delator, três estudantes foram presos, entre eles Hélio Mota, presidente do Centro Acadêmico XI de Agosto, o famoso órgão dos estudantes de Direito. As gestões para libertá-los, em que se envolveu o diretor da Faculdade, Cardoso de Melo Neto, esbarraram na intransigência do novo secretário de Segurança Pública, Coriolano de Góis. Seguiu-se um manifesto, assinado por duzentos estudantes, em que se afirmava que "pela primeira vez na história" o presidente "do nosso glorioso centro" fora preso. A resposta do secretário foi à altura da fama de truculência de que era portador: no dia 2 de novembro mandou um batalhão de choque invadir a faculdade e prender os autores do manifesto. Saldo: trinta estudantes detidos, depois de devidamente espancados, e as instalações do XI de Agosto destruídas.[3] No jogo cada vez mais feroz a bola agora estava com os estudantes. O presidente do XI de Agosto já havia sido solto mas nem por isso baixou o ânimo de confronto. Foi marcado um comício contra a ditadura para o dia 9. Para tornar o evento mais simbólico, era a véspera do sexto aniversário do Estado Novo. Coriolano de Góis proibiu a manifestação e avisou que agiria "com energia contra os que tentarem perturbar a paz".

Às cinco da tarde do dia marcado, antes de sair à rua, houve debate entre os estudantes. Valeria a pena realizar o comício? Hélio Mota era contra. Decidiu-se afinal que não, comício não haveria, mas os ânimos estavam exaltados demais para simplesmente voltar para casa. Os estudantes amarraram lenços à boca e saíram pelas ruas do Centro numa passeata que entrou para a crônica daqueles dias como a Marcha da Mordaça. Na praça do Patriarca, foram cercados pela polícia, o próprio Coriolano de Góis à frente da tropa. Hélio Mota tentou conferenciar, e foi recebido com golpes de cassetete. Os manifestantes avançaram e aí ocorreu o pior — a polícia abriu fogo. "Eu estava escondido atrás de um poste e vi alguns colegas sangrando, correndo à minha frente", recordou José Bonifácio Coutinho Nogueira. Seu irmão, Paulo, também presente, descreve cena semelhante: "Eu tive de correr uns cinquenta metros para virar a esquina. Então corria, tropeçava em gente que estava ferida, caída no chão, eu caía por cima, me esparramava no chão, tornava a correr". Afinal, duas pessoas morreram e dezenas ficaram feridas. Os mortos foram o jovem Jaime da Silva Teles, de vinte anos, e a transeunte Domingas Covelli, de 65.[4]

A grande notícia daquele dia não saiu nos jornais. Ou melhor: saíram dois comunicados da Secretaria da Segurança, um antes, outro depois dos acontecimentos. O primeiro, no dia para o qual estava marcado o comício, dizia: "A Secretaria da Segurança Pública, considerando que elementos interessados na perturbação da tranquilidade pública anunciam, à revelia da Polícia, e contrariando disposições legais, a realização de comícios, avisa que, para resguardar a ordem, não permitirá qualquer reunião dessa natureza, e que agirá com a máxima energia contra os que tentarem perturbá-la". O segundo, no dia seguinte, afirmava que "elementos interessados na perturbação da ordem, desobedecendo as determinações da Polícia, tentaram ontem realizar uma reunião de caráter ostensivamente sedicioso. Procurando, por meios suasórios, evitar que tal reunião se realizasse, a Polícia, comparecendo ao local, foi agressivamente recebida, resultando do choque havido alguns feridos, civis e policiais".[5] Em ambos os casos, não passaram de notinhas espremidas em páginas internas, em meio a edições que se derramavam em comemorações pelo aniversário do Estado Novo. A censura produzia seus efeitos da forma esperada. Mas havia um pormenor embaraçoso: o jovem morto, Jaime da Silva Teles, era filho de ilustre família, primo do Gofredo da Silva Teles que fora prefeito na Revolução de 1932 e agora presidia o Conselho Administrativo do Estado. Como ignorá-lo? *O Estado de S. Paulo*, sob intervenção, limitou-se a uma notinha, a sexta entre as vinte que naquele dia figuraram na seção "Falecimentos" — Faleceu ontem nesta capital etc., era filho de etc.[6] A *Folha da Manhã* noticiou com destaque, e até com fotos, o enterro do jovem Jaime. O texto dá conta de que mesmo sob chuva numerosas pessoas acompanharam, a pé, o cortejo até o cemitério da Consolação, seguidas por "uma centena de automóveis completamente vazios" e, como era de praxe, nomeou uma a uma as pessoas presentes. Mas de que teria morrido o jovem? Morreu de "infausto acontecimento", segundo o jornal; morreu de golpe "tão doloroso quanto inesperado".[7]

Outro estudante da Faculdade de Direito, inconformado com o silêncio da imprensa, recorreu ao expediente de mandar cartas a amigos do Rio de Janeiro para lhes dar conta do ocorrido. O estudante, então cursando o quinto e último ano, chamava-se Antonio Candido de Mello e Souza, e já então, aos 25 nos, assinava na imprensa colunas de crítica literária. No texto, escrito no dia mesmo dos acontecimentos, ele contava inclusive que "o dia estava cinzento, frio, com vento e uma chuvinha ocasional". Entre os destinatários das várias cópias mimeografadas, Antonio Candido ousou incluir o poeta Carlos Drummond de Andrade. Drummond não respondeu. Talvez o constrangesse a situação ambígua que vivia, servindo, como chefe de gabinete do secretário da Educação, Gustavo Capanema, a um regime que desprezava. Tempos depois Candido recebe de Drummond a cópia de um poema novo, "O medo", dedicado a ele, Candido — o que o "encheu de um desvanecimento que se pode imaginar". O poema dizia, a certa altura:

> *Refugiamo-nos no amor,*
> *este célebre sentimento,*
> *e o amor faltou: chovia,*
> *ventava, fazia frio em São Paulo.*
> *Fazia frio em São Paulo.*

Naquele tempo Drummond distribuía seus impublicáveis poemas de cunho político em cópias aos amigos.[8]

* * *

As últimas decisões em relação à guerra conduziam o governo brasileiro a uma armadilha. No surpreendente encontro, sem anúncio prévio, dos presidentes Roosevelt e Getúlio, realizado em Natal em janeiro de 1943, ficou assentado (1) que o Brasil cederia aos americanos uma base aérea na capital do Rio Grande do Norte, estratégico ponto de partida para voos rumo à África do Norte; e (2) que o Brasil enviaria à Europa um contingente para combater ao lado dos Aliados. O demorado e penoso recrutamento e preparo dos soldados ainda tinha curso ao fim do ano; só em julho de 1944 o primeiro escalão da Força Expedicionária Brasileira chegaria à Itália, onde lhe competiria atuar, incorporada ao quinto exército americano. Mas o pretendido engajamento agora direto, armado, no conflito, evidenciava desde já, e mais do que antes, a contradição no fato de uma ditadura pôr-se em combate pela democracia. O regime, que um dia, nas palavras de seu chefe, tão orgulhosamente se ostentara contra os "liberalismos imprevidentes", agora usava de tortuosos argumentos para justificar-se. O embaixador brasileiro em Londres, Muniz de Aragão, discursando no Parlamento britânico, dizia que "a despeito de sua natureza autoritária, o governo do Brasil nada tem de ditatorial"; a "política adotada", segundo ele, podia "ser melhor qualificada como uma organização de estrutura essencialmente democrática sob um governo forte".[9] A censura, por seu lado, ensinava aos jornalistas que não deviam se referir ao regime anterior ao Estado Novo como democracia, "pois o regime atual é também uma democracia".[10]

Os meses finais de 1943 mostraram que algo havia se trincado. No dia 24 de outubro ficou pronto o documento que passaria para a história como o Manifesto dos Mineiros. Assinado por 92 personalidades daquele estado, entre intelectuais, profissionais liberais, políticos do passado e políticos que se projetariam no futuro, impresso e distribuído clandestinamente, afirmava: "Se lutamos contra o fascismo ao lado das nações unidas para que a liberdade e a democracia sejam restituídas a seus povos, certamente não pedimos demais reclamando para nós mesmos os direitos e as garantias que as caracterizam".[11] Os eventos de São Paulo, poucos dias depois, traziam para as ruas de modo dramático o ânimo oposicionista que se gestava, e tão forte foi seu impacto que reverberou no interior do regime, ou pelo menos no regime tal qual era representado no estado. Três secretários do interventor Fernando Costa ameaçaram deixar o governo caso o colega da Segurança Pública não fosse demitido. Coriolano de Góis foi demitido.[12]

Ao mal-estar político iriam se juntar, ao longo de 1944, as maiores privações da população. Faltava tudo, e filas imensas se formavam em disputa dos artigos disponíveis. Para agravar os problemas de colapso nas importações, como a do trigo, de desvios de outros gêneros para exportação e das deficiências do transporte por falta de combustíveis, o interior do estado passava por severa seca. "O calor é de tal forma abrasador que os animais e os pássaros se deixam tocar com as mãos, sem nenhum sinal de resistência, derreados e inativos", declarava em outubro o presidente da Sociedade Rural Brasileira, Joaquim Sampaio Vidal.[13] Outra causa do desabastecimento era a manipulação dos estoques, típica de períodos de tabelamento de preços e de carnês de racionamento. Em novembro Fernando Costa anunciava uma "guerra aos exploradores do povo", aqueles que "aproveitando-se do momento atual usufruem lucros consideráveis", e ameaçava entregá-los ao Tribunal de Segurança Nacional, o temível justiceiro dos crimes contra o estado.[14] Reinava a confusão no mercado. O preço do leite variava entre Cr$ 1,80 e Cr$ 4,50 o litro, o primeiro produzido pelas grandes usinas e o segundo pelas granjas ao redor da cidade. O das usinas, consumido pelos mais pobres, era frequentemente adulterado, com a adição de água e outros recursos.[15] Para suprir as carências locais, passou-se a importar carne argentina, e os açougues foram obrigados a incluir 30% de carne dessa procedência sobre cada 150 quilos adquiridos. Os açougueiros reclamavam que nos bairros populares ninguém comprava a carne argentina, mais cara, o que lhes causava grave prejuízo.[16]

Mesmo que se corrigissem os entraves à produção, como garantir o transporte? Em novembro o interventor acertou com a estrada de ferro Sorocabana a introdução de trens extras para trazer gêneros a São Paulo, com prioridade para o feijão, o arroz, a batata e o milho. As regiões sudoeste do estado e norte do Paraná eram as maiores abastecedoras da capital, e nelas os gêneros feneciam por falta de escoamento.[17] O transporte rodoviário, de seu lado, sofria das contradições da política governamental em torno do gasogênio. "É realmente um absurdo que estejamos destruindo as nossas minguadas reservas florestais para que os ricos ociosos se deem ao luxo de passeios e excursões", disse o coronel Anápio Gomes, novo presidente da Comissão de Mobilização Nacional, ao tomar posse, em agosto. Dois meses depois os automóveis particulares movidos a gasogênio foram impedidos de circular entre 21h e 5h.[18] Eram sinais que desencorajavam os produtores de aparelhos do "gás pobre". Ainda mais importante, os Aliados já combatiam na Europa, as vitórias se sucediam e prenunciava-se um fim próximo para a guerra. Que seria do gasogênio, terminado o conflito?

A Comissão Estadual do Gasogênio reuniu representantes do setor, no mesmo mês de outubro da restrição à circulação dos automóveis, para encorajá-los. Precisava-se do combustível para fazer circular os caminhões. O presidente da Comissão, engenheiro José Luiz Meiller, argumentou que apenas 1362 dos 10801 caminhões existentes na cidade funcionavam a gasogênio, para concluir daí que 87% do transporte rodoviário de mercadorias estava ameaçado de parar por falta de combustível. E depois da guerra?, indagaram os produtores. Que fazer dos aparelhos, quando a importação do petróleo voltasse aos antigos níveis? O engenheiro garantiu-lhes que "o gasogênio não pode e não deve morrer". Seria "um dos elementos de nossa independência". Quanto às previsões de que em breve o estado estaria desflorestado, tantas árvores se fazia necessário derrubar para produzir o carvão, seriam igualmente infundadas. Ao contrário, argumentava a autoridade, a necessidade de carvão vegetal era "um poderoso incentivo à reflorestação".[19] A empulhação governamental não foi inventada naquele momento. Vinha de longe, e tinha vida longa pela frente, mas viveu naquela reunião um ponto alto.

No dia 7 de dezembro Getúlio veio a São Paulo, para as solenidades de comemoração dos cinquenta anos da Associação Comercial do

Estado. Tão angustiosa era a questão do abastecimento da cidade que aproveitou para convocar uma reunião para debatê-la. Estavam presentes no Palácio dos Campos Elíseos o interventor e os presidentes das estradas de ferro Sorocabana, São Paulo-Paraná e Noroeste. No centro da cidade, naquele mesmo momento, caía dos prédios uma chuva de panfletos. "Insensível ao sofrimento da população laboriosa e ao desprezo dos paulistas, o ditador Getúlio Vargas avilta novamente São Paulo com sua presença", dizia o texto. O grupo da Frente Acadêmica pela Democracia atacava de novo. Esgueirando-se sorrateiramente até os andares mais altos de prédios das praças Antônio Prado, do Patriarca, e Ramos de Azevedo, do largo de São Francisco e das ruas Líbero Badaró, Boa Vista, Barão de Itapetininga e Xavier de Toledo, despejaram lá de cima o seu protesto mimeografado, que continuava declarando: "Enquanto passais fome e vossos filhos morrem por falta de leite, este mesmo homem, criador do Estado Novo fascista, constrói Quitandinhas com o vosso dinheiro e se banqueteia com os banqueiros e capitalistas que exploram o vosso trabalho". O texto nomeava alguns dos tais exploradores: "São sempre os mesmos Roberto Simonsen, Brasílio Machado, Horácio Lafer e outros que, juntamente com os ministros e chefes do Estado Novo, se enchem de dinheiro, enquanto vós passais fome".[20]

As privações ofereciam ocasião para exacerbar a luta contra a ditadura. A referência a "Quitandinhas" dizia respeito ao Hotel Quitandinha, inaugurado naquele ano em Petrópolis, na verdade um empreendimento privado, mas cuja suntuosidade contrastava com o período de penúria. Entre os inimigos do povo o texto incluía os empresários mais em evidência, a começar pelo presidente da Associação Comercial, Brasílio Machado Neto, irmão do António de Alcântara Machado do *Brás, Bexiga e Barra Funda*. Houve um, no entanto, que foi salvo em cima da hora: o banqueiro Gastão Vidigal, que figurava na primeira versão. Poupou-o, à custa da perda de 15 mil exemplares já impressos com seu nome, o fato de ser tio de Geraldo e Marcelo Vidigal, colegas de turma dos panfletários.[21] Eis um caso de pistolão em que, ao inverso da regra, um magnata é socorrido pelos parentes estudantes. Os alunos de Direito continuavam a desempenhar em São Paulo o papel de vanguarda no movimento antiditatorial mas não se pode dizer que encenavam uma estudantada desconectada da sociedade. Antonio Candido viria a escrever sobre a Faculdade de Direito de sua época: "O recrutamento não era de todo exclusivo, porque não abrangia apenas os filhos de fazendeiros, comerciantes, políticos ou bacharéis, embora a maioria correspondesse a esse requisito. Mas havia um pressuposto tácito: quem entrava, fosse qual fosse a origem, devia conformar-se aos traços essenciais das classes dominantes e sair como se em princípio fizesse parte delas ou estivesse adaptado a elas."[22] Como rebentos da elite ou convertidos a ela, os estudantes representavam a ponta de um movimento tectônico que estalava no interior de suas famílias, amigos e aliados. A hora do cansaço com a ditadura, e do simultâneo cansaço da ditadura, soara.

Em janeiro de 1945 realizou-se em São Paulo o I Congresso Brasileiro de Escritores, por iniciativa da Associação Brasileira de Escritores, fundada dois anos antes. Antonio Candido integraria a delegação paulista de 26 membros. Era o caçula, num time que reunia Mário e Oswald de Andrade, Monteiro Lobato e Sérgio Milliet. Veio gente de todo o país, perfazendo um total de duas centenas de participantes. A pauta incluiu temas classistas como a proteção dos direitos autorais, mas a razão de ser do congresso era firmar posição contra a ditadura. Com esse objetivo trabalhou-se arduamente para juntar as oposições de diversa origem, "passando acima das divergências", escreveu Candido, "não apenas entre esquerdas e liberais, mas dentro da própria esquerda, o que geralmente é mais difícil". Na sessão de encerramento, no Theatro Municipal, foi lida em clima apoteótico uma Declaração de Princípios curta e simples, em que se pedia a "completa liberdade de expressão", um sistema de governo "eleito pelo povo mediante o sufrágio universal" e se concluía pela urgência de "ajustar-se a organização política do Brasil" aos princípios "pelos quais se batem as Forças Armadas do Brasil e das Nações Unidas". Pela primeira vez, escreveu Candido, "uma declaração contra a ditadura era feita na presença de pelo menos 2 mil pessoas, com aquela força de adesão coletiva". O Manifesto dos Mineiros, antes, tinha sido uma peça impressa, e clandestinamente distribuída. Mesmo assim, seus signatários haviam sido punidos com a perda de cargos e funções. Agora, mesmo tendo um a um dos escritores assinado o documento, ninguém foi incomodado. A ditadura já não tinha forças para tal.[23]

Ou melhor: tinha ainda a força da censura para impedir que o manifesto saísse nos jornais. Mesmo o poder da censura, no entanto, já se encontrava no seu limite. Menos de um mês depois o *Correio da Manhã*, do Rio de Janeiro, publicou entrevista em que o escritor e político José Américo de Almeida, candidato à presidência na eleição que não houve, em 1938, fazia críticas a Getúlio e ao Estado Novo. O jornal resolveu arrostar a censura e publicá-la — e, surpresa, em vez de ser punido, abriu um precedente contra o qual àquela altura seria inútil resistir. O que explica a falta de reação do regime é que havia perdido o mais fundamental de seus apoios — o militar. Subitamente convertido à causa democrática, ele que antes da guerra fora um admirador de Hitler e Mussolini, o general Góis Monteiro, principal chefe militar do período, decidira — e o comunicara cara a cara com Getúlio — que era hora de acabar com o Estado Novo.[24] O barco fazia tanta água que até candidaturas à sucessão presidencial já se esboçavam. No congresso de escritores Oswald de Andrade fizera entusiasmado discurso em que propunha o nome do brigadeiro Eduardo Gomes, o herói do levante do Forte de Copacabana, em 1922.[25] José Américo, na entrevista que se tornaria clássica, concedida ao jornalista Carlos Lacerda, lançava seu prestígio não só contra a "ditadura expirante", como disse, mas principalmente contra um último ardil que se engendrava nas entranhas do regime: arranjos constitucionais que convocassem, sim, eleições, mas permitindo a Getúlio candidatar-se à sucessão de si mesmo. "Já todos sabem o que se está processando clandestinamente", disse José Américo. "Forja-se um método destinado a legalizar poderes vigentes, a manter interventores e demais autoridades políticas pela consagração de processos eleitorais capazes de coonestar essa transformação do aparelho."[26]

A proibição de falar das filas, apesar de estarem à vista de todos, em São Paulo e em outras grandes cidades, foi outro tabu quebrado na entrevista. As filas "em que as populações urbanas perdem o tempo e esgotam os nervos" seriam, segundo José Américo, sintomas de uma "desorganização geral". Para ilustrar o que via como "insucesso na obra administrativa" do governo, o entrevistado recorreu à situação da "região nacional que, sendo a mais organizada e eficiente, é a que mais produz riqueza: São Paulo". Citou a queda na produção do café, a situação de um parque industrial que, não renovado, não teria condições de se manter competitivo no pós-guerra, "quando ressurgirem os produtores mundiais dotados de equipamento moderno", e lamentou que o estado de São Paulo — "esse grande celeiro" — tenha passado a depender dos estados do Sul para seu abastecimento. O café, durante os anos da guerra, desprovido dos mercados europeus, teve como destino único os Estados Unidos. Em sua política de manter a vizinhança sob controle, o governo americano firmou com os produtores latino-americanos um acordo pelo qual se comprometia a manter as compras, mediante um sistema de cotas — mas a boa vontade inicial acabou abalada pela queda dos preços e as dificuldades de transporte.[27] A indústria, de seu lado, se obteve inesperados mercados para exportação, devido ao colapso da produção nos países avançados, tornou-se ao mesmo tempo ainda mais obsoleta do que já era pela impossibilidade de importação de máquinas e equipamentos. Tratava-se, num e noutro caso, de efeitos do conflito, mas José Américo via também responsabilidades do governo. "O que houve realmente foi o maior pecado: a imprevisão", disse. A guerra, segundo ele, nos teria surpreendido "já sem aparelhamento de transporte, com déficit de material nas estradas de ferro, empresas de navegação desorganizadas, carência de produção".

No fim de abril Hitler suicidou-se. No início de maio os russos entraram em Berlim. No dia 4 uma manifestação de regozijo pela vitória saiu do Anhangabaú e foi até a praça da Sé. À frente vinha a banda da Guarda Civil, que tocou os hinos do Brasil, dos Estados Unidos, da Inglaterra e da França. Seguiam-se retratos de Roosevelt e Churchill, mas também — grande novidade — do líder soviéticoIóssif Stálin e de dois outros heróis comunistas — os marechais Jukov, comandante do avanço soviético na Europa, e Tito, chefe da resistência na Iugoslávia. A manifestação fora organizada por entidades de trabalhadores ligadas ao Partido Comunista. Até nisso o regime cedera. Em 18 de abril fora decretada a anistia aos presos políticos. O secretário-geral do partido, Luís Carlos Prestes, estava agora solto e os comunistas agiam livremente. O comício encerrou com discursos de um americano, um inglês, um russo e, em nome do Brasil, do escritor Jorge Amado, militante comunista.[28] No pacote de desafogo em que tentava aliviar a pressão e salvar o que fosse possível salvar, o governo marcou eleições presidenciais para 2 de dezembro. Entre abril e maio, o quadro sucessório se definiu. Dois partidos se constituíram, a União Democrática Nacional (UDN), congregando os liberais antigetulistas, e o Partido Social Democrático (PSD), formado por quadros do regime, inclusive interventores e ex-interventores. O brigadeiro Eduardo Gomes seria o candidato do primeiro e o general Eurico Gaspar Dutra o do segundo.

Na manhã de 7 de maio as rádios deram a notícia da rendição da Alemanha. A sirene da *Gazeta*, tão conhecida dos paulistanos, ouvida que era em grande parte da cidade, soou desta vez não para anunciar o meio-dia, como de hábito, mas para comemorar a vitória.[29] "Tilintavam os telefones por todos os lados, estouravam bombas, muitos desconhecidos abraçavam-se pelas ruas. Encheram-se os bondes e ônibus, de gente de todos os bairros que vinha para o Centro, onde grupos batiam palmas e davam vivas e hurras", escreveu Jorge Americano.[30] As ruas encheram-se de povo. O comércio fechou e as repartições públicas dispensaram os funcionários. Nos prédios eram desfraldadas bandeiras do Brasil e dos Aliados. Fernando Costa determinou que fossem dados os nomes de Roosevelt, Churchill, Stálin e Getúlio Vargas — assim mesmo, Vargas escalado como um dos quatro grandes — a diferentes praças da cidade, e mudou o nome do Ginásio do Estado, a mais prestigiosa escola da cidade, para Ginásio Presidente Roosevelt. (Roosevelt tinha morrido um mês antes; o vice Harry Truman era agora o presidente americano.) À tarde houve comício na praça da Sé e em seguida ao secretário da Justiça, Marrey Junior, que falou em nome do governo do estado, ocupou o microfone o comunista Joaquim Câmara Ferreira, para quem a vitória fora do povo. Além dos retratos dos líderes aliados, também o de Luís Carlos Prestes despontava no meio da multidão. Oswald de Andrade, sempre ele, esteve entre os oradores, e embora semanas antes tivesse se declarado pela candidatura de Eduardo Gomes, inimigo dos comunistas, exaltou a "personalidade combativa de Prestes".[31]

O ambiente não poderia contrastar mais com o que fora o Brasil do Estado Novo. Não é à toa que o que tenha ficado de mais marcante daquele dia, na memória de Boris Fausto, tenha sido a imagem "de um homem andando altaneiro em frente ao Theatro Municipal, com uma bandeira vermelha na mão, onde estavam estampados a foice e o martelo".[32]

Em julho de 1945 dois eventos atraíram multidões na cidade. O primeiro foi o comício de Luís Carlos Prestes no domingo, dia 15, num estádio do Pacaembu lotado. Boris Fausto, com o pai, viu nesse dia o povaréu passar pela avenida Pacaembu, a caminho do estádio. O pai reconheceu um conhecido, o judeu russo Emanuel, antigo militante comunista, entre as turbas que se sucediam. "Onde vai, senhor Emanuel?", perguntou. "Vou ver Prestes", respondeu o conhecido. "Ver Prestes, naquele ano, era realmente um acontecimento extraordinário", escreveu Boris Fausto. "Cerca de 100 mil pessoas espremeram-se no estádio e nas adjacências, para ouvir, entre outros oradores, o poeta chileno Pablo Neruda, que recitou poema em homenagem a Prestes, o "capitão do povo".[33] O escritor Monteiro Lobato, doente, mandou mensagem gravada, transmitida pelo alto-falante.[34] O outro evento foi o desfile dos "pracinhas" da Força Expedicionária. Acolhidos na estação da Luz, foram saudados pela massa num trajeto que incluiu a avenida São João, onde passaram sob um arco do triunfo à altura da praça Júlio de Mesquita, e terminou num Pacaembu outra vez lotado.[35] Tudo ótimo, tudo muito festivo — se se faz exceção à situação dos homenageados, segundo as recordações de Jorge Americano: "No meio do bolo, uns pracinhas, uma meia dúzia, apertados, arrebatados, mendigando ar, e seguindo, seguindo, para a direita, para a esquerda, para a frente, devagarinho, suados, esmagados, quase pisados".[36]

O final da guerra na Europa determinou o fim das restrições aos imigrantes dos países inimigos. Restava a guerra no Pacífico, afligindo a comunidade japonesa, aquela que, em São Paulo, mais sofrera. O ato mais violento contra os japoneses fora a ordem de evacuação do litoral paulista, em julho de 1943. Temia-se que atuassem como colaboracionistas num eventual ataque por mar. A medida atingia em princípio também os italianos e alemães, mas alemães eram escassos na região, e os italianos acabaram poupados pela queda do governo fascista, em Roma, naquele mesmo mês. Os japoneses, numerosos especialmente no litoral sul, receberam a ordem de em poucas horas apresentar-se a trens que os levariam primeiro à Hospedaria dos Imigrantes, em São Paulo, e em seguida a fazendas do interior. Pelo menos 4 mil deles foram atingidos pela medida.[37] Em 6 e 9 de agosto de 1945 os Estados Unidos despejaram bombas atômicas em Hiroshima e Nagasaki. No dia 14 o Japão se rendeu. Tomoo Handa lembra em suas memórias que no dia 19 o *Diário de S. Paulo* publicou reportagem aferindo a repercussão de tais eventos junto aos japoneses de São Paulo. A maioria dos entrevistados dizia ao repórter: "Não sei de nada". Até que um deles, mais corajoso, afirmou: "Imagine se o Japão se rendeu. Isso é absolutamente impossível". O repórter insistiu: "Mas a rádio de Tóquio já deu a notícia". O entrevistado replicou: "Hoje em dia há transmissões americanas perfeitas em japonês. Não se pode confiar nelas". E a mensagem do imperador, você também não acredita nela?, insistiu ainda uma vez o repórter. "Não é possível que tenha havido uma mensagem do imperador. Não pode haver erro naquilo que o imperador começa."[38] O espírito *kachigumi* ("vitorista"), que desde o início da guerra se opunha aos *makegumi* ("derrotista") no seio da comunidade japonesa, resistia às evidências, e iria alimentar a continuidade, por mais um ano, das atividades terroristas, japonês contra japonês, dos ultravitoristas congregados na organização secreta Shindo Renmei.

As ambiguidades de Getúlio, cujas manobras traíam a intenção de se agarrar ao poder, levaram os militares a desferir-lhe o xeque-mate. No dia 29 de outubro constrangeram-no a assinar a renúncia; no dia seguinte mandaram cortar a luz, a água e o gás do Palácio da

Guanabara, para apressar-lhe a retirada. "Isso está mais parecendo uma ação de despejo que um golpe de Estado. Só falta aparecer o oficial de Justiça", comentou o já deposto ditador. No dia 1º de novembro o hábil, esquivo, matreiro Getúlio Vargas, mais longevo presidente da história da República, "pai dos pobres", conforme a propaganda, e "mãe dos ricos", conforme os detratores, embarcou num avião da Força Aérea com destino a São Borja, sua cidade natal.[39] Com o desmoronamento do Estado Novo, assumiu um governo provisório, chefiado pelo presidente do Tribunal Federal, José Linhares, que por sua vez nomeou interventores provisórios, até a realização de eleições estaduais. Em São Paulo, assumiu a interventoria José Carlos de Macedo Soares, o empresário de tão destacada atuação na Revolução de 1924. Macedo Soares nomeou para prefeito da capital o antigo vereador Abrahão Ribeiro.

Chegava ao fim o reinado de sete anos e seis meses do burgomestre mais burgomestre que a cidade já conhecera, Francisco Prestes Maia. A transmissão do cargo foi no dia 10 de novembro. Cumprida as solenidades, Prestes Maia despediu-se dos colaboradores e deixou a sede da prefeitura. Ao vê-lo despontar na rua o motorista, como de hábito, abriu-lhe a porta do carro oficial, estacionado em frente. Ele recusou a gentileza: "Não senhor, obrigado, agora não sou mais prefeito". Seguiu a pé pela Líbero Badaró até o viaduto do Chá, atravessou-o e foi até a rua da Consolação, onde tomou o bonde que o levaria à casa.[40] Ele era assim.

A edição de O *Estado de S. Paulo* do dia 7 de dezembro de 1945 trazia algo diferente no cabeçalho. Logo abaixo do título do jornal vinha escrito: "Júlio de Mesquita — 1891-1927", o nome do patriarca da antiga família proprietária e as datas em que esteve à frente do empreendimento. Depois de cinco anos e nove meses de intervenção, o jornal era devolvido aos antigos donos. A primeira página não trazia notícia a respeito; a muitos leitores, tivesse sido esse o único sinal, a mudança teria passado despercebida. Mas havia outro indício de novos tempos, este grande, bem no centro da página — uma fotografia do candidato presidencial Eduardo Gomes, "uma esperança", segundo dizia a legenda, "dos homens livres do Brasil". Nas páginas internas, artigo de Monteiro Lobato afirmava que "a devolução do *Estado* aos Mesquitas vai ser o começo da cicatrização da ferida aberta na alma paulista" pelo desvirtuamento da "arrancada libertadora de 1930".[41] O regozijo daquele dia tinha sua contraparte numa igual dose de frustração. A foto de Eduardo Gomes, o candidato das oposições liberais ao getulismo, traduzia não um triunfo, mas um lamento. Embora caminhassem ainda lentas as apurações das eleições realizadas cinco dias antes, já estava claro que o vencedor era o candidato da situação, general Eurico Dutra. Ao final, Dutra obteve 3,2 milhões de votos (55%) contra 2 milhões (35%) de Eduardo Gomes e 190 mil (10%) de um terceiro candidato, Yedo Fiuza. Em São Paulo a vitória foi mais acachapante. Com 780 mil votos, Dutra teve mais que o dobro dos 340 mil do brigadeiro. Liberais como os do grupo do *Estado* ainda tiveram de amargar a vitória de Getúlio Vargas (ele mesmo) na disputa de uma cadeira para o Senado por São Paulo.* E o mais amargo ainda estava por vir: na eleição para o governo do estado, em janeiro do ano seguinte, o vencedor seria Adhemar de Barros, o interventor que mandara a polícia invadir o jornal em 1940, ao final de uma campanha em que, como veremos no próximo capítulo, lhe foi crucial o apoio dos comunistas.

    O ano não poderia terminar sem uma grande celebração da "sociedade", aquela "sociedade" de que Jerry era o paladino e o porta--voz — e realmente foi palco de um evento arrasador. Lá veio de novo Joel Silveira do Rio para registrar a mais fantástica celebração de casamento jamais realizada na cidade, a da filha do conde Francisco Matarazzo Júnior, Filomena, a Fifi, com o milionário carioca João Lage. O casamento em si foi o ponto culminante de "uma sucessão de espetáculos e acontecimentos mundanos", escreveu Joel. "O Jequiti e o Roof foram tomados de assalto, o Esplanada viveu os seus dias mais

---

* Os candidatos podiam se apresentar em mais de um estado; Getúlio, também eleito no Distrito Federal, optou por esta cadeira.

intensos e brilhantes, nunca havia lugar para nós (falo dos mortais comuns) no Papote ou no Spaldoni. Era, a bem dizer, o congresso da grã-finagem nacional, antes tão dispersa nos seus movimentos e que agora, atraída pela força magnética do conde Matarazzo, se confundia num bloco interestadual, poderoso e aurifulgente."[42] Para a festança na mansão da avenida Paulista, segundo relata o repórter, foram contratados duas orquestras e vários e caríssimos cozinheiros. Encomendou-se uma carga de fogos de artifício, mobilizou-se a polícia de trânsito, alugaram-se quatrocentos apartamentos nos hotéis da cidade.[43]

Nesse dia, outro jornalista, aliás futuro jornalista, Frederico Branco, voltava para casa quando deparou com uma multidão, na esquina da Paulista com rua Pamplona. Pensou logo em acidente de automóveis, descarrilamento de bonde, desastre. Demorou para se dar conta de que a causa era a celebração na mansão Matarazzo. Havia gente "no meio da avenida", escreveu, "nas calçadas e até nas árvores". Aperto, empurra-empurra. "Na calçada, na minha frente, estavam os que tinham chegado muito antes: mães com crianças de todas as idades, senhores e senhoras em roupas de domingo, rapazes e mocinhas. Quase todos, grandes e pequenos, empunhando bandeirinhas ou flâmulas feitas em casa com as cores da Itália e do Brasil." Frederico concluiu que se tratava de gente do Bexiga, "que começava praticamente nos fundos" da casa dos Matarazzo. Bem ao lado dele, um senhor de sobretudo, de cujo bolso vez ou outra tirava uma garrafa para uns goles, assumiu o papel de "locutor de campo", e anunciava, a cada carro que chegava: "*Il governatore. Evviva il governatore*", ou então "*il comendadore*", "*il generale*", desfiando uma sucessão de títulos, reais ou imaginários, e pedindo aplausos que a multidão nunca negava. A alturas tantas, ao ver que se acercava "uma figura de solidéu purpurino" (possivelmene o núncio apostólico no Brasil, d. Enrico Gasparri, vindo expressamente do Rio de Janeiro para oficiar o casamento), anunciou: "*Il papa! Evvviva il papa!*". A comoção foi geral. "Vi gente que se ajoelhava na calçada, senhoras que se persignavam, pais que erguiam nos braços os filhos pequenos."[44] O papa na calçada da Paulista! E por que não? Nenhum grande do mundo recusaria ao chamado desse mais grande de todos os grandes que era o grande Matarazzo.

XXIV.
New York-upon-Tietê

Em fevereiro de 1946 o novo prédio do Banco do Estado de São Paulo (Banespa) ainda estava a um ano e quatro meses da inauguração oficial, mas já se destacava na paisagem, no centro da praça Antônio Prado e a cavaleiro da avenida São João. A coroar seu porte esguio, os últimos andares se estreitavam uns sobre os outros, num estilo bolo de noiva que imitava o Empire State Building, símbolo supremo de Nova York e mais famoso arranha-céu do mundo. Nunca São Paulo expressara tão explicitamente a aspiração de ser Nova York. Era uma época em que a capital do delírio delirava de autocelebração. Era "a cidade que mais cresce no mundo", além de "o maior centro industrial da América do Sul", como apregoavam os letreiros nos bondes, ou ainda "o maior centro industrial da América Latina", numa versão corrigida e ampliada.[1] O edifício do Banespa vinha trazer novas exacerbações triunfalistas. Com 160 metros de altura e quarenta andares, constituía-se no "mais alto edifício da América do Sul". E, caso se ousasse achar isso pouco, também alardeava-se como "o mais alto prédio em concreto do mundo" — do mundo! —, considerando que nos Estados Unidos usava-se a técnica das estruturas metálicas, não do concreto armado.[2] O Martinelli, ali ao lado, transformava-se num simples acólito do novo soberano dos ares. Virara um tampinha, que não lhe batia ao ombro.

O edifício do Banespa (ao centro) ainda em construção, em 1946; sua fina silhueta superava em altura o Martinelli, à esq. na foto | Foto de Aristodemo Becherini | Acervo Fotográfico do Museu da Cidade de São Paulo.

Se agora São Paulo ombreava-se a Nova York até num cartão-postal, por que não trazer para o novo símbolo da cidade o mais emblemático dos nova-iorquinos? Pois foi isso que ocorreu no dia 2 de fevereiro de 1946, quando foi trazido para o 27º andar do prédio ainda em acabamento o célebre Fiorello La Guardia, prefeito da metrópole americana por onze anos seguidos (1934 a 1945), mais ainda do que Prestes Maia em São Paulo, durante os quais mudara a face da cidade e se tornara o mais popular homem público de seu país depois do presidente Roosevelt. O filho de italianos Fiorello La Guardia viera ao Brasil como representante oficial do governo americano à posse do presidente Dutra, no dia 31 de janeiro. A esticada a São Paulo, para a qual foi seduzido com os argumentos da semelhança com Nova York e da presença de uma importante comunidade italiana na cidade, não duraria mais de cinco horas. A fim de tirar-lhe o máximo proveito, os promotores da visita, liderados pelo prefeito Abrahão Ribeiro, trouxeram-no do aeroporto até o Centro por um trajeto que lhe permitiria vislumbrar as mais recentes e modernas obras da administração municipal. Da autoestrada de Santo Amaro, a via que conduzia a Congonhas e Interlagos, pulou para a moderna avenida Brasil, da qual pôde contemplar o local que já era conhecido como "parque Ibirapuera", mas cujo equipamento se resumia a um campo de futebol e trilhas que serviam a esporádicas competições ciclísticas. Era um lugar ermo, perigoso de frequentar à noite. Da avenida Brasil a comitiva seguiu pela Nove de Julho até o Anhangabaú e a avenida São João, de onde fez um desvio para passar pela Ipiranga e São Luís, partes do anel construído por Prestes Maia em torno do Centro. Da São Luís dobrou à direita para atingir a Xavier de Toledo, outra via recentemente alargada, depois viaduto do Chá, Líbero Badaró, de novo São João e finalmente praça Antônio Prado.

Talvez esse dia tenha sido o primeiro em que o prédio do Banespa desbancou o Martinelli como ponto de observação da cidade. Ali de cima, quando não encontrava as barreiras do pico do Jaraguá ou da serra da Cantareira, a vista se estenderia num dia claro a até quarenta quilômetros. La Guardia adulou os anfitriões com uma gracinha — "Estou gostando de tudo o que vejo. Gostaria de ser um dos funcionários desta prefeitura" — e com o que eles mais gostariam de ouvir: "São Paulo é, de fato, a Nova York da América do Sul". Seguiu-se almoço no Automóvel Clube, de cuja sacada ainda teve tempo de discursar, em italiano, ao povo reunido na rua Líbero Badaró ("Fique bem claro: a Itália não perdeu a guerra, a Itália foi atraiçoada por um de seus filhos"), antes de empreender a volta ao aeroporto, aproveitada para novo circuito turístico. O parque D. Pedro e o Pacaembu — com a praça em frente ao estádio já pronta — foram algumas das atrações. Do Pacaembu subiu-se à avenida Doutor Arnaldo, oportunidade para a contemplação de outra obra de vulto — o Hospital das Clínicas, inaugurado pelo governo do estado, junto à Faculdade de Medicina, em 1944 — antes de descer, pela avenida Rebouças, até a Brasil, a Autoestrada de Santo Amaro e de novo o aeroporto de Congonhas. O terminal de passageiros onde o ex-prefeito nova-iorquino desembarcou, e agora ia embarcar de volta, não era mais o tosco barracão de madeira dos primeiros tempos, mas tampouco era a construção que lhe daria a face definitiva. Esta só seria iniciada pelo governo do estado em 1947 e, avançando com a característica lentidão e muitos cruzeiros acima do orçamento, teria primeiro concluídas as alas laterais, ficando a construção central, com seu grande saguão e dois andares superiores, para ser inaugurada só em 1955. A sala que Fiorello La Guardia adentrou, para dar um último adeus à cidade, era uma construção modesta, com ares art déco.[3]

O arranha-céu do Banespa foi inaugurado oficialmente em junho de 1947 pelo governador Adhemar de Barros, presentes autoridades "civis, militares e eclesiásticas", como se dizia na época, e recebida a bênção, tão obrigatória quanto o corte das fitinhas, da parte de um representante da Igreja.[4] O próprio Adhemar iniciara a obra, ao tempo em que era interventor. A estética era sofrível, mas imponência não lhe faltava — e do alto dela, muito do alto, o prédio assumiu o lugar da presidência sobre uma avenida São João que naqueles anos atingia o seu auge. Como num jogo de armar, era a peça que faltava; sem ela, a praça Antônio Prado permaneceria banguela. O edifício preencheu o ponto nevrálgico para onde os olhares convergiriam, de onde estivessem, ao olhar para a colina de onde nascia a avenida. Ao seu tempo, Lévi-Strauss se dizia "obsedado" pela "presença majestosa" do Martinelli toda vez que olhava para as cabeceiras da São João. Agora ficaria obsedado pela silhueta magra e a cor, branca como creme chantilly, do bolo de noiva do Banespa.

A São João já vinha cevando a condição de "Cinelândia paulistana" desde a década anterior. Foi quando surgiram na avenida os primeiros "cinemas palácios" — salas amplas, suntuosas, de exuberantes fachadas. O primeiro dessa linhagem foi o Broadway (inaugurado em 1934), de fachada art déco e cúpula de vidro, no qual, segundo recordações do poeta Paulo Bonfim, a cantora Libertad Lamarque se apresentou ao vivo, cantando os tangos "Riendo", "Cantando" e "Vieja pared del arrabal".[5] O segundo foi o Art Ufa (1936), administrado pela poderosa produtora cinematográfica alemã que ostentava no nome, e especializado em filmes alemães. O Art Ufa, transformado em Art Palácio em 1939, quando o início da guerra determinou o fim de sua conexão com a Alemanha, foi projetado por Rino Levi, uma das estrelas da arquitetura paulistana do período, nascido no Brasil mas formado na Itália de seus pais. E o terceiro dos cinemas palácios foi o Metro (1938), de arquitetura igual à que a Metro-Goldwyn-Mayer impunha a seus exibidores ao redor do mundo.

Na década de 1940 o investimento nos cinemas duplicou. Em 1943 surgiu o Ipiranga, na avenida do mesmo nome mas juntinho à São João, quase na esquina. O projeto de novo era de Rino Levi. O Ipiranga era um assombro, com seu *pullman* (setor de luxo, com amplas poltronas reclináveis) e sessões noturnas abertas com um órgão tocado ao vivo.[6] Dois anos depois o Marabá lhe veio fazer companhia, do outro lado da rua. Havia ainda o Bandeirantes, no largo do Paiçandu, o Ritz, na própria São João, o Ópera, na rua Dom José de Barros. E no fim da década de 1940 já estava em construção aquele que viria para arrasar — o Marrocos, na Conselheiro Crispiniano, mas também quase na esquina da São João, com sua escadaria de acesso e colunata, ambas de mármore, seu salão de espera projetado para tornar-se, segundo a propaganda, o "ponto de reunião da nossa sociedade", e sua decoração de mil e uma noites, a que não faltava uma fonte luminosa. O Marrocos, inaugurado em 1951, seria "o melhor e mais luxuoso da América do Sul".[7] Como a esta altura já sabemos, nada em São Paulo se contentava em ser o maior e melhor do Brasil; tinha que ser da América do Sul — o que implicava engolir Buenos Aires — ou, de preferência, da América Latina, levando de roldão a Cidade do México.

Com os cinemas vinham os letreiros de neon nas fachadas, e os monumentais cartazes anunciando os filmes. O cenário estava completo: tinha-se agora a Broadway, para fazer parceria com o Empire State. Materializava-se em símbolos eloquentes a substituição, datada do pós-guerra, do modelo urbanístico e arquitetônico europeu para o americano. Como na Broadway, a massa humana ia e vinha, incessante, dia e noite. Daí se extraía outro símbolo. Naqueles anos que se sucederam à guerra e ao Estado Novo o Brasil se abria para sua primeira experiência de democracia de massas. Na eleição presidencial de 1945 votaram 7,5 milhões de eleitores; ainda era pouco com relação à população (13,4%) mas bem mais do que os 5% da eleição de 1930, a recordista da República Velha.[8] Na eleição paulista para governador, em janeiro de 1947, foram apurados mais de 1,1 milhão de votos válidos, dos quais 430 mil da capital.[9] No comício de encerramento da campanha do candidato vitorioso, Adhemar de Barros, calculou-se em 100 mil o número de pessoas presentes no vale do Anhangabaú. O evento foi saudado como "o maior comício da história" brasileira.[10] As massas no dia a dia da avenida São João, características dos bulevares, agora também espelhavam a era das massas no processo político. Bares e restaurantes como o Palhaço, o Ponto Chic e o Café Juca Pato reforçavam o poder de atração do local.

Durante sua permanência no alto do edifício do Banespa, Fiorello La Guardia foi bombardeado com informações sobre as obras em curso e os planos de melhoramentos da cidade. Com mapas e plantas na mão, o secretário municipal de Obras, José Amadei, mostrou-lhe até um projeto de transporte subterrâneo.[11] Que projeto seria esse? O da Light, que desde 1927 rolava de mão em mão, departamento municipal em departamento municipal, e que, reforçado por estudos cada vez mais caros, teimava em não sair do papel? Fosse qual fosse, o tal projeto foi para o americano ver. Para a população o metrô continuaria uma miragem, enquanto o sistema de transporte público seguia em crise. Um artigo publicado na *Revista do Arquivo Municipal* afirmava que em 1945 900 mil paulistanos — 600 mil de bonde, 300 mil de ônibus — entravam e saíam do centro da cidade a cada dia útil. Daí o congestionamento permanente, as filas, os atrasos. "Tomar bondes em certas horas do dia é ato de verdadeiro heroísmo, a que nem todos se podem arriscar", escrevia o autor do artigo, Valêncio de Barros. "É um assalto aos trancos e trambolhões. Na angústia de perder o lugar, de chegar atrasado, o paulistano vai deixando os hábitos de civilidade. Nos pontos de ônibus, onde não há assalto existe o martírio da longa espera em filas intermináveis, sob sol ou chuva."[12]

A Light, insatisfeita com o eterno congelamento da tarifa e com a falta de resposta a seu plano de metrô, se desinteressara havia muito do serviço de bondes. Para alívio da empresa canadense, o final de seu contrato se daria em 1941. Para prolongamento de sua agonia, não se deu. A emergência da guerra serviu de pretexto ao governo federal para, por meio de decreto-lei, forçá-la a continuar a prestar o serviço.[13] O poder público, em qualquer de seus níveis, não tinha naquele momento condições de substituí-la. A interferência do governo federal em assunto tão caracteristicamente municipal se deve à consciência do potencial explosivo junto à população representado pelo colapso do transporte público na segunda cidade do país. Com o fim do Estado Novo revogou-se o decreto-lei que prorrogara o contrato da Light e, em ação conjunta, o governo estadual e a prefeitura criaram, para substituí-la, a Companhia Municipal de Transportes Coletivos, CMTC — sigla que estampada nos veículos e nos pontos de parada, citada nos jornais, repetida nas conversas, ou lembrada de mil outras formas, passaria a integrar, para o bem ou para o mal, o dia a dia de cada paulistano, criança ou adulto, homem ou mulher. A nova empresa se encarregaria também do serviço de ônibus, assumindo um monopólio do transporte público que só não era total porque sobrava um resíduo para as empresas de ônibus privadas. O acervo da Light, constituído por seiscentos bondes, mais estações, trilhos e fios, foi absorvido, assim como o das companhias de ônibus encampadas.[14]

O pagamento dos bens adquiridos à Light e às empresas de ônibus foi efetuado em participação acionária na nova companhia. Os ônibus agora pertencentes à CMTC revelaram-se de pouca valia. Na maioria obsoletos, muitos nem chegaram a ser utilizados. Os bondes apresentavam-se igualmente velhos e combalidos. Para reforçar a frota a CMTC comprou nos Estados Unidos 75 bondes — um lote que tinha acabado de ser aposentado nas linhas que serviam a Broadway, a de verdade — e trinta ônibus elétricos, uma novidade a ser apresentada à cidade. Além disso, adquiriu em São Paulo sessenta outros ônibus, perfazendo um acervo de cerca de quinhentos bondes e seiscentos ônibus em condições de rodar.[15] Em meados de 1947 a nova empresa estava pronta para entrar em operação. Às nove da manhã do dia 29 de junho, um domingo, um ônibus ostentando o nome da CMTC — o primeiro a fazê-lo — embarcou o governador Adhemar de Barros no Palácio dos Campos Elíseos e levou-o até a Freguesia do Ó. Estava assim inaugurada a primeira linha de ônibus da companhia.[16] Dois dias depois, os bondes, até então ainda rodando sob a responsabilidade da Light, passaram a fazê-lo em nome da CMTC.[17] A transição se completara, mas faltava uma espinhosa providência. A tarifa, desde sempre fixada em duzentos réis, agora traduzidos em vinte centavos, era considerada insuficiente para cobrir os custos. No dia 1º de agosto, a companhia reajustou-a para cinquenta centavos. A revolta explodiu na cidade.

Às onze da manhã daquele dia o bonde da linha "Vila Clementino" que passava pelo largo de São Francisco foi cercado e tomado de assalto por uma turba que lhe quebrou os vidros, rasgou-lhe as cortinas, arrancou-lhe os estribos, danificou-lhe os mecanismos de controle e por fim, aos gritos de "Fogo, Fogo", incendiou-o. Estava começando um quebra-quebra que, segundo o jornal O *Estado de S. Paulo*, "só as autoridades do estado e do município não previram". Minutos depois, o ônibus da linha "Jardim Paulista" que passava pelo mesmo local teve o mesmo destino. A fúria popular espalhou-se por outras ruas e praças do Centro, subiu a avenida Brigadeiro Luís Antônio e chegou até a bairros distantes. O padrão de "Quebra, Quebra" e "Fogo, Fogo" repetiu-se pelas três horas seguintes. O dia chuvoso não serviu para refrescar a cabeça. Ao contrário, forneceu a arma da ponta dos guarda-chuvas para as investidas contra os vidros dos veículos. O tumulto extravasou para o ataque aos postes de iluminação pública, como no Anhangabaú, e o apedrejamento do prédio da prefeitura, na Líbero Badaró. Na medida em que lhes era possível, bondes e ônibus eram retirados de circulação. Os ônibus, mais fáceis de manobrar, abrigavam-se nos refúgios mais próximos, inclusive garagens particulares e quartéis. Os bondes que conseguiam escapar recolhiam-se às garagens da Barra Funda, da Vila Mariana e do Brás. Às 14h30 não havia mais bonde nem ônibus em circulação. Ao cair da tarde apareceram caminhões para suprir a ausência de transporte à população que voltava para casa.

O saldo da jornada foram cinco pessoas internadas no Hospital das Clínicas em estado grave, mais de uma dezena de detidos e grande quantidade de veículos postos fora de combate. Segundo balanço da reportagem do *Estado*, dos quatrocentos bondes — quase toda a frota — de alguma forma danificados, 150 necessitavam de reparos que os obrigaria a parar por algum tempo. Cinco apresentavam-se totalmente queimados, o mesmo ocorrendo com quinze ônibus. A *Folha da Manhã* condenou, em artigo de fundo, as depredações de veículos "que afinal constituem patrimônio do próprio povo, que será o primeiro a sofrer as consequências do ato impensado", mas ressalvou como "sobremaneira inoportuna" a decisão de aumentar o preço das passagens, "porque tomada quando a CMTC não apresenta ainda melhoras sensíveis nos transportes que encampou".[18] No dia seguinte bondes e ônibus saíram às ruas com policiais armados a bordo. A paz voltou à cidade, mas a redução dos veículos em circulação fez com que os caminhões ainda se oferecessem como reforço ao transporte público.[19] A CMTC estreara de forma desastrosa na vida paulistana.[20]

O governador Adhemar de Barros atribuiu o quebra-quebra a "elementos reacionários" e a um "movimento subversivo" e assegurou que não haveria recuo no aumento da tarifa. Nem no Brasil nem no mundo, argumentou, as passagens eram tão baratas quanto em São Paulo. Entende-se o protagonismo do governador na crise. A Constituição de 1946 determinara que os prefeitos das capitais seriam nomeados pelos governadores. Tal dispositivo implicava que, à semelhança dos secretários de estado, tivessem status de auxiliares do chefe do Executivo estadual. São Paulo, por tanto tempo habituada ao mesmo prefeito, agora via-os sucederem-se velozmente. Neste momento, no lugar de Abrahão Ribeiro desde março, ocupava o posto o arquiteto Cristiano Stockler das Neves. Antes do fim do ano ele seria substituído por Paulo Lauro, que por sua vez daria lugar no ano seguinte a Milton Improta, o qual, menos de seis meses depois, seria rendido pelo general Asdrubal Euritysses da Cunha. A alta rotatividade decorria das conveniências políticas de Adhemar, envolvido na formação da maior máquina política que o Estado conheceu no período da Constituição de 1946, reunida sob o abrigo do Partido Social Progressista.

Adhemar e comunistas juntos, no comício do Anhangabaú, março de 1947 | Fotógrafo não identificado | Acervo Iconographia.

Fundado por Adhemar em 1946, o PSP reuniu clientelas que Adhemar cultivara ao tempo de interventor, setores da elite desconfortáveis com os nacionalmente dominantes PSD e UDN, e novatos que surgiam para a política com a democratização. Para a vitória de seu chefe na eleição de janeiro de 1947, porém, decisiva havia sido a aliança com os comunistas, então no auge do prestígio, impulsionado pela mística de Luís Carlos Prestes e pelo vitorioso desempenho da União Soviética na guerra. Na eleição parlamentar de 1945 o Partido Comunista Brasileiro havia elegido um senador — o próprio Prestes — e catorze deputados à Assembleia Constituinte. Agora a presença de

Prestes junto a Adhemar contribuía para engordar a massa de público no comício do Anhangabaú, às vésperas da eleição. Sobretudo, o apoio comunista, ao abrir ao candidato uma porta para os meios sindicais e populares, fez a diferença na vitória apertada (35,3% dos votos) sobre Hugo Borghi (30,5%), do Partido Trabalhista Nacional (dissidência do Partido Trabalhista Brasileiro fundado por Getúlio), Mário Tavares (25,9%), do PSD, e Antônio de Almeida Prado (8,3%), da UDN.[21]

A aliança entre Adhemar e Prestes fora fruto de uma barganha. A força eleitoral trouxera como contrapartida, para o PCB, a ação de adversários que, mal os comunistas esquentaram as cadeiras no Parlamento, desencadearam cerrada campanha pela cassação da legenda. Temia-se a volta à clandestinidade e, nesse clima, Prestes concordou em apoiar Adhemar em troca de o PSP acolher em sua legenda candidatos comunistas que dessa forma, confirmada a proscrição do PCB, poderiam continuar a agir à luz do dia. Como resultado elegeram-se pelo PSP, nas eleições complementares para o Congresso realizadas simultaneamente, três deputados comunistas — Pedro Pomar, Franklin de Almeida e Diógenes de Arruda Câmara — e um senador, Euclides Vieira.[22] O PCB foi proscrito em maio daquele mesmo ano de 1947. Os comunistas eleitos sob a capa do PSP puderam no entanto exercer seus mandatos até o fim, em 1950. Do lado do PSP, a contribuição mais duradoura da aliança com os comunistas foi a conotação popular que faltou a outros partidos, em São Paulo, para enfrentar as exigências do período de democracia de massas.

O PSP era Adhemar de Barros. No rastro de Getúlio, o período seria caracterizado pela forte personalização da política. Tanto o PSP era Adhemar que sua corrente política, em vez de "pessepismo", seria identificada para a eternidade como "ademarismo". O ademarismo não era nem conservador nem liberal, nem reacionário nem progressista, nem democrata nem autoritário. Era isso tudo junto, alternativa ou cumulativamente, conforme as circunstâncias. Entre suas marcas características alinhavam-se (1) grandes obras; (2) pouco caso com o equilíbrio das finanças; (3) relação paternalista com as massas; e (4) distribuição de favores e benesses em troca de apoios e fidelidades. Funcionava a serviço de cada um desses atributos o porte, grande de altura e de barriga, do personificador do ademarismo, um Falstaff tropical cuja figura abusada, na linguagem e na expressão corporal, mais distante impossível dos senhores de casaca da República Velha, era por isso mesmo popular e, para amplas fatias do eleitorado, sedutora. Perseguido durante toda a carreira por denúncias de corrupção, numa época em que se inaugurava o tiroteio de imprensa em torno da roubalheira dos políticos, identificava-se por outro lado como o fazedor, e em razão dessas duas inversas qualidades consagrou-se como o modelo original do clássico da política brasileira que é o "rouba mas faz".

Uma das grandes obras de Adhemar seria inaugurada no dia 25 de abril de 1947 — a via Anchieta.[23] O velho caminho do Mar, do tempo de Washington Luís, estreito, malconservado e pontilhado de curvas assassinas, havia muito não dava mais conta do movimento entre o planalto e o litoral. Para marcar a inauguração, o governador levou em ônibus especiais convidados até de outros estados para um programa do qual constaram o corte de fitas no Ipiranga, o descerramento de placa no alto da serra e, uma vez em Santos, almoço no parque Balneário, o maior e mais luxuoso hotel da cidade.[24] Para além de seus benefícios práticos, a nova estrada chegava impregnada de uma carga simbólica. Vencer a Serra do Mar, desde que os jesuítas a escalavam agarrados aos cipós, macerando as mãos e os pés, era um desafio que se confundia com a história de São Paulo. Depois da velha calçada do Lorena, do século XVIII, da estrada de ferro, no século XIX, e de outras iniciativas, a via Anchieta, alardeada para variar como "a mais moderna estrada da América do Sul", vinha atualizar, com os recursos da época, a resposta às urgências de sempre. Tal qual o prédio do Banespa, a obra tinha se iniciado no período em que Adhemar era interventor e, depois de muitos anos e muitos milhões de cruzeiros (como sabemos, outro clássico da política brasileira), era inaugurada em sua encarnação de governador. Na verdade, o que se inaugurava era uma só das duas pistas projetadas, mas inaugurar pela metade, ou até menos do que isso, constituíra-se desde sempre ainda outro dos clássicos brasileiros com que nestes simples parágrafos vamos nos deparando. A Anchieta, assim como a via Anhanguera, até Campinas, que se construía no mesmo período, conheceu inaugurações anteriores, pequeno trecho a pequeno trecho. Em dezembro de 1943, com

Fernando Costa interventor, e até com a presença de Getúlio Vargas, havia se dado a inauguração do primeiro trecho da Anchieta. Na ocasião, com entusiasmo que superava o senso de medida, a *Folha da Manhã* chegou a afirmar que ir de São Paulo a Santos acabaria por ser mais rápido do que, no Rio, ir da Tijuca a Copacabana.[25]

Em dezembro de 1949 Adhemar inaugurou mais uma de suas obras: o viaduto do Gasômetro, que eliminava uma das porteiras do Brás e com isso desfazia um dos maiores e mais exasperantes pontos de congestionamentos da cidade. O ato inaugural foi à maneira barulhenta, espetaculosa e bufa do governador. Acomodou o corpanzil a bordo de um jipe e, ao volante, tendo ao lado a mulher, Leonor, investiu contra um simulacro da velha porteira, estraçalhando-lhe as estruturas, derrubando-o com estrondo e reduzindo-o a ruínas.[26]

O prédio do Banespa coroava outro fenômeno daqueles anos — a acelerada verticalização da cidade. O centro novo já se apresentava coalhado de prédios. Com epicentro na Barão de Itapetininga, a grande maioria, como no centro velho, era de uso comercial. Abrigavam nos andares superiores escritórios de engenharia, imobiliárias e, sobretudo, constituíam o território de eleição dos consultórios de médicos e dentistas. Médico ou dentista que aspirasse a algum prestígio tinha que ter consultório no Centro. Os poucos que atendiam nos bairros seriam considerados profissionais de segunda linha. Já nas bordas do quadrilátero entre o parque do Anhangabaú e as avenidas São João, Ipiranga e São Luís, despontavam edifícios residenciais, como o nosso já conhecido edifício Esther, na praça da República, onde morava Di Cavalcanti. Artistas e intelectuais aderiram à moda de morar em apartamento antes da classe média convencional. O casal de escritores José Geraldo Vieira e Maria de Lourdes Teixeira morava na rua Xavier de Toledo. O pintor Clóvis Graciano na avenida Ipiranga.[27] A avenida São Luís, antes ladeada de nobres casarões, ganhou seu primeiro prédio em 1945. Na década seguinte, iria se firmar como sede dos maiores e mais elegantes apartamentos da área central.

Na história dos prédios residenciais em São Paulo, a avenida São João desempenha outro de seus importantes papéis. Nela eles foram surgindo já em meados da década de 1920, primeiro junto ao Centro, em meio aos de uso comercial, e nas décadas seguintes avançando ao longo da avenida, rumo ao trecho em que já cortava os bairros de Santa Cecília, Campos Elíseos e Barra Funda. Junto ao Centro eram prédios ainda baixos, de seis andares, à moda europeia, e tinham a característica de conterem apartamentos para alugar. Os proprietários, como conta o arquiteto e historiador da cidade Carlos Lemos, provinham da elite cafeeira, que com eles pretendiam "garantir às famílias quatrocentonas entressafras, aposentadorias e viuvezes confortáveis". O produto dos aluguéis, não só em apartamentos mas sobretudo em casas, proporcionava naquele tempo, escreve o mesmo autor, "rendimento ótimo, talvez o melhor deles, muito melhor do que as ações, como as da Paulista, a estrada de ferro querida de todos".[28] A alta lucratividade dos imóveis para locação durou até a promulgação pelo Estado Novo, em 1942, da Lei do Inquilinato, que, ao congelar os aluguéis, virou o jogo em favor do inquilino. A partir daí construir para aluguel tornou-se mau negócio. Nos empreendimentos em prédios, o predomínio passou a ser das vendas de apartamentos, no quadro dessa grande novidade que era o sistema de condomínio.[29]

Os moradores dos pioneiros prédios de aluguel eram pessoas de baixa renda. O lugar em que Jorge d'Alvelos, personagem de *A estrela de absinto*, de Oswald de Andrade, morava na avenida São João, nem era chamado prédio de apartamentos, era prédio "de cômodos".[30] Num segundo momento, com a intenção de atrair os extratos superiores e vencer suas reservas contra a habitação coletiva, os empreendedores caprichavam para fazer os apartamentos parecer-se o mais possível com casas. Salas grandes e múltiplos dormitórios constituíam parte da receita, mas mais decisiva ainda foi a invenção do elevador de serviço, com as respectivas entrada de serviço e área de serviço — algo desconhecido na Europa e nos Estados Unidos.[31] Com isso somava-se a vantagem de ter a criadagem por perto com a de mantê-la atrás de barreiras que as separavam dos patrões. Uma prática surgida séculos atrás, nas senzalas, depois reencarnada nas habitações dos empregados nos fundos das casas ou destacadas em edículas, sempre que possível com entrada independente, agora tomava o elevador para instalar-se nas alturas.

A verticalização aos poucos ensaiou a invasão dos bairros mais afastados. Fez presença na Vila Buarque, na Bela Vista, em Santa Cecília e em Cerqueira César. Despontou ao longo de avenidas e ruas como Rangel Pestana, Liberdade e Domingos de Morais. Suprema audácia, em 1933 surgiu na rua Alagoas, a um passo da esquina com a avenida Angélica, o primeiro prédio de Higienópolis. O bastião dos casarões da elite cafeeira sofria, com o "Condomínio Edifício Alagoas", de sete andares, o primeiro golpe. Dois anos depois erguia-se na rua Piauí, esquina da Angélica, com frente para a praça Buenos Aires, o edifício Santo André — empreendimento da firma Matarazzo e Pilon, dos sócios Francisco Matarazzo Neto e Jacques Pilon, o arquiteto que projetaria a Biblioteca Municipal. A invasão de Higienópolis era resultado de fogo amigo: moradores ou proprietários de antigos casarões buscavam nova destinação para seus terrenos, às vezes para uso da própria família, alocada nos diversos andares à medida que se multiplicava, à velha maneira patriarcal. Foi o caso do terceiro prédio do bairro, pegado ao Santo André, e primeiro com face para a avenida Angélica — o edifício "Augusto Barreto", nome do fazendeiro de Mococa que, junto com os filhos, construiu-o em terrenos onde antes mantinha duas casas, e nele abrigou toda a numerosa família. Na avenida Higienópolis o primeiro prédio foi o D. Pedro II, de 1938, um baixinho de dois andares, fora o térreo. Edificou-o a família de Carlos Leôncio Magalhães, o Nhonhô Magalhães, antigo dono da maior fazenda do estado, a Fazenda Cambuhy, na região de Araraquara. O prédio ficava ao lado do suntuoso palacete da família, na esquina de Higienópolis com rua Albuquerque Lins.[32]

Na década de 1940, fruto do falecimento de antigos proprietários, da fuga para os novos bairros-jardins ou do desejo de multiplicar os ganhos, a tendência se acentuou — e prédios de marca fizeram sua estreia na paisagem. Em 1944 surgiu na avenida Higienópolis o edifício Prudência, com projeto de Rino Levi, em parceria com Roberto Cerqueira César. Iniciativa da empresa Prudência e Capitalização, foi o primeiro prédio da cidade destinado aos muito ricos. Tinha jardins de Burle Marx e imensa área, capaz de abrigar quatro apartamentos de quatrocentos metros quadrados em cada um dos doze andares. Em 1946 inaugurou-se na esquina da praça Vilaboim com a rua Piauí o edifício Louveira, assinado por aquele que viria a se tornar outro grande nome da arquitetura paulista, João Batista Villanova Artigas, em parceria com Carlos Cascaldi. Constituído por dois blocos, unidos por rampas que atravessavam o jardim de permeio, o Louveira era um empreendimento de Alfredo Mesquita, o caçula dos filhos de Júlio Mesquita, do jornal O *Estado de S. Paulo*, e foi batizado com o nome do município do interior onde ficava a fazenda da família.[33] Rino Levi tinha 43 anos e um nome consolidado quando desenhou o Prudência. Na bagagem já exibia, entre os edifícios residenciais, o Columbus, de linhas modernistas, situado na avenida Brigadeiro Luís Antônio, de 1933. Villanova Artigas tinha 31 anos e vivia a "agonia do autor em ebulição", segundo um crítico, quando concebeu o Louveira.[34] Os dois edifícios entrariam para a história da arquitetura na cidade.

Ao final da década de 1940 os prédios de Higienópolis ainda se erguiam esparsos sobre a maioria de casas e não tinham mais que doze andares, mas já estava escrito nas estrelas que constituíam o destino do bairro. A inexorável marcha dos arranha-céus subia a Angélica e se preparava para dar o bote na maior das presas — a avenida Paulista. Desde 1941 estava plantado na esquina da Paulista com a Consolação o edifício Anchieta, desenhado pelo escritório carioca dos irmãos MMM Roberto, autores, na então capital federal, do aeroporto Santos Dumont. Agora, na virada para a década de 1950, construía-se na esquina da Brigadeiro Luís Antônio o edifício Nações Unidas, projeto do também carioca Abelardo Riedy de Souza. A Paulista seria conquistada pelas esquinas. Na mais preciosa delas, a esquina com a Augusta, no início dos anos 1950, os herdeiros de Horácio Sabino, recentemente falecido, venderam ao empresário argentino José Tjurs a magnífica mansão da família e com ela o terreno, mais magnífico ainda, que cobria todo um quarteirão. Ali seria edificado o Conjunto Nacional. Sorte, neste caso, que um magnífico projeto, como era o da casa de Sabino, projetada por Victor Dubugras, daria lugar a outro magnífico projeto, este do jovem arquiteto David Libeskind. A avenida Paulista estava mesmo se tornando central demais, e estratégica demais, para permanecer o exclusivo território das mansões. Faltava a São Paulo, que já tinha um arremedo de Empire State Bulding e um arremedo de Broadway, ganhar um arremedo de Quinta Avenida. É o que ocorreria a partir da década de 1950.

XXV.
A CIRANDA DA MULTIPLICAÇÃO DAS ARTES

O centro da cidade foi palco de uma passeata de pessoal de teatro e circo em 1946. "Há cem cinemas em São Paulo e um só teatro", dizia um dos cartazes dos manifestantes. "São Paulo quer terrenos para serem instalados circos", dizia outro. Era época em que o circo ainda desfrutava de prestígio que transcendia as crianças e as classes sociais. Primeiro no largo do Paiçandu, agora na praça Marechal Deodoro, o palhaço Piolim, queridinho dos modernistas, gozava do privilégio de ter endereço fixo, mas era um caso único. Outros cartazes: "Para cada cinema derrubam dois teatros", "O Colombo, construído para ser teatro pela prefeitura, funciona como cinema". A comediante Dercy Gonçalves participou da passeata.[1] Havia exagero em afirmar que havia apenas um teatro na cidade. Havia três (300% a mais): o Municipal, o Santana e o Boa Vista. Considerando-se no entanto que o Municipal era dedicado à música, só raramente abrindo exceção para outro tipo de espetáculo, e que o Boa Vista estava marcado para morrer — seria demolido no ano seguinte —, voltamos ao lamentável total de um. E considerando-se que o Santana era especializado no então muito apreciado teatro de revista, em que se intercalavam números musicais com quadros de humor, a soma para outro tipo de teatro resultaria em zero.[2]

Faltava teatro e faltava escola de teatro. Faltavam museus. São Paulo carecia gritantemente dos equipamentos culturais cuja ausência igualava uma metrópole a um grandalhão sem modos. É nesse quadro que, nos últimos anos da década de 1940, por obra de um reduzido punhado de beneméritos, ricos todos, ricaço um deles, assessorados por um atuante grupo de intelectuais, a cidade vai ganhar instituições que representariam uma promoção em seu status. Bem contados, são cinco tais beneméritos, não mais que cinco, e representativos de a quantas andava o balanço das fortunas, naquele momento da história paulista — os italianos, ou ítalo-brasileiros, Francisco Matarazzo Sobrinho e Franco Zampari, de fortuna sólida um, ascendente o outro; os quatrocentões Alfredo Mesquita e Yolanda Penteado, de fortuna declinante ambos; e o paraibano Francisco de Assis Chateaubriand Bandeira de Melo, de fortuna oscilante sempre. Eram todos ligados entre si, frequentadores dos mesmos círculos, concorrentes em algumas ocasiões, parceiros noutras. Unindo os pontos que os conectavam, descreve-se uma ciranda:

O gentil-homem Alfredo era muito amigo de Yolanda, e não podia ser diferente, ela que igualmente vinha de antigas raízes, e entre outros galardões ostentava a glória de ser sobrinha da veneranda Olívia Guedes Penteado;

Yolanda mantinha o nariz empinado próprio da estirpe mas isso não lhe impediu a amizade com o baixinho, moreno e arrivista Chateaubriand;

Chateaubriand prezava a amizade, mas queria era casar com Yolanda;

Yolanda gostava muito do divertido Chatô, que a cobria de elogios em seus jornais, mas para casar ela preferiu o poderoso Ciccillo, como Matarazzo Sobrinho era conhecido;

Ciccillo nasceu rico e mais rico ainda se fez, sobranceiro e único, mas sem dispensar colaboradores fiéis como Franco Zampari;

Zampari tinha seus próprios projetos e por eles esbateu-se até o limite, mas sem negar ajuda a projetos como os de Alfredo Mesquita.

Desse grupo, movido a vaidade, altruísmo, colaboração, rivalidade, inteligência, energia e dinheiro, nasceriam a Escola de Arte Dramática, o Teatro Brasileiro de Comédia, o Museu de Arte de São Paulo, o Museu de Arte Moderna, a Bienal de São Paulo e a

Companhia Cinematográfica Vera Cruz. Em sequência à agitação modernista dos anos 1920 e da fundação da USP, nos anos 1930, dava-se outro passo para sacudir com um choque de cultura a cidade caipira de outros tempos, e a cidade ainda provinciana, em muitos aspectos, dos tempos que corriam.

Nas origens o teatro em São Paulo tem uma vertente popular, surgida nos meios imigrantes, anterior à vertente voltada para as classes média e rica. A essa vertente popular pertence o teatro que os anarquistas utilizavam como instrumento pedagógico, conforme vimos no capítulo sobre as primeiras lutas trabalhistas na cidade. Teatro voltado para o outro público só existia o trazido por companhias do exterior, as francesas em especial, ou do Rio de Janeiro. Para quebrar tal sina a primeira figura a destacar é a de Alfredo Mesquita, o caçula dos doze filhos do patriarca Júlio de Mesquita, d'*O Estado de S. Paulo*, e irmão do Júlio Filho e do Francisco naquele momento à testa do jornal. Alfredo Mesquita, nascido em 1907, tomou gosto pelo teatro, segundo um próximo amigo e colaborador, à época em que o teatro "se apresentava como supremo ideal artístico da alta sociedade, não dispensando, por parte das espectadoras, além do leque e do binóculo, as rendas, os perfumes, as joias caras".[3] Teatro era para grã-finos, e grã-fino era Alfredo, que como tal flanou pelos teatros do mundo, os de Paris (claro) em primeiro lugar, até chegar à conclusão, em 1940, de que, tendo chegado à idade de Cristo, precisava fazer alguma coisa.[4] No ano seguinte fez duas: uma livraria e uma revista. O ano de 1940 foi também o da intervenção no *Estado de S. Paulo*, arrancado das mãos dos Mesquita pela ditadura. Com isso secou a renda que, embora não trabalhasse no jornal, sobrava também para ele. A Livraria Jaraguá, aberta na rua Marconi, fez mais do que ajudar a suprir-lhe a subsistência: marcou época na cidade. Aos fundos tinha um salão de chá, e tanto quanto vender livros, ou mais do que vender livros, notabilizou-se como ponto de encontro de duas tribos que não é incomum se abrigarem sob o mesmo teto — a dos intelectuais e a dos grã-finos.

Na famosa reportagem sobre os grã-finos de São Paulo, Joel Silveira dedicou vários parágrafos à Jaraguá, concluindo ser ela "apenas mais um ponto de reunião do grã-finismo, um ponto onde Fifi marca encontro com Lelé para falar mal de Zuzu".[5] Maldade. Na época (1943) era onde Mário de Andrade passava todo fim de tarde, ao deixar a sala emprestada pelo Serviço do Patrimônio Histórico, na mesma rua, de onde dirigia o Departamento de Cultura.[6]

A revista nasceu da amizade de Alfredo Mesquita com um grupo mais jovem, com origem na Faculdade de Filosofia, onde alguns ainda estudavam, e no qual, além do nosso já conhecido Antonio Candido, destacavam-se Décio de Almeida Prado, Paulo Emílio Sales Gomes, Lourival Gomes Machado, Rui Coelho e outros futuros expoentes da crítica, do ensaísmo, da filosofia e das ciências sociais brasileiras. Alfredo conheceu-os na Confeitaria Vienense, onde costumavam se encontrar; e decidiu fundar a revista, batizada de *Clima*, para dar-lhes um veículo a suas ideias. Antonio Candido cuidaria da literatura na nova publicação, Décio de Almeida Prado de teatro, Paulo Emílio Sales Gomes de cinema e Lourival Gomes Machado de artes plásticas — especialidades que lhes marcariam a carreira, dali para a frente. Tudo era precário e artesanal — a redação funcionou primeiro na casa de Lourival, na rua Caetés, nas Perdizes, e em seguida na de Décio, na rua Itambé, em Higienópolis. As boas relações de Alfredo facilitaram a captação de anúncios da Caixa Econômica Estadual, do Biotônico Fontoura e do Mappin, entre outras empresas caridosas — mas dinheiro ele não punha, mesmo porque não o tinha, de sobra. O que era garantida era a seriedade e a consistência dos textos, tão sérios e tão consistentes que Oswald de Andrade deu ao grupo o apelido de "chatoboys". Tal qual a Livraria Jaraguá, a revista *Clima* entraria para a história cultural da cidade.[7]

Em 1943 foi encenada no Theatro Municipal, em francês, a peça *À quoi rêvent les jeunes filles*, de Alfred de Musset. Era a estreia de outra iniciativa de Alfredo — o Grupo de Teatro Experimental. Entre as integrantes do elenco sobressaíam moças que haviam aprendido francês no Sion ou no Des Oiseaux. O ponto, obrigatório no teatro da época, exercido de dentro de uma caixa à beira do palco por uma pessoa que ia acompanhando o texto e ajudava os atores em casos de pane de memória, esteve sob a responsabilidade de Antonio Candido.[8] Alfredo tinha experiência anterior na montagem de espetáculos que misturavam texto com canto e dança e nos quais os atores eram seus colegas de grã-finagem. Agora a ambição era maior — sem abrir mão da colaboração dos grã-finos, a intenção era criar uma companhia estável. Nos anos seguintes, agora em português, seriam encenados clássicos de Shakespeare e Molière, jovens autores estrangeiros como Tennessee Williams e jovens nacionais como o futuro político carioca Carlos Lacerda, além de textos do próprio Alfredo Mesquita. Entre os atores havia gente da família, como o sobrinho Ruy Mesquita, que um dia seria diretor de O Estado de S. Paulo, mas também gente que faria o nome no teatro, como Abílio Pereira de Almeida e uma jovem nascida na Itália chamada Nydia Licia Pincherle.[9]

No mesmo ano da criação do GTE de Alfredo Mesquita surgiu, a atestar que o anseio por um teatro de qualidade estava no ar, o Grupo Universitário de Teatro, iniciativa do chatoboy Décio de Almeida Prado. Criado com verba de um Fundo Universitário de Pesquisa existente na USP, o GUT recrutava os atores basicamente entre os estudantes das faculdades de Filosofia e de Direito, mas houve lugar também para uma moça de Pirassununga que, depois de experiências iniciais no Rio de Janeiro, ali engrenaria na carreira: Cacilda Becker.[10] O espetáculo inicial juntava três peças curtas, uma do clássico português Gil Vicente, outra do clássico brasileiro Martins Pena e a terceira de um jovem paulista, Mário Neme, e deu a tônica da preferência por autores de língua portuguesa. Entre as inovações do GUT estava o capricho nos cenários e figurinos, a cargo do pintor Clóvis Graciano.[11] A busca do apuro técnico caracterizava tanto o GUT como o GTE. Numa representação pelo GUT de *A farsa de Inês Pereira e do escudeiro*, de Gil Vicente, na casa do cônsul americano, um dos convidados estrangeiros comentou com Décio de Almeida Prado: "Esta São Paulo é engraçada: aqui são os amadores que representam teatro profissional, e os profissionais que fazem teatro de amadores".[12] Mas tudo exigia sacrifícios e improvisações. Os ensaios do GTE eram na Livraria Jaraguá, depois do expediente comercial.[13] Num certo período o teatro Boa Vista foi cedido, às segundas-feiras, dia de folga das companhias profissionais, para um rodízio entre o GUT e o GET, mas esse foi apenas um breve alívio no eterno problema da falta de uma sede para as encenações.[14]

As dificuldades tanto atormentaram Alfredo que ele escreveu um *Improviso*, inspirado em texto semelhante de Molière, simulando um ensaio em que o diretor dizia: "Vamos começar", e o assistente observava: "Faltam o galã, a terceira moça e o cômico". O diretor insistia: "Para não perder tempo, vamos começar com a dança". E o assistente: "Não pode, senhor. Faltam cinco pares". Dos presentes, um estava cansado porque trabalhara o dia inteiro; outro porque acabava de vir da aula. O *Improviso* foi apresentado antes da peça *A bailarina solta no mundo*, de Carlos Lacerda. Ao final o próprio Alfredo Mesquita subiu ao palco e, depois de expor as dificuldades, propôs uma lista de contribuições. Presente na plateia, o primeiro — e único — a assiná-la foi Franco Zampari.[15] É hora de fazer rodar a ciranda.

Franco Zampari era de uma modesta família de Nápoles e chegou ao Brasil em 1922, a convite de Francisco Matarazzo Sobrinho. Ambos nascidos em 1898, tinham sido colegas no curso de Engenharia, na Itália. Na época, Matarazzo Sobrinho ensaiava um voo empresarial solo, planejando adquirir de seu supertio, o conde Francisco Matarazzo, a Metal Graphica Aliberti, uma das muitas unidades do poderoso complexo industrial. A Aliberti, depois chamada Metalúrgica Matarazzo, passou para as mãos de Ciccillo em 1924 e, nela, Zampari viria a ser o braço direito do antigo colega. Os negócios foram bem, Zampari foi depressa ficando rico e tão bem se ajeitou na "nossa melhor sociedade", como diria Jerry, que se casou com uma quatrocentona, Débora Prado Marcondes.[16] Naquele dia em que assistiu ao *Improviso* de Alfredo Mesquita já era figurinha fácil nas plateias de teatro. Tinha até duas cadeiras, as de número 1 e 3 da fila C, permanentemente reservadas para ele e Débora no Theatro Municipal.[17] Aos domingos, além dos ricos, recebia também gente de teatro em sua casa da rua Guadalupe, no Jardim América, e, além dos aperitivos e dos almoços, não era raro que lhes proporcionasse também concertos de música ou canto.[18] O amor pelo teatro levou-o a arriscar a mão como dramaturgo: escreveu uma peça chamada *A mulher dos braços alçados* e a fez encenar, com elenco de amigos, numa tenda armada nos amplos jardins dos amigos Paulo e Sofia ("Fifi") Assunção. Não deu muito certo. Atores e plateia se conheciam todos, a plateia soltava piadas a cada ator que se apresentava, e tudo foi definitivamente por água abaixo quando Paulo Assunção, fazendo um dos principais papéis, teve um frouxo de riso do qual não conseguiu se livrar.[19]

Fazer teatro em domingueiras entre amigos fatalmente teria de acabar em brincadeira, mas Zampari falava sério quando um dia chamou Alfredo Mesquita e Décio de Almeida Prado à sua casa e consultou-os sobre a ideia de construir um teatro para a apresentação dos grupos amadores da cidade. O primeiro local que lhe ocorreu foi um terreno no Morumbi, que segundo algumas fontes era de sua propriedade e segundo outras de Ciccillo. Morumbi? Mas aquilo era uma selva, sertão bruto, não tinha nem estrada para levar até lá, estranhou Alfredo Mesquita. A hipótese Morumbi morreu, mas não o projeto. Em junho de 1948, perambulando pelo bairro do Bexiga, um moço que costumava fazer o ponto nas representações do GTE, Hélio Pereira de Queirós, encontrou um sobrado na rua Major Diogo que, imaginou, talvez servisse. O prédio já abrigara uma garagem e um laboratório. Zampari foi ao local e, com seu olhar de engenheiro, achou que servia sim. Enquanto isso vendia entre os amigos cotas de uma instituição que a princípio chamara de "Clube de Arte" mas que agora já fora rebatizada de "Teatro Brasileiro de Comédia".[20] Claro que o mais precioso desses amigos era Ciccillo, o trem pagador por trás da iniciativa de Zampari.

Em agosto o GTE de Alfredo Mesquita encena *À margem da vida*, de Tennessee Williams, no Theatro Municipal, com renda em benefício do TBC. A sigla era desconhecida. Ao vê-la impressa no programa, muitos imaginaram tratar-se de instituição de combate à tuberculose.[21] Enfim, reformado em tempo recorde, o pequeno teatro (365 lugares) da rua Major Diogo foi inaugurado no dia 11 de outubro de 1948, uma segunda-feira, com programa duplo: primeiro *La voix humaine*, monólogo de Jean Cocteau, apresentado no original pela francesa radicada no Brasil Henriette Morineau, e depois, pelo elenco do GTE, a peça *A mulher do próximo*, de Abílio Pereira de Almeida, que além de ator e diretor já se destacava como autor. *A mulher do próximo* tratava de um grupo de maridos infiéis que dividiam uma *garçonière*. Convidada para o principal papel feminino, Nydia Licia recusou. Acabara de arrumar um bom emprego nas lojas Clipper/A Exposição e os patrões poderiam considerar o papel impróprio para uma moça de família. O lugar ficou para Cacilda Becker.[22]

Dias antes da estreia, *O Estado de S. Paulo* publicou notícia em que saudava a iniciativa de "um grupo de particulares" de oferecer a São Paulo "um teatro de comédia quase perfeito no gênero: não muito grande — para que não se perca a comunicabilidade entre atores e público —, confortável, elegante e com um palco excelentemente equipado". Prosseguia o jornal: "É provável que mais tarde tenhamos que dividir a história do teatro amador em São Paulo em dois períodos: antes e depois do Teatro Brasileiro de Comédia. Antes, a instabilidade, as experiências, os primeiros passos tímidos. Depois, a estabilidade, o esforço continuado e ininterrupto, as realizações seguras de si mesmas".[23] A apreciação era perfeita, exceto pelo fato de que não era que o teatro amador entraria em nova fase, e sim que o teatro amador se transmudaria em profissional. O TBC entraria para a história como o marco zero do teatro profissional em São Paulo, mas note-se: no começo, era apenas uma casa de espetáculos, e o objetivo era abrigar os grupos amadores. Depois de alguns meses de revezamento de encenações do GTE e do GUT, já em 1949 os elencos dos dois grupos se fundiam num só, o do TBC, nome que além casa de espetáculo passou a designar uma companhia. Naquele ano um italiano formado na Academia de Arte Dramática de Roma, Adolfo Celi, foi trazido de Buenos Aires por Zampari para dirigir o grupo. Outros italianos viriam — Ruggero Jacobbi, Luciano Salce — e o TBC, tal qual a USP, fez-se pilotar por europeus em seus primeiros anos.[24]

* * *

O ano fabuloso para o teatro paulista (e de certa forma brasileiro) que foi o de 1948 se completaria com outra iniciativa de Alfredo Mesquita: a fundação da Escola de Arte Dramática (EAD). Tratava-se de uma consequência natural do Grupo de Teatro Experimental. À frente do GTE Alfredo Mesquita, com seu cabedal teórico e sua experiência de espectador na Europa, atuara de certa forma como professor. Em abril de 1948 a escola já tinha currículo estruturado, professores contratados, objetivos delineados e local provisório para funcionar. No dia 18 daquele mês *O Estado de S. Paulo* dava notícia da nova instituição. "O ator brasileiro ainda é um autodidata heroico, um improvisador mais ou menos feliz", dizia o texto. "Imaginem um músico que começasse por dar concertos sem jamais ter tido um professor, sem jamais ter sido obrigado a executar exercícios: essa é a situação do nosso ator."[25] Era o que agora a escola de Alfredo Mesquita se propunha a corrigir, com um quadro de professores em que despontavam dois chatoboys — Décio de Almeida Prado e Lourival Gomes Machado —, duas experientes profissionais de palco — a cantora Vera Janacopoulos e a bailarina e coreógrafa Chinita Ullmann — e uma jovem mas já aplaudida atriz — Cacilda Becker —, além do próprio Alfredo. As aulas seriam provisoriamente no Externato Elvira Brandão, na alameda Jaú — escola em que Alfredo estudara —, e foi lá, em simples carteiras de curso primário, que os professores examinaram os candidatos a integrar a primeira turma. Não se exigia deles nenhum diploma, só a idade mínima de dezesseis anos. O grã-fino Alfredo, elitista entre os elitistas, não queria elitismo na nova instituição. Os cursos seriam noturnos, para permitir que os alunos trabalhassem durante o dia. O teste de ingresso consistia na leitura de uma cena de peça de teatro e de um poema. Foi assim que nos anos seguintes puderam ingressar na escola o feirante Francisco Cuoco, o barbeiro Francisco Arisa e o auxiliar de alfaiate Leonardo Vilar, além de outros mais privilegiados, como o bancário e estudante de Direito Juca de Oliveira.[26]

Em outubro, quando ficou pronto o prédio do TBC, a EAD mudou para lá, a convite de Franco Zampari. Uniam-se sob o mesmo teto as duas instituições das quais nasceria o teatro profissional de São Paulo. A EAD instalou-se no segundo andar. A essa altura o nível de boa parte dos alunos impusera duas realidades. A primeira é que precisavam de reforço na escolaridade, razão pela qual se instituíram aulas de português e de francês. A segunda era que muitos chegavam com fome. Para matá-la, passou-se a servir uma sopa, ali mesmo, antes da aula. Alfredo mandava prepará-la em casa, na avenida Higienópolis, de onde era transportada à rua Major Diogo em enorme caldeirão. Servia-se também pão e, como sobremesa, doces da fazenda dos Mesquita, em Louveira.[27]

O paraibano Francisco de Assis Chateaubriand Bandeira de Melo, dito "Chatô", já era o Hearst brasileiro, o Cidadão Kane dos trópicos, dono de um império de jornais e rádios, quando, ao final da Segunda Guerra Mundial, teve mais uma de suas ideias grandiosas — implantar no Brasil um museu de arte digno dos existentes nos Estados Unidos e na Europa. Aliás, museu não; "galeria", ele dizia. Queria montar no país "uma das maiores galerias de arte do mundo".[28] O local óbvio para abrigá-la era o Rio de Janeiro, capital, maior cidade do país e a que mais recebia visitantes estrangeiros, e realmente foi o Rio de que primeiro se cogitou.[29] Logo Chatô mudou de ideia, por razão mais óbvia ainda: era em São Paulo que estava o dinheiro, e ele não fazia nada se não tivesse muita gente de dinheiro por perto, para, por bem ou por mal, ampará-lo em suas aventuras. Acresce que tinha em São Paulo até o lugar para abrigar a futura galeria: a nova sede paulistana dos Diários Associados, tinindo de nova, projeto do arquiteto Jacques Pilon, na rua Sete de Abril. Um andar estava reservado para recebê-la. Chatô também já havia comprado alguns quadros. E definira o método para adquirir mais, o mesmo usado tanto na construção do império jornalístico quanto em campanhas beneméritas, como "Dê asas à juventude", instituída para distribuir aviões a aeroclubes ao redor do país. Consistia tal método em empréstimos sem compromisso de ser saldados, e doações — se voluntárias melhor, senão por meio da ameaça de represálias na forma de notícias desfavoráveis nos jornais do grupo. Faltava apenas, e esse "apenas" era quase tudo, saber que quadros comprar, e onde. O acaso viria em seu socorro.

Tal acaso atendia pelo nome de Pietro Maria Bardi, crítico de arte e marchand italiano que, em novembro de 1946, montou no Rio de Janeiro uma Exposição de Pintura Italiana Antiga. Bardi pertenceu ao Partido Fascista e chegou a dirigir a Galeria d'Arte di Roma, financiada pelo Sindicato Nacional Fascista de Belas-Artes. Agora, aos 46 anos, era sócio-proprietário e presidente, em Roma, do Studio d'Arte Palma, instituição que, além de promover estudos científicos e restauro de obras de arte, comprava e vendia quadros.[30] Como os negócios não iam bem, na Itália devastada do pós-guerra, pôs 54 telas na mala e veio tentar vendê-las no Brasil — esta a razão da exposição montada no Rio. Chatô farejou naquele italiano alguém que poderia ajudá-lo e foi ao seu encontro. Depois de meia hora de conversa, com a impetuosidade habitual, conta o biógrafo Fernando Morais, fulminou o italiano com o convite que lhe mudaria a vida — o de ficar no Brasil e assumir a direção da galeria de arte que estava em vias de montar. Bardi viajava acompanhado da mulher, a jovem (32 anos) arquiteta Lina Bo, com quem acabara de se casar. Chateaubriand emendou que, sendo ela arquiteta, poderia se encarregar de projetar o espaço da galeria.[31] Quase tão louco quanto o futuro patrão, no dia seguinte Bardi vinha a São Paulo, para tomar pé da situação. Ia começar uma aventura em que, com Bardi a tiracolo, e o dinheiro dos outros, Chatô faria sucessivas expedições de caça aos tesouros artísticos do Velho Mundo.

O modus operandi obedecia a um padrão. Primeiro Chateaubriand levantava o dinheiro. Em seguida saía à caça. Na volta, recepcionava-se a nova aquisição, ou novas aquisições, com uma festa na casa de algum milionário. Na primeira dessas expedições o dinheiro veio dos fazendeiros Theolina de Andrade Junqueira (a "Sinhá Junqueira") e Geremia Lunardelli e do industrial Francisco ("Baby") Pignatari, e rendeu o extraordinário total de dois Tintorettos, um Botticelli, um Murillo, um Francesco Francia e um Magnasco. Para apresentar os recém-chegados à "sociedade paulista", como se fossem ilustres personalidades, a recepção foi no casarão da família Jafet na avenida Brasil.[32] Não demorou para que se espalhasse pelos meios do mercado de arte na Europa a fama do exótico brasileiro e seu amalucado escudeiro italiano, e eles nem precisavam mais procurar muito; as maravilhas lhes eram oferecidas, por ávidos vendedores. As festas foram se aprimorando e seu caráter diversificando-se. Podiam até ter um cunho oficial, como a realizada no edifício da reitoria da Universidade do Brasil, no Rio, com a presença do presidente Dutra, para a apresentação de um Ticiano, um Cranach e um Renoir. Ou podiam se revestir de cunho carnavalesco, como a que recepciou a *Bagneuse*, de Renoir. O local desta vez foi a residência de Yolanda Penteado, na rua Estados Unidos, e a produção coube à própria Yolanda, imbatível no gênero. Ocorreu-lhe armar um ambiente de Renoir para recepcionar Renoir. Para começar, trocou os móveis de casa, substituindo-os pelos da tia, dona Olívia Guedes Penteado, todos no estilo século XIX que foi o do artista francês. Para o jardim trouxe galhos de azáleas nos tons do pintor. Vestiu os barmen de compridos aventais brancos, amarrados na cintura, e aplicou-lhes grossos bigodões. E para culminar fantasiou o amigo Paulo Assunção, que já sabemos chegado a uma interpretação, de Renoir. A ele, com um discurso em francês, coube saudar os convidados.[33]

O Museu de Arte de São Paulo, como passou a ser chamado oficialmente, foi inaugurado no dia 2 de outubro de 1947, uma quinta-feira. O ambiente ainda se mostrava tão improvisado que o ministro da Educação, Clemente Mariani, representante do presidente Dutra, teve de galgar uma escada de pedreiro para alcançá-lo, no mezanino do prédio da Sete de Abril. Em compensação, o que estava guardado lá dentro valia 5 milhões de dólares da época, o dinheiro gasto em aquisições nos onze meses decorridos desde o primeiro encontro entre Chateaubriand e Bardi.[34] O museu ocupava uma área de mil metros quadrados, dividida em quatro ambientes: a sala da pinacoteca, a principal, na qual ficavam os quadros; a da história da arte, na qual reproduções fotográficas e textos expunham de forma didática, em painéis de vidro, a trajetória das artes plásticas através dos séculos; a das exposições temporárias; e o auditório.[35] Bardi, com seu cabedal de estudioso da arte e de museólogo, queria dar à instituição caráter que transcendesse a simples exposição de quadros; queria-a também um centro de pesquisa e de transmissão de conhecimento. Até preparou monitores para guiar as visitas, algo em que foi pioneiro no Brasil.[36]

Guilherme de Almeida discursa na inauguração do Masp, tendo Chateaubriand e Bardi às suas costas | Fotógrafo não identificado | Acervo Iconographia.

Sérgio Milliet, que escrevendo em O *Estado de S. Paulo* era o mais influente crítico de arte da época, considerou a inauguração do museu um acontecimento "importantíssimo", capaz de proporcionar a São Paulo "um posto único entre as cidades das repúblicas da América Central e do Sul, por oferecer ao público as mesmas possibilidades culturais dos maiores centros e das mais importantes capitais do mundo", e recomendou aos leitores que prestassem especial atenção às obras de El Greco, Botticelli, Perugino, Goya, Jacopo del Sellaio, Francia e

Tintoretto, entre os antigos, e Picasso, Utrillo, Monet, Severini, Chagall, Vlaminck e De Chirico, entre os modernos.[37] A enumeração comprova como era rica, já no ponto de largada, a coleção. As aquisições de Chateaubriand continuariam pelos anos seguintes. Em 1948 um pool de 22 doadores, entre pessoas físicas e jurídicas, comprou para o Masp o majestoso *Retrato do conde-duque de Olivares*, de Diego Velázquez. Seguiu-se a recepção, à altura da nobreza do quadro, com os convidados vestidos a rigor, de novo organizada por Yolanda Penteado.

Nascida em 1903 na Fazenda Empíreo, de propriedade de sua família, situada no município de Leme, Yolanda conhecera Chateaubriand numa noite histórica de 1919, no Municipal: a da encenação da peça O *contratador de diamantes*, de Afonso Arinos. Superprodução amadora na qual os atores eram a mocidade quatrocentona em flor, o espetáculo gravou-se na memória, entre outros, do menino Alfredo Mesquita, que o considerava um dos motivos de seu deslumbramento pelo teatro.[38] Yolanda, também ainda uma menina, fez uma pequena ponta, entre os dançarinos de um minueto. Chatô, na plateia como integrante de uma delegação vinda do Rio para a ocasião, encantou-se por ela. Na recepção que se seguiu, não desgrudou da jovem — e o que se seguiu é ponto de discordância entre os respectivos biógrafos. Segundo Fernando Morais, Chateaubriand pediu-a naquele dia mesmo em casamento. Ela tinha dezesseis anos; ele, 27. Segundo o biógrafo de Yolanda, Antônio Bivar, o pedido ocorreu meses depois, por carta. Seja como for, o pedido, sempre recusado, foi apenas o primeiro de uma série, segundo Fernando Morais.[39] Aos dezoito anos ela casou-se com Jaime Nogueira da Silva Teles. Treze anos depois, mulher independente, à frente de suas contemporâneas, separou-se dele. Já na maturidade viria a unir-se a Ciccillo Matarazzo, ela com 44 anos, ele com 49, por meio de um contrato firmado no México, uma vez que no Brasil não havia divórcio.[40]

Ciccillo é o maior dos mecenas da nossa lista. Único ricaço do grupo, desempenhou inclusive o papel de mecenas dos mecenas, como no apoio aos projetos de Franco Zampari. Era alto, calvo, cuidadoso na aparência, cultor dos paletós estilo jaquetão; usava bengala, não por algum problema de mobilidade, mas em respeito ao manual do perfeito cavalheiro do século XIX, e no bolsinho externo do paletó exibia, amarfanhado como só ele sabia fazê-lo, o obrigatório e fino lencinho. Apesar de nascido em São Paulo, falava com forte sotaque italiano, resquício dos dez anos passados na Itália, entre a infância e a juventude. Tinha estampa e gestos de chefe. Uma vez, ao vê-lo acomodar-se à mesa, um conviva atalhou: "O senhor devia ocupar a cabeceira". Respondeu: "Não se preocupe. A cabeceira é sempre onde estou".[41] Era filho de Andrea Matarazzo, também ele conde, sócio, irmão e vizinho, na avenida Paulista, do patriarca Francisco Matarazzo, e conservou-se solteiro, com muitos amores e muitas amantes, sucessivas ou simultâneas, até unir-se a Yolanda. Ciccillo pensava a essa altura em projetos que transcendiam o mundo financeiro e industrial. "Para entrar na história, é preciso fazer coisas que vão além do interesse pessoal", dizia.[42] Yolanda, tão interessada na promoção da cultura quanto ele, seria crucial para a empreitada que conduziria ao Museu de Arte Moderna e às bienais.

A ideia de um museu de arte moderna em São Paulo começa a sair do casulo em artigos de imprensa publicados no primeiro semestre de 1946. Num deles escreveu Sérgio Milliet: "Quando percorremos os boletins e catálogos dos organizadíssimos museus de arte moderna de várias cidades dos Estados Unidos, quando pensamos nos grandes museus da Europa e lembramos que alguns países da América do Sul também possuem coleções públicas, dá-nos grandes desconfortos sermos obrigados a reconhecer que no Brasil não existe sequer um pequeno museu".[43] A essa altura Milliet trocava cartas com um poderoso interlocutor — o magnata americano Nelson Rockefeller, tutor do Museu de Arte Moderna de Nova York, o MoMA. Rockefeller empenhava-se em espalhar pelo mundo a fórmula do museu, e dispunha-se a doar alguns trabalhos para instituição similar no Brasil.[44] Outro crítico de arte, Luís Martins, publicou uma "Carta aberta ao literato Abrahão Ribeiro" em que, começando por adular (ou, mais provavelmente, ironizar) supostos dotes literários do então prefeito da cidade, exortava-o a criar o museu e assim transformar São Paulo na "capital artística do Brasil". Luís Martins terminava com a desconcertante afirmação de que, apesar do apelo que fazia, e ao contrário do que ardentemente desejava, não acreditava "que esta maravilha" viesse a se realizar. Foi a deixa para que o prefeito, em resposta, declarasse sua estranheza diante de um apelo desde logo "julgado inócuo pelo próprio apelante". Abrahão Ribeiro acrescentou que "seja como literato ou artista, que não sou, seja como prefeito, que sou e brevemente deixarei de ser, jamais cogitaria de criar um museu de arte moderna, em São Paulo ou alhures". Para ele, se São Paulo já tinha a Pinacoteca do Estado e a Escola de Belas-Artes (fundada em 1926), prescindia de tal instituição.[45]

Em paralelo à correspondência entre Milliet e Rockefeller, Ciccillo também pensava em criar um museu de arte moderna, e vinha conversando a respeito com Arturo Profili, italiano que como Zampari trabalhava com ele na fábrica, e que era um devoto da arquitetura e das artes plásticas. Também trocava ideias com intelectuais como Lourival Gomes Machado, Quirino da Silva e Carlos Pinto Alves, além do próprio Sérgio Milliet. No princípio Ciccillo imaginou criar o museu com a coleção particular que vinha formando. No final de 1947 partiu para a Europa com Yolanda, numa viagem que poderia até ser considerada de lua de mel, de tão vizinha ao casamento, mas que tinha o propósito, menos festivo, de submetê-lo a tratamento do pulmão em Davos, na Suíça. Os sete meses que o casal passaria na Europa, com idas e vindas a Paris e Roma, foram de considerável impulso para a formação do museu. Contatos com o alemão Karl Nierendorf e o francês René Drouin, ambos reputados conhecedores e comerciantes de arte, o pintor italiano Alberto Magnelli e o crítico belga Léon Degand os ajudaram a começar a pôr de pé a instituição, atacando em duas frentes: uma, sair às compras; e duas, planejar a que viria a ser a exposição inaugural.[46]

O Museu de Arte Moderna (MAM) foi criado em julho de 1948, em documento endossado por Matarazzo e outros 67 signatários, entre empresários, intelectuais, artistas e arquitetos.[47] A essa altura as articulações de Ciccillo, de um lado, e de Rockefeller e Milliet, de outro, haviam convergido para o mesmo leito. O museu foi inaugurado no dia 8 de março de 1949, apenas um ano e cinco meses depois do Masp e — surpresa, para quem imaginava os dois projetos concorrentes, e talvez inimigos — no mesmo prédio da rua Sete de Abril, por cortesia de Chateaubriand. Na verdade eram concorrentes e não eram. Ciccillo e Chateaubriand mantinham as respectivas vaidades refreadas por uma convivência harmoniosa. Chatô, que tanto e tantas vezes atacara os outros Franciscos Matarazzos, pai e filho, poupava Ciccillo. "Você não é Matarazzo, é o Ciccillo", dizia.[48] Quanto à natureza das duas instituições, escreveu o escritor Geraldo Ferraz que "o MAM surgiu quase como antítese do Masp, mas na verdade como seu prolongamento, se não sectário, pelo menos diferenciador".[49] Para outro especialista, Paulo Mendes de Almeida, a convivência no mesmo prédio evidenciou o quanto as duas entidades se completavam. Se não se juntaram, perguntou, "não teria sido o malfadado 'signo da fofoca' que assim não permitiu?".[50]

A exposição inaugural do MAM, sob a curadoria do belga Léon Degand — que se tornaria também o primeiro diretor do museu —, chamou-se "Do figurativismo ao abstrato", e apesar do nome só constou de quadros abstratos, num total de 95, escolhidos na Europa por Degand. O museu era aberto a um quadro de associados, que pagavam mensalidades e com isso tinham acesso gratuito a suas atividades. Muito ativo, naquele mesmo ano de 1949 o MAM apresentou ainda exposições de Rouault, de Picasso e do painel Tiradentes, de Portinari, além da de seu próprio acervo, de que constavam obras de Picasso, Kandinsky, Dufy, Chagall, Magnelli, Miró, e dos brasileiros Di Cavalcanti, Anita Malfatti, Bonadei e Clóvis Graciano. No modelo do MoMA nova-iorquino, o foco nas artes plásticas era complementado por outras manifestações da arte moderna, notadamente o cinema. Da filmoteca do MAM originou-se a Cinemateca Brasileira.

A abertura dos dois museus inaugura um período de glória do centro novo, convertido em quadrilátero da cultura. Assistia-se a uma conferência na Biblioteca, depois a uma sessão de cinema no MAM, aproveitava-se para uma chegada ao Masp e dava-se uma passada na Livraria Jaraguá, gastando-se uns poucos passos de um lugar ao outro.[51] Logo o "Bar do Museu", instalado junto ao MAM, viria completar o circuito, reunindo, segundo Luís Martins, "pintores concretistas, abstratos e figurativistas, literatos de grande e pequena fama, jornalistas e cineastas, cavalheiros sem profissão definida e gente do café *society*, grã-fininhas e modelos, artistas e amigos da arte, jovens e velhos, habitués do uísque ou a rapaziada da cuba-libre".[52] Era um tempo de grandes descobertas mas também de grandes discussões, de convergências mas também de insanáveis divergências. O ambiente de ebulição era produto da democratização, no plano interno, e, no externo, da Guerra Fria que opunha Estados Unidos e União Soviética, capitalismo e comunismo, democracia e ditadura, internacionalismo e nacionalismo. As cisões se aprofundavam nos meios intelectuais e artísticos. Os comunistas fiéis à linha de Moscou, e eles não eram poucos, viam na arte abstrata propagada pelo MAM um produto do "decadentismo capitalista" e do "idealismo pequeno-burguês". Em conferência no Masp, Di Cavalcanti atribuiu o abstracionismo a "um subjetivismo cada vez mais hermético, que leva o artista ao desespero de uma solidão irreparável". Clóvis Graciano identificava-o como fruto de uma "frente intelectual e artística mundialmente organizada com o objetivo oculto de arrastar os artistas para jogos pueris e afastá-los da realidade social".[53] Ajudavam a pôr lenha na fogueira as relações do MAM com o MoMA e com Nelson Rockefeller.[54] Em linhas gerais, o abstracionismo seria de direita, capitalista, americanista e internacionalista, enquanto o figurativismo, além de esquerdista, socialista e nacionalista, seria soviético, na versão "realismo socialista".

Tal debate viria acentuar-se com a entrada em cena de um subproduto do MAM destinado a suplantá-lo em ambição e ressonância — a Bienal. A ideia de "um festival de artes nos moldes da Bienal de Veneza" já fora adiantada por um próximo colaborador de Ciccillo, Roberto de Paiva Meira, ainda antes da inauguração do MAM.[55] Ciccillo era um frequentador da Bienal de Veneza. Yolanda Penteado conta em suas memórias que um dia Ciccillo interrompeu uma conversa com Arturo Profili para perguntar, dirigindo-se a ela: "Você não quer fazer uma bienal?". Ciccillo explicou que já havia escrito a vários países, consultando-os sobre a possibilidade de participação num certame dessa natureza, sem obter resposta. "Você quer tentar?", indagou à esposa.[56] Yolanda foi à luta, na Europa, e com as graças sedutoras e o traquejo social que lhe eram característicos, desempenhou o papel principal na arregimentação dos vinte países que participariam da I Bienal do Museu de Arte Moderna. Para abrigar a exposição, improvisou-se um pavilhão num dos pontos mais cobiçados da avenida Paulista, o local onde existira o Trianon, outrora tão concorrido, e recentemente demolido, e onde alguns anos depois começaria a ser construída a sede definitiva do Masp.

Ciccillo (primeiro à esq.) e Yolanda Penteado (ao centro, de roupa clara) recepcionam Darcy Vargas, mulher de Getúlio (de roupa escura) na inauguração da primeira Bienal | Fotógrafo não identificado | Arquivo Histórico Wanda Svevo | Fundação Bienal de São Paulo.

A inauguração seria em outubro de 1951, mas ainda antes já se incendiavam os debates, e eles não opunham apenas direita e esquerda, ou uma suposta direita e uma suposta esquerda — mas também esquerda e esquerda. Para o arquiteto Villanova Artigas, a Bienal, com sua ênfase no abstracionismo, servia "o imperialismo americano" e punha-se "contra a libertação da nossa pátria desse polvo que nos suga". Já para Mário Pedrosa, pernambucano radicado no Rio, e um dos mais reputados críticos de arte do Brasil, a arte abstrata teria o mesmo caráter revolucionário do modernismo dos primeiros tempos. Os dois eram comunistas, mas de diferentes e inconciliáveis comunismos. Villanova Artigas seguia a "linha justa" do "guia genial dos povos" Ióssif Stálin; Mário Pedrosa integrava o trotskismo brasileiro, a ala arqui-inimiga de Stálin, criada pelo proscrito Liev Trótski. Pedrosa via em Artigas e similares manifestações do "stalinismo crioulo". Já o jornalista Fernando Pedreira, da linha de Moscou, acusava Pedrosa de tocar "o desgastado realejo trotskista".[57]

Num debate realizado no Clube dos Artistas e dos Amigos da Arte, "Clubinho" para os íntimos, em cuja sede da rua Rego Freitas, no mesmo prédio do Instituto dos Arquitetos do Brasil, reuniam-se artistas e intelectuais, as ideias foram substituídas por socos e cadeiradas. Havia poucos dias fora inaugurada a I Bienal e a sala estava repleta. Ciccillo Matarazzo fazia-se presente. O debate seria sobre as relações entre abstracionismo e figurativismo, mas o jovem artista plástico Luís Ventura, à abertura dos trabalhos, sugeriu a substituição do temário por outro: a Bienal, sua finalidade, sua contribuição à cultura nacional e a posição dos artistas diante dela. Seguiu-se acirrada disputa, metade dos presentes a favor da manutenção do temário, metade contra. Oswald de Andrade, integrante da mesa, era contra. Luís Ventura exaltou-se: "Isto aqui é uma palhaçada e a geração de 1951 não topa os métodos ditatoriais da geração de 1922". Oswald radicalizou: "Tem que ser este temário. Quem falar contra o temário, apanha". Começa o tumulto; empurrões, logo uma troca de socos, algumas cadeiradas, o locutor de rádio Gregorian a gritar: "Eu mato. Me larguem". "Por que o senhor teima em discutir?", pergunta Oswald a Ventura. "Por que não? Os senhores não fizeram um show em 22? O senhor mesmo não apareceu no Theatro Municipal com um fraque vermelho?" Oswald sobe ainda mais o tom: "Não admito piadas". Ventura: "O senhor é uma piada desde 1922". Mais socos e cadeiradas, até cansar e finalmente começar um debate que, sem deixar de abordar o abstracionismo, também incluiu a Bienal, a favor e contra.[58]

***

Com Ciccillo na retaguarda, Franco Zampari ainda criaria a Companhia Cinematográfica Vera Cruz, surgida em 1949 como rebento do TBC assim como a Bienal fora rebento do MAM. Os estúdios da empresa, erguidos no terreno em que Ciccillo mantivera uma granja, em São Bernardo do Campo, contavam com equipamento de última geração, e alguns filmes, como O *cangaceiro*, *Tico-tico no fubá*, *Sinhá Moça* e os estrelados pelo comediante Mazzaropi, fizeram sucesso. O projeto de uma Hollywood brasileira era porém grande demais e ambicioso demais. Tinha pela frente, entre outros óbices, a esmagadora máquina da verdadeira Hollywood. Era demais até para o ambicioso e audacioso Ciccillo e para a ambiciosa e audaciosa São Paulo daquele tempo. Tornada um incontrolável sorvedouro de dinheiro, a Vera Cruz fechou, apenas cinco anos e dezoito filmes depois de criada. Foi a mais efêmera das iniciativas culturais daqueles anos confiantes, em que a cidade ousou tornar-se maior pela força da arte e da cultura.

A presença dos ricos à frente das iniciativas culturais incomodava os artistas. No debate-sururu do Clubinho, ao ouvir os gritos de "Fora, fora", que lhe eram endereçados por "uma senhora loura", como a identificam os relatos, Luís Ventura retrucou: "Vim aqui como artista, não como grã-fino".[59] Desde 1922 a cultura em São Paulo teve grã-finos a bancá-la. Não raro, tratava-se de iniciativas para a fruição dos próprios grã-finos. O tempo encarregou-se de abri-las ao público, às vezes até para a contestação do mundo dos grã-finos. O Masp e a Bienal viraram instituições da cidade. Sérgio Milliet escreveu que com a Bienal São Paulo elevava-se "da pequena e provinciana cidade de trinta anos atrás à categoria de capital artística do país".[60] O MAM subdividiu-se em dois quando Ciccillo, por vários motivos, entre os quais os conflitos com os intelectuais seus colaboradores, doou o acervo à USP, nos anos 1960. Daí surgiria o MAC — Museu de Arte Contemporânea. A Escola de Arte Dramática de Alfredo Mesquita cumpriu gloriosa carreira, até ser incorporada pela Escola de Comunicações e Artes (ECA) da USP, em 1970. O TBC conheceu a decadência e a crise, em parte motivada pela saída de vários de seus quadros, para formar companhias próprias, e encerrou as atividades em meados da década de 1960. Foi a cellula mater de onde surgiram a companhia de Nydia Licia e de seu marido Sérgio Cardoso, a de Adolfo Celi, Tônia Carrero e Paulo Autran, a de Cacilda Becker e o Teatro de Arena. Vale dizer, do moderno teatro brasileiro.

XXVI.
Panorama 1950-1954 (com final feliz para os bandeirantes de Brecheret)

No dia 1º de julho de 1950, data em que saíram a campo os encarregados do sexto Recenseamento Geral do Brasil, a população da cidade de São Paulo era de 2 198 096 pessoas. O crescimento fora de 65% com relação aos 1 326 261 do recenseamento de 1940. No Brasil a população era de 51 944 397 habitantes, 28% a mais que os 41 236 315 de 1940, e no estado de São Paulo de 9 134 423, 27% a mais do que os 7 180 316 anteriores.[1] O estado de São Paulo, o mais populoso da federação, abrigava 17,6% da população brasileira. A porcentagem da população da capital em relação ao total do estado, que era de 12,5% em 1920, e 18,5% em 1940, crescia para 24%. São Paulo estava a um passo de alcançar o Rio de Janeiro, ainda a maior cidade do país, com 2 377 451 habitantes. Era um tempo em que crescimento populacional causava ufanismo; mesmo os especialistas, como o geógrafo J. R. de Araújo Filho, qualificavam o fenômeno como "admirável". Araújo Filho assinala que de 1900, quando contava 240 mil habitantes, a 1950, a cidade se multiplicara por nove.[2] Na distribuição por idade, os paulistanos se concentravam mais fortemente na faixa entre vinte e 29 anos — 487 426 habitantes, ou 22,5% do total; entre 0 e 39 anos somavam 1 685 825, ou 76%.[3] Acima de sessenta, como Oswald de Andrade, que completou seus sessenta em janeiro daquele ano, eram apenas 113 401. Acima dos setenta, como Charles Miller, o introdutor do futebol no

Brasil, que em junho completara 76, eram escassos 36 633 (1,5%). E acima dos oitenta, como o ex-presidente Washington Luís, que completaria 81 em outubro, e desde a volta do longo exílio, em 1947, morava numa casa da rua Haddock Lobo, eram escassíssimos 8339.

Os que se diziam brancos continuavam ampla maioria (1 921 410, ou 87%), assim como os que se diziam católicos (1 937 175, 88%). Os pretos eram 8%, os pardos 2,5% e os amarelos 2%. Os que declaravam saber ler e escrever somavam 1 550 631, ou 70%, índice melhor do que os 50% de 1940. E quanto à nacionalidade 1 881 362 (85,5%) eram brasileiros natos, 16 159 (0,7%) naturalizados e 300 430 (13%) estrangeiros.[4] A presença estrangeira continuava em queda (fora de 35% em 1920 e de 20% em 1940), mas ainda muito maior do que no Brasil como um todo, onde era de 2%. Entre os estrangeiros, como em 1940, os portugueses continuavam os mais numerosos (81 mil), seguidos dos italianos (66 mil).[5] Os "amarelos" detectados pelo censo — japoneses e seus descendentes — eram já bem mais do que em 1940 — 41 457 contra 14 074. O citado Araújo Júnior observa que, "cessada a influência de um mal orientado imperialismo", os japoneses vinham conhecendo um processo de assimilação. "Embora com certo escândalo dos mais velhos, ainda aferrados aos costumes e às tradições do Japão", escreve, "percebe-se que os nisseis, em sua maioria, adotam hoje os costumes que caracterizam a nossa população (inclusive os maus hábitos...), tornando-se brasileiros e paulistas, como outros quaisquer, na maneira de vestir, nos alimentos preferidos, no gosto pelos bailes (onde o samba domina) e noutras muitas particularidades".[6] No tocante às profissões, os paulistanos que trabalhavam na indústria formavam uma massa de 420 071 pessoas (228 365 em 1940), contra 193 387 alocados nos serviços (68 108 classificados em 1940 na rubrica "serviços/atividades sociais") e 122 429 no comércio (85 122 em 1940).[7]

A área do município de São Paulo somava 1570 quilômetros quadrados. Ao núcleo considerado central, ocupando 933,9 quilômetros quadrados, acrescentavam-se seis distritos: Guaianazes, Itaquera, São Miguel Paulista, Parelheiros, Jaraguá e Perus. O núcleo central, por sua vez, subdividia-se em quarenta subdistritos, do Tucuruvi ao norte, à Capela do Socorro ao sul, do Tatuapé, Vila Prudente e Vila Matilde, a leste, a Osasco (ainda integrado à cidade) a oeste. Os subdistritos mais populosos eram Bela Vista (17560), Brás (17470), Liberdade (16720) e Santa Ifigênia (15746). A concentração nesses bairros explicava-se, segundo o autor que viemos citando, pela "massa compacta do casario de tipo modesto, os cortiços e casas de cômodo, o número elevado de habitações com porões mais ou menos habitáveis (embora fortemente ocupados), a par de numerosos prédios de apartamentos, de hotéis e de pensões". A densidade demográfica atingia o alto índice de 17560 habitantes por quilômetro quadrado na Bela Vista e 17470 no Brás. Com densidade média apresentavam-se Perdizes (7910) e Jardim Paulista (7465), e com baixa densidade Osasco (682), Butantã (592), Pirituba (504) e Santo Amaro (431).[8]

Os prédios licenciados na cidade em 1950, segundo o Anuário Estatístico do Estado de São Paulo, publicado pelo Departamento de Estatística do Estado, eram 360336.[9] Segundo a mesma publicação, 234980 contavam com abastecimento de água (65%) e 140267 (38%) eram servidos pela rede de esgoto.[10] O índice de mortalidade infantil situava-se em 88,5 para cada mil crianças de até 1 ano (dado de 1948), melhor do que os 123,98 por mil de 1940, mas ainda alto (nos Estados Unidos era de 24,1 por mil).[11] Existiam na cidade 5277 estabelecimentos industriais, sendo os principais as indústrias têxtil (17,9%), de vestuário (12,9%), metalúrgica (12,6%) e alimentícia (7,3%). As que mais empregavam eram as indústrias têxtil (30,9% do total de operários), metalúrgica (12,6%), vestuário (6,3%) e alimentícia (6,1%).[12] Enfim, para encerrar o desfile de números no mais agradável setor da cultura e do lazer, o campeoníssimo na preferência do público, entre os doze museus arrolados no Anuário, foi o do Ipiranga, com 272828 visitantes. O Masp teve uma boa marca — 80 mil —, bem superior à do MAM — 18 mil —, ficando a Pinacoteca do Estado, nesse período vivendo um sono profundo, com a marca raquítica de 3820 visitantes.[13] Os cinemas eram 119, nada menos do que isso, e os teatros sete — aos poucos, muito aos poucos, a passeata de 1946 ia produzindo efeitos.[14] O Anuário contou ainda 96 campos de futebol na cidade, 104 quadras de basquete, noventa quadras de tênis e 27 piscinas.[15]

Mil novecentos e cinquenta foi ano de eleições gerais, de Copa do Mundo de futebol no Brasil, e da chegada da televisão ao país. Na Copa do Mundo, a quarta da série e a primeira desde os doze anos de paralisação forçada pela guerra, a Seleção Brasileira realizou um único jogo em São Paulo, e o resultado foi um tropeço na caminhada rumo ao título — empate por dois a dois contra a fraca equipe da Suíça. Para aplacar a possível hostilidade dos paulistas, insatisfeitos com a predominância dos cariocas na equipe, o técnico Flávio Costa pusera em campo a "linha média" do São Paulo — Bauer, Rui e Noronha — e o corintiano Baltazar no ataque. Não funcionou, e a equipe foi vaiada pelos 50 mil espectadores no estádio do Pacaembu. "A comprovada incapacidade do técnico brasileiro compromete o prestígio do esporte nacional", foi o título com que O *Estado de S. Paulo* noticiou o resultado. Reinava, segundo o jornal, "a nítida impressão de que reina no futebol brasileiro a indisciplina, o desrespeito ao público, a mais absoluta falta de noção do dever para com a coletividade". Ao deixar o estádio Flávio Costa chegou a levar pontapés de um punhado de torcedores. Nas páginas do *Estado*, o mau humor com a Seleção misturava-se, para o bom entendedor, com o mau humor por outro evento daqueles dias — a sagração do ex-ditador Getúlio Vargas como candidato à presidência. Seguia o jornal: "Não tenham dúvida os leitores de que temos, ainda aqui, um dos reflexos da ditadura em que por tantos anos nos afundamos. [...] A irresponsabilidade que a ditadura erigiu como princípio de governo tudo invadiu, desde a política até o futebol".[16]

No dia 18 de setembro Chateaubriand inaugurou a TV Tupi de São Paulo, primeira emissora de televisão da América Latina. A magna empreitada seguiu o padrão Chatô de audácia, astúcia, improvisação e trapaça. Para relatá-la, nos apoiamos no precioso *Chatô, o rei do Brasil*, de Fernando Morais. Ao chegar, um mês antes, para prestar assistência técnica, o engenheiro americano Walther Obermüller espantou-se ao tomar conhecimento de que não havia no país um único aparelho receptor. Isso significava que a transmissão não teria um único espectador. Chateaubriand saiu a campo para dar um jeito.

Telefonou a um importador e encomendou-lhe duzentos televisores. O importador respondeu que, em virtude dos procedimentos burocráticos necessários, não havia como os aparelhos chegarem a tempo. "Então traga de contrabando", ordenou Chatô. A muamba chegou sem demora e uma das unidades foi encaminhada como um mimo — eis Chateaubriand em seu esplendor — ao presidente Dutra. Como nos quadros que entravam para o Masp, o governo nada viu, nada ouviu, e calado se aguentou. Para a inauguração os aparelhos foram instalados em lojas do Centro e no saguão dos Diários Associados. Os estúdios ficavam no Sumaré, junto dos das emissoras de rádio, e as antenas, uma lá mesmo, no alto do edifício, e outra no alto do edifício do Banespa, na praça Antônio Prado. A estreia seria marcada por um banquete nos salões do Jóquei Clube a autoridades, empresários e outros convidados; lá eles assistiriam ao milagre de imagens que viajavam pelo espaço até chegar a uma telinha acomodada numa caixa.

Dezenove horas em ponto, hora marcada para o início da programação — e nada. Dezenove e trinta — e nada. Nos estúdios reinava o pânico. Uma das três câmeras quebrara, e todo o evento, ao vivo como não podia deixar de ser, fora planejado para três câmeras. Obedeciam a esse pressuposto as marcações no chão, para o posicionamento dos apresentadores e artistas. De cinco em cinco minutos o secretário de Chateaubriand ligava para se inteirar do que ocorria. O engenheiro americano recomendava adiar a inauguração. Chatô ia esticando o evento no Jóquei com seguidos discursos, enquanto seu secretário subia o tom, ao telefone. Dizia que o patrão ia despedir todo mundo. O jovem radialista Cassiano Gabus Mendes, em oposição ao americano, queria entrar no ar com duas câmeras mesmo. O americano irritou-se e foi embora. Gabus Mendes ordenou ao pessoal que esquecesse o que se ensaiara e que passasse a obedecer ao que ele indicasse. Com uma hora e meia de atraso, o programa enfim foi ao ar — e, milagre ainda maior, sem erro que o comprometesse. Sucederam-se atrações como a cantora cubana Rayito de Sol e a orquestra de Georges Henri. Para encerrar, as cantoras Lolita Rodrigues e Wilma Bentivegna, substituindo Hebe Camargo, atacada de gripe, entoaram o *Hino à Televisão*, em que a chegada da TV ao Brasil era reivindicada, em versos tronchos, dos mais infelizes já perpetrados por Guilherme de Almeida, como mais uma glória para São Paulo:

> *Vingou, como tudo que vinga*
> *No teu chão, Piratininga,*
> *A cruz que Anchieta plantou;*
> *Pois dir-se-á que ela hoje acena*
> *Por uma altíssima antena*
> *Em que o Cruzeiro pousou.*
> *E te dá, num amuleto,*
> *O vermelho, o branco, preto*
> *Das contas do teu colar.*
> *E te mostra, num espelho,*
> *O preto, o branco e o vermelho*
> *Das penas do teu cocar.*[17]

Para 3 outubro de 1950 estavam programadas eleições para presidente, governadores, deputados e senadores. Getúlio Vargas já avisara, em famosa entrevista ao jornalista Samuel Wainer, em fevereiro do ano anterior: "Eu voltarei". Sua candidatura a presidente foi lançada com espetaculosidade pelo governador Adhemar de Barros, em junho de 1950, em ato realizado no fim da tarde nada menos do que no Monumento à Independência, no Ipiranga, e cercado de "aparato e suntuosidade jamais visto", segundo a *Folha da Manhã*. "O monumento estava feericamente iluminado", descreveu o jornal. "Vinte e uma bandeiras simbolizavam os estados da federação. Girândulas, flores, ciprestes e piras acesas enfeitavam o marco de cimento e bronze." Correu entre o público o rumor de que Getúlio apareceria de surpresa. Não apareceu. Adhemar, com um longo discurso, protagonizou sozinho o evento, encarapitado no monumento.[18] Para *O Estado de S. Paulo*, acerbo inimigo tanto de Adhemar quanto de Getúlio, "a farsa do Monumento do Ipiranga" foi uma volta aos "fatos da ditadura estadonovista, ou seja, aquelas grandes encenações demagógico-populares que eram os comícios pré-organizados pelo DIP do ditador Vargas, e a que funcionários públicos e operários eram 'convidados' a comparecer, em que os órgãos da administração pública eram postos a serviço da propaganda política e em que o número de policiais superava o de assistentes...".[19] No dia seguinte a candidatura de Getúlio Vargas seria homologada em convenção nacional do Partido Trabalhista Brasileiro.

A encenação do Ipiranga foi fruto de um acordo segundo o qual o governador de São Paulo deixava de lançar-se candidato à presidência e em troca o ex-ditador o apoiaria na eleição de 1955.[20] Getúlio venceu com expressivos 3,8 milhões de votos (48,73%), ficando em segundo, com 2,3 milhões (29,66%), o candidato da UDN — de novo, o brigadeiro Eduardo Gomes —, e em terceiro, com 1,7 milhão (21,49%), o candidato do PSD, o mineiro Cristiano Machado. No estado de São Paulo a vitória foi ainda mais expressiva. Getúlio ficou com 925 493 votos (61,5%) — e assim provou mais uma vez que era um campeão de votos no estado em que sofria a hostilidade da elite e em que até uma revolução se armara contra ele. O ex-ditador passara os anos de exílio do poder em sua Fazenda Itu, na São Borja natal, e ganhara o epíteto de "o solitário de Itu". Aparício Torelly, famoso humorista que escrevia sob o pseudônimo de barão de Itararé, previu que, para imitar Getúlio, Adhemar compraria um refúgio na paulista Itu: "O sr. Adhemar de Barros, nestes próximos anos, não pretende nada. Ele deseja apenas ficar conhecido no país inteiro como o 'solitário de Itu', substituindo assim o sr. G. G. Túlio Vargas, até que este deixe o governo da República. Nesse momento, o sr. Adhemar de Barros continuará não querendo nada, a não ser substituir o sr. G. G. Túlio Vargas. O sr. Adhemar de Barros está convencido de que, se ensaiar bem o seu papel de novo 'solitário de Itu', recebendo dezenas de políticos diariamente, mantendo um isolamento bem frequentado, então poderá inverter as situações".[21]

Para o governo do estado também foi eleito o candidato de Adhemar, o engenheiro e professor da Politécnica Lucas Nogueira Garcez, secretário de Viação e Obras Públicas no governo do padrinho. Nome de fora da política, Garcez fora escolhido como solução de compromisso entre as ambições dos vários profissionais do PSP.[22] Da perspectiva do que estava por vir, mais importante foi a eleição para deputado estadual de um tipo de aspecto entre o indigente e o caricato, cabeleira desgrenhada, ar desvairado, olhos e pernas divergentes entre si, chamado Jânio da Silva Quadros. Em 1947 ele fora eleito vereador. Agora galgava mais um degrau. Estava chegando sua hora.

O ano de 1950 terminou com as atenções do mundo voltadas para a Coreia. A guerra já havia seis meses em curso entre as metades norte e sul do país era o ponto mais incandescente da disputa entre comunismo e capitalismo, com o envolvimento direto da China, de um lado, e dos Estados Unidos de outro. Ali perto a França lutava para conservar o Vietnã contra a insurreição nacionalista; a derrota significaria, além de perder a colônia, perdê-la para o comunismo. Mas o coração da Guerra Fria, num mundo assustado com o risco de a qualquer momento vê-la converter-se em guerra nuclear, situava-se na Europa, mais especificamente na Berlim dividida. O balanço de fim de ano calculava em 60 mil os alemães do leste comunista que, de janeiro a dezembro, asilaram-se na parte oeste da cidade; no ano anterior, haviam sido 70 mil.[23] No Brasil, às vésperas de entregar o cargo, o presidente Dutra anunciava para o dia 19 de janeiro a inauguração de sua mais importante obra — a nova estrada Rio-São Paulo, desde já batizada com seu nome. Com 405 quilômetros, a Via Dutra tinha cem a menos do que a ultrapassada estrada dos anos 1920, na maior parte de terra e cheia de curvas. Anunciava-se que a viagem poderia agora ser realizada em seis horas, contra as dez a doze de antes e, como de hábito, proclamava-se que, dado o rigor técnico observado, a obra poderia ser considerada "a maior realização do gênero em toda a América Latina".[24] A estrada teria uma só pista, com mão e contramão, e seria entregue com sessenta quilômetros ainda a ser pavimentados, entre Guaratinguetá e Caçapava. Por seu lado, a prefeitura de São Paulo ultimava o prolongamento que conduziria da Vila Maria, onde terminava a via federal, até a ponte das Bandeiras, para permitir a entrada na cidade dentro do mesmo padrão.

Ao fim do ano estavam em cartaz os filmes *Casei-me com um morto* e *Inspetor geral*, ambas produções hollywoodianas, a primeira com Barbara Stanwyck no papel principal e a segunda com Danny Kaye. No guia de cinemas da *Folha da Manhã*, em que as salas eram divididas em duas categorias, conforme a localização, na categoria "centro" eram relacionadas dezenove delas, figurando nada menos do que 69 na à época portentosa categoria "bairros".[25] No teatro as peças em cartaz atestavam a supremacia do polonês Ziembinski como maior mestre da encenação nacional. Três eram dirigidas por ele — *Raquel*, de Lourival Gomes Machado, no TBC, *Pega fogo*, de Jules Renard, também no TBC, e *Helena fechou a porta*, de Accioly Neto, no teatro Cultura Artística, uma nova e bela casa, inaugurada naquele mesmo ano na rua Nestor Pestana, com duas salas de espetáculo e um painel de Di Cavalcanti a decorar-lhe a fachada.

Nos anúncios classificados, bons indicadores dos usos e costumes do tempo, uma disputada profissional era a estenógrafa, melhor ainda se fosse estenodatilógrafa, e ainda melhor se fosse estenodatilógrafa bilíngue. Rádios-técnicos também tinham boa procura. Um sinal da qualidade dos futuros patrões se expressava em indicações como "arrumadeira — precisa-se para casa de tratamento". Nunca se estava em busca de uma babá — era de uma pajem. E havia esquisitices como "escritório procura moça que atenda telefone e tenha completo domínio das quatro operações".[26] Na página dos carros ofereciam-se Pontiacs, Lincolns, Oldsmobiles, Mercurys, De Sotos, Studbakers, Morris e Austins. Por um Cadillac 1949 Coupé de Ville pediam-se, no penúltimo dia do ano, 190 mil cruzeiros; por um Ford 1949, quatro portas, cor cinza, capas de náilon, 125 mil; e por um Buick 1941, quatro portas, rádio, estofamento de couro, 55 mil.[27] Entre os imóveis à venda uma casa "perto do C. A. Paulistano", com quatro dormitórios e dois banheiros, era anunciada por 1,2 milhão de cruzeiros, enquanto por um "notável sobradinho na Vila Pompeia", com dois dormitórios, banheiro, sala de jantar, despensa, cozinha, quarto de empregada, porão habitável e local para construção de garagem e jardim, pediam-se 280 mil. Um terreno na Lapa, "para fina construção ou indústria", de 13,30 por 31 metros, era oferecido por 150 mil — menos que o Cadillac.[28] E quem se candidataria a uma rádio-vitrola automática, para catorze discos, misturador, dez válvulas, móvel de luxo, três corpos? Era pegar ou largar. O proprietário dizia tê-la comprado, havia trinta dias, por 12 mil cruzeiros. Agora se dispunha a "dá-la" por 3890. Ainda assim, era caro em comparação com um "rádio Emerson de cinco válvulas, móvel maravilhoso, ondas curtas e médias", que sairia por 650 cruzeiros.[29]

A Real Transportes Aéreos, fundada havia cinco anos, dizia num anúncio ter transportado, ao longo de 1950, 357 954 passageiros e 2 422 865 quilos de cargas. Para tanto, seus aviões percorreram 7 225 227 quilômetros, perfazendo 29 404 horas de voo.[30] Já o crítico literário e pensador católico Alceu Amoroso Lima, o Tristão de Ataíde, fazia no último dia de 1950 não o balanço do ano, mas dos cinquenta primeiros anos do século XX. Os "dez fenômenos capitais" do período seriam, segundo ele: 1 — a nova física; 2 — a ascensão do trabalho; 3 — a exploração do subconsciente; 4 — a emancipação feminina; 5 — o eclipse da liberdade; 6 — a violência social; 7 — a célula fotoelétrica; 8 — o despertar do Oriente; 9 — a rivalidade russo--americana; e 10 — o renascimento religioso. O mundo passara, nesses vertiginosos anos, por duas guerras mundiais, a Revolução Bolchevique, Hitler, Mussolini, Stálin, a revolução chinesa, o desenvolvimento da bomba atômica, sua explosão sobre Hiroshima e Nagasaki, o início sangrento, na Índia e no Vietnã, do processo de descolonização. São Paulo, distante geograficamente de tais eventos, mas vulnerável a seus efeitos, acrescentou-lhes, por conta própria, o abrigo a duas revoluções (1924 e 1932), o flagelo da gripe espanhola, a turbulência das greves, duas decisivas reformas urbanísticas (sob Antônio Prado/Raimundo Duprat e sob Prestes Maia), uma contínua corrente de renovação estética e cultural e a quase decuplicação de sua população. Que anos!

O Monumento às Bandeiras foi inaugurado no dia 25 de janeiro de 1953. Enfim revelava-se ao público o que durante tantos anos permanecera escondido atrás dos tapumes e dos barracões, no final da avenida Brasil. Junto, inaugurou-se a praça circular que de início pensava-se intitular "das Bandeiras" mas agora seria "praça Armando de Sales Oliveira", em honra ao governador que deu início à sua construção e determinou que no centro se implantaria a obra de Brecheret. Armando de Sales morrera em 1945, logo após voltar do exílio imposto pelo Estado Novo. Para Victor Brecheret terminava um ciclo de esperanças, percalços e, pior, de incerteza quanto a se realmente veria o dia em que seu trabalho se transmudaria em pedra. A obra esteve paralisada durante todo o Estado Novo. O impasse começara a romper-se com a ascensão ao poder dos interinos José Carlos de Macedo Soares, como interventor no Estado, e Abrahão Ribeiro como prefeito, dispostos a retomá-la. Claro que não dispensaram uma cerimônia, e em 25 de janeiro de 1946 ambos lançaram no centro da futura praça a "pedra fundamental" do monumento, junto à qual foi enterrada uma urna com documentos da história paulista, entre os quais mapas, moedas, livros do historiador Alfredo d'Escragnolle Taunay e exemplares dos jornais do dia.[31] No mesmo ano a prefeitura abriu concorrências para o fornecimento do granito e para a execução das esculturas. Ganharam, para o granito, a empresa Irmãos Milanezi, dona de uma pedreira em Mauá, àquela altura ainda um distrito de Santo André, e para a execução a Oficina de Cantaria Irmãos Incerpi, com sede no bairro do Bom Retiro.[32]

Ia começar um empreendimento quase tão épico quanto o episódio histórico que retratava. Da pedreira seguiam para a oficina de cantaria, um a um, blocos de pedra para a execução, uma a uma, das 125 partes em que, para efeito dos trabalhos, se dividira o conjunto. Alguns dos blocos chegavam a pesar cinquenta toneladas. A viagem penosa, por estradas precárias, em caminhões da prefeitura, de Mauá até o Bom Retiro, chegava a durar três dias.[33] No enorme terreno do Bom Retiro onde ficava a oficina de cantaria, duas dezenas de artesãos e auxiliares, entre eles italianos, espanhóis e portugueses, além de brasileiros, encarregavam-se de copiar no granito os modelos em gesso. A atividade realizava-se de modo "verdadeiramente medieval", segundo a pesquisadora Marta Rossetti Batista, autora de minucioso livro sobre o assunto.[34] O bloco de granito começava a ser desbastado pelos pontos mais salientes do modelo. Os primeiros desbastes faziam-se com instrumentos pesados, e podiam ficar a cargo dos auxiliares. Quando se chegava aos contornos da escultura, assumiam a tarefa artesãos especializados, manipulando instrumentos delicados e supervisionados de perto por Brecheret.[35]

Os barracões de Brecheret no Ibirapuera e o terreno em que seria implantado o Monumento às Bandeiras, em imagem de 1937 | Foto de Benedito Junqueira Duarte (BJ Duarte) | Acervo Fotográfico do Museu da Cidade de São Paulo.

Primeiro o trabalho concentrou-se nas figuras centrais do monumento, e o terreno do Bom Retiro ficou tomado por gigantes que, do gesso, se iam transformando em pedra. Ficaram para depois a parte da frente, dos cavalos e cavaleiros, e a traseira, dominada pela canoa. Prontas, as diversas peças eram transportadas ao Ibirapuera, enquanto blocos de granito ainda chegavam da pedreira para a feitura de partes que nem haviam começado a ser atacadas. Em 1951 teve início no Ibirapuera a etapa, que Marta Rossetti Batista compara à montagem de um quebra-cabeças, de fixação das figuras centrais na laje de concreto que serviria de base ao conjunto.[36] Em 1952 finalmente se concluiu o trabalho, e a prefeitura determinou a demolição dos barracões para que a praça fosse concluída.[37] O monumento, concebido na origem como comemorativo ao centenário da Independência, ficava pronto, mais de trinta anos depois, perto de outra efeméride para a qual a cidade preparava-se com alarde — o quarto centenário de sua fundação, a ser completado em 25 de janeiro de 1954. Não seria mais conveniente esperar para inaugurar a obra nessa data?, perguntou um repórter do jornal *Última Hora* a

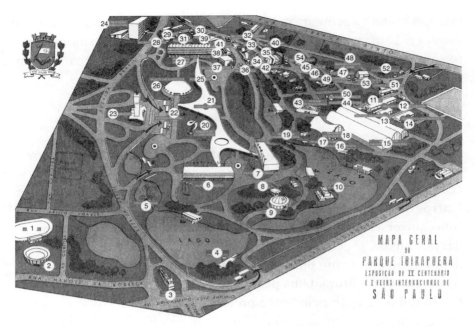

Mapa do parque do Ibirapuera, com indicações das várias atrações da exposição inaugural, abrigada tanto nos pavilhões definitivos quanto nos levantados apenas para a ocasião | Acervo pessoal do autor | 1. Velódromo; 2. Ginásio (esportes); 3. Monumento às Bandeiras; 4. Grande Embarcadouro; 5. Fonte Luminosa; 6. Palácio das Nações; 7. Palácio dos Estados; 8. Pavilhão Coca-Cola; 9. Planetário; 10. Pavilhão Japonês; 11. Armazém; 12. Pavilhão do Distrito Federal; 13. Pavilhão da Venezuela; 14. Pavilhão da Checoslováquia; 15. Pavilhão das Indústrias Estrangeiras; 16. Pavilhão do Uruguai; 17. Pavilhão Rio Claro; 18. Pavilhão do Rio Grande do Sul; 19. Pavilhão da Marinha Mercante; 20. Emblema do IV Centenário; 21. Grande Marquise; 22. Entrada Principal; 23. Obelisco; 24. Palácio da Agricultura; 25. Museu de Cera; 26. Palácio das Exposições; 27. Palácio das Indústrias; 28. Pavilhão Mercedes-Benz; 29. Pavilhão Eternit; 30. Pavilhão Ájax; 31. Pavilhão Montana; 32. Pavilhão Johnson & Johnson; 33. Pavilhão Civilit; 34. Pavilhão Irajá; 35. Pavilhão Ford; 36. Pavilhão Antártica; 37. Pavilhão General Eletric; 38. Pavilhão Shell; 39. Pavilhão Verde; 40. Pavilhão Vemag; 41. Pavilhão de Ventiladores; 42. Pavilhão Philips; 43. Pavilhão de Minas Gerais; 44. Pavilhão Cássio Muniz; 45. D. E. R. Estaduais de SP; 46. D. N. E. R.; 47. D. E. R. Estaduais; 48. Pavilhão Gigante de Vidro; 49. Pavilhão Thela Comercial; 50. Delegacia de Polícia; 51. Corpo de Bombeiros; 52. Posto de Fiscalização da S. F.; 53. Pavilhão Lion S/A; 54. Rádio de 9 de Julho.

Brecheret, em fins de 1952. Resposta do escultor: "Você está louco? Quero ver o meu trabalho pronto antes de morrer".[38] Brecheret sentia-se cansado. Em dezembro de 1952 completava 58 anos. Fazia 32 anos que apresentara a primeira maquete da obra que desde então acarinhara como a máxima realização de sua carreira. A inauguração do monumento, exatamente um ano antes da data magna do quarto centenário, seria no entanto considerada como o ponto de partida dos festejos.

* * *

Em 1854, ano de seu terceiro centenário, São Paulo era um ovo, contido nos limites da colina histórica e cercado de chácaras. O descampado que viria a ser a praça da República chamava-se largo dos Curros e abrigava corridas de touros. As comemorações pelo tricentésimo aniversário, modestas como o povoado de então, foram marcadas por missas, procissões e umas poucas festas ao ar livre.[39] Cem anos depois a cidade era um pujante centro industrial. A efeméride merecia comemoração à altura. Uma primeira "Comissão de Festejos" foi criada em julho de 1948 pelo então prefeito Paulo Lauro. Foi só em 1951, no entanto, que o órgão ganhou forma, agora chamado Comissão do IV Centenário da Cidade de São Paulo, e com poderes de autarquia. O prefeito já era o engenheiro e industrial Armando de Arruda Pereira, nomeado pelo governador Lucas Nogueira Garcez. A comissão executiva do órgão constituía-se de quinze membros, entre políticos, industriais e empresários, e para presidi-la foi nomeado Francisco Matarazzo Sobrinho, nosso conhecido Ciccillo.[40] Recomendava-o a experiência na fundação do MAM e, principalmente, na organização de um projeto da ambição e do alcance da Bienal. Desde logo ficou assentado que o evento principal seria uma exposição-feira de caráter internacional, o modo habitual, mundo afora, desde o século XIX, de marcar semelhantes celebrações. Onde abrigar tal evento? Foi então que a comissão, Matarazzo Sobrinho à frente, teve uma luminosa ideia — seria no parque do Ibirapuera. Igualmente luminosa foi a decisão de que se ergueriam no parque para abrigar a exposição edifícios de caráter permanente, não pavilhões descartáveis, como tantas vezes em ocasiões do tipo.

Finalmente haveria agora força política, determinação e verbas para fazer demarrar o plano, adormecido desde o nascedouro, nos anos 1920, de criar um parque naquele local. O parque do Ibirapuera seria o inestimável legado das comemorações. Em setembro de 1951 Ciccillo convidou alguns dos mais notáveis arquitetos da cidade para, sob a liderança de Rino Levi, elaborar um projeto.[41] Com base num estudo inicial, a equipe apresentou orçamento no qual os honorários dos arquitetos eram calculados com base, metro a metro, na área das futuras construções. Ciccillo achou o valor muito alto. Objetou que os honorários deveriam ser calculados com base no conjunto, não de construção a construção. A equipe insistiu na sua posição, Ciccillo na dele, e acabou que o grupo em torno de Rino Levi teve vida curta.[42]

Em janeiro de 1952 Ciccillo contatava o profissional que talvez desde o início tivesse em mente — o carioca Oscar Niemeyer, alçado a estrela da arquitetura brasileira desde a construção do conjunto da Pampulha, em Belo Horizonte, na década anterior. Niemeyer combinava com o modernismo do qual Ciccillo se convertera no principal mecenas brasileiro; e modernismo combinava com a ênfase no futuro, no arrojo e no triunfo do industrialismo que ele desejava imprimir às comemorações. Niemeyer formou equipe constituída pelos arquitetos Zenon Lotufo, Eduardo Kneese de Mello, Hélio Cavalcanti, Gauss Estelita e Carlos Lemos e em maio de 1952 apresentou um primeiro estudo, em que, aos edifícios para abrigar as exposições, acrescentavam-se uma marquise a unir uns aos outros, um auditório e uma entrada monumental. O projeto definitivo, de 1953, abandonou a entrada monumental e aperfeiçoou a inspirada solução da marquise.[43] Coube a um dos membros da equipe, Zenon Lotufo, desenhar o logotipo das comemorações — uma linha espiral que subia e no trajeto se constituía, ao mesmo tempo, num número quatro estilizado e no símbolo de uma vertiginosa ascensão. Usada em cartazes, anúncios e bugigangas variadas, a espiral, ou "aspiral", como também foi apelidada, sugerindo a aspiração ao que há de mais alto e mais perfeito, fez enorme sucesso. Só não pôde, por motivos técnicos, ser transformada em escultura a ser fincada no parque, como se previa. Não se vislumbrou maneira de fazê-la ficar de pé.[44]

Ao conjunto do Ibirapuera viria se juntar outra obra em andamento, de origem, como o Monumento às Bandeiras, muito anterior às articulações para a comemoração do quarto centenário, mas que a ela acabaria se juntando: o Monumento-Mausoléu ao Soldado Constitucionalista de 1932. A ideia surgira em 1934, no mesmo clima de recuperação do orgulho regionalista que propiciou a retomada da obra de Brecheret e no mesmo governo de Armando de Sales Oliveira. O concurso para a realização do monumento foi aberto em 1937 e venceu-o o italiano radicado em São Paulo Galileo Emendabili. Antes Emendabili já vencera concurso para um monumento a Ramos de Azevedo e estava entre os artistas mais requisitados pelos ricos da cidade para as esculturas nos túmulos da família. Seu estilo era acadêmico, com muitos floreios e alegorias. Desta vez, no entanto, o júri, em que figuraram Mário de Andrade e Brecheret, surpreendera-se com uma proposta de linhas despojadas, compatíveis com a escultura e a arquitetura moderna. Um obelisco de 72 metros de altura, revestido de mármore travertino, em cuja base se esculpiriam figuras em alto-relevo, se assentaria sobre uma construção destinada a abrigar os despojos dos combatentes. Ao concurso seguiu-se o Estado Novo e ao Estado Novo, tal qual no caso do Monumento às Bandeiras, o arquivamento do projeto. A decisão de retomá-lo se daria em 1949, no governo Adhemar de Barros. As obras começaram no ano seguinte, e esperava-se que a inauguração ocorresse no quarto centenário. Ocorreu só em 1955.[45]

A atmosfera que se pretendia festiva com a aproximação das comemorações teve a abalá-la, em março de 1953, dois fenômenos simultâneos, ambos com impacto de tremores de terra, o primeiro aquele que, com ou sem precisão, entraria para a história como "a greve dos 300 mil", e o outro a eleição de Jânio Quadros para prefeito. A partir do dia 10 daquele mês, quando uma passeata de trabalhadores têxteis, principalmente mulheres, deixou o Brás em direção à sede do sindicato patronal da categoria, na rua Formosa, crescente inquietação tomou conta das fábricas.[46] Os trabalhadores reclamavam aumento de 60% nos salários. Greves isoladas eclodiram. A inflação andava alta. A prefeitura calculava, provavelmente por baixo, em 23% o aumento do custo de vida na cidade, entre janeiro de 1952 e janeiro de 1953.[47] Desenrolava-se ao mesmo tempo barulhenta campanha eleitoral. Pela primeira vez desde 1926, quando da vitória de Pires do Rio, seriam realizadas eleições diretas para a prefeitura, graças à revogação do artigo constitucional que determinava a nomeação dos prefeitos pelos governadores. O então deputado estadual Jânio Quadros chamou sua campanha de "o tostão contra o milhão" e atraía multidões cada vez mais numerosas a seus comícios. O adversário principal, encarnação do "milhão", era o professor de Medicina Francisco Antônio Cardoso, apoiado pelo governador Garcez e o ex-governador Adhemar de Barros. No domingo, 22 de março, Jânio teve 285 mil votos contra 115 mil de Cardoso.[48] Num dos comícios, ao dizer que "varreria" a corrupção, um popular lhe estendera uma vassoura, para que executasse o trabalho.[49] Ganhou então um símbolo, a acrescentar-se à vitória na eleição. Apenas sete anos depois conquistaria a presidência da República.

A vitória esmagadora do candidato que se dizia popular e do "tostão" despejou mais fermento no movimento grevista.[50] Três dias depois o sindicato dos têxteis tornou oficial a greve da categoria, logo secundado pelo dos metalúrgicos. "A alta do custo de vida, que se vem acentuando nos últimos meses, repercutiu profundamente nos meios trabalhadores, dando origem, agora, a movimentos grevistas que se alastraram, nas últimas 48 horas, a diversos setores da produção, atingindo principalmente tecelões e metalúrgicos", noticiou O *Estado de S. Paulo*, no dia 27. Na véspera, grevistas se haviam aglomerado diante do portão de aço do Cotonifício Crespi e exigido a dispensa dos colegas lá dentro. Foram obedecidos pela direção da fábrica, mas não tiveram refresco — chegou a Força Pública e dispersou-os a golpes de cassetetes e patas de cavalos.[51] Os grevistas contavam com a simpatia de amplos setores da população, igualmente castigada pela alta do custo de vida. O prefeito eleito lhes manifestou sua "integral solidariedade" em nota lida na Câmara pelo vereador André Franco Montoro, líder do Partido Democrata Cristão, pelo qual concorrera o homem da vassoura.[52] Com piquetes, passeatas, cassetetes, cargas de cavalaria, prisões e tentativas frustradas de negociação, a greve se prolongaria até o dia 23 de abril, quando enfim trabalhadores têxteis e metalúrgicos concordaram em voltar ao trabalho, com a promessa de aumento salarial de 32%.

* * *

    À zero hora do dia 25 de janeiro de 1954 tocaram os sinos das igrejas e as sirenes das fábricas, logo seguidos pelo espocar dos rojões e o buzinaço dos automóveis. Muita gente perambulava pelas ruas. Chegara enfim o grande dia. Às oito da manhã o presidente Getúlio Vargas depositou uma coroa de flores ao pé do monumento aos fundadores da cidade, no pátio do Colégio, dando início oficial às comemorações. Duas celebrações religiosas e dois desfiles completariam a programação. A primeira celebração religiosa foi a missa com que, finalmente, seria inaugurada a catedral. "A catedral de São Paulo/ Por Deus! que nunca se acaba/ Como minha alma", cantara Mário de Andrade. Quarenta anos depois do início das obras, e ao longo de décadas em que se ia acompanhando a laboriosa subida, primeiro do lanço inferior da fachada e das laterais, oco por dentro, depois das

Comemoração do IV Centenário no centro da cidade | Fotógrafo não identificado | Acervo Iconographia.

paredes superiores mas sem a cobertura, depois de um esboço de torre, cada uma destas etapas por muito tempo capitaneando a paisagem nas cabeceiras da praça da Sé, enfim a igreja sediaria sua missa inaugural, oficiada com pompa pelo arcebispo d. Carlos Carmelo de Vasconcelos Mota e presenciada por Vargas, pelo governador Garcez e pelos governadores de Minas Gerais, Bahia, Mato Grosso, Rio de Janeiro, Paraná e Santa Catarina. Não que estivesse totalmente pronta. Faltavam torres que esperariam mais meio século para ser erguidas. Mas já era a catedral efetiva de São Paulo, aberta a tudo que esta condição lhe exigia. A outra celebração religiosa foi uma missa campal no pátio do Colégio, mesmo local onde, quatrocentos anos antes, os jesuítas celebraram a missa que passou para a história como o ato de fundação da cidade. Quatrocentos anos antes índios estiveram presentes. Claro que sua presença se fazia necessária, na reedição do evento. Um grupo foi trazido do Xingu pelo sertanista Orlando Villas-Bôas, para mais perfeita simetria com a remota página da história. Um desfile militar, durante o dia, e à noite um desfile de bandas e carros alegóricos, completaram a programação.[53]

A rodada seguinte de celebrações populares ocorreria no Carnaval. A Comissão do IV Centenário prometeu um grandioso desfile de carros alegóricos, alguns deles preparados no Rio de Janeiro. Deu errado. O desfile estava marcado para as 17h; foi adiado para as 21h, por causa das chuvas, depois para as 23h e só às três da madrugada da quarta-feira de cinzas o primeiro carro iniciou o percurso que, partindo do Ibirapuera, se prolongaria pelas avenidas Brasil, Nove de Julho e São João. O povo, cansado de esperar, reagiu com vaias às quais se sucedeu o lançamento, contra os carros, de "pedaços de caixas de lança-perfume, bagaços de frutas e tudo o que pudesse ser transformado em projétil", segundo a *Folha da Manhã*. Alguns carros ficaram destroçados pelo caminho, outros deram marcha a ré e recolheram-se ao ponto de partida.[54] O problema teria ocorrido pela falta de tratores para puxar alguns dos carros. A revolta popular voltou-se contra a prefeitura, e o prefeito, ao seu estilo, agiu rápido e teatralmente — demitiu Matarazzo Sobrinho da presidência da Comissão. "O povo não é moleque", disse Jânio. Desde o início Ciccillo tivera contra si setores da elite da cidade. Com furor quatrocentão, o presidente da Academia Paulista de Letras, Aristeu Seixas, lamentara a presença, na chefia da comissão dos festejos, de "um cavalheiro de instrução rudimentar, que mal se expressa em língua portuguesa", e que não apresenta "preparo que lhe permita, nas esferas superiores da inteligência e do saber, o desempenho do elevado posto em que o meteram".[55]

Jânio nomeou Guilherme de Almeida para o lugar de Ciccillo, e ao poeta coube presidir mais uma rodada de celebrações — elas foram infindáveis —, agora no dia 9 de julho. À Associação das Emissoras de Rádio incumbiu agora organizar os festejos de rua. Sucederam-se desfiles, shows de música, espetáculos circenses e outras atrações. E ao anunciar-se a noite caiu sobre o centro da cidade uma chuva de prata. Rodopiando no céu como poeira encantada e pousando na cabeça das pessoas como mágico banho seco, ela presenteava São Paulo com seu instante de País das Maravilhas, ou de uma Macondo que nem existia ainda na imaginação de García Márquez. A realidade é dura, mas cumpre acrescentar que se tratava também de um projeto de promoção comercial. Disparada do céu por três aviões da FAB, e iluminada por potentes holofotes do Exército, a chuva de prata era uma oferta das pratas Wolf, cuja marca aparecia, junto com as insígnias de São Paulo, nas miríades de triangulinhos de papel prateado que, ao bailar nos ares, pareciam estrelas.[56]

Ciccillo saiu das celebrações mas deixara sua marca. Ele já se fizera presente ao inaugurar, agora no Ibirapuera, a segunda Bienal. Aberta em novembro de 1953 nos dois primeiros prédios do parque a ficar prontos, ela se prolongou até fevereiro de 1954, e integrou-se às comemorações. Foi uma prodigiosa Bienal. Além de obras de Paul Klee, Georges Braque, Marcel Duchamp, Oscar Kokoschka, Alexander Calder, Piet Mondrian, Constantin Brancusi, Henry Moore, Edvard Munch e Rufino Tamayo, alguns deles contemplados com salas especiais, também apresentou — suprema proeza — a *Guernica* de Picasso, então depositada no MoMA de Nova York, graças a gestões junto ao mestre realizadas por Yolanda Penteado e pelo pintor Cícero Dias.[57] Em julho a herança de Ciccillo continuava presente na inauguração da iluminação do parque do Ibirapuera e na instalação, no Pavilhão das Indústrias — um dos prédios que abrigaram a Bienal —, de uma extraordinária novidade, outro signo da renovada Modernidade a que se atrevia a cidade: uma escada rolante! A inauguração teve fitinha cortada e discurso de Guilherme de Almeida, que ressaltou ser a engenhoca não só a primeira da cidade, mas a primeira a ser produzida no Brasil. O fabricante — Indústrias Villares — informou que seu produto era capaz de transportar 5 mil pessoas por hora, a uma velocidade de 27 metros por minuto.[58] A quem visitasse doravante aquele edifício, que, inicialmente dedicado a exposições industriais, acabaria virando a casa da Bienal, estava garantido o conforto das pernas pelo milagre dos degraus que andam.

Ciccíllo (segundo a partir da esq.) e o presidente JK diante da Guernica, de Picasso, na segunda Bienal | Fotógrafo não identificado | Arquivo Histórico Wanda Svevo | Fundação Bienal de São Paulo.

Enfim, no dia 21 de agosto inauguraram-se simultaneamente o parque do Ibirapuera e as exposições industriais montadas nos diversos prédios. Segundo o catálogo da mostra, a produção da indústria paulista, somada à dos outros estados, tal qual mostrada nos diversos estandes, desmentia o "pessimismo impatriótico" dos que duvidavam do futuro da indústria nacional. "É provável, para daqui a breves anos", continuava o mesmo catálogo, "a quase completa autossuficiência do nosso parque industrial, com a consequente repercussão no campo do comércio exterior, isto porque a uma economia de divisas corresponderá uma produção efetiva, também de divisas, na conquista de mercados consumidores internacionais, muito especialmente o latino-americano". É pouco? Tome-se então o que disse o jornal O *Estado de S. Paulo* a respeito dos 20 mil metros quadrados dedicados à exposição internacional, com a presença de 1200 empresas de dezoito países: "É de lamentar, certamente, a ausência dos países sul-americanos, mas nessa ausência pode-se de certo modo constatar o avanço econômico que o Brasil alcançou em poucos anos sobre as outras nações sul-americanas, as quais entendem dispor de poucos produtos a oferecer ao mercado brasileiro".[59] Haja otimismo, haja sonho! Naquele mesmo glorioso ano de 1954 São Paulo, com estimados 2817600 habitantes, passava o Rio de Janeiro, com 2684240, e tornava-se a maior cidade do Brasil.[60] Haja futuro, espiral, aspiral, ascencional!

Epílogo

As árvores no centro da avenida Brasil impedem que se veja o que está lá longe, ao fundo. Quando me aproximo, vislumbro o joelho de um cavalo de pedra. Depois de três anos, satisfeito de ter chegado ao fim, mas já vislumbrando o vazio que se segue a trabalho desta envergadura, lá vou eu cumprir o que me impus como espécie de ritual de encerramento da empreitada — uma visita ao monumento cuja história escolhi para abrir o volume e para permear alguns de seus capítulos. Que papel desempenharia hoje o Monumento às Bandeiras, de Victor Brecheret? A primeira resposta ocorre rápida, fácil e coerente com a São Paulo de hoje: representa o papel de pivô em torno do qual se distribui o intenso trânsito das pistas circulares às suas bordas. Tudo é "trânsito" em São Paulo. Não é uma cidade de ficar, é de transitar. Muito menos é de transitar a pé. É de transitar sobre rodas, no carro, no ônibus ou no metrô. Não é à toa que a conversa favorita, entre os paulistanos, é sobre trânsito. Em Londres fala-se do tempo, no Rio de Janeiro da praia. Em São Paulo fala-se do trânsito.

Já junto ao monumento, depois da perigosa travessia que dá acesso à parte central da praça, descobrem-se três outros de seus papéis. Um é proporcionar às crianças, e mesmo a alguns adultos, a brincadeira de trepar nele e caminhar ou correr ao redor dos cavalos, dos homens de pedra e da canoa. O segundo é tirar fotos com ele ao fundo. O terceiro, enfim, é curtir a obra de arte. O monumento é belo e impressionante. Os gigantes de granito, recortados contra o suave céu de inverno deste dia, nos enfrentam com suas perplexidades e suas indagações. O prestígio dos bandeirantes decaiu muito, da década de 1950 para cá. Hoje eles são antes caçadores de índios do que rompedores de fronteiras. A pecha de escravizadores e assassinos destruiu a reputação de heróis que ainda se veem exaltadas nas inscrições ao pé do monumento. Mas será que entre estas pessoas aqui em volta alguém ainda os identifica com bandeirantes, ou, identificando-os, se importa com bandeirantes? Fala-se hoje muito menos em bandeiras ou bandeirantes do que na época do quarto centenário.

O conjunto de Brecheret descreve um movimento que se desprega do solo, se eleva e avança; interessava ao escultor a força, arrancada, a investida contra o desconhecido. Mas o que é isso que se lê nos olhos vazados de tantas das figuras? Susto, talvez desespero, talvez resignação por uma sorte que não escolheram. Num grupo voltado para o lado, como à margem da caminhada, o homem de boca aberta e a mão em concha, ao lado da índia com uma bacia nas mãos, é grave e triste. Uma outra índia tem um bebê junto aos seios. Há também um grupo que carrega um companheiro ferido, talvez morto. Não fossem os homens tão musculosos, poderia ser o retrato de um grupo de retirantes, não de um avanço. Desse ponto de vista, o monumento nos lembra o quanto se confundem os atos de avançar e de se retirar. Na quarta figura à direita do grupo que vai a pé há uma figura em cujo ombro, embora não seja possível chegar lá para conferir, eu sei que está escrito: "Autorretrato do escultor Victor Brecheret — 2/10/1937". Se Brecheret, um italiano de nascimento, que falava uma língua entre o português, o italiano e o francês, pegou carona no cortejo, então definitivamente não se trata mais de uma bandeira. É um povo diverso e desconexo, avançando ou retirando-se de alguma coisa. Somos todos. É qualquer um.

O primeiro monumento de São Paulo, de pé até hoje, foi o "Obelisco do Piques", ou "Obelisco da Memória", levantado em 1814 junto ao riacho do Anhangabaú. No livro *A capital da solidão* eu chamei o capítulo em que narro esse episódio de "A conquista da inutilidade". Pela primeira vez os habitantes se lembraram de empenhar trabalho e talento a uma obra sem utilidade prática, o que representou grande avanço.

Num povoado até então caracterizado primeiro como ponto de partida para incursões ao sertão desconhecido, depois como pouso de tropas, representava o propósito de fixar-se, e, dada essa resolução, de enfeitar o lugar em que se vivia. Do modesto obelisco, hoje quase despercebido ao pé da ladeira da Memória, no centro da cidade, ao Monumento às Bandeiras, a distância é astronômica. Brecheret dizia que sua obra era o maior monumento do mundo e não devia estar longe da verdade.[1] O Monumento às Bandeiras é a mais concreta manifestação das ambições que caracterizaram o período do presente livro. Se houvesse um aparelho chamado "vertiginômetro", essa obra de arte, extraída de enormes blocos de pedra, transportados de longe, com dificuldade, e exigindo o empenho e o trabalho de muitas pessoas, além de considerável investimento em dinheiro, acusaria a vertigem em seu ponto máximo.

São Paulo é Maurília. Como a Maurília imaginária de Italo Calvino, a cidade de que tratou este livro, comparada à de hoje, só tem em comum o fato de, por acaso, também se chamar São Paulo. A capital da vertigem conheceu seu apogeu e também seu fim na inauguração do Monumento às Bandeiras. Nunca mais uma obra daquele porte, para fins meramente estéticos, seria erguida na cidade. A capital da vertigem sustentava-se na ingenuidade de pensar que trilhava um caminho reto, ao fim do qual alcançaria, ombro a ombro, as principais cidades da Europa e da América do Norte. Não havia entrado em circulação o conceito de terceiro mundo. A cidade era infeliz e não sabia. No período seguinte São Paulo vai despertar para a realidade dos megaproblemas sociais e administrativos de uma megalópole da zona sombria do planeta. A São Paulo de hoje confunde e atordoa. Virou uma cidade que nunca acaba. A regra é as cidades chegarem a um ponto em que terminam e começa o vazio das zonas rurais. São Paulo não. Sempre há mais cidade pela frente. Assim como, em alto-mar, só se enxerga água, assim também, em São Paulo, só se enxerga cidade.

Escondida atrás de seu véu de garoa, a São Paulo deste livro está morta, assim como estão mortos quase todos os seus protagonistas.

Muitos deles mereceram a honraria de virar nome de rua. O conselheiro Antônio Prado, estrela do nosso primeiro capítulo, e sua parentela tanto se aboletaram nas placas de algumas ruas centrais que partindo da praça Antônio Prado pode-se em pouco tempo fazer um circuito de visita a toda a família. Seguindo reto pela avenida São João, chega-se à alameda Eduardo Prado, irmão mais novo do conselheiro. A Eduardo Prado é uma continuação da avenida Angélica. Toma-se então a Angélica e algumas quadras adiante, dobrando à esquerda, chega-se à rua Martinico Prado, outro irmão. É só seguir em frente e Martinico Prado, bom filho que é, desemboca, na rua Dona Veridiana. Voltando e tomando a direção da Augusta/Consolação pode-se escolher: ou se termina o circuito na rua Martinho Prado, pai do conselheiro e marido de Veridiana, ou se termina na rua Caio Prado, mais um dos filhos do casal.

Mesmo figuras que em nossa história aparecem envolvidas em crimes têm os nomes eternizados nas placas. Peixoto Gomide, o político que assassinou a filha e se suicidou, nomeia uma nobre rua do nobre bairro dos Jardins. Moacyr Piza, que matou a bela Nenê Romano num táxi, quando passavam pela praça Buenos Aires, é nome de uma pequena rua entre as alamedas Itu e Jaú, também nos Jardins. Alguns personagens viraram ruas perto da área que lhes deu notoriedade. No bairro da Penha há uma rua General Sócrates em memória do general que comandou, dali, o avanço governista contra os rebeldes de 1924. Prestes Maia, o burgomestre dos burgomestres, denomina a antiga avenida Anhangabaú, que une as pontas do seu "sistema Y" de avenidas. Líderes operários foram se juntar à classe trabalhadora. Everardo Dias, um dos expoentes da greve de 1917, é nome de rua no bairro do Limão. Em Cidade Tiradentes, na extrema periferia, as ruas homenageiam, entre outros líderes do mesmo período, os anarquistas Edgard Leuenroth e Luigi (Gigi) Damiani. Mário de Andrade é nome de uma rua que corta a querida Lopes Chaves em que viveu. Ciccillo Matarazzo, além de nomear o pavilhão que acolhe as bienais, no Ibirapuera, também é o nome da passarela sobre a avenida Vinte e Três de Maio que lhe dá acesso.

A cidade já contemplou, na nomeação de ruas e avenidas, desastrosas precipitações. Quando morreu o presidente estadual Carlos de

Campos, de repente e em pleno exercício do cargo, em 1927, a Câmara Municipal decidiu rebatizar com seu nome a avenida Paulista. "Tratando-se de uma via pública cujo nome recorda todos os paulistas, na sua generalidade, tinha-se a impressão de que a alma encantadora dessa avenida aguardava, com esse nome tão generalizado, o momento oportuno para batizar-se com o nome do paulista que mais o soubesse merecer de seu povo", disse o vereador Marcondes Filho, ao encaminhar a proposta.[2] Foi um desvario semelhante ao dar o nome de João Pessoa ao então largo do Palácio, depois pátio do Colégio, quando do assassinato do político paraibano, em 1930. Ou então, em 1897, durante a guerra de Canudos, o de trocar o nome da rua de São Bento pelo de Moreira César, coronel morto pelos jagunços de Antônio Conselheiro. Felizmente, nos três casos, em pouco tempo voltou-se atrás. A Paulista voltou a se chamar Paulista em 1930. Carlos de Campos foi desterrado para uma avenida no bairro do Canindé.

Ciccillo morreu em 1977, em seu apartamento no 22º andar do Conjunto Nacional, minutos depois de pedir que lhe voltassem a poltrona para a janela de onde usufruía magnífica vista da cidade. Foi velado no pavilhão da Bienal. Sua mulher e parceira de mecenato Yolanda Penteado morreu na Califórnia, para onde fora se tratar de um câncer, em 1983. Um mecenas de outra época, Freitas Valle, morreu no Carnaval de 1958, e a Villa Kyrial, a mansão da Vila Mariana onde comandava seus saraus, foi-se três anos depois, demolida para dar lugar a um medíocre edifício. Entre os políticos, o ex-prefeito, ex-presidente estadual e ex-presidente da República Washington Luís morreu em 1957, em sua casa no número 1207 da rua Haddock Lobo. Seu Partido Republicano Paulista já morrera havia muito. Adhemar de Barros morreu em 1969 e Jânio Quadros em 1992. Históricos inimigos, deixaram à política paulista o legado comum de mistificação e de improbidade. Prestes Maia, eleito em 1961 para um segundo período na prefeitura, terminaria o mandato internado no Hospital Samaritano, de onde, irremediavelmente doente, despachou até o último dia. Morreu dezenove dias depois de entregar o cargo, em 26 de abril de 1965.

Mário de Andrade morreu às 22h30 do domingo, dia 25 de fevereiro de 1945, aos 51 anos. Recebia alguns amigos na sala da rua Lopes

Chaves, e a certa altura, querendo mostrar-lhes algo que estava no andar superior do sobrado, subiu correndo as escadas. Lá em cima sentiu-se mal e não deu tempo nem de chamarem o médico. "Angina pectoris." Oswald morreu em outubro de 1954, aos 64 anos, numa casa da rua Caravelas, no Ibirapuera, último de seus muitos endereços, afligido por dificuldades financeiras, depois de ter gastado até o último ceitil da fortuna do pai e depois de meses de depauperamento causado pela diabetes e outros males. Une hoje os dois antigos parceiros de modernismo, tornados inimigos, o solo generoso do cemitério da Consolação. Victor Brecheret sobreviveu um ano e onze meses à inauguração do Monumento às Bandeiras. O dia 18 de fevereiro de 1955, um sábado, foi para ele, como sempre, dia de trabalho. Dedicou-se a esculpir a cabeça de uma sobrinha. À noite foi ao cinema com a mulher, Jandira. Voltou dirigindo o carro e ao chegar, enquanto a mulher entrava em casa, demorou-se a abrir o portão e a conduzir o veículo para dentro da garagem. Jandira estranhou que, passados alguns minutos, ele ainda estivesse lá fora. Foi ver o que ocorria e encontrou-o morto, ao volante.[3]

As últimas palavras do conde Francisco Matarazzo foram mais diretas e mais explícitas do que o famoso "Rosebud" pronunciado pelo cidadão Kane, de Orson Welles. "Mamma", disse ao expirar, em 1937. Atingida pelo disparo do amante Moacyr Piza, Nenê Romano ainda teve tempo de lamentar: "Ah, Moacyr". Dona Olívia Guedes Penteado, cujo túmulo no cemitério da Consolação é encimado pela "Descida da Cruz", de Brecheret, morreu sussurrando: "Sinto que as coisas estão caminhando para o bem".[4] Venceslau Pietro Pietra, identidade urbana do maldoso gigante Piaimã, morador dos confins da rua Maranhão, com vista para o vale do Pacaembu, e maior inimigo de Macunaíma, morreu, conta Mário de Andrade, ao mergulhar num caldeirão fervente de macarronada, por artes do herói sem nenhum caráter. Num esforço supremo, afastando os macarrões que lhe corriam pela cara, ainda teve tempo de erguer-se do fundo e reclamar:

— Falta queijo!

São Paulo, julho de 2014

NOTAS

INTRODUÇÃO [pp. 13-21]

1. Menotti del Picchia, "Brecheret", *A Tríbuna*, 22 jun. 1920, em Sandra Brecheret Pellegrini, *Brecheret 60 anos de notícia*, p. 17.
2. Para o episódio do "descobrimento" de Brecheret: Mário da Silva Brito, *Antecedentes da Semana de Arte Moderna*, pp. 106-108; Menotti del Picchia, "Brecheret", *A Tríbuna*, 22 jun. 1920, em Sandra Brecheret Pellegrini, *Brecheret 60 anos de notícia*, pp. 16-17; Marta Rossetti Batista, *Bandeiras de Brecheret*, pp. 21-23.
3. Marta Rossetti Batista, *Bandeiras de Brecheret*, p. 26.
4. Sérgio Milliet, *Melhores crônicas*, pp. 308-309.
5. Depoimento de Mário da Silva Brito, em Telê Porto Ancona Lopez, *Eu sou trezentos, sou trezentos e cincoenta*, p. 123.
6. Cícero Marques, *De pastora a rainha*, p. 216.
7. Antônio de Alcântara Machado, *Prosa preparatória & Cavaquinho e saxofone*, p. 161.
8. Poema "Garoa", em Maria Lúcia Perrone Passos e Teresa Emídio, *Desenhando São Paulo*, p. 54.

SOB AS BARBAS DO CONSELHEIRO [pp. 23-38]

1. Everardo Valim Pereira de Sousa, "Reminiscências", p. 196.
2. Depoimentos, respectivamente, de Francisco Morato, Carlos Augusto Monteiro de Barros e Everardo Valim Pereira de Sousa, em vários autores, *Primeiro centenário do conselheiro Antônio da Sílva Prado*, pp. 38, 145 e 224.
3. *O Estado de S. Paulo*, 23 fev.1940, em vários autores, *Primeiro centenário do conselheiro Antônio da Sílva Prado*, p. 249.
4. Nicolau Sevcenko, *Orfeu extático na metrópole*, p. 121.
5. Para a história dos Prado: Darrel E. Levi, *A família Prado*; Luiz Felipe d'Ávila, *Dona Veridiana*.
6. Liliane Schrank Lehmann de Barros e Rosana Pires Azanha Moizo, "Formação administrativa da cidade de São Paulo", pp. 34, 41; Suely Robles Reis de Queiroz, "Política e poder público na cidade de São Paulo", p. 19; Wilson Maia Fina, *Paço Municipal de São Paulo*, pp. 140-144.
7. Vários autores, *Primeiro centenário do conselheiro Antônio da Sílva Prado*, pp. 17-18.
8. Joaquim A. Sampaio Vidal, "Antônio Prado", p. 33.
9. Vários autores, *Primeiro centenário do conselheiro Antônio da Sílva Prado*, pp. 12-13.
10. Maurício Lamberg, "O Brasil", em Ernani Silva Bruno, *Memória da cidade de São Paulo*, p. 114.
11. Relatório apresentado ao cidadão dr. Cesário Mota Jr., secretário dos Negócios do Interior do estado de São Paulo, pelo diretor da Repartição de Estatística e Arquivo, sr. Antônio de Toledo Piza, em 13 de junho de 1894.
12. Jorge Americano, *São Paulo naquele tempo (1895-1915)*, p. 97.
13. Victor da Silva Freire, "Antônio Prado, prefeito de São Paulo", p. 113.
14. Hugo Segawa, "São Paulo, veios e fluxos", pp. 371-372; "Prof. dr. Victor da Silva Freire", em: <www3.poli.usp.br/pt/a-poli/historia/galeria-de-diretores>.
15. Antônio Rodrigues Porto, *História urbanística da cidade de São Paulo (1554 a 1988)*, p. 98.
16. Jorge Americano, *São Paulo naquele tempo (1895-1915)*, p. 137.
17. Antônio Egídio Martins, *São Paulo antigo*, p. 232.
18. Domville-Fife, "São Paulo classifica-se como a segunda cidade do Brasil", em Ernani Silva Bruno, *Memória da cidade de São Paulo*, p. 148.
19. Jorge Americano, *São Paulo naquele tempo (1895-1915)*, pp. 116-117.
20. Everardo Valim Pereira de Sousa, "Reminiscências", p. 229.
21. Everardo Valim Pereira de Sousa, "Reminiscências", p. 221.
22. Idem; Jorge Americano, *São Paulo naquele tempo (1895-1915)*, p. 195.
23. Antônio Rodrigues Porto, *História urbanística da cidade de São Paulo (1554 a 1988)*, p. 103.
24. Maria Cristina Wolff de Carvalho, *Ramos de Azevedo*, p. 238.
25. Victor da Silva Freire, "Antônio Prado, prefeito de São Paulo", pp. 125-126.

26. Victor da Silva Freire, "Antônio Prado, prefeito de São Paulo", p. 124.
27. Everardo Valim Pereira de Sousa, "Reminiscências", p. 220.
28. Antônio Rodrigues Porto, *História urbanística da cidade de São Paulo (1554 a 1988)*, p. 98.
29. Everardo Valim Pereira de Sousa, "Reminiscências", pp. 221-222.

A MÁGICA SILENCIOSA, INVISÍVEL E INODORA [pp. 39-58]

1. Edgard de Sousa, *História da Light*, p. 32.
2. Idem.
3. Ernani Silva Bruno, *Memória da cidade de São Paulo*, p. 118.
4. Jorge Americano, *São Paulo naquele tempo (1895-1915)*, p. 183.
5. Janes Jorge, *Tietê, o rio que a cidade perdeu*, p. 72.
6. *Boletim Histórico*, n. 3, ago. 1985, p. 5.
7. Edgard de Sousa, *História da Light*, pp. 32 e 34.
8. Jorge Americano, *São Paulo naquele tempo (1895-1915)*, pp. 186-187.
9. Edgard de Sousa, *História da Light*, p. 55.
10. Edgard de Sousa, *História da Light*, p. 62.
11. Ricardo Maranhão, "Introdução", em Edgard de Sousa, *História da Light*, p. 14.
12. Conferência de Menotti del Picchia na Semana de Arte Moderna, em Marcos Augusto Gonçalves, *1922*, p. 295.
13. Afonso Arinos de Melo Franco, *Rodrigues Alves*, v. 1, p. 77.
14. Edgard de Sousa, *História da Light*, p. 42.
15. Idem.
16. Edgard de Sousa, *História da Light*, p. 40.
17. Maria Cecília Naclério Homem, *O palacete paulistano*, p. 144.
18. Maria Cecília Naclério Homem, *Higienópolis*, p. 72.
19. Edgard de Sousa, *História da Light*, p. 56.
20. Edgard de Sousa, *História da Light*, pp. 36 e 38.
21. Edgard de Sousa, *História da Light*, pp. 74 e 76.
22. Edgard de Sousa, *História da Light*, p. 72.
23. Janes Jorge, *Tietê, o rio que a cidade perdeu*, p. 75.
24. Emanuel von Lauenstein Massarani, *A paisagem paulistana à época do telefone* [livro sem indicação de número de página].
25. Rubens Fernandes Júnior, *São Paulo pelo telephone*, p. 25.
26. Flávio Saes, "São Paulo republicana", p. 228.
27. Janes Jorge, *Tietê, o rio que a cidade perdeu*, pp. 76-77.
28. Edgard de Sousa, *História da Light*, p. 82.
29. Edgard de Sousa, *História da Light*, p. 60.
30. Edgard de Sousa, *História da Light*, p. 61.
31. Idem.
32. Edgard Carone e Priscila F. Perazzo, "Em São Paulo, lutas contra o monopólio", pp. 40-42.
33. Edgard de Sousa, *História da Light*, p. 44.
34. Edgard Carone e Priscila F. Perazzo, "Em São Paulo, lutas contra o monopólio", p. 42.
35. Edgard Carone e Priscila F. Perazzo, "Em São Paulo, lutas contra o monopólio", pp. 44-45.
36. Everardo Valim Pereira de Sousa, "Reminiscências", p. 218.
37. Tobias Monteiro, "Uma grande vida", pp. 83-84.
38. Joaquim A. Sampaio Vidal, "Antônio Prado", e Waldemar Ferreira, "Antônio Prado", pp. 30 e 108.
39. Edgard de Sousa, *História da Light*, p. 76.
40. Gilberto Freire, *Ordem e progresso*, v. 2, p. 435.
41. Everardo Valim Pereira de Sousa, "Reminiscências", p. 218; Luiz Felipe d'Ávila, *Dona Veridiana*, pp. 387-388.
42. Edmundo Navarro de Andrade, "Antônio Prado", p. 52.
43. Michael Hall, "O movimento operário na cidade de São Paulo", pp. 270-271; Edmundo Navarro de Andrade, "Antônio Prado", p. 53.
44. Para o parágrafo: Maria Cecília Naclério Homem, *O palacete paulistano*, pp. 141 a 155.
45. Maria Cecília Naclério Homem, *O palacete paulistano*, p. 155.
46. Nazareth Prado, "Lembrava o retiro de um monge o quarto do conselheiro Antônio Prado", p. 258.
47. José de Souza Martins, "O migrante brasileiro na São Paulo estrangeira", p. 186.

DUELO DE PRANCHETAS [pp. 59-80]

1. Ernani Silva Bruno, *História e tradições da cidade de São Paulo*, p. 1089.
2. Benedito Lima de Toledo, *Prestes Maia e as origens do urbanismo moderno em São Paulo*, p. 83; José Geraldo Simões Júnior, *Anhangabaú*, p. 89.
3. Em Benedito Lima de Toledo, *Prestes Maia e as origens do urbanismo moderno em São Paulo*, p. 83.
4. Site SP in foco. Em: <http://www.spinfoco.com.br/barao-de-duprat>.
5. "Projeto Alexandre de Albuquerque", em *Revista de Engenharia*, v. 1, jun. 1911-mai. 1912, pp. 37-39; Benedito Lima de Toledo, *Prestes Maia e as origens do urbanismo moderno em São Paulo*, p. 86; Hugo Segawa, "São Paulo, veios e fluxos", p. 374; *Revista de Engenharia*, n. 21, p. 38.
6. Benedito Lima de Toledo, *Prestes Maia e as origens do urbanismo moderno em São Paulo*, p. 84; Hugo Segawa, "São Paulo, veios e fluxos", p. 376.

7. "Projeto Samuel das Neves", em *Revista de Engenharia*, v. 1, jun. 1911-mai. 1912, pp. 40-41; Benedito Lima de Toledo, *Prestes Maia e as origens do urbanismo moderno em São Paulo*, p. 84; José Geraldo Simões Júnior, *Anhangabaú*, p. 107.
8. Wilson Maia Fina, *Paço Municipal de São Paulo*, pp. 142-144.
9. Benedito Lima de Toledo, *Prestes Maia e as origens do urbanismo moderno em São Paulo*, p. 84.
10. José Geraldo Simões Júnior, *Anhangabaú*, p. 97 e seguintes.
11. Victor da Silva Freire, "Melhoramentos de São Paulo", pp. 110 e 123.
12. Victor da Silva Freire, "Melhoramentos de São Paulo", pp. 125 e 135.
13. Victor da Silva Freire, "Melhoramentos de São Paulo", pp. 138 e 142.
14. José Geraldo Simões Júnior, *Anhangabaú*, pp. 139-140.
15. Benedito Lima de Toledo, *Prestes Maia e as origens do urbanismo moderno em São Paulo*, p. 91; Wilson Maia Fina, *Paço Municipal de São Paulo*, p. 161.
16. José Geraldo Simões Júnior, *Anhangabaú*, p. 130.
17. "O relatório do senhor Bouvard", em *Revista de Engenharia*, v. 1, jun. 1911-mai. 1912, p. 42.
18. Idem.
19. Planta reproduzida em Benedito Lima de Toledo, *Prestes Maia e as origens do urbanismo moderno em São Paulo*, p. 97.
20. Wilson Maia Fina, *Paço Municipal de São Paulo*, pp. 158-160.
21. Hélio Damante, *Nova Paulística*, p. 85.
22. Hélio Damante, *Nova Paulística*, p. 87.
23. Hélio Damante, *Nova Paulística*, p. 86.
24. Hélio Damante, *Nova Paulística*, p. 91.
25. *O Estado de S. Paulo*, 12 set. 1911, pp. 3-5.
26. *Correio Paulistano*, 13 set. 1911, p. 3.
27. *O Estado de S. Paulo*, 13 set. 1911, p. 6.
28. *Correio Paulistano*, 13 set. 1911, p. 3.
29. Jorge Americano, *São Paulo naquele tempo (1895-1915)*, p. 284.
30. Idem.
31. *O Estado de S. Paulo*, 13 set. 1911, p. 6.
32. Jorge Americano, *São Paulo naquele tempo (1895-1915)*, p. 284.
33. José Geraldo Simões Júnior, *Anhangabaú*, pp. 14-18.
34. José Geraldo Simões Júnior, *Anhangabaú*, p. 161.

GRANDES NOVIDADES, INFINITAS EMOÇÕES [pp. 81-102]

1. *O Estado de S. Paulo*, 12 set. 1912, p. 6.
2. Jorge Americano, *São Paulo naquele tempo (1895-1915)*, p. 176.
3. Alberto Santos Dumont, *Os meus balões*, p. 36.
4. Peter Wykeham, *Santos Dumont*, p. 21.
5. Cícero Caldeira Brant, "Memórias de um estudante", em Ernani Silva Bruno, *História e tradições da cidade de São Paulo*, p. 1082.
6. Transcrito em Ernani Silva Bruno, *História e tradições da cidade de São Paulo*, p. 1081.
7. Luiz Pagano, "A maravilhosa vida de Santos Dumont", em: <www.santosdumontvida.blogspot.com.br/2009/12/o-primeiro-automovel-de--santosdumont-o.html>.
8. Jorge Americano, *São Paulo naquele tempo (1895-1915)*, pp. 176-177.
9. Afonso Schmidt, *São Paulo de meus amores*, p. 163.
10. Heloísa Barbuy, *A cidade exposição*, pp. 71 e 81.
11. Heloísa Barbuy, *A cidade exposição*, p. 81.
12. Oswald de Andrade, *A estrela de absinto*, p. 90.
13. Heloísa Barbuy, *A cidade exposição*, p. 209 e seguintes; Zuleika Alvim e Solange Peirão, *Mappin setenta anos*, p. 21 e seguintes.
14. Oswald de Andrade, *Serafim Ponte Grande*, pp. 57 e 60.
15. Edgard Cavalheiro, *Monteiro Lobato*, p. 75.
16. Afonso Schmidt, *São Paulo de meus amores*, p. 159.
17. Heloísa Barbuy, *A cidade exposição*, p. 107.
18. Heloísa Barbuy, *A cidade exposição*, p. 110.
19. Alfredo Moreira Pinto, *A cidade de São Paulo em 1900*, p. 177.
20. Heloísa Barbuy, *A cidade exposição*, pp. 108-109; para Farquhar como sócio da Rotisserie Sportsman ver Fernando Morais, *Chatô, o rei do Brasil*, p. 82.
21. Nicolau Sevcenko, *Orfeu extático na metrópole*, p. 43 e seguintes.
22. Edgard de Sousa, *História da Light*, p. 26.
23. Everardo Valim Pereira de Sousa, "Reminiscências", p. 217.
24. Alfredo Moreira Pinto, *A cidade de São Paulo em 1900*, p. 176.
25. Thomaz Mazzoni, *História do futebol no Brasil*, p. 17 e seguintes; Hilário Franco Júnior, *A dança dos deuses*, p. 60 e seguintes.
26. Hilário Franco Júnior, *A dança dos deuses*, p. 26 e seguintes.
27. Thomaz Mazzoni, *História do futebol no Brasil*, pp. 18-19; Hilário Franco Júnior, *A dança dos deuses*, p. 60.
28. Sarah Feldman, "Bom Retiro, bairro de estrangeiros, bairro central", p. 41.
29. Thomaz Mazzoni, *História do futebol no Brasil*, pp. 20-26.
30. Thomaz Mazzoni, *História do futebol no Brasil*, pp. 28-31.

31. Em Margareth Rago, "A invenção do cotidiano na metrópole", p. 393.
32. Henrique Nicolini, Tietê, p. 223 e seguintes, 241 e seguintes e 153 e seguintes.
33. Henrique Nicolini, Tietê, pp. 63-64.
34. Thomaz Mazzoni, História do futebol no Brasil, p. 77.
35. Idem.
36. Thomaz Mazzoni, História do futebol no Brasil, pp. 78 a 80; "História do Corinthians", em: <www.campeoesdofutebol.com.br/hist_corinthians.html.>.
37. Vergniaud Calazans Gonçalves, A primeira corrida na América do Sul, pp. 24-30. A maior parte deste item é baseada nesse bem informado e bem escrito livro.
38. Vergniaud Calazans Gonçalves, A primeira corrida na América do Sul, p. 38.
39. Vergniaud Calazans Gonçalves, A primeira corrida na América do Sul, pp. 40-46.
40. Jorge Americano, São Paulo naquele tempo (1895-1915), pp. 197-200; Thomaz Mazzoni, História do futebol no Brasil, p. 30.
41. Vergniaud Calazans Gonçalves, A primeira corrida na América do Sul, p. 46.
42. Vergniaud Calazans Gonçalves, A primeira corrida na América do Sul, p. 50.
43. Darrell E. Levi, A família Prado, p. 111.
44. O Estado de S. Paulo, 19 abr. 1908, p. 2.
45. Idem.
46. Idem.
47. Vergniaud Calazans Gonçalves, A primeira corrida na América do Sul, p. 54.
48. Idem.
49. O Estado de S. Paulo, 19 abr. 1908, p. 2.
50. Vergniaud Calazans Gonçalves, A primeira corrida na América do Sul, pp. 68-77.

ENTRE A BAIXADA DAS CHAMINÉS E OS ALTOS DA PAULISTA [pp. 103-120]

1. Flávio Saes, "Industrialização e urbanização", p. 124; Edgard Carone, A evolução industrial de São Paulo, p. 136.
2. Ronaldo Costa Couto, Matarazzo [a travessia], p. 93.
3. Ronaldo Costa Couto, Matarazzo [a travessia], p. 263 e seguintes, 286 e seguintes.
4. Warren Dean, A industrialização de São Paulo, p. 68.
5. Edgard Carone, A evolução industrial de São Paulo, p. 178; Pedro Cavalcanti e Luciano Delion, A juventude do Centro, p. 135; <www.jafetbrasil.com.br>.
6. Flávio Saes, "São Paulo republicana", p. 240.
7. Benedito Lima de Toledo, Álbum iconográfico da avenida Paulista, p. 89.
8. Ronaldo Costa Couto, Matarazzo [a travessia], p. 274; Ronaldo Costa Couto, Matarazzo [colosso brasileiro], pp. 274, 333.
9. Ronaldo Costa Couto, Matarazzo [a travessia], p. 276.
10. Benedito Lima de Toledo, Álbum iconográfico da avenida Paulista, pp. 66, 82, 90.
11. Ronaldo Costa Couto, Matarazzo [colosso brasileiro], pp. 31-34.
12. Ronaldo Costa Couto, Matarazzo [colosso brasileiro], pp. 20-21; Warren Dean, A industrialização de São Paulo, p. 13.
13. Benedito Lima de Toledo, Álbum iconográfico da avenida Paulista, pp. 22, 44, 90.
14. Benedito Lima de Toledo, Álbum iconográfico da avenida Paulista, pp. 22, 44, 66, 90, 124, 156; Oswaldo Mário Serra Truzzi, Patrícios, pp. 105, 106.
15. Oswaldo Mário Serra Truzzi, Patrícios, p. 103.
16. Jorge Caldeira, Votorantim 90 anos, pp. 10-14.
17. Michael Hall, "O movimento operário na cidade de São Paulo", p. 260. O autor cita o Boletim do Departamento Estadual do Trabalho.
18. Ronaldo Costa Couto, Matarazzo [a travessia], pp. 270, 286; Alfredo Moreira Pinto, A cidade de São Paulo em 1900, pp. 208-220; Edgard Carone, A evolução industrial de São Paulo, p. 131 e seguintes.
19. Ronaldo Costa Couto, Matarazzo [a travessia], p. 256.
20. Ebe Reale, Brás, Pinheiros, Jardins, pp. 33-35.
21. Edição de 16 de outubro, em Ebe Reale, Brás, Pinheiros, Jardins, p. 33.
22. Rubens Ricupero, "Alcântara Machado, testemunha da imigração".
23. L. A. Gaffre, "Visions du Brésil", em Ernani Silva Bruno, História e tradições da cidade de São Paulo, p. 987.
24. Depoimento de Amadeu Bovi, em Ecléa Bosi, Memória e sociedade, p. 132.
25. Ebe Reale, Brás, Pinheiros, Jardins, pp. 25, 26; a estatística das mortes é uma citação de Maria Celestina T. Mendes Torres, O bairro do Brás, p. 112.
26. Warren Dean, A industrialização de São Paulo, p. 163.
27. Em Warren Dean, A industrialização de São Paulo, p. 164.
28. Jacob Penteado, Belenzinho, 1910, pp. 100-102.
29. Palmira Petratti Teixeira, A fábrica do sonho, p. 73.
30. Palmira Petratti Teixeira, A fábrica do sonho, pp. 15-20.
31. Jacob Penteado, Belenzinho, 1910, p. 143.

32. Palmira Petratti Teixeira, *A fábrica do sonho*, pp. 75-77.
33. Palmira Petratti Teixeira, *A fábrica do sonho*, p. 93.
34. Palmira Petratti Teixeira, *A fábrica do sonho*, p. 86.
35. Regina Prosperi Meyer, "O papel da rua na urbanização paulistana".
36. Hugo Segawa, "São Paulo, veios e fluxos", p. 352.
37. Ronaldo Costa Couto, *Matarazzo [colosso brasileiro]*, pp. 62 e 111.
38. Oswaldo Mário Serra Truzzi, *Patrícios*, pp. 106-107.
39. Margareth Rago, "A invenção do cotidiano na metrópole", p. 391.
40. Edgard Carone, *A evolução industrial de São Paulo*, p. 131; Warren Dean, *A industrialização de São Paulo*, p. 82.
41. Oswaldo Mário Serra Truzzi, *Patrícios*, p. 120.
42. Darrel E. Levi, *A família Prado*, p. 102.
43. António de Alcântara Machado, "A sociedade", em *Brás, Bexiga e Barra Funda*, p. 77.
44. Darrel E. Levi, *A família Prado*, p. 259; Paulo Duarte, *Selva oscura*, p. 49.

O PRP UNIDO NA ALEGRIA E NA TRISTEZA [pp. 121-142]

1. Citado por Eudes Campos, "Os Pais de Barros e a Imperial Cidade de São Paulo", no *Informativo do Arquivo Histórico Municipal*, jan.-fev. de 2008, ano 3, nº 16.
2. Michael Hall, "Imigrantes na cidade de São Paulo", em Paula Porta, *História da cidade de São Paulo*, v. 3, p. 123.
3. José Ênio Casalecchi, *O Partido Republicano Paulista*, p. 83.
4. *O Estado de S. Paulo*, 5 jan. 1899, p. 1.
5. Joseph Love, *A locomotiva*, pp. 215-216, 385-386.
6. Joseph Love, *A locomotiva*, p. 217.
7. Jorge Americano, *São Paulo naquele tempo (1895-1915)*, p. 192.
8. Rodrigo Soares Júnior, *Jorge Tibiriçá e seu tempo*, pp. 448-449.
9. Joseph Love, *A locomotiva*, p. 193.
10. Joseph Love, *A locomotiva*, p. 191.
11. José Ênio Casalecchi, *O Partido Republicano Paulista*, p. 212.
12. Joseph Love, *A locomotiva*, p. 160.
13. *O Estado de S. Paulo*, 2 mai. 1904, pp. 1-2; Rodrigo Soares Júnior, *Jorge Tibiriçá e seu tempo*, pp. 418-419.
14. Rodrigo Soares Júnior, *Jorge Tibiriçá e seu tempo*, pp. 210-211, 337 e seguintes.
15. Edgard Carone, *A Primeira República*, p. 137.
16. Rodrigo Soares Júnior, *Jorge Tibiriçá e seu tempo*, p. 522.
17. Para valorização do café: Joseph Love, *A locomotiva*, pp. 265-269; Rodrigo Soares Júnior, *Jorge Tibiriçá e seu tempo*, pp. 521-571; Edgard Carone, *A República Velha*, pp. 38-51.
18. Joseph Love, *A locomotiva*, p. 255.
19. Maria Cecília Naclério Homem, *O palacete paulistano*, p. 163.
20. Maria Cecília Naclério Homem, *O palacete paulistano*, p. 167.
21. Em Célio Debes, *Washington Luís*, p. 60.
22. Célio Debes, *Washington Luís*, pp. 22, 24 e 49.
23. Célio Debes, *Washington Luís*, p. 50.
24. Célio Debes, *Washington Luís*, p. 51.
25. Célio Debes, *Washington Luís*, p. 60.
26. Célio Debes, *Washington Luís*, p. 63.
27. Célio Debes, *Washington Luís*, p. 64.
28. Joseph Love, *A locomotiva*, p. 176.
29. Joseph Love, *A locomotiva*, p. 256.
30. Célio Debes, *Washington Luís*, p. 136.
31. Célio Debes, *Washington Luís*, p. 137.
32. Idem.
33. Célio Debes, *Washington Luís*, p. 138.
34. José Geraldo Simões Júnior, *Anhangabaú*, p. 153; Antônio Rodrigues Porto, *História urbanística da cidade de São Paulo (1554 a 1998)*, pp. 117 e 119.
35. Célio Debes, *Washington Luís*, pp. 146-147.
36. Maria Cecília Naclério Homem, *Higienópolis*, pp. 61-62.
37. *O Estado de S. Paulo*, 13 jun. 1916, p. 3, em Benedito Lima de Toledo, *Álbum iconográfico da avenida Paulista*, p. 65.
38. Augusto Carlos Vasconcelos, "Retrospectiva do concreto no Brasil", p. 45.
39. Benedito Lima de Toledo, *Álbum iconográfico da avenida Paulista*, p. 65.
40. Benedito Lima de Toledo, *São Paulo, três cidades em um século*, p. 75.
41. Silvia Ferreira Santos Wolff, *Jardim América*, pp. 107-108.
42. Laveley é francês para, entre outros, Hugo Segawa, *Prelúdio da metrópole*, p. 65; belga para Roseli d'Elboux, "Joseph Bouvard in São Paulo, 1911".
43. "Planta geral da cidade de São Paulo", em Maria Lúcia Perrone Passos e Teresa Emídio, *Desenhando São Paulo*, p. 50.
44. "Planta geral da cidade de São Paulo", em Maria Lúcia Perrone Passos e Teresa Emídio, *Desenhando São Paulo*, p. 58.
45. Flávio Saes, "São Paulo republicana", p. 228.
46. Idem.
47. Ebe Reale, *Brás, Pinheiros, Jardins*, p. 146.
48. Idem; Silvia Ferreira Santos Wolff, *Jardim América*, p. 131.
49. Para o conceito de *garden city* e seus criadores: Silvia Ferreira Santos Wolff, *Jardim América*, pp.

23-42; Hugo Segawa, "São Paulo, veios e fluxos", p. 365; verbetes *Garden cities* e *Howard* em *Enciclopédia Britânica* (Micropedia), 15. ed., 1976; verbetes *"garden cities", "Howard", "Parker"* e *"Unwin"* em Wikipedia.
50. Para origens e desenvolvimento do Jardim América: Silvia Ferreira Santos Wolff, *Jardim América*, pp. 127-148; Ebe Reale, *Brás, Pinheiros, Jardins*, pp. 145-158.
51. Ebe Reale, *Brás, Pinheiros, Jardins*, p. 156.
52. Silvia Ferreira Santos Wolff, *Jardim América*, p. 88; Hugo Segawa, "São Paulo, veios e fluxos", p. 365.
53. Everardo Valim Pereira de Sousa, "Reminiscências", p. 217; Antônio Rodrigues Porto, *História urbanística da cidade de São Paulo (1554 a 1988)*, p. 118.
54. Ebe Reale, *Brás, Pinheiros, Jardins*, pp. 179-185.
55. Silvia Ferreira Santos Wolff, *Jardim América*, pp. 89-94; as citações do relatório de Barry Parker estão reproduzidas no mesmo local.
56. Nicolau Sevcenko, *Orfeu extático na metrópole*, p. 77.
57. *O Estado de S. Paulo*, 3 mai. 1919, p. 4; Nicolau Sevcenko, *Orfeu extático na metrópole*, p. 77; Domício Pacheco Silva, *O último cafezal*, p. 173.
58. Célio Debes, *Washington Luís*, pp. 186-187, 226.
59. *O Estado de S. Paulo*, 21 jan. 1906, p. 2.
60. Idem.
61. Humberto de Campos, *Diário secreto*, v. 2, p. 386; José de Souza Martins, "Uma tragédia paulistana", p. C6.
62. *O Estado de S. Paulo*, 22 jan. 1906, p. 2; *Correio Paulistano*, 22 jan. 1906, p. 1.

PAESANDEU, VILA MARIANA E ABAX'O PIQUES [pp. 143-160]

1. Cícero Marques, *De pastora a rainha*, pp. 201-204.
2. Cícero Marques, *De pastora a rainha*, pp. 121 e 133.
3. Cícero Marques, *De pastora a rainha*, pp. 183 e 198.
4. Cícero Marques, *De pastora a rainha*, pp. 35 e 151.
5. Cícero Marques, *De pastora a rainha*, pp. 108, 109, 114 e 123.
6. Cícero Marques, *De pastora a rainha*, p. 35.
7. Cícero Marques, *De pastora a rainha*, p. 52.
8. Cícero Marques, *De pastora a rainha*, p. 56.
9. Cícero Marques, *De pastora a rainha*, pp. 82-84.
10. Cícero Marques, *De pastora a rainha*, p. 114.
11. Margareth Rago, "A invenção do cotidiano na metrópole", p. 397; Eliane Robert Moraes, "São Paulo dos vícios elegantes", anexo a Hilário Tácito, *Madame Pommery*, p. 8.
12. Cícero Marques, *De pastora a rainha*, p. 37.
13. Hilário Tácito, *Madame Pommery*, p. 43.
14. Hilário Tácito, *Madame Pommery*, p. 17.
15. Hilário Tácito, *Madame Pommery*, pp. 18 e 20.
16. Hilário Tácito, *Madame Pommery*, p. 56.
17. Hilário Tácito, *Madame Pommery*, pp. 100-101.
18. Hilário Tácito, *Madame Pommery*, p. 54.
19. Hilário Tácito, *Madame Pommery*, p. 131.
20. Alfonso Lomonaco, *Al Brasile*, em Maria Lúcia Perrone Passos e Teresa Emídio, *Desenhando São Paulo*, p. 44.
21. Márcia Camargos, *Villa Kyrial*, pp. 15, 89, 97; este bem pesquisado e bem escrito livro será nosso principal apoio no tema da Villa Kyrial e de seu senhor.
22. Márcia Camargos, *Villa Kyrial*, p. 52.
23. José de Freitas Valle, "D. Veridiana e a vida em plenitude", pp. 139-145.
24. Márcia Camargos, *Villa Kyrial*, pp. 42-43.
25. Márcia Camargos, *Villa Kyrial*, pp. 61-75.
26. Márcia Camargos, *Villa Kyrial*, pp. 92-93.
27. Márcia Camargos, *Villa Kyrial*, p. 58.
28. Moacyr Piza, *Vespeira*, p. 18.
29. Márcia Camargos, *Villa Kyrial*, pp. 73-74.
30. Márcia Camargos, *Villa Kyrial*, p. 48.
31. Márcia Camargos, *Villa Kyrial*, pp. 41, 44 e 126.
32. Márcia Camargos, *Villa Kyrial*, p. 98.
33. Márcia Camargos, *Villa Kyrial*, pp. 45-46; Paulo Mendes de Almeida, *De Anita ao museu*, pp. 11-12.
34. Márcia Camargos, *Villa Kyrial*, p. 159.
35. Márcia Camargos, *Villa Kyrial*, pp. 202-203.
36. Benedito Antunes, *Juó Bananére*, p. 215; além de uma inteligente análise, esse livro presta o inestimável serviço de reunir o melhor da colaboração de Bananére no jornal *O Pirralho*.
37. Benedito Antunes, *Juó Bananére*, p. 18.
38. Oswald de Andrade, *Um homem sem profissão*, p. 64.
39. Gênese de Andrade e Maria de Lourdes Eleutério, "O Pirralho na cena cultural paulistana antes da Semana de 22", pp. 53-68.
40. Benedito Antunes, *Juó Bananére*, pp. 114, 124, 216--217 e 336-337.
41. Benedito Antunes, *Juó Bananére*, pp. 325, 101-102, 311-312 e 137.
42. Benedito Antunes, *Juó Bananére*, pp. 156-159.

AO SOM DA *INTERNACIONAL* [pp. 161-178]

1. Boris Fausto, *Trabalho urbano e conflito social*, p. 193.
2. Boris Fausto, *Trabalho urbano e conflito social*, p. 146.
3. Boris Fausto, *Trabalho urbano e conflito social*, pp. 146-150; Paula Beiguelman, *Os companheiros de São*

Paulo, pp. 41-46; Edgard Carone, *A República Velha*, pp. 22-223; Everardo Dias, *História das lutas sociais no Brasil*, pp. 265-268.
4. Boris Fausto, *Trabalho urbano e conflito social*, p. 114; Michael Hall, "O movimento operário na cidade de São Paulo", p. 266.
5. Paula Beiguelman, *Os companheiros de São Paulo*, p. 29.
6. Para este parágrafo e o anterior: Boris Fausto, *Trabalho urbano e conflito social*, pp. 192-195; Paula Beiguelman, *Os companheiros de São Paulo*, pp. 83-85; Edgard Carone, *A República Velha*, pp. 228-229.
7. Para o parágrafo: *O Estado de S. Paulo*, 12 jul. 1917, pp. 4-5; *Correio Paulistano*, 12 jul. 1917, p. 2.
8. Boris Fausto, *Trabalho urbano e conflito social*, p. 193.
9. *O Estado de S. Paulo*, 12 jul. 1917, pp. 4-5; *Correio Paulistano*, 12 jul. 1917, p. 2.
10. Para o parágrafo: *O Estado de S. Paulo*, 13 jul. 1917; *Correio Paulistano*, 13 jul. 1917.
11. Boris Fausto, *Trabalho urbano e conflito social*, p. 200.
12. *O Estado de S. Paulo*, 12 jul. 1917, p. 4.
13. John W. Foster Dulles, *Anarquistas e comunistas no Brasil*, p. 47, baseado em dados de *O Estado de S. Paulo*.
14. *Correio Paulistano*, 13 jul. 1917, p. 2.
15. Idem.
16. Paula Beiguelman, *Os companheiros de São Paulo*, p. 54.
17. Michael Hall, "O movimento operário na cidade de São Paulo", p. 268.
18. Edgard Carone, *A República Velha*, p. 198; Everardo Dias, *História das lutas sociais no Brasil*, p. 281.
19. Boris Fausto, *Trabalho urbano e conflito social*, p. 203.
20. Boris Fausto, *Trabalho urbano e conflito social*, p. 204.
21. Everardo Dias, *História das lutas sociais no Brasil*, p. 243.
22. Boris Fausto, *Trabalho urbano e conflito social*, p. 30.
23. Franco Cenni, *Italianos no Brasil*, pp. 350 e 385; Antonio Candido, *Teresina etc.*, pp. 56-61.
24. Márcia Camargos, *Villa Kyrial*, pp. 76, 78-79.
25. <www.ramenzoni.com.br>; Everardo Dias, *História das lutas sociais no Brasil*, p. 244.
26. Warren Dean, *A industrialização de São Paulo*, p. 59.
27. John W. Foster Dulles, *Anarquistas e comunistas no Brasil*, p. 25.
28. Franco Cenni, *Italianos no Brasil*, p. 351.
29. Everardo Dias, *História das lutas sociais no Brasil*, p. 246.
30. Maria Nazareth Ferreira, *A imprensa operária no Brasil*, p. 109.
31. Boris Fausto, *Trabalho urbano e conflito social*, p. 74.
32. Boris Fausto, *Trabalho urbano e conflito social*, pp. 72 e 89; Everardo Dias, *História das lutas sociais no Brasil*, p. 250.
33. Boris Fausto, *Trabalho urbano e conflito social*, pp. 83-84.
34. *La Bataglia*, 2 jun. e 28 jul. 1907, citado em Paula Beiguelman, *Os companheiros de São Paulo*, p. 46.
35. *La Bataglia*, 24 nov. 1907, citado em Paula Beiguelman, *Os companheiros de São Paulo*, p. 47.
36. *Il Secolo*, 18 mai. 1906, citado em Michael Hall, "O movimento operário na cidade de São Paulo", p. 271.
37. Lima Barreto, *Toda crônica*, p. 287.
38. Everardo Dias, *História das lutas sociais no Brasil*, p. 284.
39. Everardo Dias, *História das lutas sociais no Brasil*, p. 42; Sábato Magaldi e Maria Theresa Vargas, *Cem anos de teatro em São Paulo*, pp. 42-43.
40. Everardo Dias, *História das lutas sociais no Brasil*, p. 303.
41. *O Estado de S. Paulo*, 16 jul. 1917, p. 2.
42. *O Estado de S. Paulo*, 16 jul. 1917, p. 5.
43. Idem.
44. Idem.
45. Boris Fausto, *Trabalho urbano e conflito social*, p. 205; Michael Hall, "O movimento operário na cidade de São Paulo", p. 279.
46. Edgard Carone, *A República Velha*, pp. 238-239; Boris Fausto, *Trabalho urbano e conflito social*, p. 236; John W. Foster Dulles, *Anarquistas e comunistas no Brasil*, pp. 60-61.
47. Everardo Dias, *História das lutas sociais no Brasil*, p. 36.
48. Boris Fausto, *Trabalho urbano e conflito social*, p. 160.
49. Para a greve de 1919: John W. Foster Dulles, *Anarquistas e comunistas no Brasil*, pp. 72-73, 99-103; Paula Beiguelman, *Os companheiros de São Paulo*, pp. 98-109; Michael Hall, "O movimento operário na cidade de São Paulo", pp. 279-182; Everardo Dias, *História das lutas sociais no Brasil*, pp. 304-307.
50. John W. Foster Dulles, *Anarquistas e comunistas no Brasil*, pp. 101-104.
51. Raquel Rolnik, "São Paulo, início da industrialização", p. 106.
52. Mário da Silva Brito, *Antecedentes da Semana de Arte Moderna*, pp. 72-75; Maria Augusta Fonseca, *Oswald de Andrade*, pp. 110-111.

DIAS DE MEDO E DE MORTE [pp. 179-198]

1. *O Estado de S. Paulo*, 26 jun. 1918, p. 5.
2. *O Estado de S. Paulo*, 27 jun. 1918, p. 5.
3. *Correio Paulistano*, 17 out. 1918, p. 3.
4. Claudio Bertolli Filho, *A gripe espanhola em São Paulo*, p. 153.
5. *O Estado de S. Paulo*, 24 out. 1918, p. 4.

6. Ata da Câmara de 14 mar. 1878, citada em Monica Musatti Cytrynowicz, Roney Cytrynowicz e Ananda Stücker, *Do Lazareto dos Varíolosos ao Instituto de Infectologia Emílio Ribas*, p. 14.
7. Para o parágrafo: Berta Ricardo de Mazzieri e Erasmo Magalhães Castro de Tolosa, "Saúde pública em São Paulo", pp. 238, 244-245; Nelson Ibañez e Osvaldo Augusto Sant'Anna, "Instituto Butantan", pp. 323-328.
8. Berta Ricardo de Mazzieri e Erasmo Magalhães Castro de Tolosa, "Saúde pública em São Paulo", pp. 243-244; Monica Musatti Cytrynowicz, Roney Cytrynowicz e Ananda Stücker, *Do Lazareto dos Varíolosos ao Instituto de Infectologia Emílio Ribas*, pp. 49-56.
9. Nelson Ibañez e Osvaldo Augusto Sant'Anna, "Instituto Butantan", pp. 334-335.
10. Jorge Americano, *São Paulo naquele tempo (1895-1915)*, p. 116; Cícero Marques, *De pastora a rainha*, p. 144.
11. Berta Ricardo de Mazzieri e Erasmo Magalhães Castro de Tolosa, "Faculdade de Medicina da Universidade de São Paulo", p. 156; José Luiz Gomes do Amaral e Luiz Antonio Nunes, "Associações médicas e sociedades de especialidades", p. 266.
12. Para o Instituto Pasteur: L. A. Teixeira, *Ciência e saúde na terra dos bandeirantes*, pp. 55-72.
13. *O Estado de S. Paulo*, 29 out. 1918, p. 3; *Correio Paulistano*, 31 out. 1918, p. 2.
14. Monica Musatti Cytrynowicz, Roney Cytrynowicz e Ananda Stücker, *Do Lazareto dos Varíolosos ao Instituto de Infectologia Emílio Ribas*, p. 74.
15. *Correio Paulistano*, 5, 6 e 7 nov. 1918, sempre na página 2.
16. *A Gazeta*, 23 out. 1918, p. 1; citado em Claudio Bertolli Filho, *A gripe espanhola em São Paulo*, pp. 214-215.
17. *O Estado de S. Paulo*, 18 out. 1918, p. 2.
18. *O Estado de S. Paulo*, 22 out. 1918, p. 9; e 24 out. 1918, pp. 4-5.
19. *O Estado de S. Paulo*, 31 out. 1918, p. 3; *Correio Paulistano*, 1 nov. 1918, p. 2; Claudio Bertolli Filho, *A gripe espanhola em São Paulo*, p. 171.
20. *O Estado de S. Paulo*, 26 out. 1918, p. 3; *Correio Paulistano*, 30 out. 1918, p. 2.
21. *Correio Paulistano*, 26 out. 1918, p. 2.
22. *O Estado de S. Paulo*, 21 out. 1918, p. 5.
23. *O Estado de S. Paulo*, 31 out. 1918, p. 4.
24. *Correio Paulistano*, 6 nov. 1918, p. 3.
25. *Correio Paulistano*, 31 out. 1918, p. 2.
26. *O Estado de S. Paulo*, 18 out. 1918, pp. 5 e 9.
27. *O Estado de S. Paulo*, 18 out. 1918, p. 5.
28. Claudio Bertolli Filho, *A gripe espanhola em São Paulo*, p. 243.
29. *O Estado de S. Paulo*, 28 out. 1918, p. 1.
30. *O Estado de São Paulo*, 19 out. 1918, p. 5 e 23 out. 1918, p. 4.
31. *Correio Paulistano*, 26 out. 1918, p. 2.
32. *Correio Paulistano*, 22 out., 3 nov. e 5 nov. 1918, sempre na p. 2.
33. Paulo Duarte, *Os mortos de Seabrook*, p. 427.
34. Claudio Bertolli Filho, *A gripe espanhola em São Paulo*, p. 144; *Correio Paulistano*, 30 out. 1918, p. 2.
35. Claudio Bertolli Filho, *A gripe espanhola em São Paulo*, pp. 148-149.
36. Claudio Bertolli Filho, *A gripe espanhola em São Paulo*, pp. 281-287.
37. Monica Musatti Cytrynowicz, Roney Cytrynowicz e Ananda Stücker, *Do Lazareto dos Varíolosos ao Instituto de Infectologia Emílio Ribas*, p. 86.
38. *O Estado de S. Paulo*, 30 out. 1918, p. 2.
39. Edgard Cavalheiro, *Monteiro Lobato*, p. 187; Carmen Lúcia de Azevedo, Márcia Camargos e Wladimir Sacchetta, *Furacão na Botucúndia*, p. 102.
40. Monteiro Lobato, *Na antevéspera*, p. 282.
41. Monteiro Lobato, *Na antevéspera*, p. 281; Carmen Lúcia de Azevedo, Márcia Camargos e Wladimir Sacchetta, *Furacão na Botucúndia*, p. 102.
42. *O Estado de S. Paulo*, 29 out. 1918, p. 3.
43. *Correio Paulistano*, 30 out. 1918, p. 1.
44. O episódio está contado em Monteiro Lobato, *Na antevéspera*, pp. 281-288.
45. Monteiro Lobato, *A barca de Gleyre*, pp. 184-185.
46. Monteiro Lobato, "Fatia da vida", em Monteiro Lobato, *Negrinha*, pp. 235-243.

PANORAMA 1920 [pp. 197-212]

1. *Recenseamento do Brasil*, v. 4, 1ª parte, pp. 4-5 e 8-9.
2. *Annuario Demographico*, pp. 19, 29-30.
3. *Recenseamento do Brasil*, v. 4, 1ª parte, pp. 290-291.
4. *Recenseamento do Brasil*, v. 4, 1ª parte, p. 331.
5. *Recenseamento do Brasil*, v. 4, 1ª parte, p. LVII.
6. *Recenseamento do Brasil*, v. 4, 1ª parte, p. 545.
7. Citado em "História da imigração", em: <www.imigracaojaponesa.com.br>.
8. Célia Sakurai, "A fase romântica da política", pp. 130-131.
9. Valdemar Carneiro Leão, "A crise da imigração japonesa no Brasil (1930-1934)", pp. 131-132.
10. *Recenseamento do Brasil*, 1 set. 1920, v. 4, 1ª parte, p. LXI; a "autoridade no assunto" citada, conforme se explicita em nota de pé de página, é J. F. Gonçalves Júnior, autor de parecer solicitado pela Sociedade Nacional de Agricultura.
11. *Recenseamento do Brasil*, v. 4, 1ª parte, p. 317.
12. *Recenseamento do Brasil*, v. 4, 2ª parte, pp. XL-XLI e 800.

13. *Recenseamento do Brasil*, v. 4, 2ª parte, p. XLVII.
14. *Recenseamento do Brasil*, v. 4, 2ª parte, p. LXXVII.
15. *Recenseamento do Brasil*, v. 4, 4ª parte, pp. XXIV, LIV, LV.
16. *O Estado de S. Paulo*, 3 mai. 1920, p. 2; Nicolau Sevcenko, *Orfeu extático na metrópole*, p. 79.
17. *Recenseamento do Brasil*, v. 4, 6ª parte, pp. XI, XIV e XVI.
18. *Annuario Demographico*, pp. 16 e 17.
19. *Annuario Demographico*, pp. 12-13, 88.
20. *Annuario Demographico*, pp. 25, 37.
21. Antônio Fonseca e dr. J. F. de Melo Nogueira, *Guia do Estado de São Paulo*, pp. 160-165.
22. Antônio Fonseca e dr. J. F. de Melo Nogueira, *Guia do Estado de São Paulo*, pp. 175-177.
23. Antônio Fonseca e dr. J. F. de Melo Nogueira, *Guia do Estado de São Paulo*, pp. 228-252, 203-212.
24. Nicolau Sevcenko, *Orfeu extático na metrópole*, pp. 79-81; Domício Pacheco Silva, *O último cafezal*, pp. 167-173; *O Estado de S. Paulo*, 12 jan. 1954, p. 32.
25. Sevcenko, *Orfeu extático na metrópole*, pp. 79-81; Domício Pacheco Silva, *O último cafezal*, pp. 167--173; *O Estado de S. Paulo*, 27 dez. 1920, p. 3.
26. *O Estado de S. Paulo*, 29 out. 1920, p. 3.
27. Nicolau Sevcenko, *Orfeu extático na metrópole*, p. 81.
28. *O Estado de S. Paulo*, 14 jan. 1921, p. 3.

ANNUS MIRABILIS (1922) [pp. 213-232]

1. Benedito Antunes, *Juó Bananére*, p. 194.
2. Mário de Andrade, "O movimento modernista", em Mário de Andrade, *Aspectos da literatura brasileira*, pp. 233-234. Originalmente uma conferência proferida no auditório do Itamaraty, no Rio de Janeiro, em 1942, em comemoração aos vinte anos da Semana de Arte Moderna, o mesmo texto já havia sido publicado em *O Estado de S. Paulo*, no mesmo ano, e foi republicado pelo mesmo jornal em 2002, aos oitenta anos da Semana, em capítulos que ocuparam as edições dos dias 10, 17 e 24 de fevereiro e de 3 de março de 2002, sempre à página D-7. Há pequenas divergências entre a publicação do livro e a do jornal. Segue-se aqui o texto do livro, com recurso ao do jornal quando recomendável por razões de clareza.
3. Mário de Andrade, "O movimento modernista", em Mário de Andrade, *Aspectos da literatura brasileira*, p. 234.
4. Mário de Andrade, "O movimento modernista", em Mário de Andrade, *Aspectos da literatura brasileira*, p. 232.
5. Mário da Silva Brito, *Antecedentes da Semana de Arte Moderna*, p. 50; Marcos Augusto Gonçalves, *1922*, p. 105.
6. Mário da Silva Brito, *Antecedentes da Semana de Arte Moderna*, p. 53.
7. "A caçada", em Mário de Andrade, *Poesias completas*, p. 54.
8. Mário de Andrade, "O movimento modernista", em Mário de Andrade, *Aspectos da literatura brasileira*, p. 237.
9. Mário da Silva Brito, *Antecedentes da Semana de Arte Moderna*, pp. 227-231.
10. Mário da Silva Brito, *Antecedentes da Semana de Arte Moderna*, pp. 346-347.
11. Mário da Silva Brito, *Antecedentes da Semana de Arte Moderna*, p. 232.
12. Mário da Silva Brito, *Antecedentes da Semana de Arte Moderna*, pp. 233-238.
13. Mário da Silva Brito, *Aspectos da literatura brasileira*, p. 234; Marcos Augusto Gonçalves, *1922*, p. 253.
14. Oswald de Andrade, *Os dentes do dragão*, p. 221.
15. Marcos Augusto Gonçalves, *1922*, pp. 101-103.
16. Mário da Silva Brito, *Antecedentes da Semana de Arte Moderna*, p. 315; Marcos Augusto Gonçalves, *1922*, pp. 247-248.
17. Darrel E. Levi, *A família Prado*, p. 112.
18. Citado em Marcos Augusto Gonçalves, *1922*, p. 255.
19. Oswald de Andrade, *Os dentes do dragão*, p. 221.
20. Antônio Rodrigues Porto, *História urbanística da cidade de São Paulo (1554 a 1988)*, p. 122; plantas da cidade de São Paulo de 1914 e 1916 em Maria Lúcia Perrone Passos e Teresa Emídio, *Desenhando São Paulo*, pp. 73 e 78.
21. Máximo Barro e Roney Bacelli, *Ipiranga*, p. 43.
22. Oswald de Andrade, *A estrela de absinto*, p. 33.
23. Mário da Silva Brito, *Antecedentes da Semana de Arte Moderna*, pp. 116-117.
24. Mário da Silva Brito, *Antecedentes da Semana de Arte Moderna*, pp. 118, 124-126.
25. Mário da Silva Brito, *Antecedentes da Semana de Arte Moderna*, p. 182.
26. Mário da Silva Brito, *Antecedentes da Semana de Arte Moderna*, p. 186.
27. Mário da Silva Brito, *Antecedentes da Semana de Arte Moderna*, p. 206.
28. Mário da Silva Brito, *Antecedentes da Semana de Arte Moderna*, pp. 204, 206.
29. Mário da Silva Brito, *Antecedentes da Semana de Arte Moderna*, pp. 144, 186, 179.
30. Mário da Silva Brito, *Antecedentes da Semana de Arte Moderna*, p. 171.
31. *O Estado de S. Paulo*, 15 fev. 1922, p. 8.
32. Para o parágrafo: Marcos Augusto Gonçalves, *1922*, pp. 268-269, 163.

33. Citado em Marcos Augusto Gonçalves, *1922*, p. 295.
34. Marcos Augusto Gonçalves, *1922*, pp. 300-303.
35. Suely Robles Reis de Queiroz, "Política e poder público na cidade de São Paulo", p. 38. A autora cita as memórias de Yolanda Penteado no livro *Tudo em cor-de-rosa*.
36. Marcos Augusto Gonçalves, *1922*, p. 299.
37. Mário da Silva Brito, "1922", p. 1.
38. Máximo Barro e Roney Bacelli, *Ipiranga*, pp. 43-44.
39. Para o parágrafo: O *Estado de S. Paulo*, 8 set. 1922, pp. 2 e 3; *Folha da Noite*, pp. 1 e 2.
40. Aracy Amaral, *Artes plásticas na Semana de 22*, p. 67.
41. Máximo Barro e Roney Bacelli, *Ipiranga*, pp. 50-51.
42. *Revista Ilustração Brasileira*, nov. 1920, em Sandra Brecheret Pellegrini, *Brecheret 60 anos de notícia*, pp. 27-28.
43. Para o parágrafo: Antônio Rodrigues Porto, *História urbanística da cidade de São Paulo (1554 a 1988)*, pp. 124-125; "Cronologia", em Paula Porta, *História da cidade de São Paulo*, v. 3, p. 610.
44. Mário de Andrade, *Poesias completas*, p. 175.
45. Mário de Andrade, *Macunaíma*, pp. 52-53.
46. Oswald de Andrade, *Serafim Ponte Grande*, p. 122.

PAUSA PARA UMA REVOLUÇÃO [pp. 233-252]

1. Alexandre Eulálio, *A aventura brasileira de Blaise Cendrars*, p. 24.
2. Maria Augusta Fonseca, *Oswald de Andrade*, pp. 147-148.
3. Rubens Borba de Moraes, "Recordações de Blaise Cendrars", em Alexandre Eulálio, *A aventura brasileira de Blaise Cendrars*, p. 482.
4. Blaise Cendrars, *Etc... Etc... (um livro 100% brasileiro)*, pp. 54, 56.
5. Blaise Cendrars, *Etc... Etc... (um livro 100% brasileiro)*, p. 58.
6. Oswald de Andrade, *Ponta de lança*, p. 113.
7. Blaise Cendrars, *Etc... Etc... (um livro 100% brasileiro)*, p. 88; Márcia Camargos, *Villa Kyrial*, p. 73.
8. Rubens Borba de Moraes, "Recordações de Blaise Cendrars", em Alexandre Eulálio, *A aventura brasileira de Blaise Cendrars*, p. 484.
9. Vavy Pacheco Borges e Ilka Stern Cohen, "A cidade como palco", p. 296; Giselle Beiguelman Messina, "São Paulo, a escolhida", p. 30.
10. Oswald de Andrade, *Serafim Ponte Grande*, pp. 76-78.
11. Edgard Carone, *A República Velha*, pp. 371-373; Nívia Faria, "A preparação do levante", pp. 19-20.
12. Blaise Cendrars, *Etc... Etc... (um livro 100% brasileiro)*, p. 88.
13. Israel Beloch e Alzira Alves de Abreu, *Dicionário histórico-biográfico brasileiro 1930-1983*, p. 1918.
14. Israel Beloch e Alzira Alves de Abreu, *Dicionário histórico-biográfico brasileiro 1930-1983*, p. 976.
15. José Antônio Segatto, "A força de São Paulo", p. 28.
16. Duarte Brasil Pacheco Pereira, "O diário da Revolução", pp. 29-30.
17. Duarte Brasil Pacheco Pereira, "O diário da Revolução", pp. 33-35; Vavy Pacheco Borges e Ilka Stern Cohen, "A cidade como palco", p. 298.
18. Citado em Duarte Brasil Pacheco Pereira, "O diário da Revolução", p. 36.
19. Paulo Duarte, *Agora nós!*, pp. 201-202.
20. Duarte Brasil Pacheco Pereira, "O diário da Revolução", p. 35.
21. Paulo Duarte, *Agora nós!*, p. 210.
22. Paulo Duarte, *Agora nós!*, p. 41; Hélio Silva, *1922*, p. 363.
23. Duarte Brasil Pacheco Pereira, "O diário da Revolução", pp. 41-42.
24. Duarte Brasil Pacheco Pereira, "O diário da Revolução", p. 42.
25. Paulo Duarte, *Agora nós!*, pp. 212-213.
26. Depoimento de Maria Lebrun da Silva Prado, em Alexandre Eulálio, *A aventura brasileira de Blaise Cendrars*, p. 546.
27. Paulo Duarte, *Agora nós!*, pp. 65-66.
28. Hélio Silva, *1922*, p. 368.
29. Duarte Brasil Pacheco Pereira, "O diário da Revolução", pp. 47, 51; Vavy Pacheco Borges e Ilka Stern Cohen, "A cidade como palco", pp. 302-303.
30. Paulo Duarte, *Agora nós!*, p. 76.
31. Paulo Duarte, *Agora nós!*, p. 82; Duarte Brasil Pacheco Pereira, "O diário da Revolução", p. 48.
32. Paulo Duarte, *Agora nós!*, p. 185.
33. Paulo Duarte, *Agora nós!*, pp. 83-87; Duarte Brasil Pacheco Pereira, "O diário da Revolução", p. 48.
34. Paulo Duarte, *Agora nós!*, pp. 82-84.
35. José Antônio Segatto, "O poder dividido", p. 67.
36. Paulo Duarte, *Agora nós!*, p. 92.
37. Duarte Brasil Pacheco Pereira, "O diário da Revolução", p. 56.
38. Aureliano Leite, *Días de pavor*, em Duarte Brasil Pacheco Pereira, "O diário da Revolução", p. 59.
39. Duarte Brasil Pacheco Pereira, "O diário da Revolução", p. 61.
40. Em Paulo Duarte, *Agora nós!*, p. 193.

41. Paulo Duarte, *Agora nós!*, pp. 220-221.
42. Duarte Brasil Pacheco Pereira, "O diário da Revolução", p. 62; Giselle Beiguelman Messina, "São Paulo, a escolhida", p. 87; Nívia Faria, "A preparação do levante"; Paulo Duarte, *Agora nós!*, pp. 240-249.
43. Hélio Silva, *1922*, p. 388.
44. Manifesto de 10 de julho de 1924, em Edgard Carone, *A Primeira República*, pp. 345-348.
45. Manifesto de 17 de julho de 1924, em *História & Energia*, n. 4, 1987, p. 66.
46. Manifesto de 24 de julho de 1924, em Paulo Duarte, *Agora nós!*, pp. 58-59.
47. Panfleto de 20 de julho de 1924, em *História & Energia*, n. 4, 1987, p. 58.
48. Manifesto de 10 de julho de 1924, em Edgard Carone, *A Primeira República*, p. 347.
49. Edgard Carone, *A República Velha*, p. 372.
50. Hélio Silva, *1922*, p. 387.
51. Paulo Duarte, *Agora nós!*, pp. 12-13.
52. Marcos Augusto Gonçalves, *1922*, p. 163.
53. Paulo Duarte, *Agora nós!*, pp. 22-23.
54. Blaise Cendrars, *Etc... Etc... (um livro 100% brasileiro)*, p. 60.
55. Oscar Pilagallo, *História da imprensa paulista*, pp. 62-66.
56. Oscar Pilagallo, *História da imprensa paulista*, p. 76.
57. José Antônio Segatto, "A força de São Paulo", p. 71.
58. Everardo Dias, *História da lutas sociais no Brasil*, p. 138.
59. José Antônio Segatto, "A força de São Paulo", p. 74.
60. Duarte Brasil Pacheco Pereira, "O diário da Revolução", p. 46.
61. Alexandre Eulálio, *A aventura brasileira de Blaise Cendrars*, p. 546.
62. Blaise Cendrars, *Etc... Etc... (um livro 100% brasileiro)*, p. 84.
63. *História & Energia*, n. 4, 1987, pp. 88-89.
64. *O Estado de S. Paulo*, 18 jul. 1924, p. 2.
65. Paulo Duarte, *Mário de Andrade por ele mesmo*, p. 298.

BRÁS, BEXIGA E PRAÇA BUENOS AIRES [pp. 253-266]

1. Para Carmela: António de Alcântara Machado, *Brás, Bexiga e Barra Funda*, pp. 31-43; para Nenê Romano: *Folha da Noite*, 27 out. 1923, p. 3; *O Combate*, 26 out. 1923, p. 1; Boris Fausto, "Uma paixão de outrora"; José de Souza Martins, "Angélica, esquina de Sergipe", p. C8.
2. Francisco de Assis Barbosa, "Apresentação"; Cecília de Lara, "Introdução".
3. Conto "Tiro de guerra n. 35", em António de Alcântara Machado, *Brás, Bexiga e Barra Funda*, p. 47.
4. Conto "Armazém Progresso de São Paulo", em António de Alcântara Machado, *Brás, Bexiga e Barra Funda*, p. 121.
5. António de Alcântara Machado, *Prosa preparatória & Cavaquinho e saxofone*, pp. 92-93.
6. António de Alcântara Machado, *Prosa preparatória & Cavaquinho e saxofone*, pp. 100, 104 e 107.
7. António de Alcântara Machado, *Prosa preparatória & Cavaquinho e saxofone*, pp. 102-103, 101, 121, 128-129.
8. António de Alcântara Machado, *Prosa preparatória & Cavaquinho e saxofone*, pp. 114, 147, 170-171, 278.
9. António de Alcântara Machado, *Prosa preparatória & Cavaquinho e saxofone*, p. 171.
10. António de Alcântara Machado, *Prosa preparatória & Cavaquinho e saxofone*, pp. 118-119, 141-142.
11. António de Alcântara Machado, *Laranja da China*, p. 17.
12. Nélson Werneck Sodré, *História da literatura brasileira*, p. 529.
13. *Folha da Noite*, 26 out. 1923, p. 3 e 30 out. 1923, p. 2.
14. Paulo Duarte, "Há 40 anos, falecia Moacyr Piza", p. 18.
15. *O Estado de S. Paulo*, 27 out. 1923, p. 4.
16. *O Combate*, 26 out. 1923, p. 1.
17. *Folha da Noite*, 30 out. 1923, p. 2.
18. António de Alcântara Machado, *Brás, Bexiga e Barra Funda*, p. 43.

AO ENCALÇO DA DEUSA ESQUIVA [pp. 267-290]

1. Maria Adélia Aparecida de Souza, "A configuração territorial da cidade", p. 541.
2. Hugo Segawa, "Veios e fluxos", p. 378; *Dicionário Houaiss*, verbete "arranha-céu".
3. José Geraldo Simões Júnior, *Anhangabaú*, pp. 141 e 151; Zuleika Alvim e Isabel Raposo, "Artérias da verticalização", p. 33; Maria Cecília Naclério Homem, *O prédio Martinelli*, p. 50.
4. José Geraldo Simões Júnior, *Anhangabaú*, p. 141; Zuleika Alvim e Isabel Raposo, "Artérias da verticalização", p. 33; Maria Cecília Naclério Homem, *O prédio Martinelli*, p. 50.
5. Zuleika Alvim e Isabel Raposo, "Artérias da verticalização", p. 49.

6. Zuleika Alvim e Isabel Raposo, "Artérias da verticalização", pp. 37, 46-47.
7. Nadia Somekh, "Verticalização em São Paulo", p. 95.
8. Maria Cecília Naclério Homem, O prédio Martinelli, p. 50; Eudes Campos, Arquivo Histórico de São Paulo, pp. 238-239.
9. Maria Cecília Naclério Homem, O prédio Martinelli, pp. 55-59.
10. Maria Cecília Naclério Homem, O prédio Martinelli, p. 62.
11. Maria Cecília Naclério Homem, O prédio Martinelli, pp. 69, 72, 74.
12. Folha da Noite, 24 mai. 1928, p. 2.
13. Maria Cecília Naclério Homem, O prédio Martinelli, pp. 74-75.
14. Fernando Morais, Chatô, o rei do Brasil, p. 153.
15. Fernando Morais, Chatô, o rei do Brasil, pp. 310, 320.
16. Maria Cecília Naclério Homem, O prédio Martinelli, pp. 75, 77-79.
17. Maria Cecília Naclério Homem, O prédio Martinelli, pp. 87, 117.
18. Maria Cecília Naclério Homem, O prédio Martinelli, pp. 79-80, 89, 104.
19. Marshall Berman, Tudo que é sólido desmancha no ar, p. 145.
20. Marshall Berman, Tudo que é sólido desmancha no ar, p. 146.
21. Regina Prosperi Meyer, "O papel da rua na urbanização paulistana", p. 18.
22. Lei municipal n. 1596, de 27 de setembro de 1912.
23. Paulo Cursino de Moura, São Paulo de outrora, p. 97.
24. José Geraldo Simões Júnior, Anhangabaú, p. 154.
25. O filme, produzido pela empresa Rossi Filmes, pertence ao acervo da Cinemateca Brasileira.
26. Regina Prosperi Meyer, "O papel da rua na urbanização paulistana", p. 21.
27. Paulo Cursino de Moura, São Paulo de outrora, p. 98.
28. José Geraldo Simões Júnior, Anhangabaú, p. 155; lei n. 1011 de 6 de julho de 1907, art. 4º.
29. Oswald de Andrade, A estrela de absinto, p. 61.
30. Marshall Berman, Tudo que é sólido desmancha no ar, p. 148.
31. Warren Dean, A industrialização de São Paulo, p. 20; Joseph Love, A locomotiva, p. 81.
32. Warren Dean, A industrialização de São Paulo, p. 150.
33. Denise Dweck, "Conheça a história dos empresários que fundaram a Fiesp".
34. Marshall Berman, Tudo que é sólido desmancha no ar, p. 87.
35. Maria Cecília Naclério Homem, O prédio Martinelli, p. 104.
36. Aracy Amaral, Artes plásticas na Semana de 22, pp. 148-156.
37. Para os dados biográficos de Warchavchik: José Tavares Correia de Lira, "Ruptura e construção".
38. Gregori Warchavchik, "Acerca da arquitetura moderna", pp. 506-507.
39. Denise Invamoto, Futuro pretérito, p. 28.
40. Silvia Ferreira Santos Wolff, Jardim América, p. 113.
41. Diário de S. Paulo, 16 abr. 1930; transcrito em <www.coisasdaarquitetura.wordpress.com/ 2010/10/03/a-casa-modernista-da-rua-itapolis/>.
42. O Jornal, 19 abr. 1930; transcrito em <www.coisasdaarquitetura.wordpress.com/2010/10/03/a-casa-modernista-da-rua-itapolis/>.
43. Pedro Nava, Beira-mar, pp. 183-184.
44. Pedro Nava, Beira-mar, p. 184; Maria Izabel Ribeiro, "O esforço moderno em São Paulo", p. 140.

ÁGUAS EM TRANSE [pp. 291-308]

1. Citado em Janes Jorge, Tietê, o rio que a cidade perdeu, p. 207.
2. Elina O. Santos, "Tietê, o rio de São Paulo", p. 48; Aziz Ab'Saber, "O sítio urbano de São Paulo", p. 210.
3. Aziz Ab'Saber, "O sítio urbano de São Paulo", p. 216.
4. Janes Jorge, Tietê, o rio que a cidade perdeu, p. 109.
5. Janes Jorge, Tietê, o rio que a cidade perdeu, p. 106.
6. Janes Jorge, Tietê, o rio que a cidade perdeu, pp. 106-107.
7. Aziz Ab'Saber, "O sítio urbano de São Paulo", p. 215.
8. Janes Jorge, Tietê, o rio que a cidade perdeu, p. 119.
9. Para o parágrafo: Enciclopédia Barsa, verbete "Saturnino de Brito"; Mello Nóbrega, História do rio Tietê, p. 231; Janes Jorge, Tietê, o rio que a cidade perdeu, pp. 62-62; Elina O. Santos, "Tietê, o rio de São Paulo", p. 57.
10. Citado em Janes Jorge, Tietê, o rio que a cidade perdeu, p. 64.
11. Aziz Ab'Saber, "O sítio urbano de São Paulo", p. 223.
12. Aziz Ab'Saber, "O sítio urbano de São Paulo", p. 218; Janes Jorge, Tietê, o rio que a cidade perdeu, p. 49.
13. Aziz Ab'Saber, "O sítio urbano de São Paulo", p. 220.
14. Para o parágrafo: Edgard de Sousa, História da Light, pp. 96-98; José Alfredo Vidigal Pontes, "O destino do Jeribatiba", p. 36; Maria de Lourdes Souza Radesca, "O problema da energia elétrica", p. 115; O Estado de S. Paulo, 26 fev. 1925, p. 6.

15. Maria de Lourdes Souza Radesca, "O problema da energia elétrica", p. 118.
16. José Alfredo Vidigal Pontes, "O destino do Jeribatiba", p. 38.
17. Edgard de Sousa, *História da Light*, pp. 106-124; Maria de Lourdes Souza Radesca, "O problema da energia elétrica", pp. 111-114.
18. Maria de Lourdes Souza Radesca, "O problema da energia elétrica", p. 119.
19. José Alfredo Vidigal Pontes, "O destino do Jeribatiba", pp. 40-41.
20. *O Estado de S. Paulo*, 19 fev. 1929, p. 7; *Folha da Manhã*, 19 fev. 1929, p. 8.
21. José Alfredo Vidigal Pontes, "O destino do Jeribatiba", pp. 41-42; *O Estado de S. Paulo*, 20 fev. 1929, p. 8.
22. Janes Jorge, *Tietê, o rio que a cidade perdeu*, pp. 71-72.
23. Edgard de Sousa, *História da Light*, p. 186.
24. Jorge Americano, *São Paulo nesse tempo (1915-1935)*, pp. 84-85.
25. Dirce de Paula S. Mendes, "Bonde ou luz?", p. 59.
26. As observações são do vereador Almeirinho Gonçalves, em Waldemar Corrêa Stiel, *História dos transportes coletivos em São Paulo*, p. 159.
27. Citado em Waldemar Corrêa Stiel, *História dos transportes coletivos em São Paulo*, p. 160.
28. *O Estado de S. Paulo*, 14 set. 1927, p. 3.
29. Maria Lúcia Perrone Passos e Teresa Emídio, *Desenhando São Paulo*, p. 107.

O SENHOR BAIXINHO E GORDUCHO... [pp. 309-320]

1. *Folha da Manhã*, 22 mar. 1926, pp. 1-3; *O Estado de S. Paulo*, 22 mar. 1926, pp. 2-3.
2. *O Estado de S. Paulo*, 22 mar. 1926, p. 3.
3. José Ênio Casalecchi, *O Partido Republicano Paulista (1889-1926)*, pp. 175-176.
4. José Maria Bello, *História da República*, p. 321.
5. Jorge Americano, *São Paulo nesse tempo (1915-1935)*, p. 383.
6. Edgard Carone, *A República Velha*, pp. 392-396.
7. José Ênio Casalecchi, *O Partido Republicano Paulista (1889-1926)*, p. 174; Edgard Carone, *A República Velha*, p. 399.
8. Edgard Carone, *A República Velha*, p. 418.
9. Roberto Salone, *Irredutivelmente liberal*, pp. 104-105.
10. Edgard Carone, *A República Velha*, p. 407.
11. Célio Debes, *Júlio Prestes e a Primeira República*, p. 89.
12. Caio Prado Jr., *História econômica do Brasil*, pp. 239, 241.
13. Celso Furtado, *Formação econômica do Brasil*, p. 216.
14. Lira Neto, *Getúlio, 1882-1930*, p. 369.
15. Hélio Silva, *1926*, pp. 403-405.
16. *O Estado de S. Paulo*, 5 jan. 1930, p. 6.
17. Vavy Pacheco Borges, *Getúlio e a oligarquia paulista*, citado em Lira Neto, *Getúlio, 1882-1930*, p. 341.
18. *Folha da Manhã*, 5 jan. 1930, p. 1.
19. Oscar Pilagallo, *História da imprensa paulista*, p. 88.
20. "O movimento modernista", em Mário de Andrade, *Aspectos da literatura brasileira*, p. 240; *O Estado de S. Paulo*, 3 mar. 2002, p. D-7.
21. Márcia Camargos, *Villa Kyrial*, p. 89.
22. Hélio Silva, *1926*, pp. 315-317 e 429-430.
23. Hélio Silva, *1926*, p. 316.
24. *O Estado de S. Paulo*, 2 mar. 1930, p. 4.
25. *Diário do Congresso Nacional*, 21 mai. 1930, pp. 4, 11 e 29.
26. Edgard Carone, *A República Velha*, p. 425.
27. Edgard Carone, *A República Velha*, p. 426.
28. *Correio Paulistano*, 5 out. 1930, p. 1.
29. *Correio Paulistano*, 5 out. 1930, pp. 3 e 4.
30. Edgard Carone, *A República Velha*, p. 428.
31. *Correio Paulistano*, 24 out. 1930, p. 1.
32. *O Estado de S. Paulo*, 25 out. 1930, p. 2.
33. *O Estado de S. Paulo*, 26 out. 1930, p. 2.
34. *O Estado de S. Paulo*, 30 out. 1930, p. 2.
35. Mário de Andrade, *Aspectos da literatura brasileira*, p. 35; *O Estado de S. Paulo*, 3 mar. 2002, p. D-7.
36. Nota "Os três sargentos", em *Revista de Antropofagia* (segunda dentição), 14 abr. 1929; e artigo "Miss Macunaíma", em *Revista de Antropofagia* (segunda dentição), 4 jul. 1929.
37. Carta de 7 de abril de 1930, em Marcos Antonio de Moraes, *Correspondência Mário de Andrade & Manuel Bandeira*, p. 443.
38. Everardo Valim Pereira de Sousa, "Reminiscências", p. 229.
39. José Maria Bello, *História da República*, p. 345.

PLÁOQUE-PLÁOQUE, PLÁOQUE-PLÁQUE [pp. 325-343]

1. Stanley Hilton, *1932*, pp. 38-39; Stanley Hilton, *Oswaldo Aranha*, pp. 133-134; *O Estado de S. Paulo*, p. 24 mai. 1932, p. 3.
2. Stanley Hilton, *1932*, p. 26.
3. Stanley Hilton, *1932*, p. 28; José Alfredo Vidigal Pontes, *1932*, p. 194.
4. Vavy Pacheco Borges e Ilka Stern Cohen, "A cidade como palco", v. 3, p. 312.
5. Israel Beloch e Alzira Alves de Abreu, *Dicionário histórico-biográfico brasileiro 1930-1983*, v. 2, p. 980.

6. Stanley Hilton, *1932*, p. 28.
7. Lúcia Maria Teixeira Furlani e Geraldo Galvão Ferraz, *Viva Pagu*, p. 96.
8. Oswald de Andrade, *Os dentes do dragão*, p. 234.
9. Vavy Pacheco Borges e Ilka Stern Cohen, "A cidade como palco", v. 3, p. 311.
10. Stanley Hilton, *1932*, p. 36.
11. Jorge Americano, *São Paulo nesse tempo (1915-1935)*, p. 394.
12. *Folha da Manhã*, 26 jan. 1932, p. 1.
13. José Alfredo Vidigal Pontes, *1932*, p. 81.
14. Mário de Andrade, *Táxi e crônicas no Diário Nacional*, pp. 505-506.
15. Stanley Hilton, *Oswaldo Aranha*, p. 136; Stanley Hilton, *1932*, p. 39.
16. *O Estado de S. Paulo*, 24 mai. 1932, p. 4.
17. Antônio Pedro Tota, "Rádio e modernidade em São Paulo", v. 3, pp. 489-490.
18. Antônio Pedro Tota, "Rádio e modernidade em São Paulo", v. 3, pp. 490, 500, 504.
19. Stanley Hilton, *1932*, p. 95.
20. José Alfredo Vidigal Pontes, *1932*, p. 75.
21. Stanley Hilton, *1932*, p. 80.
22. Citado em Vavy Pacheco Borges e Ilka Stern Cohen, "A cidade como palco", v. 3, p. 322.
23. Idem.
24. José Alfredo Vidigal Pontes, *1932*, p. 17.
25. Vavy Pacheco Borges e Ilka Stern Cohen, "A cidade como palco", v. 3, p. 325.
26. Idem.
27. Mário de Andrade, *Táxi e crônicas no Diário Nacional*, p. 553.
28. *O Estado de S. Paulo*, 16 jul. 1932, p. 6.
29. Marco Antônio Villa, *1932*, p. 134.
30. *O Estado de S. Paulo*, 16 jul. 1932, seção "Radiotelephonia", p. 6.
31. Stanley Hilton, *1932*, pp. 66-67.
32. Stanley Hilton, *1932*, p. 132.
33. Stanley Hilton, *1932*, p. 97.
34. José Alfredo Vidigal Pontes, *1932*, p. 150.
35. Stanley Hilton, *1932*, pp. 104 e 121.
36. Vavy Pacheco Borges e Ilka Stern Cohen, "A cidade como palco", v. 3, p. 332.
37. Stanley Hilton, *1932*, p. 100.
38. Oswald de Andrade, *A revolução melancólica*, p. 228.
39. <www.cesarladeira.com.br>.
40. Mário de Andrade, *Táxi e crônicas no Diário Nacional*, p. 536.

UMA CIDADE PARA FRANCÊS VER [pp. 343-362]

1. Israel Beloch e Alzira Alves de Abreu, *Dicionário histórico-biográfico brasileiro 1930-1983*, v. 3, pp. 3034-3035.
2. Stanley Hilton, *1932*, p. 112.
3. *O Estado de S. Paulo*, 2 jan. 1934, p. 6.
4. Roberto Salone, *Irredutivelmente liberal*, pp. 112-113.
5. Roberto Salone, *Irredutivelmente liberal*, pp. 164-168.
6. Ernesto de Sousa Campos, "Universidades de São Paulo", pp. 268-269.
7. Ernesto de Sousa Campos, "Universidades de São Paulo", p. 270.
8. Paulo Duarte, *Selva oscura*, pp. 70-73.
9. Roberto Salone, *Irredutivelmente liberal*, p. 172.
10. Para o parágrafo: Claude Lévi-Strauss, *Saudades de São Paulo*, pp. 8, 23, 49, 61.
11. Para o parágrafo: Claude Lévi-Strauss, *Tristes trópicos*, pp. 98-101.
12. *Veja São Paulo*, 18 set. 2009.
13. Ernani Silva Bruno, *História e tradições da cidade de São Paulo*, p. 1356.
14. Relatório de James Dalrymple, 1927, citado em Waldemar Corrêa Stiel, *História dos transportes coletivos em São Paulo*, p. 27.
15. Waldemar Corrêa Stiel, *História dos transportes coletivos em São Paulo*, p. 29.
16. Waldemar Corrêa Stiel, *História dos transportes coletivos em São Paulo*, p. 30.
17. Mônica Raisa Schpun, "Regionalistas e cosmopolitas", pp. 41-75.
18. Para o parágrafo: Lira Neto, *Getúlio, 1930-1945*, pp. 140-143.
19. Lira Neto, *Getúlio, 1930-1945*, pp. 50-52.
20. Marco Antônio Villa, *A história das constituições brasileiras*, pp. 43-59; Constituição da República dos Estados Unidos do Brasil de 16 de julho de 1934, em: <www.planalto.gov.br/civil_03/constituicao/constituiçao34.htm>.
21. Claude Lévi-Strauss, *Tristes trópicos*, p. 110.
22. Decreto n. 6988, de 22 de fevereiro de 1935.
23. Claude Lévi-Strauss, *Saudades de São Paulo*, p. 17.
24. *O Estado de S. Paulo*, 10 abr. 1936, p. 1.
25. *O Estado de S. Paulo*, 27 ago. 1938, p. 1.
26. Marcus Lopes, "Interlagos comemora hoje 60 anos", em *O Estado de S. Paulo*, 27 ago. 1998, p. C6.
27. Paulo Duarte, *Selva oscura*, pp. 165-166.
28. Paulo Duarte, *Mário de Andrade por ele mesmo*, pp. 1-2, 50.
29. Paulo Duarte, *Mário de Andrade por ele mesmo*, pp. 51-52.
30. Paulo Duarte, *Selva oscura*, pp. 278-279.
31. Para o parágrafo: Paulo Duarte, *Mário de Andrade por ele mesmo*, pp. 59-110.
32. Paulo Duarte, *Selva oscura*, p. 280.
33. Eudes Campos, *Arquivo Histórico de São Paulo*, p. 91.

34. Paulo Duarte, *Mário de Andrade por ele mesmo*, pp. 88-89.
35. Silvia Ferreira Santos Wolff, *Jardim América*, pp. 94-98.
36. Claude Lévi-Strauss, *Saudades de São Paulo*, pp. 10-11.
37. Claude Lévi-Strauss, *Saudades de São Paulo*, pp. 9-10; Roberto Salone, *Irredutivelmente liberal*, p. 176.
38. Mensagem do governador Armando de Sales Oliveira à Assembleia Legislativa, em Marta Rossetti Batista, *Bandeiras de Brecheret*, p. 57.
39. Idem.
40. Manuella Marianna Andrade, "O parque do Ibirapuera: 1890 a 1854", em <www.vitruvius.com.br/revistas/read/arquitextos/05.051/553 >.
41. Idem.
42. Marta Rossetti Batista, *Bandeiras de Brecheret*, p. 54.
43. Marta Rossetti Batista, *Bandeiras de Brecheret*, p. 60.
44. Marta Rossetti Batista, *Bandeiras de Brecheret*, pp. 66-69.

O SENHOR DO BURGO [pp. 363-382]

1. *Correio Paulistano*, 9 out. 1934, p. 1; *O Estado de S. Paulo*, 9 out. 1934, p. 8.
2. Idem.
3. Warren Dean, *A industrialização de São Paulo*, pp. 184-186; Ronaldo Costa Couto, *Matarazzo [colosso brasileiro]*, p. 242.
4. Cláudio Jacoponi, "Centenário de Prestes Maia", pp. 396-398; Benedito Lima de Toledo, *Prestes Maia e as origens do urbanismo moderno em São Paulo*, pp. 283-284.
5. Alzira Vargas do Amaral Peixoto, *Getúlio Vargas, meu pai*, pp. 363-365.
6. Regina Sampaio, *Adhemar de Barros e o PSP*, pp. 40-41.
7. Paulo Cannabrava Filho, *Adhemar de Barros*, p. 41.
8. Adriana Prestes Maia Fernandes, "Prestes Maia, meu pai", p. 10.
9. Francisco Prestes Maia, *Melhoramentos de São Paulo*, pp. 18-20; Benedito Lima de Toledo, *Prestes Maia e as origens do urbanismo moderno em São Paulo*, p. 151.
10. Francisco Prestes Maia, *Melhoramentos de São Paulo*, p. 19.
11. Francisco Prestes Maia, *Melhoramentos de São Paulo*, p. 82; Antônio Rodrigues Porto, *História urbanística da cidade de São Paulo (1554 a 1988)*, p. 149.
12. Francisco Prestes Maia, *Melhoramentos de São Paulo*, p. 19.
13. Nicolau Tuma, "As obras que o prefeito Prestes Maia não realizou", p. 384.
14. Para o Sistema Y: Francisco Prestes Maia, *Melhoramentos de São Paulo*, p. 20; Célio Debes, "Administração municipal", em Francisco Prestes Maia, *Melhoramentos de São Paulo*, p. 370; Benedito Lima de Toledo, *Prestes Maia e as origens do urbanismo moderno em São Paulo*, p. 168.
15. Citado em Benedito Lima de Toledo, *Prestes Maia e as origens do urbanismo moderno em São Paulo*, p. 123.
16. Regina Prosperi Meyer, "O papel da rua na urbanização paulistana", p. 23.
17. Francisco Prestes Maia, *Melhoramentos de São Paulo*, pp. 22-24; Antônio Rodrigues Porto, *História urbanística da cidade de São Paulo (1554 a 1988)*, pp. 150-151.
18. Francisco Prestes Maia, *Melhoramentos de São Paulo*, pp. 21, 23; Antônio Rodrigues Porto, *História urbanística da cidade de São Paulo (1554 a 1988)*, pp. 145, 149.
19. Benedito Lima de Toledo, *Prestes Maia e as origens do urbanismo moderno em São Paulo*, pp. 215, 225-238.
20. Francisco Prestes Maia, *Melhoramentos de São Paulo*, p. 22.
21. Paulo Duarte, *Mário de Andrade por ele mesmo*, p. 56.
22. Zuleika Alvim e Solange Peirão, *Mappin setenta anos*, pp. 107-108.
23. Zuleika Alvim e Solange Peirão, *Mappin setenta anos*, pp. 57-62.
24. Francisco Prestes Maia, *Melhoramentos de São Paulo*, p. 34.
25. Para o episódio: Fernando Morais, *Chatô, o rei do Brasil*, pp. 348-351; Paulo Duarte, *Selva oscura*, p. 235.
26. Citado em Benedito Lima de Toledo, *Prestes Maia e as origens do urbanismo moderno em São Paulo*, p. 186.
27. Paulo Duarte, *Selva oscura*, pp. 224-225.
28. Benedito Lima de Toledo, *Prestes Maia e as origens do urbanismo moderno em São Paulo*, p. 186.
29. Antônio Rodrigues Porto, *História urbanística da cidade de São Paulo (1554 a 1988)*, p. 141.
30. Zuleika Alvim e Solange Peirão, *Mappin setenta anos*, pp. 104-105.
31. Zuleika Alvim e Solange Peirão, *Mappin setenta anos*, p. 110.
32. Antônio Rodrigues Porto, *História urbanística da cidade de São Paulo (1554 a 1988)*, p. 142.
33. Nestor Goulart Reis, *São Paulo*, p. 189.
34. Maria Augusta Fonseca, *Oswald de Andrade*, p. 267. A citação provém de depoimento à autora.

PANORAMA 1940 [pp. 383-402]

1. *Recenseamento Geral do Brasil*, série nacional, v. II, p. 67 e série regional, parte XVII, tomo I, p. 55; *Boletim do Departamento Estadual de Estatística*, anexo ao n. 9, setembro de 1940, p. 7. Doravante os volumes do *Recenseamento Geral do Brasil* serão identificados como *RGB*, e os do Departamento Estadual de Estatística como *Boletim do DEE*.
2. *RGB*, série regional, parte XVII, tomo 2, pp. 472-473.
3. *RGB*, série regional, parte XVII, tomo I, pp. 60, 70.
4. *Boletim do DEE*, anexo ao n. 8, agosto de 1940, p. 44.
5. *RGB*, série regional, parte XVII, tomo I, pp. 119 e 121.
6. *RGB*, série regional, parte XVII, tomo I, p. 103.
7. *Anuário Estatístico do Estado de São Paulo*, 1941, pp. 116-117. Doravante esta publicação será identificada como *AEESP 1941*.
8. *Boletim do DEE*, anexo ao n. 9, setembro de 1940, p. 33.
9. *RGB*, série regional, parte XVII, tomo I, p. 85.
10. *RGB*, série regional, parte XVII, tomo I, pp. 94-95.
11. *RGB*, série regional, parte XVII, tomo I, p. 75.
12. *AEESP 1941*, p. 94.
13. *RGB*, série nacional, v. II, p. 28 e 71.
14. *Boletim do DEE*, anexo ao n. 9, setembro de 1940, p. 34.
15. *Boletim do DEE*, anexo ao n. 9, setembro de 1940, p. 36.
16. Décio de Almeida Prado, *Seres, coisas, lugares*, p. 133, citando o Anuário da faculdade relativo ao biênio inaugural.
17. Maria Augusta Fonseca, *Oswald de Andrade*, p. 268.
18. Oswald de Andrade, *A estrela de absinto*, p. 101.
19. *Folha da Manhã*, 28 abr. 1940, p. 1.
20. *Folha da Manhã*, 28 abr. 1940, p. 16.
21. Para a cobertura do evento: *O Estado de S. Paulo*, 28 abr. 1940, pp. 7-8; *Folha da Manhã*, 28 abr. 1940, p. 16.
22. *O Estado de S. Paulo*, 28 abr. 1940, p. 16.
23. *AEESP 1941*, pp. 44 e 51.
24. *AEESP 1941*, p. 106.
25. *Boletim do DEE*, anexo ao n. 9, setembro de 1940, p. 32.
26. *AEESP 1941*, p. 106.
27. *Boletim do DEE*, anexo ao n. 9, setembro de 1940, p. 17.
28. *AEESP 1941*, pp. 325, 335 e 365.
29. *AEESP 1941*, p. 348.
30. *AEESP 1941*, pp. 202 e 211.
31. *AEESP 1941*, p. 220.
32. *AEESP 1941*, pp. 164, 172.
33. *O Estado de S. Paulo*, 4 jan. 1940, p. 7.
34. *AEESP 1941*, p. 232.
35. *AEESP 1941*, pp. 599-601.
36. *AEESP 1941*, p. 622.
37. *AEESP 1941*, pp. 674-675.
38. *AEESP 1941*, pp. 623-625.
39. *AEESP 1941*, pp. 636-638.
40. Freitas Nobre, *História da imprensa de São Paulo*, p. 96.
41. Oscar Pilagallo, *História da imprensa paulista*, p. 117.
42. Fernando Morais, *Chatô, o rei do Brasil*, pp. 373-375.
43. Fernando Morais, *Chatô, o rei do Brasil*, p. 191.
44. Fernando Morais, *Chatô, o rei do Brasil*, p. 364.
45. Fernando Morais, *Chatô, o rei do Brasil*, p. 376.
46. *AEESP 1941*, p. 664.
47. Antônio Pedro Tota, "Rádio e modernidade em São Paulo", p. 510.
48. Freitas Nobre, *História da imprensa de São Paulo*, p. 96.
49. *AEESP 1941*, p. 666.
50. Roberto Salone, *Irredutivelmente liberal*, pp. 214-216.
51. Roberto Salone, *Irredutivelmente liberal*, p. 232.
52. Roberto Salone, *Irredutivelmente liberal*, pp. 232-234.
53. Roberto Salone, *Irredutivelmente liberal*, pp. 234-236.
54. Roberto Salone, *Irredutivelmente liberal*, p. 237; Getúlio Vargas, *Diários*, v. 2, p. 303.
55. *Folha da Manhã*, 27 mar. 1940, p. 1.
56. Carta de 15 de abril de 1940, em Paulo Duarte, *Mário de Andrade por ele mesmo*, p. 328.
57. Moacir Werneck de Castro, *Mário de Andrade, exílio no Rio*, pp. 23, 26, 72, 96, 127.
58. *Folha da Noite*, 31 dez. 1940, p. 1.

GUERRA! [pp. 403-422]

1. Tomoo Handa, *O imigrante japonês*, p. 629.
2. Hélio Silva, *1939*, p. 212.
3. Hélio Silva, *1939*, pp. 215-217.
4. Decreto-lei n. 383, de 18 abril de 1938, artigos 1º e 2º, em:<www2.camara.leg.br/legin/fed/declei/1930--1939/decreto-lei-383-18-abril-1938-350781-publicacaooriginal-1-pe.html>.
5. Decreto-lei n. 406, de 4 de maio de 1938, artigos 1º, 2º e 14, em: <www2.camara.gov.br/legin/fed/declei/1930-1939/decreto-lei-406--4-maio-1938-348724-publicacaooriginal-1-pe.html>.
6. Lira Neto, *Getúlio, 1930-1945*, pp. 179-180.
7. Tomoo Handa, *O imigrante japonês*, p. 618.

8. Idem.
9. Decreto-lei n. 406, de 4 de maio de 1938, artigo 85, em: <www2.camara.gov.br/legin/fed/declei/1930-1939/decreto-lei-406-4-maio-1938--348724-publicacaooriginal-1-pe.html>.
10. Tomoo Handa, *O imigrante japonês*, p. 620.
11. Boris Fausto, *Negócios e ócios*, pp. 185 e 188.
12. Viviane Teresinha dos Santos, *Os seguidores do Duce*, p. 25.
13. Ana Maria Dietrich, *Caça às suásticas*, p. 74.
14. Viviane Teresinha dos Santos, *Os seguidores do Duce*, p. 41; João Fábio Bertonha, *O fascismo e os imigrantes italianos no Brasil*, pp. 156-157.
15. Hélio Silva, *1939*, pp. 110-111; Ana Maria Dietrich, *Caça às suásticas*, pp. 85, 158-161.
16. Ana Maria Dietrich, *Caça às suásticas*, p. 83.
17. João Fábio Bertonha, *O fascismo e os imigrantes italianos no Brasil*, p. 145. O autor credita a Angelo Trento, *Do outro lado do Atlântico: Um século de imigração italiana no Brasil*, a informação sobre a leitura dos boletins de guerra. O observador que se encanta com o que viu numa sala de aula é Mario Puccini, autor do livro *Nel Brasile*.
18. Ana Maria Dietrich, *Caça às suásticas*, pp. 257, 270-271.
19. João Fábio Bertonha, *O fascismo e os imigrantes italianos no Brasil*, p. 140.
20. Ana Maria Dietrich, *Caça às suásticas*, pp. 289, 296-297, 304, 312.
21. *Recenseamento Geral do Brasil*, série nacional, v. II, p. 14; RGB, série regional, parte XVII, tomo I, pp. 10 e 11.
22. Idem.
23. Priscila Ferreira Perazzo, *Prisioneiros de guerra*, p. 79.
24. Ana Maria Dietrich, *Caça às suásticas*, pp. 210-223.
25. Viviane Teresinha dos Santos, *Os seguidores do Duce*, p. 32.
26. Viviane Teresinha dos Santos, *Os seguidores do Duce*, p. 42.
27. *O Estado de S. Paulo*, 29 jan. 1942, p. I.
28. Tomoo Handa, *O imigrante japonês*, p. 633.
29. *Folha da Manhã*, 30 jan. 1942, p. 10.
30. *O Estado de S. Paulo*, 31 jan. 1942, p. I e 5 fev. 1942, p. 2.
31. Ana Maria Dietrich, *Caça às suásticas*, pp. 304-305.
32. *O Estado de S. Paulo*, 29 jan. 1942, p. 7 e 31 jan. 1942, p. I; *Folha da Manhã*, 30 jan. 1942, p. 10.
33. *Folha da Manhã*, 19 fev. 1942, p. I; Lira Neto, *Getúlio, 1930-1945*, p. 412.
34. Lira Neto, *Getúlio, 1930-1945*, p. 415.
35. Tomoo Handa, *O imigrante japonês*, p. 634.
36. Tomoo Handa, *O imigrante japonês*, p. 636.
37. *O Estado de S. Paulo*, 19 ago. 1942, p. 4.
38. Tomoo Handa, *O imigrante japonês*, p. 637.
39. *O Estado de S. Paulo*, 19 ago. 1942, p. 4.
40. *Folha da Manhã*, 20 ago. 1942, p. 3.
41. *O Estado de S. Paulo*, 23 ago. 1942, p. I.
42. *Folha da Manhã*, 23 ago. 1942, p. 5.
43. Ana Maria Dietrich, *Caça às suásticas*, pp. 274-275.
44. Ana Maria Dietrich, *Caça às suásticas*, pp. 250, 274.
45. Viviane Teresinha dos Santos, *Os seguidores do Duce*, pp. 84-85.
46. Ana Maria Dietrich, *Caça às suásticas*, p. 208.
47. Ana Maria Dietrich, *Caça às suásticas*, pp. 210, 224.
48. *O Estado de S. Paulo*, 25 ago. 1942, pp. 1 e 5.
49. *O Estado de S. Paulo*, 18 set. 1942, p. 3.
50. *O Estado de S. Paulo*, 15 e 16 set. 1942; *Folha da Manhã*, 15 e 16 set. 1942.
51. *Folha da Manhã*, 18 set. 1942, p. 9.
52. *Folha da Manhã*, 19 set. 1942, p. 6.
53. *Folha da Manhã*, 22 set. 1942, p. 8; *O Estado de S. Paulo*, 22 set. 1942, p. 5.
54. *Folha da Manhã*, 23 set. 1945, p. 5.
55. Boris Fausto, *Negócios e ócios*, p. 190.
56. Roney Cytrynowicz, *Guerra sem guerra*, p. 55.
57. *Folha de S. Paulo*, 2 fev. 1942, p. 6.
58. Roney Cytrynowicz, *Guerra sem guerra*, p. 57.
59. Jorge Americano, *São Paulo atual (1935-1962)*, p. 253.
60. *Folha da Manhã*, 1 mai. 1942, p. 7.
61. *Folha da Manhã*, 5 mai. 1942, p. 5.
62. *Folha da Manhã*, 2 jun. 1942, p. 11.
63. *Folha da Manhã*, 17 ago. 1942, p. 6 e 19 set. 1942, p. 6.
64. Israel Beloch e Alzira Alves de Abreu, *Dicionário histórico-biográfico brasileiro 1930-1983*, v. 2, pp. 970-972.
65. Warren Dean, *A industrialização de São Paulo*, p. 236; Roney Cytrynowicz, *Folha da Manhã*, pp. 73-74.
66. Jorge Americano, *São Paulo atual (1935-1962)*, p. 253.
67. Boris Fausto, *Negócios e ócios*, p. 190.

O MUNDO DE JERRY [pp. 423-440]

1. *Folha da Manhã*, 1 fev. 1942, p. 4 e 3 fev. 1942, p. 10.
2. *Folha da Manhã*, 20 mai. 1942, p. 5.
3. *Folha da Manhã*, 1 dez. 1942, p. IV.
4. *Folha da Manhã*, 16 mai. 1942, p. 5 e 22 mai. 1942, p. 5.
5. *Folha da Manhã*, 13 mai. 1942, p. 5; 22 mai. 1942, p. 5 e 2 jun. 1942, p. 5.
6. *Folha da Manhã*, 23 nov. 1943, p. 7.
7. *Folha da Manhã*, 13 mai. 1942, p. 5.
8. *Folha da Manhã*, 6 nov. 1943, p. 6.

9. Leonardo Arroio, *Igrejas de São Paulo*, pp. 59 e 71.
10. *Folha da Manhã*, 9 mar. 1943, p. 7.
11. *Folha da Manhã*, 12 jun. 1942, p. 6.
12. *Folha da Manhã*, 28 mai. 1942, p. 5.
13. *Folha da Manhã*, 1 dez. 1943, p. 7.
14. Verbete "Edifício Esther", Enciclopédia Itaú Cultural, em: <www.itaucultural.org.br/aplicexternas/enciclopedia_ic/index.cfm?fuseaction=marcos_texto&cd_verbete=4443>.
15. *Folha da Manhã*, 18 jul. 1943, p. 7.
16. *Folha da Manhã*, 16 dez. 1943, p. 11.
17. *Folha da Manhã*, 25 ago. 1942, p. 5.
18. *Folha da Manhã*, 3 jan. 1943, p. IV.
19. Fernando Morais, "A víbora está viva", p. 197.
20. Joel Silveira, "1943: Eram assim os grã-finos de São Paulo", em Joel Silveira, *A milésima segunda noite da avenida Paulista*, pp. 7-8. Todas as citações da aludida reportagem que virão a seguir são retiradas desse livro, entre as páginas 7 e 28.
21. *Folha da Manhã*, 12 nov. 1943, p. 7.
22. *Folha da Manhã*, 27 jul. 1943, p. 7.
23. *Folha da Manhã*, 30 nov. 1943, p. 7.
24. Warren Dean, *A industrialização de São Paulo*, p. 242.
25. Warren Dean, *A industrialização de São Paulo*, p. 236.
26. Warren Dean, *A industrialização de São Paulo*, p. 237.
27. Roney Cytrynowicz, *Guerra sem guerra*, p. 199, citando artigo do tenente-coronel Inácio de Freitas Rolim.
28. Roney Cytrynowicz, *Guerra sem guerra*, pp. 209-210.
29. Decreto-lei n. 4750, de 28 de setembro de 1942, em: <www2.camara.leg.br/legin/fed/declei/1940-1949/decreto-lei-4750-28-setembro-1942--414829-publicacaooriginal-1-pe.html>.
30. *Folha da Manhã*, 6 out. 1942, p. 7.
31. *Folha da Manhã*, 27 mai. 1942, p. 3 e 31 out. 1942, p. 6.
32. *Folha da Manhã*, 24 jan. 1943, p. III.
33. *Dom Casmurro*, 24 jan. 1942, em Sandra Brecheret Pellegrini, *Brecheret 60 anos de notícia*, pp. 58-63.
34. Irene Barbosa de Moura, *Brecheret e o IV Centenário*, p. 138.
35. Irene Barbosa de Moura, *Brecheret e o IV Centenário*, p. 139.
36. *Dom Casmurro*, 24 jan. 1942, em Sandra Brecheret Pellegrini, *Brecheret 60 anos de notícia*, pp. 58-63.

FAZIA FRIO EM SÃO PAULO [pp. 441-458]

1. Rosana Zaidan, *O diário de JB*, pp. 96-97.
2. Lira Neto, *Getúlio, 1930-1945*, pp. 438-439, citando John Foster Dulles, *A Faculdade de Direito de São Paulo e a resistência anti-Vargas*.
3. Lira Neto, *Getúlio, 1930-1945*, pp. 439-440; Roney Cytrynowicz, *Guerra sem guerra*, p. 413, igualmente citando John Foster Dulles.
4. Rosana Zaidan *O diário de JB*, pp. 101-106 para todo o relato do dia.
5. *Folha da Manhã*, 9 nov. 1943, p. 8 e 10 nov. 1943, p. 11.
6. *O Estado de S. Paulo*, 10 nov. 1943, p. 3.
7. *Folha da Manhã*, 11 nov. 1943, p. 12.
8. Para o episódio: Antonio Candido, *Recortes*, pp. 20-22.
9. *Folha da Manhã*, 23 out. 1942, p. 1.
10. *Folha de S.Paulo*, 10 jan. 1979, p. 4.
11. Lira Neto, *Getúlio, 1930-1945*, p. 435.
12. Roney Cytrynowicz, *Guerra sem guerra*, p. 413.
13. *Folha da Manhã*, 11 out. 1944, p. 5.
14. *Folha da Manhã*, 29 nov. 1944, p. 4.
15. *Folha da Manhã*, 1 nov. 1944, p. 5 e 30 nov. 1944, p. 6.
16. *Folha da Manhã*, 29 nov. 1944, p. 4.
17. *Folha da Manhã*, 29 nov. 1944, p. 4 e 28 nov. 1944, p. 6.
18. Roney Cytrynowicz, *Guerra sem guerra*, pp. 70-71.
19. *Folha da Manhã*, 4 out. 1944, p. 8.
20. Rosana Zaidan, *O diário de JB*, pp. 106-110.
21. Rosana Zaidan, *O diário de JB*, p. 107.
22. Antonio Candido, *Recortes*, p. 232.
23. Para o parágrafo: Antonio Candido, *Teresina etc.*, pp. 99-103.
24. Lira Neto, *Getúlio, 1930-1945*, p. 453.
25. Depoimento de Antonio Candido em Telê Porto Ancona Lopez, *Eu sou trezentos, sou trezentos e cincoenta*, p. 36.
26. *Correio da Manhã*, 22 fev. 1945, p. 24; todas as declarações de José Américo, daqui para frente, referem-se a esta entrevista.
27. Verbete "café", em: <www.fgv.br/cpdoc/busca/Busca/BuscaConsultar.aspx>.
28. Para a manifestação: *O Estado de S. Paulo*, 4 mai. 1945, p. 8.
29. Boris Fausto, *Negócios e ócios*, p. 193.
30. Jorge Americano, *São Paulo atual (1935-1962)*, p. 255.
31. *O Estado de S. Paulo*, 8 mai. 1945, p. 4; e *Folha da Manhã*, 8 mai. 1945, p. 3.
32. Boris Fausto, *Negócios e ócios*, p. 193.
33. Boris Fausto, *Negócios e ócios*, p. 194.
34. *Folha da Manhã*, 17 jul. 1945, p. 19.
35. *Folha da Manhã*, 1 ago. 1945, p. 14.
36. Jorge Americano, *São Paulo atual (1935-1962)*, p. 256.
37. Tomoo Handa, *O imigrante japonês*, p. 639; Roney Cytrynowicz, *Guerra sem guerra*, p. 142; *Folha da Manhã*, 13 jul. 1943, p. 10.
38. Tomoo Handa, *O imigrante japonês*, p. 643.
39. Lira Neto, *Getúlio, 1930-1945*, pp. 488-491.
40. Benedito Lima de Toledo, *Prestes Maia e as origens do urbanismo moderno em São Paulo*, p.11.

41. *O Estado de S. Paulo*, 7 dez. 1945, pp. 1 e 3.
42. Joel Silveira, *A milésima segunda noite da avenida Paulista*, p. 31.
43. Joel Silveira, *A milésima segunda noite da avenida Paulista*, p. 36.
44. Frederico Branco, *Postais paulistas*, pp. 35-38.

NEW YORK-UPON-TIETÊ [pp. 459-476]

1. Waldemar Corrêa Stiel, *História dos transportes coletivos em São Paulo*, p. 187.
2. *Folha da Manhã*, 27 jun. 1947, p. 8.
3. Para a visita de Fiorello La Guardia: *O Estado de S. Paulo*, 3 fev. 1946, p. 4; e *Folha da Manhã*, 3 fev. 1946, p. 6. Para o aeroporto de Congonhas: Jorge Americano, *São Paulo atual (1935-1962)*, p. 115; Paulo Cannabrava Filho, *Adhemar de Barros*, pp. 116-117; *Folha da Manhã*, 21 jan. 1955, p. 3; <www.skyscrapercity.com/showthread.php?t=446710>.
4. *Folha da Manhã*, 28 jun. 1947, p. 6.
5. Paulo Bonfim, *Tecido de lembranças*, p. 99.
6. Paulo Bonfim, *Tecido de lembranças*, p. 101.
7. <www.salasdecinemadesp.blogspot.com.br/2013/11/cine-marrocos-o-melhor-e-mais-luxuoso>.
8. Jairo Nicolau, *História do voto no Brasil*, pp. 35 e 46.
9. *O Estado de S. Paulo*, 25 fev. 1947, p. 6.
10. Paulo Cannabrava Filho, *Adhemar de Barros*, p. 60.
11. *O Estado de S. Paulo*, 3 fev. 1946, p. 4.
12. Citado em Waldemar Corrêa Stiel, *História dos transportes coletivos em São Paulo*, p. 191.
13. Waldemar Corrêa Stiel, *História dos transportes coletivos em São Paulo*, p. 190.
14. Waldemar Corrêa Stiel, *História dos transportes coletivos em São Paulo*, pp. 33 e 192-193.
15. Idem; *Folha da Manhã*, 15 fev. 1947, p. 3.
16. *Folha da Manhã*, 1 jul. 1947, p. 3.
17. Waldemar Corrêa Stiel, *História dos transportes coletivos em São Paulo*, p. 194.
18. *Folha da Manhã*, 2 ago. 1947, p. 4.
19. *Folha da Manhã*, 3 ago. 1947, p. 10.
20. Para o episódio: *O Estado de S. Paulo*, 2 ago. 1947, p. 4; *Folha da Manhã*, 2 ago. 1947, p. 8.
21. Regina Sampaio, *Adhemar de Barros e o PSP*, p. 159.
22. Regina Sampaio, *Adhemar de Barros e o PSP*, pp. 54-55.
23. *Folha da Manhã*, 20 abr. 1947, p. 5.
24. *O Estado de S. Paulo*, 23 abr. 1947, p. 7.
25. *Folha da Manhã*, 20 dez. 1943, p. 6.
26. Gabriel Kwak, *O trevo e a vassoura*, p. 258.
27. Paulo Bonfim, *Tecido de lembranças*, pp. 79 e 81.
28. Carlos Lemos, *Da taipa ao concreto*, p. 257.
29. Nádia Somekh, "Verticalização em São Paulo", p. 106.
30. Oswald de Andrade, *A estrela de absinto*, p. 39.
31. Carlos Lemos, *Da taipa ao concreto*, p. 257.
32. Para o parágrafo: Maria Cecília Naclério Homem, *Higienópolis*, pp. 113-115; para Nhonhô Magalhães e a fazenda Cambuhy, Roberto Pompeu de Toledo, *História do Unibanco*, pp. 127-129.
33. Maria Cecília Naclério Homem, *Higienópolis*, p. 116.
34. Fernando Serapião, "Moderno nas alturas", em *Monolito*, n. 19 (2014), p. 20.

A CIRANDA DA MULTIPLICAÇÃO DAS ARTES [pp. 477-498]

1. Sábato Magaldi e Maria Theresa Vargas, *Cem anos de teatro em São Paulo*, p. 187; Luís André do Prado, *Cacilda Becker*, p. 261.
2. Luís André do Prado, *Cacilda Becker*, p. 261.
3. Décio de Almeida Prado, *Peças, pessoas, personagens*, p. 153.
4. Marta Góes, *Alfredo Mesquita*, p. 140.
5. Joel Silveira, *A milésima segunda noite da avenida Paulista*, p. 11.
6. Marta Góes, *Alfredo Mesquita*, p. 138.
7. Para a revista *Clima*: Marta Góes, *Alfredo Mesquita*, pp. 140-145; Antonio Candido, *Teresina etc.*, pp. 141-156.
8. Marta Góes, *Alfredo Mesquita*, p. 163.
9. Marta Góes, *Alfredo Mesquita*, pp. 165, 193; Décio de Almeida Prado, *Peças, pessoas, personagens*, pp. 159-160.
10. Ana Bernstein, *A crítica cúmplice*, p. 85.
11. Ana Bernstein, *A crítica cúmplice*, p. 86.
12. Luís André do Prado, *Cacilda Becker*, p. 214.
13. Marta Góes, *Alfredo Mesquita*, p. 194.
14. Ana Bernstein, *A crítica cúmplice*, p. 87; Sábato Magaldi e Ana Theresa Vargas, *Cem anos de teatro em São Paulo*, p. 187.
15. Marta Góes, *Alfredo Mesquita*, pp. 150-151; Luís André do Prado, *Cacilda Becker*, pp. 210-212.
16. Luís André do Prado, *Cacilda Becker*, p. 269; verbete "Franco Zampari", em: <www.itaucultural.org.br/aplicExternas/enciclopedia_teatro/index.cfm?fuseaction=personalidades_biografia&cd_verbete=748>; verbete "Ciccillo Matarazzo", em: <www.itaucultural.org.br/aplicExternas/enciclopedia_IC/index.cfm?fuseaction=artistas_biografia&cd_verbete=%203588&cd_item=1&cd_idioma=28555>.
17. Marta Góes, *Alfredo Mesquita*, p. 187.

18. Luís André do Prado, *Cacilda Becker*, p. 214.
19. Luís André do Prado, *Cacilda Becker*, p. 213; Marta Góes, *Alfredo Mesquita*, pp. 187-188.
20. Luís André do Prado, *Cacilda Becker*, pp. 267-270; Marta Góes, *Alfredo Mesquita*, pp. 188-190.
21. Luís André do Prado, *Cacilda Becker*, pp. 271-272; Marta Góes, *Alfredo Mesquita*, pp. 194-196.
22. Marta Góes, *Alfredo Mesquita*, pp. 196-197.
23. *O Estado de S. Paulo*, 5 out. 1948, p. 6.
24. Sábato Magaldi e Maria Theresa Vargas, *Cem anos de teatro em São Paulo*, pp. 212-213.
25. *O Estado de S. Paulo*, 18 abr. 1948, p. 8.
26. Marta Góes, *Alfredo Mesquita*, pp. 24, 182, 184, 231.
27. Marta Góes, *Alfredo Mesquita*, pp. 64-65.
28. Fernando Morais, *Chatô, o rei do Brasil*, p. 476.
29. <www.masp.art.br/sobreomasp/historico.php>.
30. <www.itaucultural.org.br/aplicExternas/enciclopedia_ic/Enc_Artistas/artistas_imp.cfm?cd_verbete= 3601&imp=N&cd_idioma=28555>.
31. Fernando Morais, *Chatô, o rei do Brasil*, p. 478.
32. Fernando Morais, *Chatô, o rei do Brasil*, p. 481.
33. Antônio Bivar, *Yolanda*, p. 207.
34. Fernando Morais, *Chatô, o rei do Brasil*, p. 485.
35. <www.itaucultural.org.br/aplicExternas/enciclopedia_ic/index.cfm?fuseaction=marcos_texto&cd_verbete=341>.
36. Idem.
37. *O Estado de S. Paulo*, 5 out. 1947, p. 8.
38. Marta Góes, *Alfredo Mesquita*, p. 116; para a encenação de *O contratador de diamantes*: Nicolau Sevcenko, *Orfeu extático na metrópole*, pp. 238-244.
39. Fernando Morais, *Chatô, o rei do Brasil*, pp. 105-106; Antônio Bivar, *Yolanda*, pp. 66-67.
40. Antônio Bivar, *Yolanda*, pp. 75, 141, 213.
41. Depoimento ao autor de Andrea Matarazzo, sobrinho-neto de Ciccillo, a quem o autor agradece.
42. Idem.
43. *O Estado de S. Paulo*, 10 abr. 1946, p. 5.
44. Vera d'Horta, MAM, pp. 15-19.
45. Paulo Mendes de Almeida, *De Anita ao museu*, pp. 214-216.
46. Antônio Bivar, *Yolanda*, pp. 214-217; Fernando Azevedo de Almeida, *O franciscano Ciccillo*, p. 33; Paulo Mendes de Almeida, *De Anita ao museu*, p. 214.
47. Vera d'Horta, MAM, p. 19.
48. Fernando Azevedo de Almeida, *O franciscano Ciccillo*, p. 32.
49. Paulo Mendes de Almeida, *De Anita ao museu*, p. 209.
50. Paulo Mendes de Almeida, *De Anita ao museu*, p. 212.
51. Aracy Amaral, *Arte para quê?*, p. 244.
52. Citado em Vera d'Horta, MAM, p. 30.
53. Citado em Vera d'Horta, MAM, pp. 232-233, 237.
54. Vera d'Horta, MAM, 236; Francisco Alambert e Polyana Canhête, *Bienais de São Paulo*, pp. 28-30.
55. Aracy Amaral, *Arte para quê?*, p. 238.
56. Citado em Francisco Alambert e Polyana Canhête, *Bienais de São Paulo*, p. 37.
57. Francisco Alambert e Polyana Canhête, *Bienais de São Paulo*, pp. 45-46; Aracy Amaral, *Arte para quê?*, pp. 250-251.
58. Aracy Amaral, *Arte para quê?*, pp. 255-257; *Folha da Noite*, 27 nov. 1951, pp. 1 e 3.
59. Aracy Amaral, *Arte para quê?*, p. 256.
60. Francisco Alambert e Polyana Canhête, *Bienais de São Paulo*, pp. 11-12.

PANORAMA 1950-1954 [pp. 499-520]

1. *Recenseamento Geral de 1950*, série nacional, v. 1, página de abertura.
2. J. R. de Araújo Filho, "A população paulistana", em Aroldo de Azevedo, *A cidade de São Paulo*, v. 2, p. 179.
3. *Recenseamento Geral de 1950*, série nacional, v. 1, p. 241.
4. Idem.
5. J. R. de Araújo Filho, "A população paulistana", em Aroldo de Azevedo, *A cidade de São Paulo*, v. 2, p. 194.
6. J. R. de Araújo Filho, "A população paulistana", em Aroldo de Azevedo, *A cidade de São Paulo*, v. 2, pp. 205-206.
7. *Recenseamento Geral de 1950*, série nacional, v. 1, p. 240.
8. J. R. de Araújo Filho, "A população paulistana", em Aroldo de Azevedo, *A cidade de São Paulo*, v. 2, pp. 220-230.
9. *Anuário Estatístico do Estado de São Paulo*, 1950, v. 3, p. 161.
10. *Anuário Estatístico do Estado de São Paulo*, 1950, v. 1, pp. 72 e 78.
11. *Anuário Estatístico do Estado de São Paulo*, 1950, v. 2, p. 59.
12. *Anuário Estatístico do Estado de São Paulo*, 1950, v. 3, p. 67.
13. *Anuário Estatístico do Estado de São Paulo*, 1950, v. 1, p. 266.
14. *Anuário Estatístico do Estado de São Paulo*, 1950, v. 1, p. 289.
15. *Anuário Estatístico do Estado de São Paulo*, 1950, p. 285; O *Anuário Estatístico do Estado de São Paulo* relativo a 1950 desculpa-se, na apresentação, por não poder apresentar trabalho à altura dos anos anteriores, em razão de ter sido descontinuado, entre os anos

1949-1950, o Departamento de Estatística do Estado, órgão responsável pela publicação.
16. *O Estado de S. Paulo*, 29 jun. 1950, p. 10.
17. Para todo o episódio: Fernando Morais, *Chatô: o rei do Brasil*, pp. 500-504.
18. *Folha da Manhã*, 16 jun. 1950, pp. 1 e 2.
19. *O Estado de S. Paulo*, 16 jun. 1950, p. 4.
20. Regina Sampaio, *Adhemar de Barros e o PSP*, p. 70.
21. *Folha da Manhã*, 31 dez. 1950, "Suplemento Dominical", p. 8.
22. Israel Beloch e Alzira Alves de Abreu, *Dicionário histórico-biográfico brasileiro, 1930-1983*, pp. 1437-1439.
23. *O Estado de S. Paulo*, 29 dez. 1950, p. 16.
24. *O Estado de S. Paulo*, 19 jan. 1951, p. 5.
25. *Folha da Manhã*, 30 dez. 1950, p. 6.
26. *O Estado de S. Paulo*, 29 dez. 1950, p. 13.
27. *O Estado de S. Paulo*, 29 dez. 1950, p. 12.
28. *Folha da Manhã*, 31 dez. 1950, caderno "Vida social e doméstica", p. 2.
29. *O Estado de S. Paulo*, 29 dez. 1950, p. 14; *Folha da Manhã*, 31 dez. 1950, p. 5.
30. *Folha da Manhã*, 31 dez. 1950, p. 1.
31. *O Estado de S. Paulo*, 27 jan. 1946, p. 7.
32. Marta Rossetti Batista, *Bandeiras de Brecheret*, pp. 93-94.
33. Marta Rossetti Batista, *Bandeiras de Brecheret*, pp. 105, 109.
34. Marta Rossetti Batista, *Bandeiras de Brecheret*, p. 110.
35. Marta Rossetti Batista, *Bandeiras de Brecheret*, pp. 110-111.
36. Marta Rossetti Batista, *Bandeiras de Brecheret*, pp. 118, 122.
37. Marta Rossetti Batista, *Bandeiras de Brecheret*, p. 125.
38. *Última Hora*, 21 nov. 1952, em Sandra Brecheret Pellegrini, *Brecheret 60 anos de notícia*, pp. 110-111.
39. Irene Barbosa de Moura, *Brecheret e o IV Centenário*, p. 21.
40. Silvio Luiz Lofego, *IV Centenário da cidade de São Paulo*, pp. 40-46 e 53.
41. Manuella Marianna Andrade, "O parque do Ibirapuera: 1890 a 1954", em: <www.vitruvius.com.br/revistas/read/arquitextos/05.051/553>.
42. Depoimento do arquiteto Carlos A.C. Lemos ao autor.
43. Manuella Marianna Andrade, "O parque do Ibirapuera: 1890 a 1954", em: <www.vitruvius.com.br/revistas/read/arquitextos/05.051/553>.
44. Depoimento do arquiteto Carlos A. C. Lemos ao autor.
45. Irene Barbosa de Moura, *Brecheret e o IV Centenário*, p. 145. Enciclopédia Itaú Cultural de Artes Visuais, em: <www.itaucultural.org.br/aplicExternas/enciclopedia_IC/index.cfm?fuseaction=artistas_biografia&cd_verbete=1864&cd_idioma=28555>. Inventário de obras de arte em logradouros públicos na cidade de São Paulo, em: <www.prefeitura.sp.gov.br/cidade/secretarias/cultura/patrimonio_historico/adote_obra/index.php?p=4524>.
46. *O Estado de S. Paulo*, 11 mar. 1953, p. 8.
47. *Folha da Manhã*, 1 abr. 1953, p. 4.
48. *Folha da Manhã*, 28 mar. 1953, p. 1.
49. Gabriel Kwak, *O trevo e a vassoura*, p. 71.
50. Michael Hall, "O movimento operário na cidade de São Paulo", p. 288.
51. *O Estado de S. Paulo*, 27 mar. 1953, p. 8.
52. *Folha da Manhã*, 2 abr. 1953, p. 4.
53. Para o parágrafo: *O Estado de S. Paulo*, 26 jan. 1954, pp. 6-8; *Folha da Manhã*, 26 jan. 1954, "Segundo Caderno", p. 1.
54. *Folha da Manhã*, 4 mar. 1954, p. 8.
55. Silvio Luiz Lofego, *IV Centenário da cidade de São Paulo*, pp. 171-172.
56. *Folha da Manhã*, 10 jul. 1954, p. 8; *O Estado de S. Paulo*, 10 jul. 1954, p. 5.
57. Antônio Bivar, *Yolanda*, pp. 278-282; Francisco Alambert e Polyana Canhête, *Bienais de São Paulo*, pp. 53-57.
58. *Folha da Manhã*, 10 jul. 1954, p. 8.
59. Silvio Luiz Lofego, *IV Centenário da cidade de São Paulo*, p. 95; *O Estado de S. Paulo*, 24 dez. 1954, p. 28.
60. J. R. de Araújo Filho, "A população paulistana", em Aroldo de Azevedo, *A cidade de São Paulo*, v. 2, p. 169.

EPÍLOGO [pp. 521-526]

1. *Última Hora*, 21 nov. 1952, em Sandra Brecheret Pellegrini, *Brecheret 60 anos de notícia*, p. 110.
2. *O Estado de S. Paulo*, 1 mai. 1927, p. 4.
3. Para Ciccillo: informação do sobrinho-neto Andrea Matarazzo ao autor; para Yolanda: Antônio Bivar, *Yolanda*, p. 378; para Washington Luís: *O Estado de S. Paulo*, 6 ago. 1957, p. 13; para Mário de Andrade: Paulo Duarte, *Mário de Andrade por ele mesmo*, p. 40; Para Oswald: Maria Augusta Fonseca, *Oswald de Andrade*, pp. 399-325; para Brecheret: *O Estado de S. Paulo*, 20 dez. 1955, p. 18; *Folha da Manhã*, 20 dez. 1955, p. 6.
4. Para Matarazzo: Ronaldo Costa Couto, *Matarazzo [colosso brasileiro]*, p. 347; Para Nenê Romano: *O Combate*, 26 out. 1923, p. 1; Para dona Olívia: Maria de Lourdes Teixeira, "D. Olívia Guedes Penteado", em "Suplemento Literário" n. 761, *O Estado de S. Paulo*, 27 fev. 1972.

FONTES

LIVROS

AB'SABER, Aziz. "O sítio urbano de São Paulo". In: AZEVEDO, Aroldo de (Org.). *A cidade de São Paulo: Estudos de geografia urbana*. São Paulo: Companhia Editora Nacional, 1958. 4 v.

ALAMBERT, Francisco; CANHÊTE, Polyana. *Bienais de São Paulo: Da era do museu à era dos curadores*. São Paulo: Boitempo, 2004.

ALMEIDA, Fernando Azevedo de. *O franciscano Ciccillo*. São Paulo: Pioneira, 1976.

ALMEIDA, Paulo Mendes de. *De Anita ao museu*. São Paulo: Perspectiva, 1976.

ALVIM, Zuleika; PEIRÃO, Solange. *Mappin setenta anos*. São Paulo: Editora Ex-Libris, 1985.

_____; RAPOSO, Isabel. "Artérias da verticalização: O elevador no Brasil". In: MARTINS, Paulo César Garcez; ALVIM, Zuleika (Coords.). *Os céus como fronteira: A verticalização no Brasil*. São Paulo: Grifo, 2013.

AMARAL, Aracy. *Artes plásticas na Semana de 22*. São Paulo: Perspectiva, 1979.

_____. *Arte para quê? A preocupação social na arte brasileira (1930-1970)*. São Paulo: Nobel, 1984.

AMARAL, José Luiz Gomes do; NUNES, Luiz Antonio. "Associações médicas e sociedades de especialidades". In: NATALINI, Gilberto; AMARAL, José Luiz Gomes do (Orgs.). *450 anos de história da medicina paulistana*. São Paulo: Imprensa Oficial, 2004.

AMERICANO, Jorge. *São Paulo nesse tempo (1915-1935)*. São Paulo: Melhoramentos, s.d.

_____. *São Paulo atual (1935-1962)*. São Paulo: Melhoramentos, s.d.

_____. *São Paulo naquele tempo (1895-1915)*. São Paulo: Carbono 14; Narrativa Um; Carrenho Editorial, 2004.

ANDRADE, Edmundo Navarro de. "Antônio Prado". In: VÁRIOS AUTORES. *Primeiro centenário do conselheiro Antônio da Silva Prado*. São Paulo: Comissão Promotora das Comemorações do Primeiro Centenário do Nascimento do Conselheiro Antônio Prado, 1946.

ANDRADE, Mário de. *Poesias completas*. São Paulo: Martins, 1955.

_____. *Táxi e crônicas no Diário Nacional*. São Paulo: Duas Cidades; Secretaria da Cultura, Ciência e Tecnologia, 1976.

_____. *Aspectos da literatura brasileira*. São Paulo: Martins, 1978.

_____. *Macunaíma: O herói sem nenhum caráter*. Rio de Janeiro: Agir, 2007.

ANDRADE, Oswald de. *A revolução melancólica*. Rio de Janeiro: Civilização Brasileira, 1971.
_____. *Os dentes do dragão*. São Paulo: Globo; Secretaria de Estado da Cultura, 1990.
_____. *Um homem sem profissão*. São Paulo: Globo; Secretaria de Estado da Cultura, 1990.
_____. *A estrela de absinto*. São Paulo: Globo; Secretaria de Estado da Cultura, 1991.
_____. *Ponta de lança*. São Paulo: Globo, 1991.
_____. *Serafim Ponte Grande*. São Paulo: Globo; Secretaria de Estado da Cultura, 1991.
ANTUNES, Benedito. *Juó Bananére:* As cartas d' Abax'o Pigues. São Paulo: Unesp, 1998.
ARROIO, Leonardo. *Igrejas de São Paulo*. São Paulo: Companhia Editora Nacional, 1966.
AZEVEDO, Aroldo de (Org.). *A cidade de São Paulo: Estudos de geografia urbana*. São Paulo: Companhia Editora Nacional, 1958. 4 v.
AZEVEDO, Carmen Lúcia de; CAMARGOS, Márcia; SACCHETTA, Vladimir. *Furacão na Botocúndia*. São Paulo: Senac São Paulo, 1998.
BARBOSA, Francisco de Assis. "Apresentação". In: MACHADO, António de Alcântara. *Prosa preparatória & Cavaquinho e Saxofone*. Rio de Janeiro: Civilização Brasileira; Instituto Nacional do Livro, 1983.
BARBUY, Heloísa. *A cidade exposição: Comércio e cosmopolitismo em São Paulo (1860-1914)*. São Paulo: Edusp, 2006.
BARRETO, Lima. *Toda crônica*. Rio de Janeiro: Agir, 2004. 2 v.
BARRO, Máximo; BACELLI, Roney. *Ipiranga*. São Paulo: Departamento do Patrimônio Histórico da Secretaria Municipal da Cultura, 1979. Coleção História dos Bairros de São Paulo.
BARROS, Carlos Augusto Monteiro de. "Conselheiro Antônio da Silva Prado (durante o Império)". In: VÁRIOS AUTORES. *Primeiro centenário do conselheiro Antônio da Silva Prado*. São Paulo: Comissão Promotora das Comemorações do Primeiro Centenário do Nascimento do Conselheiro Antônio Prado, 1946.
BATISTA, Marta Rossetti. *Bandeiras de Brecheret: História de um monumento (1920-1953)*. São Paulo: Departamento do Patrimônio Histórico, 1985.
BEIGUELMAN, Paula. *Os companheiros de São Paulo*. São Paulo: Símbolo, 1977.
BELLO, José Maria. *História da República*. São Paulo: Companhia Editora Nacional, 1964.
BELOCH, Israel; ABREU, Alzira Alves de. *Dicionário histórico-biográfico brasileiro 1930-1983*. Rio de Janeiro: Editora Forense Universitária; FGV-CPDOC; Financiadora de Estudos e Projetos-Finep, 1984.
BERMAN, Marshall. *Tudo que é sólido desmancha no ar*. São Paulo: Companhia das Letras, 1987.

BERNSTEIN, Ana. *A crítica cúmplice: Décio de Almeida Prado e a formação do teatro brasileiro moderno*. São Paulo: Instituto Moreira Salles, 2005.
BERTOLLI FILHO, Claudio. *A gripe espanhola em São Paulo*. São Paulo: Paz e Terra, 2003.
BERTONHA, João Fábio. *O fascismo e os imigrantes italianos no Brasil*. Porto Alegre: EDIPUCRG, 2001.
BIVAR, Antônio. *Yolanda*. São Paulo: A Girafa, 2004.
BONFIM, Paulo. *Tecido de lembranças*. São Paulo: Book Mix Comunicação, 2004.
BORGES, Vavy Pacheco; COHEN, Ilka Stern. "A cidade como palco: Os movimentos armados de 1924, 1930 e 1932". In: PORTA, Paula (Org.). *História da cidade de São Paulo*. São Paulo: Paz e Terra, 2004. 3 v.
BOSI, Ecléa. *Memória e sociedade: Lembranças de velhos*. São Paulo: Companhia das Letras, 1994.
BRANCO, Frederico. *Postais paulistas*. São Paulo: Senac São Paulo, 2001.
BRITO, Mário da Silva. *Antecedentes da Semana de Arte Moderna*. Rio de Janeiro: Civilização Brasileira, 1964.
BRUNO, Ernani Silva. *Memória da cidade de São Paulo: Depoimentos de moradores e visitantes*. São Paulo: Departamento do Patrimônio Histórico da Secretaria Municipal da Cultura, 1981.
_____. *História e tradições da cidade de São Paulo*. São Paulo: Hucitec; Secretaria Municipal da Cultura, 1984.
CALDEIRA, Jorge. *Votorantim 90 anos: Uma história de trabalho e superação*. São Paulo: Mameluco, 2007.
CALVINO, Italo. *As cidades invisíveis*. São Paulo: Companhia das Letras, 1990.
CAMARGO, Ana Maria de Almeida (Coord.). *São Paulo, uma viagem no tempo*. São Paulo: Centro de Integração Empresa-Escola, 2005.
CAMARGOS, Márcia. *Villa Kyrial*. São Paulo: Senac São Paulo, 2001.
CAMPOS, Ernesto de Sousa. "Universidades de São Paulo". In: VÁRIOS AUTORES. *São Paulo em quatro séculos*. São Paulo: Comissão do IV Centenário, 1954. v. 1.
CAMPOS, Eudes (Org.). *Arquivo Histórico de São Paulo: História pública da cidade*. São Paulo: Divisão do Arquivo Histórico de São Paulo; Imprensa Oficial do Estado de São Paulo, 2011.
CAMPOS, Humberto de. *Diário secreto*. Rio de Janeiro: Edições O Cruzeiro, 1954. 2 v.
CANDIDO, Antonio. *Recortes*. São Paulo: Companhia das Letras, 1993.
_____. *Teresina etc*. Rio de Janeiro: Ouro sobre Azul, 2007.
CANNABRAVA FILHO, Paulo. *Adhemar de Barros: Trajetória e realizações*. São Paulo: Terceiro Nome, 2004.
CARONE, Edgard. *A República Velha: Evolução política*. São Paulo: Difel, 1971.
_____. *A República Velha: Instituições e classes sociais*. São Paulo: Difel, 1972.

_____. *A Primeira República: Texto e contexto*. São Paulo: Difel, 1973.
_____. *A evolução industrial de São Paulo*. São Paulo: Senac São Paulo, 2001.
CARVALHO, Maria Cristina Wolff de. *Ramos de Azevedo*. São Paulo: Edusp, 2000.
CASALECCHI, José Ênio. *O Partido Republicano Paulista (1889-1926)*. São Paulo: Brasiliense, 1987.
CASTRO, Moacir Werneck de. *Mário de Andrade, exílio no Rio*. Rio de Janeiro: Rocco, 1989.
CAVALCANTI, Pedro; DELION, Luciano. *A juventude do Centro*. São Paulo: Grifo Projetos Históricos e Editoriais, 2004.
CAVALHEIRO, Edgard. *Monteiro Lobato: Vida e obra*. São Paulo: Companhia Editora Nacional, 1955.
CENDRARS, Blaise. *Etc... Etc... (um livro 100% brasileiro)*. São Paulo: Perspectiva, 1976.
CENNI, Franco. *Italianos no Brasil: "Andiamo in 'Merica"*. São Paulo: Edusp, 2011.
COHEN, Ilka Stern. *Bombas sobre São Paulo: A Revolução de 1924*. São Paulo: Unesp, 2007.
COUTO, Ronaldo Costa. *Matarazzo [a travessia]*. São Paulo: Planeta, 2004.
_____. *Matarazzo [colosso brasileiro]*. São Paulo: Planeta, 2004.
CYTRYNOWICZ, Monica Musatti; CYTRYNOWICZ, Roney; STÜCKER, Ananda. *Do Lazareto dos Variolosos ao Instituto de Infectologia Emílio Ribas: 130 anos de história da saúde pública no Brasil*. São Paulo: Narrativa Um, 2010.
CYTRYNOWICZ, Roney. *Guerra sem guerra: A mobilização e o cotidiano em São Paulo durante a Segunda Guerra Mundial*. São Paulo: Geração Editorial; Edusp, 2000.
D'ÁVILA, Luiz Felipe. *Dona Veridiana: A trajetória de uma família paulista*. São Paulo: A Girafa, 2004.
D'HORTA, Vera. *MAM — Museu de Arte Moderna de São Paulo*. São Paulo: DBA Artes Gráficas, 1995.
DAMANTE, Hélio. *Nova Paulística*. São Paulo: Imprensa Oficial, 1971.
DEAN, Warren. *A industrialização de São Paulo*. São Paulo: Difel, 1971.
DEBES, Célio. *Júlio Prestes e a Primeira República*. São Paulo: Imprensa Oficial; Divisão de Arquivo do Estado, 1982.
_____. *Washington Luís*. São Paulo: Imprensa Oficial, 1994.
_____. "Administração municipal". In: MAIA, Francisco Prestes. *Os melhoramentos de São Paulo*. São Paulo: Imprensa Oficial, 2010.
DIAS, Everardo. *História das lutas sociais no Brasil*. São Paulo: Alfa-Ômega, 1977.
DIETRICH, Ana Maria. *Caça às suásticas: O Partido Nazista em São Paulo sob a mira da polícia política*. São Paulo, Humanitas; Imprensa Oficial; Fapesp, 2007. Coleção História da Repressão e da Resistência.
DUARTE, Paulo. *Mário de Andrade por ele mesmo*. São Paulo: Edart, 1971.
_____. *Selva oscura*. São Paulo: Hucitec, 1976. Memórias, v. 3.

_____. *Os mortos de Seabrook*. São Paulo: Hucitec, 1976. Memórias, v. 4.
_____. *Agora nós!*. São Paulo: Imprensa Oficial; Fundap, 2007.
DULLES, John W. Foster. *Anarquistas e comunistas no Brasil*. Rio de Janeiro: Nova Fronteira, 1977.
DUMONT, Alberto Santos. *Os meus balões*. Brasília: Fundação Projeto Rondon, 1986.
ENCYCLOPAEDIA *Britannica*, 15ª ed., 1976.
EULÁLIO, Alexandre. *A aventura brasileira de Blaise Cendrars*. São Paulo: Imprensa Oficial; Edusp; Fapesp, 2001.
FAUSTO, Boris. *Trabalho urbano e conflito social*. São Paulo: Difel, 1983.
_____. *Negócios e ócios: Histórias da imigração*. São Paulo: Companhia das Letras, 1997.
FELDMAN, Sarah. "Bom Retiro, bairro de estrangeiros, bairro central". In: LANNA, Ana Lúcia Duarte; PEIXOTO, Fernanda Arêas; LIRA, José Tavares Correia de; SAMPAIO, Maria Ruth Amaral de (Orgs.). *São Paulo, os estrangeiros e a construção das cidades*. São Paulo: Alameda, 2001.
FERNANDES, Adriana Prestes Maia. "Prestes Maia, meu pai". In: MAIA, Francisco Prestes. *Os melhoramentos de São Paulo*. São Paulo: Imprensa Oficial, 2010.
FERNANDES JÚNIOR, Rubens (curadoria). *São Paulo pelo telephone: Imagens da primeira metade do século* XX. São Paulo: Fundação Telefônica, 2006.
FERREIRA, Maria Nazareth. *A imprensa operária no Brasil*. Petrópolis, RJ: Vozes, 1978.
FERREIRA, Waldemar. "Antônio Prado". In: VÁRIOS AUTORES. *Primeiro centenário do conselheiro Antônio da Silva Prado*. São Paulo: Comissão Promotora das Comemorações do Primeiro Centenário do Nascimento do Conselheiro Antônio Prado, 1946.
FINA, Wilson Maia. *Paço Municipal de São Paulo*. São Paulo: Anhambi, 1962.
FONSECA, Maria Augusta. *Oswald de Andrade: Biografia*. São Paulo: Globo, 2007.
FRANCO, Afonso Arinos de Melo. *Rodrigues Alves*. Rio de Janeiro: José Olympio; Editora da Universidade de São Paulo, 1973. 2 v.
FRANCO JÚNIOR, Hilário. *A dança dos deuses: Futebol, sociedade, cultura*. São Paulo: Companhia das Letras, 2007.
FREIRE, Gilberto. *Ordem e progresso*. Rio de Janeiro: José Olympio, 1959. 2v.
FREIRE, Victor da Silva. "Antônio Prado, prefeito de São Paulo". In: VÁRIOS AUTORES. *Primeiro centenário do conselheiro Antônio da Silva Prado*. São Paulo: Comissão Promotora das Comemorações do Primeiro Centenário do Nascimento do Conselheiro Antônio Prado, 1946.
FURLANI, Lúcia Maria Teixeira; FERRAZ, Geraldo Galvão. *Viva Pagu*. Santos, SP: UniSanta; Imprensa Oficial, 2010.

FURTADO, Celso. *Formação econômica do Brasil*. Rio de Janeiro: Editora Fundo de Cultura, 1963.

GÓES, Marta. *Alfredo Mesquita: Um grã-fino na contramão*. São Paulo: Terceiro Nome; Loqüi; Albatroz, 2007.

GONÇALVES, Marcos Augusto. *1922: A semana que não terminou*. São Paulo: Companhia das Letras, 2012.

GONÇALVES, Vergniaud Calazans. *A primeira corrida na América do Sul*. São Paulo: Empresa das Artes Projetos e Edições Artísticas, 1988.

HALL, Michael. "O movimento operário na cidade de São Paulo". In: PORTA, Paula (Org.). *História da cidade de São Paulo*. São Paulo: Paz e Terra, 2004. 3 v.

HANDA, Tomoo. *O imigrante japonês: História de sua vida no Brasil*. São Paulo: T. A. Queiroz, 1987.

HILTON, Stanley. *1932: A guerra civil brasileira*. Rio de Janeiro: Nova Fronteira, 1982.

_____. *Oswaldo Aranha: Uma biografia*. Rio de Janeiro: Objetiva, 1994.

HOMEM, Maria Cecília Naclério. *O palacete paulistano*. São Paulo, Martins Fontes, 1996.

_____. *O prédio Martinelli: A ascensão do imigrante e a verticalização de São Paulo*. São Paulo: Projeto, 1984.

_____. *Higienópolis: Grandeza de um bairro paulistano*. São Paulo: Edusp, 2011.

HOUAISS, Antônio; VILLAR, Mauro de Salles; FRANCO, Francisco Manuel de Mello. *Dicionário Houaiss da língua portuguesa*. Rio de Janeiro: Objetiva, 2001.

IBAÑEZ, Nelson; SANT'ANNA, Osvaldo Augusto. "Instituto Butantan: a pesquisa e o desenvolvimento tecnológico da Saúde em São Paulo". In: NATALINI, Gilberto; AMARAL, José Luiz Gomes do (Orgs.). *450 anos de história da medicina paulistana*. São Paulo: Imprensa Oficial, 2004.

ISAIA, Geraldo Cechella (Ed.). *Concreto, ensino, pesquisa e realizações*. São Paulo: Ibracon, 2005.

JACOPONI, Cláudio. "Centenário de Prestes Maia". In: MAIA, Francisco Prestes. *Os melhoramentos de São Paulo*. São Paulo: Imprensa Oficial, 2010.

JORGE, Janes. *Tietê, o rio que a cidade perdeu*. São Paulo: Alameda, 2006.

KOWARICK, Lúcio (Org.). *As lutas sociais na cidade*. São Paulo: Paz e Terra, 1994.

KWAK, Gabriel. *O trevo e a vassoura*. São Paulo: A Girafa, 2006.

LANNA, Ana Lúcia Duarte; PEIXOTO, Fernanda Arêas; LIRA, José Tavares Correia de; SAMPAIO, Maria Ruth Amaral de (Orgs.). *São Paulo, os estrangeiros e a construção das cidades*. São Paulo: Alameda, 2001.

LARA, Cecília de. "Introdução". In: MACHADO, António de Alcântara. *Prosa preparatória & Cavaquinho e Saxofone*. Rio de Janeiro: Civilização Brasileira; Instituto Nacional do Livro, 1983.

LEÃO, Valdemar Carneiro. "A crise da imigração japonesa no Brasil (1930-1934)". In: FAUSTO, Boris; TRUZZI, Oswaldo; GRÜN, Roberto; SAKURAI, Célia. *Imigração e política em São Paulo*. São Paulo: Sumaré; Fapesp; Editora da UFSCar, 1995.

LEMOS, Carlos. *Da taipa ao concreto: Crônicas e ensaios sobre a memória da arquitetura e do urbanismo*. São Paulo: Três Estrelas, 2013.

LEVI, Darrel E. *A família Prado*. São Paulo: Cultura 70, 1974.

LÉVI-STRAUSS, Claude. *Tristes trópicos*. São Paulo: Anhembi, 1957.

_____. *Saudades de São Paulo*. São Paulo: Companhia das Letras, 1996.

LIRA NETO. *Getúlio, 1882-1930: Dos anos de formação à conquista do poder*. São Paulo: Companhia das Letras, 2012.

_____. *Getúlio, 1930-1945: Do governo provisório à ditadura do Estado Novo*. São Paulo: Companhia das Letras, 2013.

LOBATO, Monteiro. *A barca de Gleyre*. São Paulo: Brasiliense, 1946. 2 v.

_____. *Na antevéspera*. São Paulo: Brasiliense, 1946.

_____. *Negrinha*. São Paulo: Brasiliense, 1948.

LOFEGO, Silvio Luiz. *IV Centenário da cidade de São Paulo: Uma cidade entre o passado e o futuro*. São Paulo: Annablume, 2004.

LOPEZ, Telê Porto Ancona (Org.). *Eu sou trezentos, sou trezentos e cincoenta: Mário de Andrade visto por seus contemporâneos*. Rio de Janeiro: Agir, 2008.

LOVE, Joseph. *A locomotiva*. Rio de Janeiro: Paz e Terra, 1982.

MACHADO, António de Alcântara. *Brás, Bexiga e Barra Funda*. São Paulo: Imprensa Oficial; Arquivo do Estado, 1982.

_____. *Laranja da China*. São Paulo: Imprensa Oficial; Arquivo do Estado, 1982.

_____. *Prosa preparatória & Cavaquinho e Saxofone*. Rio de Janeiro: Civilização Brasileira; Instituto Nacional do Livro, 1983.

MAGALDI, Sábato; VARGAS, Maria Theresa. *Cem anos de teatro em São Paulo*. São Paulo: Senac São Paulo, 2000.

MAIA, Francisco Prestes. *Os melhoramentos de São Paulo*. São Paulo: Imprensa Oficial, 2010.

MARANHÃO, Ricardo. "Introdução". In: SOUSA, Edgard de. *História da Light*. São Paulo: Eletropaulo, 1982.

MARQUES, Cícero. *De pastora a rainha: Memórias*. São Paulo: [s.e.], 1944.

MASSARANI, Emanuel von Lauenstein. *A paisagem paulistana à época do telefone*. São Paulo: Telesp, 1984.

MARTINS, Antônio Egídio. *São Paulo antigo*. São Paulo: Paz e Terra, 2003.

MARTINS, José de Souza. "O migrante brasileiro na São Paulo estrangeira". In: PORTA, Paula (Org.). *História da cidade de São Paulo*. São Paulo: Paz e Terra, 2004. 3 v.

MARTINS, Paulo César Garcez; ALVIM, Zuleika (Coords.). *Os céus como fronteira: A verticalização no Brasil*. São Paulo: Grifo, 2013.

MATTAR, Denise (Org.). *No tempo dos modernistas: D. Olívia Penteado, a senhora das artes*. São Paulo: FAAP (Fundação Armando Álvares Penteado), 2002.

MAZZIERI, Berta Ricardo de; TOLOSA, Erasmo Magalhães Castro de. "Saúde pública em São Paulo". In: NATALINI, Gilberto; AMARAL, José Luiz Gomes do (Orgs.). *450 anos de história da medicina paulistana*. São Paulo: Imprensa Oficial, 2004.

_____. "Faculdade de Medicina da Universidade de São Paulo". In: NATALINI, Gilberto; AMARAL, José Luiz Gomes do (Orgs.). *450 anos de história da medicina paulistana*. São Paulo: Imprensa Oficial, 2004.

MAZZONI, Thomaz. *História do futebol no Brasil*. São Paulo: Leia, 1950.

MILLIET, Sérgio. *Melhores crônicas*. São Paulo: Global, 2006.

MONTEIRO, Tobias. "Uma grande vida". In: VÁRIOS AUTORES. *Primeiro centenário do conselheiro Antônio da Silva Prado*. São Paulo: Comissão Promotora das Comemorações do Primeiro Centenário do Nascimento do Conselheiro Antônio Prado, 1946.

MORAES, Eliane Robert. "São Paulo dos vícios elegantes". In: TÁCITO, Hilário. *Madame Pommery*. São Paulo: Ática, 1998, anexo.

MORAES, Marcos Antonio de (Org.). *Correspondência Mário de Andrade & Manuel Bandeira*. São Paulo: Edusp; IEB-USP, 2000.

MORAIS, Fernando. *Chatô, o rei do Brasil*. São Paulo: Companhia das Letras, 1994.

_____. "A víbora está viva". In: SILVEIRA, Joel. *A milésima segunda noite da avenida Paulista*. São Paulo: Companhia das Letras, 2003, posfácio.

MORATO, Francisco. "Antônio Prado". In: VÁRIOS AUTORES. *Primeiro centenário do conselheiro Antônio da Silva Prado*. São Paulo: Comissão Promotora das Comemorações do Primeiro Centenário do Nascimento do Conselheiro Antônio Prado, 1946.

MOURA, Paulo Cursino de. *São Paulo de outrora (evocações da metrópole)*. Belo Horizonte; São Paulo: Itatiaia; Edusp, 1980.

NATALINI, Gilberto; AMARAL, José Luiz Gomes do (Orgs.). *450 anos de história da medicina paulistana*. São Paulo: Imprensa Oficial, 2004.

NAVA, Pedro. *Beira-mar*. Rio de Janeiro: José Olympio, 1979. Memórias, v. 4.

NICOLAU, Jairo. *História do voto no Brasil*. Rio de Janeiro: Jorge Zahar, 2002.

NICOLINI, Henrique. *Tietê, o rio do esporte*. São Paulo: Phorte, 2001.

NOBRE, Freitas. *História da imprensa de São Paulo*. São Paulo: Leia, 1950.

NÓBREGA, Mello. *História do rio Tietê*. Belo Horizonte; São Paulo: Itatiaia; Edusp, 1981.

NOVA *Enciclopédia Barsa*. São Paulo: Encyclopaedia Britannica do Brasil Publicações, 1998.

PASSOS, Maria Lúcia Perrone; EMÍDIO, Teresa. *Desenhando São Paulo: Mapas e literatura, 1877-1954*. São Paulo: Imesp, 2009.
PEIXOTO, Alzira Vargas do Amaral. *Getúlio Vargas, meu pai*. São Paulo: Globo, 1960.
PELLEGRINI, Sandra Brecheret (Org.). *Brecheret 60 anos de notícia*. São Paulo: [s.e.], 1976.
PENTEADO, Jacob. *Belenzinho, 1910*. São Paulo: Carrenho Editorial; Narrativa Um, 2003.
PERAZZO, Priscila Ferreira. *Prisioneiros de guerra: Os "súditos do Eixo" nos campos de concentração brasileiros (1942-1945)*. São Paulo: Humanitas; Imesp; Fapesp, 2009.
PILAGALLO, Oscar. *História da imprensa paulista*. São Paulo: Três Estrelas, 2012.
PINTO, Alfredo Moreira. *A cidade de São Paulo em 1900*. São Paulo: Governo do Estado, 1979.
PIZA, Moacyr. *Vespeira*. São Paulo: Livraria Santos, 1923.
PONTES, José Alfredo Vidigal. *1932: O Brasil se revolta*. São Paulo: Terceiro Nome, 2004.
PORTA, Paula (Org.). *História da cidade de São Paulo*. São Paulo: Paz e Terra, 2004. 3 v.
PORTO, Antônio Rodrigues. *História urbanística da cidade de São Paulo (1554 a 1988)*. São Paulo: Carthago & Forte, 1992.
_____. *História da cidade de São Paulo através de suas ruas*. São Paulo: Carthago, 1996.
PRADO, Décio de Almeida. *Seres, coisas, lugares*. São Paulo: Companhia das Letras, 1993.
_____. *Peças, pessoas, personagens*. São Paulo: Companhia das Letras, 1993.
PRADO, Luís André do. *Cacilda Becker: Fúria santa*. São Paulo: Geração, 2002.
PRADO, Nazareth. "Lembrava o retiro de um monge o quarto do conselheiro Antônio Prado". In: VÁRIOS AUTORES. *Primeiro centenário do conselheiro Antônio da Silva Prado*. São Paulo: Comissão Promotora das Comemorações do Primeiro Centenário do Nascimento do Conselheiro Antônio Prado, 1946.
PRADO JR., Caio. *História econômica do Brasil*. São Paulo: Brasiliense, 1963.
QUEIROZ, Suely Robles Reis de. "Política e poder público na cidade de São Paulo: 1889-1954". In: PORTA, Paula (Org.). *História da cidade de São Paulo*. São Paulo: Paz e Terra, 2004. 3 v.
RADESCA, Maria de Lourdes Souza. "O problema da energia elétrica". In: AZEVEDO, Aroldo de (Org.). *A cidade de São Paulo: Estudos de geografia urbana*. São Paulo: Companhia Editora Nacional, 1958. 4 v.
RAGO, Margareth. "A invenção do cotidiano na metrópole". In: PORTA, Paula (Org.). *História da cidade de São Paulo*. São Paulo: Paz e Terra, 2004. 3 v.
REALE, Ebe. *Brás, Pinheiros, Jardins: Três bairros, três mundos*. São Paulo: Pioneira; Edusp, 1982.

REIS, Nestor Goulart. *São Paulo: Vila, cidade, metrópole*. São Paulo: Prefeitura de São Paulo, 2004.

RIBEIRO, Maria Izabel. "O esforço moderno em São Paulo". In: MATTAR, Denise (Org.). *No tempo dos modernistas: D. Olívia Penteado, a senhora das artes*. São Paulo: FAAP (Fundação Armando Álvares Penteado), 2002.

ROLNIK, Raquel. "São Paulo, início da industrialização". In: DIAS, Everardo. *História das lutas sociais no Brasil*. São Paulo: Alfa-Ômega, 1977.

SAES, Flávio. "São Paulo republicana: Vida econômica". In: PORTA, Paula (Org.). *História da cidade de São Paulo*. São Paulo: Paz e Terra, 2004. 3 v.

_____. "Industrialização e urbanização". In: CAMARGO, Ana Maria de Almeida (Coord.). *São Paulo, uma viagem no tempo*. São Paulo: Centro de Integração Empresa-Escola, 2005.

SAKURAI, Célia. "A fase romântica da política: Os primeiros deputados nikkeis no Brasil". In: FAUSTO, Boris, TRUZZI, Oswaldo; GRÜN, Roberto; SAKURAI, Célia. *Imigração e política em São Paulo*. São Paulo: Sumaré; Fapesp; Editora da UFSCar, 1995.

SALONE, Roberto. *Irredutivelmente liberal: Política e cultura na trajetória de Júlio de Mesquita Filho*. São Paulo: Albatroz, 2009.

SAMPAIO, Regina. *Adhemar de Barros e o PSP*. São Paulo: Global, 1982.

SANTOS, Elina O. "Tietê, o rio de São Paulo". In: AZEVEDO, Aroldo de (Org.). *A cidade de São Paulo: Estudos de geografia urbana*. São Paulo: Companhia Editora Nacional, 1958. 4 v.

SANTOS, Viviane Teresinha dos. *Os seguidores do Duce: Os italianos fascistas no estado de São Paulo*. São Paulo: Arquivo do Estado; Imprensa Oficial, 2001.

SCHMIDT, Afonso. *São Paulo de meus amores*. São Paulo: Paz e Terra, 2003.

SCHPUN, Mônica Raisa. "Regionalistas e cosmopolitas: As amigas Olívia Guedes Penteado e Carlota Pereira de Queirós". In: MATTAR, Denise (Org.). *No tempo dos modernistas: D. Olívia Penteado, a senhora das artes*. São Paulo: FAAP (Fundação Armando Álvares Penteado), 2002.

SEGAWA, Hugo. *Prelúdio da metrópole: Arquitetura e urbanismo em São Paulo na passagem do século*. São Paulo: Ateliê, 2000.

_____. "São Paulo, veios e fluxos". In: PORTA, Paula (Org.). *História da cidade de São Paulo*. São Paulo: Paz e Terra, 2004. 3 v.

SCHWARTZ, Jorge (Org.). *Da antropofagia a Brasília*. São Paulo: FAAP (Fundação Armando Álvares Penteado); Cosac Naify, 2002.

SEVCENKO, Nicolau. *Orfeu extático na metrópole*. São Paulo: Companhia das Letras, 1992.

SILVA, Domício Pacheco. *O último cafezal*. São Paulo: Terceiro Nome, 2010.

SILVA, Hélio. *1922: Sangue na areia de Copacabana*. Rio de Janeiro: Civilização Brasileira, 1971.

_____. *1926: A grande marcha*. Rio de Janeiro: Civilização Brasileira, 1971.

_____. *1939: Véspera de guerra*. Rio de Janeiro: Civilização Brasileira, 1972.

SILVEIRA, Joel. *A milésima segunda noite da avenida Paulista*. São Paulo: Companhia das Letras, 2003.

SIMÕES JÚNIOR, José Geraldo. *Anhangabaú: História e urbanismo*. São Paulo: Senac São Paulo; Imprensa Oficial, 2004.

SOARES JÚNIOR, Rodrigo. *Jorge Tibiriçá e seu tempo*. São Paulo: Companhia Editora Nacional, 1958. 2 v.

SODRÉ, Nélson Werneck. *História da literatura brasileira*. Rio de Janeiro: Civilização Brasileira, 1964.

SOMEKH, Nadia. "Verticalização em São Paulo: A produção da cidade difusa e excludente". In: MARTINS, Paulo César Garcez; ALVIM, Zuleika (Coords.). *Os céus como fronteira: A verticalização no Brasil*. São Paulo: Grifo, 2013.

SOUSA, Edgard de. *História da Light: Primeiros cinquenta anos*. São Paulo: Departamento do Patrimônio Histórico; Eletropaulo, 1989.

SOUSA, Everardo Valim Pereira de. "Reminiscências". In: VÁRIOS AUTORES. *Primeiro centenário do conselheiro Antônio da Silva Prado*. São Paulo: Comissão Promotora das Comemorações do Primeiro Centenário do Nascimento do Conselheiro Antônio Prado, 1946.

SOUZA, Maria Adélia Aparecida de. "A configuração territorial da cidade". In: NATALINI, Gilberto; AMARAL, José Luiz Gomes do (Orgs.). *450 anos de história da medicina paulistana*. São Paulo: Imprensa Oficial, 2004.

STIEL, Waldemar Corrêa. *História dos transportes coletivos em São Paulo*. São Paulo: McGraw Hill do Brasil; Edusp, 1978.

TÁCITO, Hilário. *Madame Pommery*. São Paulo: Ática, 1998.

TEIXEIRA, L. A. *Ciência e saúde na terra dos bandeirantes: A trajetória do Instituto Pasteur de São Paulo no período 1903-1916*. Rio de Janeiro: Editora Fiocruz, 1995.

TEIXEIRA, Palmira Petratti. *A fábrica do sonho*. Rio de Janeiro: Paz e Terra, 1990.

TOLEDO, Benedito Lima de. *Álbum iconográfico da avenida Paulista*. São Paulo: Ex-Libris, 1987.

_____. *Prestes Maia e as origens do urbanismo moderno em São Paulo*. São Paulo: Empresa das Artes, 1996.

_____. *São Paulo, três cidades em um século*. São Paulo: Cosac & Naify; Duas Cidades, 2004.

TOLEDO, Roberto Pompeu de. *História do Unibanco*. São Paulo: IMS, 1994.

TOTA, Antônio Pedro. "Rádio e modernidade em São Paulo". In: PORTA, Paula (Org.). *História da cidade de São Paulo*. São Paulo: Paz e Terra, 2004. 3 v.

TUMA, Nicolau. "As obras que o prefeito Prestes Maia não realizou". In: MAIA, Francisco Prestes. *Os melhoramentos de São Paulo*. São Paulo: Imprensa Oficial, 2010.

TRUZZI, Oswaldo Mário Serra. *Patrícios: Sírios e libaneses em São Paulo*. São Paulo: Unesp, 2009.
VARGAS, Getúlio. *Diários*. Rio de Janeiro: FGV, 1995. 2v.
VÁRIOS AUTORES. *Primeiro centenário do conselheiro Antônio da Sílva Prado*. São Paulo: Comissão Promotora das Comemorações do Primeiro Centenário do Nascimento do Conselheiro Antônio Prado, 1946.
VÁRIOS AUTORES. *São Paulo em quatro séculos*. São Paulo: Comissão do IV Centenário, 1954.
VASCONCELOS, Augusto Carlos. "Retrospectiva do concreto no Brasil". In: ISAIA, Geraldo Cechella (Ed.). *Concreto, ensino, pesquisa e realizações*. São Paulo: Ibracon, 2005.
VIDAL, Joaquim A. Sampaio. Antônio Prado. In: VÁRIOS AUTORES. *Primeiro centenário do conselheiro Antônio da Sílva Prado*. São Paulo: Comissão Promotora das Comemorações do Primeiro Centenário do Nascimento do Conselheiro Antônio Prado, 1946.
VILLA, Marco Antônio. *1932: Imagens de uma revolução*. São Paulo: Imprensa Oficial, 2008.
_____. *A história das constituições brasileiras*. São Paulo: Leya, 2011.
WARCHAVCHIK, Gregori. "Acerca da arquitetura moderna". In: SCHWARTZ, Jorge (Org.). *Da antropofagia a Brasília*. São Paulo: FAAP (Fundação Armando Álvares Penteado); Cosac Naify, 2002.
WOLFF, Silvia Ferreira Santos. *Jardim América*. São Paulo: Edusp; Fapesp; Imprensa Oficial, 2001.
WYKEHAM, Peter. *Santos Dumont: O retrato de uma obsessão*. Rio de Janeiro: Civilização Brasileira, 1966.
ZAIDAN, Rosana. *O diário de JB, José Bonifácio Coutinho Nogueira*. Campinas, SP: Terra da Gente, 2009.

PERIÓDICOS

Annuario Demographico, 1920, v. 1. Directoria do Serviço Sanitário do Estado de São Paulo, Typographia do Diário Oficial, 1926.
Anuário Estatístico do Estado de São Paulo, 1941. São Paulo: Indústria Gráfica Siqueira, Sales Oliveira e Cia Ltda, 1941.
Anuário Estatístico do Estado de São Paulo, 1950, v. 1 e 2. Departamento de Estatística do Estado, 1953.
Anuário Estatístico do Estado de São Paulo, 1950, v. 3. Departamento de Estatística do Estado, 1954.
Boletim do Departamento Estadual de Estatística. São Paulo: Tipografia Brasil, Rothschild Loureiro e Cia, 1940. Anexo ao nº 8, agosto de 1940; e anexo ao nº 9, setembro de 1940.

Boletim do Departamento Estadual de Estatística, nº 1, janeiro de 1941. São Paulo: Tipografia Brasil, Rothschild Loureiro e Cia, 1941.

Boletim Histórico (publicação do Departamento de Patrimônio Histórico da Eletropaulo).

Cadernos de História de São Paulo (publicação do Museu Paulista da Universidade de São Paulo).

Coleções de *O Estado de S. Paulo; Correio Paulistano; Folha da Noite; Folha da Manhã; Correio da Manhã; O Combate; Piauí; Exame; Veja São Paulo.*

FONSECA, Antônio; NOGUEIRA, dr. J. F. de Melo. *Guia do Estado de S. Paulo*. São Paulo: Secretaria da Agricultura, Commercio e Obras Públicas; Pocai & Cia, 1920.

Estudos Avançados (publicação do Instituto dos Estudos Avançados da Universidade de São Paulo).

História & Energia (publicação do Departamento de Patrimônio Histórico da Eletropaulo).

Informativo do Arquivo Histórico Municipal.

Memória (publicação do Departamento de Patrimônio Histórico da Eletropaulo).

Monolito (revista monográfica de arquitetura).

Novos Estudos (revista do Centro Brasileiro de Análise e Planejamento — Cebrap).

Recenseamento do Brasil (1º de setembro de 1920), v. IV, 1ª, 2ª, 4ª e 6ª partes. Rio de Janeiro: Typographia da Estatística, 1926.

Recenseamento Geral do Brasil (1º de setembro de 1940), série nacional, v. II; série regional, parte XVII. São Paulo; Rio de Janeiro: Instituto Brasileiro de Geografia e Estatística; Serviço Gráfico do Instituto Brasileiro de Geografia e Estatística, 1950.

Recenseamento Geral de 1950, série nacional, v. I. Rio de Janeiro: IBGE; Conselho Nacional de Estatística, Serviço Nacional de Recenseamento, 1956.

Relatório apresentado ao cidadão dr. Cesário Mota Jr., secretário dos Negócios do Interior do Estado de São Paulo, pelo diretor da Repartição de Estatística e Arquivo, sr. Antônio de Toledo Piza, em 13 de junho de 1894.

Revista da Academia Paulista de Letras.

Revista da Biblioteca Mário de Andrade.

Revista de Antropofagia. Reedição da revista literária publicada em São Paulo, 1ª e 2ª dentições, 1928-1929. São Paulo: Metal Leve, 1976.

Revista de Engenharia (publicação mensal de engenharia civil e industrial, arquitetura e agronomia).

Revista do Arquivo Municipal.

Revista Polytechnica (órgão do Grêmio Politécnico).

Artigos, ensaios, teses

Em periódicos e na internet

ANDRADE, Gênese de; ELEUTÉRIO, Maria de Lourdes. "O Pirralho na cena cultural paulistana antes da Semana de 22", *Revista da Biblioteca Mário de Andrade*, Biblioteca Mário de Andrade; Imprensa Oficial, n. 68, 2012.

ANDRADE, Manuella Marianna. "O parque do Ibirapuera: 1890 a 1854", *Arquitextos*, set. 2004. Em: <www.vitruvius.com.br/revistas/read/arquitextos/ 05.051/553>.

ANDRADE, Mário de. "O movimento modernista", *O Estado de S. Paulo*, 10, 17 e 24 fev. 2002 e 3 mar. 2002.

BARROS, Liliane Schrank Lehmann de; MOIZO, Rosana Pires Azanha. "Formação administrativa da cidade de São Paulo", *Revista do Arquivo Municipal*, DPH, n.199, 1991.

BRITO, Mário da Silva. "1922: o Brasil entra no século XX", *O Estado de S. Paulo*, Suplemento Literário, 27 fev. 1972.

CARONE, Edgard; PERAZZO, Priscila F. "Em São Paulo, lutas contra o monopólio", *Memória*, Eletropaulo, n. 7, abr./jun. 1990.

D'ELBOUX, Roseli. "Joseph Bouvard in São Paulo, 1911: Antecedent Events and Repercussions". Trabalho apresentado na 14ª conferência da International Planning History Society, Istambul, jul. 2010. Em: <www.iphs2010.com/abs/273.pdf>.

DUARTE, Paulo. "Há 40 anos, falecia Moacyr Piza", *O Estado de S. Paulo*, 25 out. 1963.

DWECK, Denise. "Conheça a história dos empresários que fundaram a Fiesp", *Exame*, 24 set. 2004.

FARIA, Nívia. "A preparação do levante", *História & Energia*, Eletropaulo, n. 4 (A Light e a Revolução de 24). São Paulo: Departamento de Patrimônio Histórico, 1987.

FAUSTO, Boris. "Uma paixão de outrora", *piauí*, n. 70, 2012.

FREIRE, Victor da Silva. "Melhoramentos de São Paulo", *Revista Polytechnica*, fev./mar. 1911.

INVAMOTO, Denise. *Futuro pretérito: Historiografia e preservação na obra de Gregori Warchavchik*. Dissertação (Mestrado) — Faculdade de Arquitetura e Urbanismo da USP, São Paulo, 2012. Em: <www.teses.usp.br/teses/disponiveis/16/16133/tde-14062012-160333/pt-br.php>.

LIRA, José Tavares Correia de. "Ruptura e construção: Gregori Warchavchik, 1917--1927", *Novos Estudos*, Cebrap, São Paulo, n. 78, jul. 2007.

MARTINS, José de Souza. "Angélica, esquina de Sergipe", *O Estado de S. Paulo*, 17 jan. 2001.

_____. "Uma tragédia paulistana", *O Estado de S. Paulo*, 21 jun. 2010.

MENDES, Dirce de Paula S. "Bonde ou luz? Eis a questão", *Memória*, Eletropaulo, São Paulo, n. 13, out. 1991/mar. 1992.

MESSINA, Giselle Beiguelman. "São Paulo, a escolhida", *História & Energia*, Eletropaulo, n. 4 (A Light e a Revolução de 24). São Paulo: Departamento de Patrimônio Histórico, 1987.

MEYER, Regina Prosperi. "O papel da rua na urbanização paulistana", *Cadernos de História de São Paulo*, Museu Paulista da USP, São Paulo, n. 2, jan./dez. 1993.

MOURA, Irene Barbosa de. *Brecheret e o IV Centenário*. Tese (Doutorado em História Social) — PUC-SP, São Paulo, 2010. Na Biblioteca Digital da PUC-SP: <www.sapientia.pucsp.br/tde_arquivos/17/TDE-2010-09-22T07:39:38Z-10012/Publico/Irene%20Barbosa%20de%20Moura.pdf>.

PEREIRA, Duarte Brasil Pacheco. "O diário da Revolução: os 23 dias que abalaram São Paulo", *História & Energia*, Eletropaulo, n. 4 (A Light e a Revolução de 24). São Paulo: Departamento de Patrimônio Histórico, 1987.

PONTES, José Alfredo Vidigal. "O destino do Jeribatiba". *Memória*, Eletropaulo, São Paulo, n. 14, 1992.

RICUPERO, Rubens. "Alcântara Machado, testemunha da imigração", *Estudos Avançados*, v. 7, n. 18, São Paulo, mai./ago. 1993.

SEGATTO, José Antônio. "A força de São Paulo", *História & Energia*, Eletropaulo, n. 4 (A Light e a Revolução de 24). São Paulo: Departamento de Patrimônio Histórico, 1987.

_____. "O poder dividido". *História & Energia*, Eletropaulo, n. 4 (A Light e a Revolução de 24). São Paulo: Departamento de Patrimônio Histórico, 1987.

TORRES, Maria Celestina T. Mendes. *O bairro do Brás*. São Paulo: Secretaria de Educação e Cultura, 1985.

VALLE, José de Freitas. "D. Veridiana e a vida em plenitude", *Revista da Academia Paulista de Letras*, São Paulo, n. 46, jun. 1949.

Internet

Arquitextos — <www.vitruvius.com.br>.
Biblioteca Digital USP — teses e dissertações — <www.teses.usp.br>.
Câmara dos Deputados — legislação informatizada — <www2.camara.leg.br>.
Campeões do futebol — <www.campeoesdofutebol.com.br>.
César Ladeira — <www.cesarladeira.com.br>.
Coisas da Arquitetura — <www.coisasdaarquitetura.wordpress.com>.
Departamento do Patrimônio Histórico da Prefeitura de São Paulo — <www.prefeitura.sp.gov.br/cidade/secretarias/cultura/patrimonio_historico>.
Enciclopédia Itaú Cultural — <www.itaucultural.org.br>.
Escola Politécnica da Universidade de São Paulo — <www.poli.usp.br>.
Fundação Getulio Vargas — Centro de Pesquisa e Documentação de História Contemporânea do Brasil — <www.fgv.br/cpdoc>.

História da Imigração — <www.imigracaojaponesa.com.br>.
Indústrias de Papel Ramenzoni — <www.ramenzoni.com.br/empresa/pg_empresa_historia.html>.
Museu de Arte de São Paulo Assis Chateaubriand — <masp.art.br>.
PAGANO, Luiz. "A maravilhosa vida de Santos Dumont" — <www.santosdumontvida.blogspot.com.br>.
Palácio do Planalto — Presidência da República — <www.planalto.gov.br>.
Salas de cinema de São Paulo — <salasdecinemadesp.blogspot.com.br>.
Fazenda Santa Gertrudes – <www.fazendasantagertrudes.com.br>.

ÍNDICE DE LUGARES

Os números em itálico correspondem às páginas que contêm imagens. E os números seguidos de "n" correspondem às notas de rodapé nas páginas indicadas.

Aclimação, 243
Aclimação, jardim da (ou parque da), 187, 207, 375
Afonsos, campo dos, 209
África do Norte, 445
Água Branca, 46, 54, 97, 118-9, 301, 314, 361
Água Branca, avenida ver Francisco Matarazzo, avenida
Alabama, 111
Alagoas, rua, 473
Albuquerque Lins, rua, 473
Alegre, rua ver Brigadeiro Tobias, rua
Alegrete, 151
Alemanha, 97-8, 126, 167, 200, 259, 361, 363, 367, 381, 404, 407-9, 411-2, 414, 416, 452, 463
Alentejo, 205
Alto da Lapa, 138
Alto da Serra, 99, 217, 470
Alto de Pinheiros, 138
Álvares de Azevedo, rua, 115
Álvares Penteado, rua, 31
América Central, 489
América do Norte, 41, 412, 523
América do Sul, 82, 100, 147, 260, 268, 415, 430, 436, 459, 461, 463, 470, 491
América Latina, 26, 167, 459, 463, 502, 506
Amparo, 294, 339, 366
Anchieta, via, 470
Angélica, avenida, 36, 258, 263, 280, 407, 418, 473-4, 524
Anhangabaú, avenida (ou rua), 372-3 ver também Prestes Maia, avenida
Anhangabaú, parque do, 62, 64-5, 67, 70, 79, 132, 206, 222, 229, 257, 270-1, 471
Anhangabaú, rio, 27, 31, 59, 62, 64, 297, 371, 522
Anhangabaú, vale do, 27, 36, 59, 61-2, 64, 67-9, 71, 74, 89, 132, 134, 145, 158, 229, 257, 259-60, 269, 272, 349, 356, 369, 373, 376-7, 427, 431, 451, 461, 464, 466, 468, 469
Anhanguera, via, 470
Antártica, parque, 93-4, 97-8, 100-1, 187, 206

Antônio Prado, praça, 32, 61, 63, 64-5, 70, 85, 87, 97, 144, 147, 193, 205, 210, 241, 268, 275, 279, 281, 321, 380, 448, 459, 461-2, 503, 524
Araçá, 164, 181, 184-5, 192, 265, 346
Araçá, caminho do ver Dr. Arnaldo, avenida
Araraquara, 473
Araras, 110
Araújo, rua, 45, 90
Argentina, 67, 165, 200-1, 221, 389, 391, 411, 436, 446
Arouche, largo do, 63, 184
Arouche, rua do, 253
Ásia, 403
Atlântica, avenida (ou rua), 136, 394
Atlântico, oceano, 291
Augusta, rua, 135, 138, 243, 258, 474, 524
Aurora, rua, 144
Áustria, 97-8
"Avenida, bairro da", 258
Avenida, parque da ver Trianon, parque

Bahia, 435, 516
Baixada Santista, 100
Baixo Bexiga, 158
Balneário, parque, 470
Bandeira, praça da, 371
Bandeirantes, avenida dos, 352
Bandeiras, ponte das, 374, 438, 506
Bandeiras, praça das, 158, 508
Barão de Campinas, rua, 255
Barão de Itapetininga, rua, 78-9, 164, 206, 253, 330, 380, 426-8, 448, 471
Barão de Limeira, rua, 41
Barão do Rio Branco, rua, 373
Barbados, 174
Barra Funda, 33, 41, 46, 55, 118, 258, 429, 466, 472
Barretos, 54, 432
Barueri, 43
Batatais, 129
Bauru, 432

565

Bavária, rua, 113
Bela Cintra, rua, 110, 189, 258
Bela Vista, 131, 185, 197, 473, 501
Belém, 16, 298
Belenzinho, 116-8, 155, 167, 197-8, 243, 298
Bélgica, 310, 356
Belo Horizonte, 107, 288, 294, 513
Benjamin Constant, rua, 64, 141-2
Berlim, 389, 391, 409-10, 451, 506
Berna, 359
Bertioga, 50
Bexiga, 29, 158, 193, 255, 457, 483
Biarritz, 381
Birmingham, 111
Boa Vista, rua, 64-5, 70, 90, 105, 240, 254, 328, 349, 369, 379, 397, 448
Boa Vista, viaduto, 64, 70, 349
Boiada, estrada da *ver* Alto de Pinheiros
Bois de Boulogne, 361
Bom Pastor, rua, 119
Bom Retiro, 29, 33, 46, 93, 96, 118, 155, 197, 301, 319, 509-10
Botafogo, 273
Botânico, Jardim *ver* Luz, Jardim da
Bouvard, avenida, 69
Brás, 28-9, 44, 92, 113, *114*, 115-6, 118, 163-5, 170, 186, 192, 197-8, 253-5, 349, 373, 393, 448, 466, 471, 501, 514
Brasil, 14, 17-8, 25-6, 30, 39-40, 47, 49-50, 54, 59, 82, 92-3, 96-7, 99, 106, 111, 117, 126, 137, 155, 165, 167, 169, 173-4, 176-7, 180, 183, 190, 192, 197, 199, 201, 204, 206, 208, 220-3, 228, 230-1, 234-8, 245-6, 250, 252-3, 255, 260, 267, 269, 273, 275, 277, 280, 286, 288, 310, 312, 314, 318, 320-1, 331, 333, 335-6, 338, 346-7, 358, 360, 362-3, 383, 387, 394, 396, 403-4, 407, 409, 411-4, 418-20, 424, 434, 436-7, 441, 445, 449, 451-3, 456-7, 460, 463, 467, 470, 482, 484-8, 491, 499-500, 502-3, 506, 519-20
Brasil, avenida, 361, 419, 425, 438, 461, 487, 508, 517, 521
Brasília, 355
Brigadeiro Faria Lima, avenida, 79
Brigadeiro Luís Antônio, avenida (ou rua), 191, 348, 363, 411, 466, 474
Brigadeiro Tobias, rua, 151, 185
Broadway, 463, 465, 475
Budapeste, 292
Buenos Aires, 35, 69, 88, 198, 207, 209-10, 238, 311, 327, 340, 392, 463, 484
Buenos Aires, praça, 133, 253, 263, 473, 524
Butantã, 138, 183, 198, 298, 346, 501

Caaguassu, 150

Caçapava, 506
Caetano Pinto, rua, 115, 163
Caetés, rua, 480
Caio Prado, rua, 189, 243, 524
Califórnia, 525
Cambuci, 118, 167-8, 197, 245, 251, 416
Campânia, região da, 106
Campinas, 34, 53-4, 107, 122, 151, 162, 183, 294, 311, 356, 470
Campinas, alameda, 108
Campo de Marte, 239-40, 296, 354
Campos dos Goytacazes, 294
Campos Elíseos, 28, 32-4, 36, 63, 94, 128, 243, 252, 429, 472
Canadá, 39-40
Canindé, 301
Cantareira (bairro), 95, 171
Cantareira, rua da, 241
Cantareira, serra da, 134, 140, 209, 296, 302, 461
Canudos, 525
Capela do Socorro, 500
Capivari, 233
Caravelas, rua, 526
Cardeal Arcoverde, rua, 156
Caribe, 412
Carlos de Campos, avenida, 525
Carlos Garcia, rua, 115
Carlos Sampaio, rua, 348
Carmo, esplanada do, 427 *ver também* Clóvis Bevilácqua, praça
Carmo, ladeira do, 369-70
Carmo, rua do, 309-10 *ver também* Roberto Simonsen, rua
Carmo, várzea do, 28, 60-1, 64-5, 67, 69-70, 92, 113, 133, 158, 229, 240, 316
Carvalho, chácara do, 33, 41, 46, 52, 55, *56*, 90, 99, 113, 309-10
Caserta, 115
Cásper Líbero, avenida, 394
Castellabate, 106
Castiglione, rue, 426
Ceará, 177, 351
Cerqueira César, 136, 473
Chá, chácara do, 68
Chá, morro do, 36, 68, 76, 79, 379
Chá, viaduto do, 27, 36, 61-2, 64, 71, 78-9, 89, 164, 206, 349, 376, *378*, 455, 461
Champs de Mars, 69
Champs-Elysées, avenida, 33-4
Charing-Cross (estação), 235
Chicago, 167, 268-9, 348
Chile, 201, 427, 453
Chile, rua, 136
China, 506

Chouir, aldeia de, 106
Ciccillo Matarazzo, passarela, 524
Cidade Jardim, 427
Cidade Tiradentes, 524
Cincinato Braga, rua, 136, 348
Clichy, praça, 234
Clóvis Beviláqua, praça, 64, 370
Colégio, pátio do, 27, 64, 65-6, 124-5, 127-8, 163, 204, 229, 240-2, 263, 341, 349, 516-7, 525
Colômbia, rua, 138-9, 188
Comércio, travessa do, 87
Conceição, rua da *ver* Cásper Líbero, avenida
Concórdia, largo da, 115, 170-1, 175
Conde de Sarzedas, rua, 200, 412
Congonhas, 353-5, 392, 461
Conselheiro Brotero, rua, 373
Conselheiro Crispiniano, rua, 78, 177, 264
Conselheiro Nébias, rua, 151, 288, 429
Consolação, 35, 40, 90, 109, 138, 142, 182, 192, 197, 264-5, 444, 526
Consolação, rua da, 33, 90, *91*, 164, 191, 242, 316, 344, 359, 455, 474, 524
Constantinopla, 97
Copacabana, 236-7, 394, 471
Copacabana, forte de, 236, 321, 450
Corcovado, 97
Córdoba, 147
Coreia, 506
Cubatão, 298
Cubatão, rua, 152
Cubatão, usina de, 299, *300*
Cuiabá, 16
Curitiba, 392
Curros, largo dos *ver* República, praça da

D. José Gaspar, praça, 374
D. Pedro II, parque, 13, 62, 70, 133, 229, 282, *357*
d'Acclimatation, Jardin, 207
Dacar, 180
Danúbio, rio, 292
Davos, 492
Deodoro, 338
Dinamarca, 221
Direita, rua, 25, 30, 64, 82, 87-8, 129, 184, 268-9, 329, 335, 378, 432
Dom José de Barros, rua, *61*, 463
Dom Pedrito, 237
Domingos de Morais, rua, 151, 473
Dona Paulina, viaduto, 370
Dona Veridiana, rua, 524
Doutor Arnaldo, avenida, 164, 182, 184, 461
Doutor Falcão, rua, 268

Dulley, chácara, 93
Duque de Caxias, rua, 144, 151, 288, 318, 371, 429
Dutra, via, 506

Edgard Leuenroth, rua, 524
Eduardo Prado, alameda, 55, 524
Espanha, 97, 167, 176, 180, 221, 298, 381
Esplanada, largo da, 36
Estados Unidos, 46, 54, 111, 180, 183, 199, 201, 215, 221, 231, 256, 259, 267, 269, 285, 303, 380, 404, 410, 419, 436, 451, 454, 459, 465, 472, 486, 491, 494, 501, 506
Estados Unidos, rua, 135-6, 425, 488
Estrada de Ferro Central do Brasil, 28, 113, 241
Estrada de Ferro Sorocabana, 28, 43, 243, 322, 446, 448
Etiópia, 365, 408
Europa, 15, 30-1, 35, 76-7, 82, 87, 98, 121, 135, 154, 157, 159, 161, 165, 167, 169, 179-80, 182-3, 207, 215, 220-1, 223, 231, 248, 267, 272, 290, 351, 353, 358, 363, 380-1, 386-7, 399, 404, 424, 441, 445, 447, 451, 454, 472, 485-7, 491-3, 495, 506, 523
Everardo Dias, rua, 524

Fernando de Noronha, 192
Finlândia, 97
Flamengo, 273
Florença, 292, 379
Florêncio de Abreu, rua, 104, 106, 110-1, 170, 252, 349
Floresta, chácara, 95, 415
Formosa, rua, 59, 60, 68, 145, 193, 514
Fortaleza, 16, 200
França, 69, 82, 88, 90, 97-9, 133, 148, 176, 200, 208, 233, 269, 347, 360, 367, 381, 404, 451, 506
Franca, alameda, 258
Francisco Matarazzo, avenida, 207, 373
Freguesia do Ó, 17, 28, 98, 198, 293, 296, 301, 466

Gasômetro, rua do, 92, 113-4
Gasômetro, viaduto do, 471
Genebra, rua, 193
General Carneiro, rua, 64, 70, 87, 205, 349-50
General Jardim, rua, 264, 358, 411
General Sócrates, rua, 524
Glete, alameda, 144, 206
Glicério, várzea do, 95
Grã-Bretanha, 205
Grande, ponte, 95, 179, 258, 293, *294*, 295, 374 *ver também* Bandeiras, ponte das
Grands-Augustins, quai des, 233

Groenlândia, rua, 136, 198
Guadalupe, rua, 483
Guaianazes, 500
Guaiaúna, estação de, 241, 244
Guanabara, 177, 455
Guapira, campo de, 140, 209
Guarapiranga, 50
Guarapiranga, represa de, 48, 298, 303, 355
Guarapiranga, rio, 49
Guarapuava, 210
Guaratinguetá, 122, 208, 506
Guarujá, 54, 227, 365, 431-2

Haddock Lobo, rua, 500, 525
Hamburgo, 87, 93, 415
Hampstead, 137
Higienópolis, 28, 32, 34, 63, 90, 94, 98, 133, 151, 185, 198, 243, 333, 425, 437, 473-4, 480
Higienópolis, avenida, 189, 473, 486
Hiroshima, 454, 508
Hollywood, 497
Hyde Park, 361

Ibirapuera, 359, 361-2, 439, 510, 526
Ibirapuera, parque do, 361, 461, 511, 512-3, 517-9, 524
Île de la Cité, 295
Imigrantes, rua dos *ver* José Paulino, rua
Império Russo, 286
Independência, parque da, 221, 375
Índia, 508
Inglaterra, 28, 54, 91-2, 97, 137, 167, 200, 381, 451
Interlagos, 355, 461
Ipiranga, 13, 34, 119, 162, 171-2, 198, 220-1, 227-8, 243, 257, 259, 295, 316, 366, 393, 501, 504-5
Ipiranga, avenida (ou rua), 63, 144, 164, 369-70, 461, 463, 471
Irmã Simpliciana, rua, 438
Istambul, 69
Itália, 14-5, 97, 108, 110, 167, 169, 221, 244, 286, 361, 363-5, 404, 408, 411, 414, 416, 445, 457, 461, 463, 481-2, 487, 491
Italianos, rua dos, 96
Itambé, rua, 480
Itanhaém, 352
Itápolis, rua, 287
Itaquera, 500
Itororó, avenida, 372-3
Itororó, riacho do, 371, 373
Itororó, vale do, 348, 388
Itu, 104, 122, 126, 505
Itu, alameda, 524
Iugoslávia, 451

Jacareí, viaduto, 370
Jaguaribe, rua, 15
Japão, 199, 200, 411, 454, 500
Jaraguá, 500
Jaraguá, pico do, 108-9, 461
Jardim América, 134, 136, 138-9, 156, 198, 258, 424, 483
Jardim Paulista, 136, 466, 501
Jardins, 524
Jaú, 126, 310
Jaú, alameda, 485, 524
Javari, rua, 113
João Alfredo, rua *ver* General Carneiro, rua
João Mendes, praça (ou largo), 27, 64, 66, 71-2, 74, 74, 76, 125, 142, 358, 369-70, 413, 438
João Pessoa, praça, 340 *ver também* Colégio, pátio do
João Teodoro, rua, 241, 245-6
Joaquim Eugênio de Lima, alameda, 108
José Paulino, rua, 96
Júlio Conceição, rua, 96
Júlio de Mesquita, praça, 453
Júlio Prestes, estação, 28
Jundiaí, 54-5, 162
Jundiaí, Caminho do *ver* Palmeiras, rua das

Kansas, 180
Kiev, 435

L'Étoile, place de, 63
Lapa, 118, 138, 167, 172, 192, 197-8, 246, 293, 507
Le Havre, 176
Leme, 490
Leôncia Florisbela, rua *ver* Nestor Pestana, rua
Leste, avenida, 373
Letchworth, 136-7
Líbano, 106, 119
Liberdade, 197, 200, 243, 245, 406, 412, 501
Liberdade, avenida da (ou rua da), 373, 473
Líbero Badaró, rua, 59-60, 61, 64-5, 67-70, 81, 88-9, 94, 144-5, 149, 150, 204-6, 215, 268, 272, 321, 328, 330, 369, 448, 455, 461, 463, 466
Limão, 293, 301, 524
Limão, ponte do, 438
Limeira, 110, 294
Lisboa, 30, 176, 257
Lituânia, 432
Londres, 97, 135, 137, 207, 235, 257, 291, 361, 399, 438, 445, 521
Lopes Chaves, rua, 398, 524-6
Lopes de Oliveira, rua, 279
Lorena, calçada do, 99, 470
Louveira, 486

Luca, 205, 273
Luftwaffe, 399
Luigi Damiani, rua, 524
Luís Carlos Berrini, avenida, 79
Luz, 28, 238, 240, 245-6
Luz, estação da, 63, 153, 210, 243, 246, 252, 268, 453
Luz, parque da (ou jardim da), 34, 55, 206, 248

Macaé, 124, 129, 311
Maceió, 200, 413
Madeira, ilha da, 176
Maioridade, estrada da, 99
Major Diogo, rua, 483, 486
Major Quedinho, rua, 242, 316
Major Sertório, rua, 358
Mangaratiba, 209
Mantiqueira, 339
Mar, serra do, 98, 209, 298, 352, 470
Maranhão, rua, 526
Marconi, rua, 380, 479
Marechal Deodoro, praça, 280, 395, 477
Marginal Pinheiros, 374
Marginal Tietê, 374
Maria Zélia, vila, 117-8
Mário de Andrade, rua, 524
Martinho Prado, rua, 524
Martiniano de Carvalho, rua, 387, 427
Martinico Prado, rua, 524
Mato Grosso, 99, 333, 337-9, 359, 516
Mato Grosso (região), 150
Mauá, 509
Memória, ladeira da, 134, 523
Memória, largo da, 134
Mercúrio, avenida (ou rua), 371
México, 169, 298, 463, 490
Milão, 223, 410
Minas Gerais, 197, 313, 332, 346, 383, 389, 516
Ministro Rocha Azevedo, rua, 433
Moacyr Piza, rua, 524
Mococa, 473
Mogi das Cruzes, 260
Mogi Guaçu, 25
Mogi Mirim, 24, 169
Monsenhor Andrade, rua, 92, 113, 163
Montevidéu, 210
Montparnasse, 360, 362
Montreal, 39-40
Mooca, 29, 90, 113, 116, 118, 131, 161-2, 165, 167, 186, 197-8, 240, 243, 245, 252, 298, 314, 359, 362, 373, 436
Moreira César, rua ver São Bento, rua de
Morumbi, 483
Moscou, 179, 494, 496
Municipal, avenida ver Dr. Arnaldo, avenida
Municipal, esplanada do ver Ramos de Azevedo, praça
Municipal, paço, 66, 71-4
Municipal, rua ver General Carneiro, rua

Nagasaki, 454, 508
Nápoles, 110, 115, 482
Nestor Pestana, rua, 90, 139, 507
Nice, estação de, 235
Niterói, 16
Norte, estação do, 28, 165, 258, 316
Nossa Senhora do Ó, 131, 198 ver também Freguesia do Ó
Nothman, alameda, 239
Nova York, 40, 174, 179, 198, 223, 234, 267-9, 312, 314, 360, 381, 412, 459-61, 491, 518
Nove de Julho, avenida, 107, 136, 371-2, 425, 438, 461, 517
Nove de Julho, viaduto, 370

Odessa, 286
Oriente, rua do, 255
Osasco, 198, 292, 438, 501
Oswaldo Cruz, avenida, 273
Ouvidor, rua do, 432

Pacaembu, 112, 138, 185, 227, 287, 358-9, 383, 388, *390*, 391, 417, 438, 453, 461, 502
Pacaembu, avenida, 373, 389, 453
Pacaembu, riacho, 108, 138, 359
Pacaembu, vale do, 138, 198, 526
Pacífico, oceano, 424, 454
Padre João Manuel, rua, 135
Paesandeu, 147, 149-50 ver também Paiçandu, largo do
Paiçandu, largo do, 32, *61*, 64-5, 70, 78, 143, *146*, 205, 213-4, 241, 243, 249, 280, 463, 477
Paix, rue de la, 426
Palácio, largo do, 171, 259, 340 ver também Colégio, pátio do
Palmas, ilha das, 217
Palmeiras, rua das, 55, 230, 279
Pamplona, rua, 457
Pampulha, 513
Paraguai, 143, 339
Paraíba, 320
Paraíba, rio, 97
Paraíba, vale do, 53, 208, 236, 338-9, 367
Paraíso, *109*, 185, 340
Paraná, 135, 320, 339, 343, 446, 448, 517

Parelheiros, 352, 500
Pari, 118, 238
Paris, 25, 30, 33, 35, 43, 63, 69, 82, 84, 97-8, 207, 223, 233, 254, 256, 261, 267, 278, 291, 295, 335-6, 343, 347, 360-1, 381, 399, 426, 479, 492
Parnaíba *ver* Santana do Parnaíba
Parnaíba, usina de, 43, 47, 49, 297-8
Patriarca, praça do, 25, *61*, 64-5, 70, 257, 316, 321, 326, 329, 376, 378, 442, 448
Paulista, avenida, 33, 40, 47, 79, 107, *109*, 112, 119, 121, 133, 135, 138-9, 151, 179, 185-6, 191, 227-8, 259, 261, 269, 279, 340, 348-9, 377, 388, 433, 457, 474-5, 491, 495, 525
Pearl Harbor, 410
Pedras, rio das, 299, *300*
Pedroso de Moraes, avenida, 228n
Peixoto Gomide, rua, 524
Penha, 28, 97, 171, 197-8, 241, 243, 292-3, 349, 373, 524
Penha de França *ver* Penha
Penha, ladeira da, 241
Pequim, 97
Perdizes, 63, 179, 198, 258, 328, 359, 480, 501
Perdizes, largo das, 373
Pernambuco, 221, 364
Peru, 389
Perus, 500
Petrópolis, 448
Piauí, rua, 189, 473-4
Pindamonhangaba, 183
Pinheiros, 33, 198, 258, 298
Pinheiros, caminho de *ver* Rebouças, avenida
Pinheiros, rio, 49, 107, 135, 138, 151, 183, 198, 292-3, 297-301, *306-7*, *372*, 373-4
Piques (região), 134, 158, 522
Piques, largo do *ver* Bandeira, praça da
Piracicaba, 119, 238, 346
Pirapora do Bom Jesus, 299
Pirassununga, 420, 481
Piratininga, 426, 504
Piratininga, rua, 186
Pirituba, 501
Pitangueiras, praia de, 54
Pitantibas, praia de *ver* Pitangueiras, praia de
Poços de Caldas, 190
Polignano al Mare, 115
Polônia, 148, 381, 407
Ponta Grossa, 209
Porto, 111
Porto Alegre, 16, 210, 320, 353
Portugal, 72, 167, 361, 381
Pouso Alegre, 124
Pozzuoli, 115
Praga, 292

Prata, rio da, 339
Presidente Kennedy, praça, 228n
Prestes Maia, avenida, 371, 438
Público, Jardim *ver* Luz, Jardim da
Puglia, 115

Quinta Avenida, 475
Quintino Bocaiúva, rua, 31-2
Quinze de Novembro, rua, 30-2, 64, 85, *86*, 87, 124, 141, 156, 164, 210, 219, 222, 316, 379

Radial Leste, 373
Ramos de Azevedo, praça, 36, 379-80, 439, 448
Rangel Pestana, avenida, 114-5, 316, 371, 473
Rebouças, avenida (ou rua), 135, 156, 182, 373, 425, 461
Recife, 16, 173, 176, 294
Reino Unido, 54
República, praça da, 34, 45, 78-9, 164, 184, 206, 253, 316, 331, 335, 346, 380, 428, 471, 511
Resina, região de, 110
Ribeirão Preto, 25, 81, 262, 294
Rio Branco, avenida, 63, 373
Rio de Janeiro, 16-7, 26, 35-6, 47, 69, 75, 93, 97, 113, 117, 133, 173, 176, 180, 183, 186, 190, 197-8, 200, 207, 219-20, 224, 234, 236, 257, 260, 273, 286, 311, 318, 338, 346-7, 363, 367, 375, 379, 383, 392, 395, 407, 410, 429, 438-9, 444, 450, 457, 479, 481, 486-7, 499, 517, 520-1
Rio de Janeiro (estado), 48, 282, 294, 338-9, 364, 389, 516-7
Rio Grande do Norte, 351, 364
Rio Grande do Sul, 237, 257, 313, 315, 318, 332, 353
Roberto Simonsen, rua, 170
Rodrigues dos Santos, rua, 113
Roma, 201, 292, 364, 391, 407-10, 454, 484, 487, 492
Roosevelt, estação, 28
Rosário, largo do, 32 *ver também* Antônio Prado, praça
Roterdam, 176
Royale, rue, 426
Rússia, 174, 228

Salvador, 16, 47, 175, 197, 413
Santa Catarina, 320, 517
Santa Cecília, 17, 33, 197, 427, 472-3
Santa Cruz das Palmeiras, 105
Santa Cruz, rua, 286
Santa Ifigênia, 32, 197, 319, 501
Santa Ifigênia, largo, 63

Santa Ifigênia, rua, 243
Santa Ifigênia, viaduto, 64, *202-3*
Santa Rosa, rua, 92
Santana, 131, 197-8, 238, 258, 275, 296
Santana do Parnaíba, 43, 297-8
Santo Amaro, 48, 100, 150, 171, 198, 299, 352-3, 435, 501
Santo Amaro, autoestrada de, 353, 461
Santo Amaro, represa de, 301 ver também Guarapiranga, represa de
Santo André, 509
Santos, 30, 47, 50-1, 54, 99-100, 107, 148, 167, 173, 175, 180, 183, 208, 217, 228, 235-6, 268, 273, 286, 294, 353, 355, 470-1
Santos, alameda, 135
Santos, serra de, 100
São Bento, largo de, 27, 41, 180, *202-3*, 206, 241, 243, 272, 373
São Bento, rua de, 25, 30, 87-8, 94, 97, 129, 154, 164, 184, 201, 269, 275, 525
São Bernardo do Campo, 497
São Borja, 455, 505
São Caetano, 110, 120
São Caetano, rua, 43, 44, 96
São Francisco, largo de, 64-5, 105, 142, 162, 184, 201, 255, 259, 304, 321, 334, 346, 414, 441, 448, 466
São Gonçalo, largo de ver João Mendes, praça (ou largo)
São João, avenida (ou rua de), *61*, 64, 70, 132, 143-5, *146*, 150, 177, 184, 205, 226, 229, 243, 272, *274*, 279, *280*, 281-2, 284, 288, 316, 322, 348, 356, 360, 365, 373, 380, 395, 453, 459, 461-4, 471-2, 517, 524
São João, ladeira de, 85, 241, 275, 279
São Lourenço, 367-8
São Luís, avenida (ou rua), 243, 345, 359, 369-70, 374, 380, 407, 461, 471
São Miguel, 198
São Miguel dos Campos, 124
São Miguel Paulista, 500
São Paulo (estado), 25, 131, 135, 197, 200, 204, 207, 294, 313-4, 318-9, 343, 345-6, 383, 386-7, 409, 448, 451, 456, 499, 501, 505
Saracura, córrego do (ou riacho do), 107, 179, 371, 373
Saúde, bosque da, 50
Sé, 175, 197
Sé, largo da, 27, 32, 72, *73*, 74, 164, 170, 243
Sé, praça da, 66, *74*, 210, *229*, 260, 327-9, *330*, 363, 369-70, *384*, *385*, 413, 451-2, 516
Sé, travessa da, 167
Senador Queirós, avenida (ou rua), 369, 371
Sergipe, 429
Sergipe, rua, 263, 333
Sete de Abril, rua, 78, 358, 377, 380, 486, 488, 493

Sèvres, 228
Siqueira Campos, parque, 107 ver também Trianon, parque
Sorocaba, 104, 106, 111, 210, 294
Sorocabana, estação, 28, 243, 322
Southampton, 92
Stuttgart, 128
Suécia, 275
Suíça, 97-8, 190, 221, 233, 359, 492, 502
Sumaré, 395, 503
Sumaré, avenida, 373

Tamanduateí, rio, 27, *31*, 60-2, 70, 292-3, 295, 297, *302*
Tâmisa, rio, 438
Taquari, rua, 113
Tatuapé, 118, 500
Taubaté, 127, 193, 199
Tibre, rio, 292
Tietê, rio, 43, 49, 63, 94-5, 107, 116-7, 151, 179, 198, 292-3, *294*, 295-301, *302*, *306-7*, 362, 366, *372*, 374, 394, 415, 438, 459
Tijuca, 471
Timbiras, rua, 263-4
Tiradentes, avenida, 33-4, 95, 130, 155, 238, 248, 293, 371-2, 438
Tirreno, mar, 106
Tóquio, 199, 454
Toronto, 40
Toscana, 273
Traição, córrego da, 299, 352
Três Rios, rua, 155
Triângulo (região), 30, 32, 51, 87, 94, 106, 204-5, 215, 256-8, 282, 348, 375, 380, 413
Trianon, parque, 139, 340
Trilhos, rua dos, 113, 161
Triunfo, arco do, 63
Tucuruvi, 500
Turquia, 69

Ucrânia, 286, 435
União Soviética, 125, 468, 494
Uruguai, 143, 169, 200, 221, 389, 391, 436
Uruguaiana, rua, 164

Vaticano, 108, 169
Vautier, rua, 238
Vecchio, ponte, 379
Vergueiro, estrada do, 99
Versalhes, 133
Vieira de Carvalho, avenida, 184

Viena, 64
Vietnã, 506, 508
Vigo, 176
Vila América, 135-6, 156
Vila Buarque, 34, 46, 181, 473
Vila Cerqueira César, 156
Vila Congonhas, 353-4
Vila Maria, 296, 506
Vila Mariana, 48, 143, 150-1, 153, 168, 171, 197, 243, 245, 258, 286, 325, 408, 414, 466, 525
Vila Matilde, 500
Vila Pompeia, 119, 198, 507
Vila Prudente, 118, 500
Vilaboim, praça, 474
Villon, parque, 107 *ver também* Trianon, parque

Vinte e Cinco de Março, rua, 70, 106, 111, 205, 350
Vinte e Quatro de Maio, rua, 78
Vinte e Três de Maio, avenida, 348, 371, 524
Visconde de Laguna, rua, 113
Visconde do Rio Branco, rua *ver* Rio Branco, avenida
Vitória, 294
Viúva, morro da, 273

Washington, 201, 404, 410

Xavier de Toledo, rua, 65, 78, 379, 448, 461, 471
Xingu, 517

ÍNDICE ONOMÁSTICO

Os números em itálico correspondem às páginas que contêm imagens. E os números seguidos de "n" correspondem às notas de rodapé nas páginas indicadas.

Ab'Saber, Aziz, 293
Abdallah, família, 110-1
Accioly Neto, 507
Alberto da Bélgica (rei), 310
Albuquerque Lins, Manuel Joaquim de, 65, 124
Albuquerque, Alexandre de, 63, 68
Alcântara Machado, António de, 17, 110, 120, 254-62, 265, 291, 295, 336, 356, 376, 448
Alice Cavalo de Pau (inquilina de pensão), 145
Almeida, Abílio Pereira de, 481, 484
Almeida, Baby de, 433
Almeida, Franklin de, 469
Almeida, Guilherme de, 14, 219, 220, 225, 336, 433, 489, 504, 518-9
Almeida, José Américo de, 365, 450-1
Almeida, José Cardoso de, 128
Almeida, Lauro Cardoso de, 425
Almeida, Paulo Mendes de, 493
Almeida, Roberto Alves de, 425
Alvarenga, Oneyda, 358
Álvares Penteado, Ana, 101
Álvares Penteado, António, 98, 101, 104-5, 113, 117, 162
Álvares, Inês (inquilina de pensão), 145
Alves de Lima, Bebé, 431
Alves de Lima, Nélia, 431
Alves de Lima, Roberto, 425
Alves de Lima, Stela, 431
Alves de Lima, Vera, 431
Alves, Ataulfo, 427
Alves, Carlos Pinto, 226, 492
Amadei, José, 464
Amado, Jorge, 452
Amaral Peixoto, Ernâni do, 389
Amaral, Tarsila do, 233-4, 290, 314, 322
Amaral, Ubaldino do, 51
Americano, Jorge, 29, 32, 34, 41-2, 78-9, 81, 83-4, 124, 303, 419-20, 452-3
Amoroso Lima, Alceu ("Tristão de Ataíde"), 508
Ana Cigana (inquilina de pensão), 145
Anacleto, Octaviano, 189

Andrade, Antônio Carlos Ribeiro de, 313
Andrade, Maria de Lourdes de, 213
Andrade, Mário Raul de Moraes, 14, 177, 213-9, 224-6, 228, 230, 252, 310, 318, 322, 329, 335-8, 360, 363, 375, 398, 449, 480, 514, 516, 524-6
Andrade, Mariquinha de, 213
Andrade, Oswald de, 13-4, 87-8, 156, 176-7, 216-7, 219, 225, 230-1, 233, 235, 256, 281, 288, 314, 322, 327, 339, 381, 387, 392, 433, 449-50, 453, 472, 480, 496, 499
Antenor (jogador de futebol), 96
Antônio Conselheiro, 525
Apollinaire, Guillaume, 233
Aranha, Antonieta de Sousa, 151
Aranha, família, 318
Aranha, Joaquim Egídio de Sousa (marquês de Três Rios), 33, 151
Aranha, Osvaldo, 318-9, 325, 329, 330, 404, 410, 411
Arantes, Altino, 163, 173, 216, 332
Araújo Filho, J. R. de, 499
Arinos, Afonso, 490
Arisa, Francisco, 485
Armandinho (filho de Armando de Sales Oliveira), 357
Arouça, Francisco, 174
Assumpção, Paulo de, 425
Assunção, Paulo, 483, 488
Assunção, Sofia ("Fifi"), 431, 483
Autran, Paulo, 498
Azevedo Jr., Pedro Vicente de, 189
Azevedo, Fernando de, 345
Azevedo, Gilda, 189
Azevedo, Militão Augusto de, 16

Bahiana, Elisiário, 379
Balagny, Paul, 130
Baltazar (jogador de futebol), 502
Bandeira de Melo, Francisco de Assis Chateaubriand ver Chateaubriand, Assis

Bandeira, Manuel, 225, 322
Baptista, Amaro, 49
Barão de Cotegipe [Wanderley, João Maurício], 52
Barão do Rio Branco [Paranhos Jr., José Maria da Silva], 24
Barbosa, Rui, 24, 51
Barbuy, Heloísa, 85
Bardi, Pietro Maria, 487-8, 489
Baronesa de Campinas [Aranha, Maria Luzia de Sousa], 151
Barretinho (dona de pensão), 145
Barreto, Augusto, 473
Barreto, Benedito Carneiro Bastos [Belmonte], 434
Barreto, Plínio, 194, 396
Barros, Adhemar de, 367-8, 374, 389, 397, 420, 439, 456, 462, 464, 466-71, 504-5, 514-5, 525
Barros, Andresina de, 189
Barros, Angélica de, 33
Barros, Diogo Antônio de, 104
Barros, Leonor de, 471
Barros, Maria Joaquina de Oliveira, 129
Barros, Valêncio de, 464
Bartira [Dias, Isabel], 105
Bataglia, Miguel, 96
Bataglia, Salvador, 96
Batista, Marta Rossetti, 509-10
Bauer (jogador de futebol), 502
Becker, Cacilda, 481, 484-5, 498
Belmonte, 438; *ver também* Barreto, Benedito Carneiro Bastos
Benedita Flor do Chá (inquilina de pensão), 145
Bentivegna, Wilma, 503
Bergonho, João Fábio, 408
Berman, Marshall, 278
Bernardes, Artur, 237, 244, 250, 311, 332
Beviláqua, Clóvis, 51
Bianchi, Alberto, 432
Bilac, Olavo, 139, 153, 227-8, 259, 433
Billings, Asa, 298-9
Bilm *ver* Alves de Lima, Stela
Bivar, Antônio, 490
Bo, Lina, 487
Bogart, Humphrey, 365
Bonadei, [Aldo], 493
Bonfim, Paulo, 462
Borges de Medeiros, [Antônio Augusto], 332
Borghi, Hugo, 469
Boriska (a russa), 145
Botelho, Carlos de Arruda, 129-30, 207, 375
Botticelli, [Sandro], 487, 489
Bouvard, Joseph-Antoine, 69-70, 73, 133, 135, 282, 376
Braga, Cincinato, 136
Branco, Frederico, 457

Brancusi, Constantin, 290, 360, 518
Braque, Georges, 518
Bratke, Oswaldo, 349
Brecheret, Victor, 14-6, 154, 214, 217, 221-2, 225, 233, 261, 360-2, 438-40, 499, 508-9, 510, 511, 513-4, 521-3, 526
Bricola, João, 380
Brito, Mário da Silva, 17
Brizola, Carlos Monteiro, 264
Brizzolara, [Luigi], 229
Brown, Robert, 42, 46
Bueno, Raul Cunha, 425
Bugrinha (a campeã do maxixe), 145, 153, 314
Burle Marx, [Roberto], 474

Cailloux, Jeanne (inquilina de pensão), 145
Calder, Alexander, 518
Calfat, Demetrio, 111
Calfat, Elias, 111
Calfat, família, 111, 120, 170
Calfat, Miguel, 111
Calvino, Italo, 16, 523
Câmara, Diógenes de Arruda, 469
Camargo, Antônio, 331
Camargo, Hebe, 503
Camargo, Laudo, 328
Camasmie, família, 111
Campos Sales, Manuel Ferraz de, 30, 122-3, 125, 136, 140, 316
Campos, Américo de, 39, 44
Campos, Bernardino de, 39, 44, 123-4
Campos, Carlos de, 39, 44-5, 49, 123, 153, 235, 238-9, 241-2, 244-5, 300, 305, 314, 524-5
Canabarro, Bento, 99-100
Capanema, Gustavo, 444
Cardeal Arcoverde [Cavalcanti, Joaquim Arcoverde de Albuquerque], 144
Cardim, Mário, 99-100
Cardoso de Melo Neto, José Joaquim, 310, 366-8, 442
Cardoso, Dulcídio do Espírito Santo, 367
Cardoso, Francisco Antônio, 514-5
Cardoso, Joaquim Inácio Espírito Santo, 337
Cardoso, Maurício, 439
Cardoso, Paulo, 425
Cardoso, Sérgio, 498
Carrero, Tônia, 498
Carvalho, Alice, 184
Carvalho, Arnaldo Augusto Vieira de, 63, 182, 184-5, 189, 193
Carvalho, Florentino de, 173-4
Carvalho, Joaquim José Vieira de, 184
Carvalho, Marina, 184
Carvalho, Paulo Machado de, 332

Carvalho, Setembrino de, 244-5
Carvalho, Vicente de, 153
Cascaldi, Carlos, 474
Cassiano Ricardo, 361
Castro, Moacir Werneck de, 398
Cavalcanti, Hélio, 513
Celi, Adolfo, 484, 498
Cendrars, Blaise, 233-7, 242, 249, 251
Cepelos, Manuel Batista, 142
Cerqueira César, família, 122
César, Luís do Amaral, 260
Chadenat, Charles, 233
Chagall, [Marc], 233, 490, 493
Charpentier, [Marc-Antoine], 187
Chateaubriand, Assis, 276-7, 315, 377, 393-5, 478, 486-8, 489, 490, 493, 502-3
Chaves, Anésia ver Prado, Anésia
Chaves, Eduardo Prado Pacheco ["Edu"], 207-8, 208, 210
Chaves, Elias Pacheco, 26, 36, 53-4, 128, 207
Chaves, Elói de Miranda, 163, 177, 216
Chiafarelli, Olindo, 425
Churchill, [Winston], 451-2
Ciccillo ver Matarazzo Sobrinho, Francisco
Cintra, Eleonora da Silveira, 187
Claudel, [Paul], 220
Cobrinha (a célebre), 145
Cocteau, Jean, 233, 484
Coelho Neto, [Henrique Maximiano], 153
Coelho, Laura Augusta de Melo, 119
Coelho, Rui, 480
Colistino, Christina, 189
Corbisier, Georges, 260
Costa, Fernando, 314, 419, 446, 452, 470
Costa, Flávio, 502
Costa, Miguel, 172, 237-8, 240, 246, 250, 327, 329-30
Costa, Olival, 250
Coutinho Nogueira, José Bonifácio, 441, 443
Coutinho Nogueira, Paulo, 443
Couto de Magalhães, [José Vieira] (general), 95
Couto, Ronaldo Costa, 106
Covelli, Domingas, 443
Cranach, [Lucas], 488
Crespi, Adriano, 424
Crespi, família, 432, 435
Crespi, Irene, 432
Crespi, Marina, 424
Crespi, Raul, 432
Crespi, Renata, 120, 357
Crespi, Rodolfo, 106, 109, 113, 120, 161, 172, 188, 364-5, 409, 431
Cruz, Osvaldo, 183, 415
Cunha, Asdrubal Euritysses da, 467

Cunha, Pedro, 250
Cuoco, Francisco, 485

D'Avray, Jacques ver Freitas Valle, José de
Dalari, Dalmo de Abreu, 131
Daltro Filho, [Manuel de Cerqueira], 345
Damiani, Luigi ("Gigi"), 168-70, 175, 524
De Chirico, [Giorgio], 490
Dean, Warren, 110
Degand, Léon, 492-3
Dégas, [Edgar], 220
Del Sellaio, Jacopo, 489
Derby, Orville, 47
Devisate, Antonio, 283, 284
Di Cavalcanti, Emiliano, 13, 219, 220, 225-6, 233, 428, 434, 471, 493-4, 507
Dias, Cícero, 518
Dias, Everardo, 168-9, 171, 174-6, 250, 524
Dodsworth, Henrique, 389
Dona Nanhã (tia de Mário de Andrade), 213
Drouin, René, 492
Drummond de Andrade, Carlos, 444
Duarte, Paulo, 191, 241-3, 248-9, 264, 356-60, 375, 378, 396
Dubugras, Victor, 134-5, 474
Duchamp, Marcel, 518
Dufy, [Raoul], 493
Dulles, John W. Foster, 168-9
Dulley, Charles Dimmit, 93
Dumas, Georges, 347
Duncan, Isadora, 89
Duprat, Raimundo da Silva (barão de Duprat), 62, 64, 66, 69, 71, 131, 279, 369, 508
Dutra, Eurico Gaspar, 404, 452, 456, 460, 488, 503, 506

El Greco [Theotokópoulos, Doménikos], 489
Emanuel (antigo militante comunista), 453
Emendabili, Galileo, 513
Esposa de Alfred Slim, 375
Esposa de Armando Penteado, 426
Esposa de Francisco Raymond, 189
Esposa de Gastão de Mesquita, 189
Esposa de Gustavo Pais de Barros, 77
Esposa de Jorge Tibiriçá, 77
Esposa de Rubião Jr., 77
Estelita, Gauss, 513
Etzel, Antônio, 34, 55

Falchi, José, 109
Farquhar, Percival, 49-50, 54, 89

Fasano, Vittorio, 87, 188
Fausto, Boris, 407, 418, 421, 453
Feijó, [Diogo Antônio] (padre), 316
Feijó, Germinal, 441
Feijó, Roberto, 173
Fernandes, Antão, 34
Ferraz, Geraldo, 493
Ferreira da Rosa (coronel), 136
Ferreira, Joaquim Câmara, 452
Ferreira, Procópio, 365
Ferreira, Valdemar, 332
Figueiredo, Euclides, 333, 338-9
Figueiredo, João Baptista, 338
Fillinger, William, 275
Fina, Wilson Maia, 72
Finlay, Carlos Juan, 183
Fiuza, Yedo, 456
Flores da Cunha, [José Antônio], 337
Fonseca, Deodoro da, 26, 129
Fonseca, Hermes da, 131, 209
Fontinelli (comerciante), 144
Fontoura, Cândido, 395
Fox, Harriet Mathilda Rudge, 92
Fox, Henry, 92
Fragoso, Tasso, 333
France, Paulette, 424
Francia, Francesco, 487, 489
Franco da Rocha, [Francisco], 142
Franco, Ana Paulina de Lacerda, 98
Freire, Oscar, 193
Freire, Victor Silva, 29, 30, 35, 64-5, 67-70, 134-5, 138, 243, 272, 295, 369
Freitas Valle, família, 227, 318
Freitas Valle, José de, 151-4, 159, 236, 318, 325, 360, 525
Freval ver Freitas Valle, José de
Frontini, Rose, 432

Gabus Mendes, Cassiano, 503
Gaffrée, Candido, 50-1
Gall, Yvonne, 187
Galvão, Joaquim Dias, 189
Galvão, Patrícia [Pagu], 322, 327
Gamba, Egidio Pinotti, 109, 172
Garcez, Lucas Nogueira, 505, 512, 515, 517
García Márquez, [Gabriel], 518
Garcia Moya, Antonio, 285
Garcia, Celso, 170
Garnier, Charles, 35
Garonello [Piedade, José] (coronel), 157
Garros, Roland, 208
Gasparri, Enrico, 457
Gaudí, [Antoni], 135

Gavião Peixoto, família, 151
Gire, Joseph, 379
Glicério, Clóvis, 99-100
Glicério, Francisco, 125, 129
Goering, [Hermann], 415
Góis Monteiro, [Pedro Aurélio de] (general), 338, 404, 450
Góis, Coriolano de, 442, 446
Gomes, Anápio, 447
Gomes, Carlos, 34, 77, 96, 229
Gomes, Eduardo, 237-8, 241, 450, 452-3, 456, 505
Gomes, Paulo Emílio Sales, 480
Gomes, Severo, 441
Gonçalves, Dercy, 477
Gonçalves, Vergniaud Calazans, 100
Gordo, Adolfo, 173
Gottschalk, [Louis Moreau], 34
Goya, [Francisco de], 489
Graça Aranha, [José Pereira da], 219-20, 224, 225
Graciano, Clóvis, 471, 481, 493-4
Grangée, Maria (inquilina de pensão), 145
Gregorian (locutor de rádio), 496
Gualco, Francesco Antonio, 40-1
Guastini, Mario, 415
Gudin, Eugênio, 437
Guilhem, Eugênio, 64-5, 68, 70
Guimaraens, Alphonsus de, 151
Guimarães, Maria Dalmácia de Lacerda (baronesa de Arari), 110
Guinle, Eduardo, 50-1
Gusmão, Bartolomeu de, 228

Handa, Tomoo, 403, 405, 412-3, 454
Haussler, Matheus, 128
Haussmann, [Georges-Eugène] (barão), 278
Hearne, Eduardo Miguel, 209-10
Hehl, Max, 74
Henri, Georges, 503
Heydenreich, irmãos, 87
Hilton, Stanley, 339
Hitler, [Adolf], 351, 394, 399, 408-9, 450-1, 508
Homem, Maria Cecília Naclério, 273, 277, 285
Howard, Ebenezer, 136-7

Improta, Milton, 467
Itália Fausta [Polloni, Fausta], 170

Jacobbi, Ruggero, 484
Jafet, Benjamin, 106
Jafet, família, 106, 111, 119, 162, 170, 221, 487
Janacopulos, Vera, 321

Jandira (esposa de Victor Brecheret), 526
Jean-Jean *ver* Freitas Valle, José de
Jenny Cook (inquilina de pensão), 145
Jerry, 423, 425-9, 431-4, 456, 482; *ver também* Procópio, Cornélio
João Alberto *ver* Lins de Barros, João Alberto
João Teodoro [Matos, João Teodoro Xavier de], 27, 61
Joaquim Bento Alves de Lima, casal, 425
Jones Jr., Leonardo, 260
Jorge da Silva Prado, casal, 431
José Bonifácio [Andrada e Silva, José Bonifácio de], 257, 259
José Carlos (mecânico), 99-100
José Olympio [Pereira Filho, José Olympio], 219
Julieta Bárbara, 381, 387
Juliette (a francesa), 144
Junqueira, Iria Alves Ferreira, 261-2
Junqueira, Theolina de Andrade, 487
Juó Bananére, 154, *156*, 213, 218, 262; *ver também* Marcondes Machado, Alexandre Ribeiro

Kandinsky, [Wassily], 493
Kaye, Danny, 506
Klabin, Jenny, 286
Klabin, Maurício, 286
Klabin, Mina, 286
Klee, Paul, 518
Klinger, Bertoldo, 333, 337, 339
Kokoschka, Oscar, 518

La Guardia, Fiorello, 460-2, 464
Lacerda, Carlos, 450, 481-2
Lacerda, Maurício de, 175
Ladeira, César, 336, 340
Lafay (aviador), 140
Lafer, Horácio, *283*, 284, 431-2, 448
Lage, João, 456
Lago, Mário, 427
Lamarque, Libertad, 462
Lamartine, [Alphonse de], 169
Lane, Horácio, 47
Lara, Antônio de Toledo (conde), 215
Lauro, Paulo (prefeito), 467, 512
Laveleye, Édouard Fontaine de, 135
Le Corbusier [Jeanneret-Gris, Charles-Edouard], 286
Leão XIII, 67
Lebrun, Marie ("Marinette"), 220
Léger, [Fernand], 233, 290
Lehar, [Franz], 88
Leite, Augusto Pereira, 187

Leite, Roberto Cerqueira, 473
Leme, d. Sebastião, 75
Lemmo Lemmi, [João Paulo], 157
Lemos, Carlos, 472, 513
Leônidas (jogador de futebol), 417
Lesdain, Claude, 97-8
Leuenroth, Edgard, 168-9, 172-3, 175, 524
Levi, Rino, 379, 463, 473-4, 512
Lévi-Strauss, Claude, 347-8, 352-3, 359-60, *371*, 379, 462
Levy, Alexandre, 126
Líbero, Cásper, 276, 393
Libeskind, David, 475
Lima Barreto, [Afonso Henriques de], 170
Lima, Joaquim Eugênio de, 107
Lima, Valdomiro de, 343
Linhares, José, 455
Lins de Barros, João Alberto, 326-9, 437
Lobato, José Bento Monteiro, 14, 54, 87, 152-4, 192-5, 216, 227, 249, 378-9, 449, 453, 456
Lobato, Purezinha, 194
Lola (salerosa espanhola), 144
Lopes, Filinto, 193-4
Lopes, Isidoro Dias, 237, 328
Lopes, Manequinho *ver* Manequinho Lopes
Lotufo, Zenon, 513
Lourenço, Pio, 399
Love, Joseph, 123, 127
Luciano Gualberto, casal, 425
Lunardelli, Geremia, 487
Lutz, Adolfo, 182-3, 185
Lutz, Bertha, 351n

Macedo Soares, José Carlos de, 242-4, 248, 250, 316, 455, 509
Macedo, Álvaro Liberato de, 332
Macedo, Renato, 336
Machado de Assis, [Joaquim Maria], 147
Machado Neto, Brasílio, 448
Machado, Cristiano, 505
Machado, Lourival Gomes, 480, 485, 492, 507
Machiaverni, Romilda, 253-4
Mackenzie, Alexander, 40, 46, 49
Mackenzie, William, 40
madame Dorica (dona de pensão), 145
madame Sanchez (dona de pensão), 147
Magalhães, Carlos Leôncio, 473
Magnasco [Stefano], 487
Magnelli, Alberto, 492-3
Maiden, João Lourenço, 206, 229
Maillol [Aristide], 360
Maître Tastevin *ver* Freitas Valle, José de
Malet (chauffeur), 99-100

Malfatti, Anita, 215-6, 225, 286, 493
Manequinho Lopes, 193, 362
Marcondes Filho [Marcondes Machado Filho, Alexandre], 310, 525
Marcondes Machado, Alexandre Ribeiro, 155, 157, 159, 249, 256
Marcondes, Débora Prado, 482
Marcondes, Dráusio, 330
Maria Augusta (dona de pensão), 144-5
Maria Cabaré (inquilina de pensão), 145
Maria Cavalheira (dona de pensão), 145
Maria Leal (dona de pensão), 145
Mariani, Clemente, 488
Mariano, Olegário, 432
Marinetti [Filippo Tommaso], 218-9
Marinho, Adhemar, 428
Marques da Cruz (gramático especial e particular), 434
Marques, Cícero, 143-7, 226, 281
Marrey Jr., Adriano, 312, 452
Martinelli, Giuseppe (ou José), 109, 273, 275-8
Martinelli, Italo, 278
Martinez, José [ou Antônio] (sapateiro), 163, 164, 167, 173
Martinico, 53-4, 110, 120; ver também Prado Jr., Martinho
Martins Pena [Luís Carlos], 481
Martins, Carlos, 404
Martins, José de Souza, 56
Martins, Luís, 491-2, 494
Martins, Luís Arroba, 441
Martins, Mário, 330
Martins, Tirso, 163, 171, 187
Marx, Cyro, 428
Marx, Karl, 168
Mascagni, [Pietro], 126
Matarazzo Jr., Francisco, 108, 377, 456, 493
Matarazzo Neto, Francisco, 473
Matarazzo Sobrinho, Francisco [Ciccillo], 432, 478, 482-3, 490-4, 495, 496-7, 512-3, 517-8, 519, 524-5
Matarazzo, Andrea, 108-9, 491
Matarazzo, Ermelino, 121, 172
Matarazzo, família, 108, 109, 377, 432, 435, 457
Matarazzo, Filomena, 456
Matarazzo, Francisco (conde), 105-6, 108-10, 113, 119, 121, 163, 170, 172, 185, 283, 364-5, 377, 409, 431, 457, 482, 491, 493, 526
Matarazzo, Mariangela, 108
Matarazzo, Odette, 432
Mazzaropi, [Amácio], 497
Mazzolini, Serafino, 407
Mazzoni, Thomas, 96
Medeiros e Albuquerque, [José Joaquim de Campos da Costa de], 320

Médici, Luís, 268
Meiller, José Luiz, 447
Meira, Roberto de Paiva, 494
Meirelles, Plácido, 283, 284
Mello e Souza, Antonio Candido de, 444, 449, 480-1
Mello, Eduardo Kneese de, 513
Melo Oliveira, João Batista de, 129-30
Mendonça, Alice, 431
Mendonça, Ruy Prado de, 425
Menotti del Picchia, [Paulo], 14-5, 43, 216, 219-20, 222-6, 233, 248, 268, 334, 361
Mesquita Filho, Júlio de, 184, 194, 250, 312, 328, 332, 343, 345, 347, 360, 396, 479
Mesquita, Alfredo, 433, 474, 478-83, 485-6, 490, 497
Mesquita, Alice ver Carvalho, Alice
Mesquita, Francisco, 184, 194, 396, 479
Mesquita, Júlio, 172, 184, 194, 247-8, 250, 343, 455, 474, 479
Mesquita, Luiz Ferraz de, 260
Mesquita, Marina ver Carvalho, Marina
Mesquita, Ruy, 481
Meyer, Regina Prosperi, 19, 118, 279, 281
Michelangelo, 227
Mignone, Francisco, 153-4
Miller, Charles William, 91-3, 499
Milliet, Augusto, 135
Milliet, Sérgio, 233, 252, 356, 358, 360, 398, 449, 489, 491-2, 497
Miragaia, Euclides, 330
Miró, [Joan], 493
MMM Roberto, irmãos, 474
Modigliani, [Amedeo], 233
Molière [Poquelin, Jean-Baptiste], 60, 481-2
Mondrian, Piet, 518
Monet, [Claude], 490
Montaigne, [Michel de], 147
Monteiro de Barros, Lucas Antônio (visconde de Congonhas), 353
Monteiro, João, 144
Monteiro, Vicente do Rego, 225
Montoro, André Franco, 515
Moore, Henry, 518
Moraes, Rubens Borba de, 356, 358-60
Moraes, Vinícius de, 381
Morais Barros, família, 122
Morais Barros, Prudente José de, 122
Morais, Dácio de, 287
Morais, Evaristo de, 173
Morais, Fernando, 487, 490, 502
Morais, José Ermírio de, 283, 284
Morato, Francisco, 310, 332
Moreira César, [Antônio], 525

Moreira, Og, 417
Moreira, Roberto, 433
Morineau, Henriette, 484
Mota, Carlos Carmelo de Vasconcelos, 516
Mota, Hélio, 442
Moura, Paulo Cursino de, 279
Mourão, Abner, 398
Mourão, Noêmia, 428
Müller, Filinto, 368
Munch, Edvard, 518
Muniz de Aragão (embaixador), 445
Murillo, [Bartolomé Esteban], 487
Musset, Alfred de, 480
Mussolini, [Benito], 351, 364-5, 377, 394, 407, 410, 450, 508

Nalepinski, Antônio, 163, 173
Natália (atraente mariposa do amor), 144
Nava, Pedro, 288
Negrel, Raoul, 130
Negrinha (dona de pensão), 145
Negrini (dona de pensão), 145
Neiva, Arthur, 180, 187, 189, 192, 405
Neme, Mário, 481
Neruda, Pablo, 453
Neves, Christiano Stockler das, 269, 272, 287, 467
Neves, Samuel das, 65, 68-70, 269
Niemeyer, Oscar, 513
Nierendorf, Karl, 492
Nobiling, Hans, 93
Noquosi, Helena, 432
Noronha (jogador de futebol), 502

O'Brien, Pat, 365
Oberdã (jogador de futebol), 417
Obermüller, Walther, 502
Oliveira Filho, Manoel Lopes de ver Manequinho Lopes
Oliveira Martins, [Joaquim Pedro de], 199
Oliveira, Alberto de, 290
Oliveira, Arlindo de, 248
Oliveira, José Joaquim Machado de, 255
Oliveira, Juca de, 485
Oliveira, Numa de, 98

Pacheco, Armando, 438-40
Padilha, Sylvio de Magalhães, 416
Pagu, 327; ver também Galvão, Patrícia
Pais de Barros, Antônio (barão de Piracicaba), 104
Pais de Barros, família, 124, 130
Pais de Barros, Francisco, 151

Pais de Barros, Rafael Tobias, 129
Pais de Barros, Sofia, 129
Paranhos, Ulysses, 185
Parker, Barry, 135-9
Pasteur, Louis, 182
Paula Rodrigues, Francisco de (padre Chico), 141
Paula Sousa, Antônio Francisco de, 30, 47
Paula, Túlio de, 419
Pearson, Frederick, 40
Peçanha, Nilo, 127
Pedreira, Fernando, 496
Pedro I, 119
Pedro II, 23, 26, 310
Pedrosa, Mário, 496
Pedroso, Sebastião, 189
Peixoto Gomide, família, 122
Peixoto Gomide, Francisco de Assis, 140-2, 524
Peixoto Gomide, Sofia, 141
Peixoto, Floriano, 44
Pena, Afonso, 127
Penteado, Armando, 425
Penteado, Eglantina, 98
Penteado, família, 83, 98, 224
Penteado, Inácio, 233, 288
Penteado, Jacob, 116, 117
Penteado, Maria, 429
Penteado, Olívia Guedes, 151, 233, 288-90, 318, 334, 351, 429, 478, 488, 526
Penteado, Sylvio Álvares, 101, 425
Penteado, Yolanda, 431-2, 478, 488, 490-2, 494-5, 518, 525
Pereira Inácio, Antônio, 111-2, 189, 284
Pereira, Armando de Arruda, 512
Peruggia, Vincenzo, 159
Perugino, [Pietro], 489
Pessoa, João, 320, 340
Pestana, Acilino, 172
Pestana, Nereu Rangel, 172
Pestana, Nestor Rangel, 90, 153, 172, 194, 227
Petachinikoff, Julieta, 144
Piacentini, Marcello, 377
Picasso, [Pablo], 216, 290, 490, 493, 518, 519
Piccarolo, Antônio, 168
Pignatari, Francisco, 431, 487
Pignatari, Mimosa, 432
Pilon, Jacques, 359, 473, 486
Pincherle, Nydia Licia, 481
Pinto, Adolfo, 29
Pinto, Alfredo Moreira, 88, 90
Pinto, Firmiano, 201, 242, 244, 272, 276, 294-5, 297, 359, 374
Pires do Rio, José, 276, 280, 295, 312, 361, 366, 514
Piza, Luís de Toledo, 264

Piza, Moacyr de Toledo, 152, 249, 262, 264-5, 524, 526
Polloni, Alessandro, 170
Pomar, Pedro, 469
Ponchielli, [Amilcare], 126
Porchat, Alcyr, 425
Porchat, Reinaldo, 310
Portinari, [Cândido], 493
Power, Tyrone, 365
Prada, Remo, 432
Prado Jr., Antônio, 84, 90, 98-100, 140, 318, 323
Prado Jr., Martinho, 25, 268
Prado, Anésia, 26, 128, 207
Prado, Antônio (barão de Iguape), 24, 376
Prado, Antônio da Silva, 23-4, 26-7, 29-30, 32-4, 36, 39, 41-2, 44-7, 51-6, 57, 62, 64, 66, 104, 110, 128, 162, 170, 207, 219, 247, 281, 309, 312, 314, 323, 508, 524
Prado, Antônio de Almeida, 469
Prado, Caio, 25
Prado, Décio de Almeida, 480-1, 483, 485
Prado, Eduardo, 25, 144, 220
Prado, Eglantina ver Penteado, Eglantina
Prado, Fábio da Silva, 110, 120, 355-8, 372, 376-8, 389
Prado, família, 24, 93, 98-9, 120, 139, 152, 220, 224, 268, 318
Prado, Martinho, 24, 120
Prado, Nazareth, 56
Prado, Paulo, 99-100, 219-20, 224, 225
Prado, Veridiana, 24-5, 46, 48, 90, 120, 151, 524
Prates, Eduardo da Silva (conde Prates), 63, 67-70, 74-5, 89, 98, 132, 206, 269, 272, 349, 377, 379, 431
Prestes Maia, Francisco, 366, 368-9, 370, 371, 372, 373-6, 378, 389-90, 419, 429, 438, 455, 460-1, 508, 524-5
Prestes, Fernando, 123, 313
Prestes, Júlio, 123-4, 146, 153, 313-5, 319-20, 327
Prestes, Leocádia, 312
Prestes, Luís Carlos, 246, 312, 320, 327, 452-3, 468-9
Procópio, Cornélio, 424
Procópio, Mariano, 425
Profili, Arturo, 492, 494
Przyrembel, Georg, 285
Pucci, Luigi, 55
Pujol Jr., Hipólito, 269
Puttemans, Arsenio, 34

Quadros, Jânio da Silva, 506, 514, 525
Queirós, Antônia de, 187
Queirós, Carlota Pereira de, 351
Queirós, Eça de, 220

Queirós, Hélio Pereira de, 483

Rabelo, Manuel, 328
Rahal, Wilson, 413
Ramalho, João, 105
Ramenzoni, Dante, 168
Ramos de Azevedo, [Francisco de Paula], 33, 35-6, 47, 63, 71-2, 98, 133, 153, 229, 238, 240, 282, 285, 288, 349, 359, 379, 513
Rangel, Godofredo, 194
Ranzini, Felisberto, 349
Rao, Vicente, 327
Rayito de Sol (cantora cubana), 503
Reale, Miguel, 441
Reis, Fidélis, 199
Renard, Jules, 507
Renoir, [Pierre-Auguste], 77, 488
Ribas, Emílio, 183, 185, 189
Ribeiro (professor), 145
Ribeiro, Abrahão, 455, 461, 467, 491-2, 509
Ristori, Oreste, 168-9
Rizkallah [Tahan, Rizkallah Jorge], 110
Robespierre, [Maximilien de], 55, 170
Rockefeller, Nelson, 491-2, 494
Rodin, [Auguste], 227
Rodovalho, Antônio Proost, 241
Rodrigues Alves, família, 122
Rodrigues Alves, Francisco de Paula, 42, 44, 47, 122, 124, 127, 142, 157, 192, 316
Rodrigues Alves, Oscar, 153
Rodrigues de Brito, Francisco Saturnino ver Saturnino de Brito
Rodrigues, Lolita, 503
Rodrigues, Lúcio Martins, 133
Romano, Nenê, 261-2, 263, 264-5, 524, 526; ver também Machiaverni, Romilda
Roosevelt, Franklin, 404, 445, 451-2, 460
Root, Elihu, 128
Roquette-Pinto, [Edgar], 260
Rosita Grega (inquilina de pensão), 145
Rossi, Cláudio, 35
Rossi, Domiziano, 36, 59, 282
Rouault, [Georges], 493
Rufo, Titta, 76
Rui (jogador de futebol), 502
Ruspoli, Sforza, 106

Sabino, América, 135-6
Sabino, Horácio, 63, 135-6, 474
Sack, Eduardo, 408
Saes, Flávio, 107
Salazar, [Antônio de Oliveira], 394

Salce, Luciano, 484
Salem, família, 110-1
Sales Oliveira, Armando de, 343, *344*, 352, 355, 357, 365-6, 394, 508, 513
Sales, Francisco, 127
Sales, Pádua, 189
Salgado, Plínio, 322, 363
Sampaio Vianna, [João Maurício de], 153
Sampaio, Otávio Ferraz, 260
Sanson, Louis Romero, 353
Santos Dumont, Alberto, 81-4, 98, 207
Santos Dumont, família, 82
Santos Dumont, Henrique, 82-3
Santos Dumont, Luíz, 83-4
Sar-Farah (apresentadora de nus artísticos), 145
Saturnino de Brito, 294-5, 374
Scarpa, Nicolau, 109
Schmidt, Afonso, 18, 85, 87
Schmidt, Francisco, 110
Scipione, Annibale *ver* Andrade, Oswald de
Scuracchio, João Batista, 109
Seelinger, Helios, 13
Segall, Lasar, 154, 286, 290
Seixas, Aristeu, 517
Seng, Walter, 185
Senhora Horácio Lafer, 432
Serva, Mário Pinto, 310
Severini, [Gino], 490
Severo, Ricardo, 139, 285
Shakespeare, [William], 481
Siciliano, Alexandre, 98, 109, 113, 119, 126, 172, 188
Silva Prado, família, 122
Silva Prado, Marjorie, 431
Silva Teles Jr., Gofredo da, 59, 443
Silva Teles, Augusto Carlos da, 59
Silva Teles, Carminha da, 431
Silva Teles, Gofredo da, 59
Silva Teles, Jaime da, 443-4
Silva Teles, Jaime Nogueira da, 490
Silva, Antônia dos Santos, 68
Silva, Duarte Leopoldo e, 65, 71-3, 75, 244, 265, 327-8
Silva, Francisco Leopoldo e, 265
Silva, Gabriel Dias da, 72
Silva, Herculano de Carvalho e, 339
Silva, Hormisdas, 241
Silva, Jacinto, 219-20, 224
Silva, Joaquim José dos Santos (barão de Itapetininga), 68
Silva, José Gaspar de Afonseca e, 414
Silva, Quirino da, 492
Silveira, Joel, 429, 430-1, 433, 435-6, 456, 480
Simões Jr., José Geraldo, 79
Simonsen, Roberto Cochrane, *283*, 284, 286, 434, 437, 448
Sinhô [Silva, José Barbosa da] (sambista), 314
Slim, Alfred, 375
Soares, Faustino, 264
Sócrates, Eduardo, 241, 251, 524
Sodré, Belinha, 431
Sodré, Eurico, 425
Sodré, Roberto de Abreu, 441
Sorgenicht Filho, Conrado, 349
Souquiéres, A. D., 88
Sousa Lima, [João de], 154
Sousa Queirós, família, 124
Sousa Queirós, Paulina, 189
Sousa, Antônio Augusto de (comendador), 39
Sousa, Benedito de, 141
Sousa, Edgard de, 48
Sousa, Washington Luís Pereira de *ver* Washington Luís
Souza, Abelardo Riedy de, 474
Spremberg, Martin, 415
Stálin, Ióssif, 496, 508
Stanwyck, Barbara, 506
Strauss, [Johann] (filho), 88
Street, Jorge, 117-8, 172, *283*, 284
Street, Luiz, 425
Sydow, Gustav, 36

Tácito, Hilário, 149; *ver também* Toledo Malta, José Maria de
Tamayo, Rufino, 518
Taunay, Alfredo d'Escragnolle, 121, 509
Tavares, Mário, 469
Távora, Joaquim, 237
Távora, Juarez, 237-8, 240, 245, 320, 333
Tebaldi, Ângelo, 144
Teixeira de Freitas, 315
Teixeira, Maria de Lourdes, 471
Teles, Ana de Queirós, 126
Teles, Antônio de Queirós (conde de Parnaíba), 126
Thiollier, René, 433
Thiry, Robert, 209
Thomas, Ambroise, 76
Tibiriçá, João, 126
Tibiriçá, Jorge, 77, 124-28, 130, 142
Ticiano, 488
Tintoretto, 487, 490
Tjurs, José, 474
Toledo Malta, José Maria de, 147, 155, 159, 249, 277
Toledo, Benedito Lima de, 19, 66, 109, 111
Toledo, Pedro de, 329-30
Torelly, Aparício ("Barão de Itararé"), 505
Truman, Harry, 452
Tuma, Nicolau, 336

Ulhôa Cintra, João Florence de, 295, 366, 369, 373-4, 378
Ullmann, Chinita, 485
Unwin, Raymond, 136-7
Utrillo, [Maurice], 490

Valadares, Benedito, 389
Vallin-Pardo, [Ninon], 187
Vargas, Alzira, 367
Vargas, Getúlio Dornelles, 313, 315-22, 325-26, 329-30, 337-8, 340, 343, *344*, 350, 352, 365-8, 390, 394, 396-7, 404, 411, 439, 441-2, 445, 447-8, 450, 452, 454-6, 469, 471, 502, 504-5, 515-6
Vaz, Léo, 396
Velázquez, Diego, 490
Ventura, Luís, 496-7
Verdi, Giuseppe, 34, 126, 129, 259
Verdier (aviador), 140
Vergueiro, José, 99
Vicente, Gil, 481
Vidal, Joaquim Sampaio, 446
Vidigal, Gastão, 448
Vidigal, Geraldo, 448
Vidigal, Marcelo, 448
Vieira, Euclides, 469
Vieira, José Geraldo, 471
Vilar, Leonardo, 485
Vilares, Guilherme, 185
Villa-Lobos, Heitor, 224, 233
Villanova Artigas, João Batista, 474, 495-6
Villares, Carlos Dumont, 269
Villas-Bôas, Orlando, 517
Virgílio (jogador de futebol), 417
Vital Brazil [Campanha, Vital Brazil Mineiro da], 182-3
Vital Brazil, [Álvaro] (arquiteto), 428
Vitale, Eduardo, 77

Vitória (rainha), 41
Vittorio Emanuelle (rei), 106, 110
Vlaminck, [Maurice de], 490
Voltolino, 18, *156*; *ver também* Lemmo Lemmi, [João Paulo]
Von Bülow, família, 108
Von Bülow, Karl, 284
Von Cossel, Hans Henning, 407

Wagner, [Richard], 34
Wainer, Samuel, 430, 504
Waldteufel, [Émile], 34
Walle, Paul, 116
Warchavchik, Gregori Ilitch, 286-8
Washington Luís, 71, 124, 128-34, 139-40, 153, 173, 187, 201, 209, 222, 224, 227, 254, 311, 313-15, 318-9, 321, 323, 327, 470, 500, 525
Weiszflog, Alfried, 111, *283*, 284
Welles, Orson, 526
Wenzel, Paul Herbert, 414
Wilde, Oscar, 220
Williams, Tennessee, 481, 483
Ximenes, Ettore, 227-8

Young, Loretta, 365

Zadig, William, 228
Zampari, Franco, 478, 482-5, 490, 492, 497
Zani, Amedeo, 259
Zequinha (jogador de futebol), 391
Zhukov, [Georgy] (general), 451
Ziembinski, 507
Zita (filha de Maria Penteado), 429
Zschöckel, Ernesto, 151

1ª EDIÇÃO [2015] 4 reimpressões

ESTA OBRA FOI COMPOSTA PELA ABREU'S SYSTEM EM ADOBE GARAMOND
E IMPRESSA EM OFSETE PELA GEOGRÁFICA SOBRE PAPEL PÓLEN SOFT
DA SUZANO S.A. PARA A EDITORA SCHWARCZ EM AGOSTO DE 2022.

A marca FSC® é a garantia de que a madeira utilizada na fabricação do papel deste livro provém de florestas que foram gerenciadas de maneira ambientalmente correta, socialmente justa e economicamente viável, além de outras fontes de origem controlada.